何建明文集

卷二

中国高考报告

何建明 著

新世界出版社
NEW WORLD PRESS

图书在版编目（CIP）数据

中国高考报告 / 何建明著 . -- 北京 : 新世界出版社 , 2018.3

（何建明文集 ; 2）

ISBN 978-7-5104-6384-6

Ⅰ . ①中… Ⅱ . ①何… Ⅲ . ①报告文学 — 中国 — 当代 Ⅳ . ① I25

中国版本图书馆 CIP 数据核字 (2017) 第 204175 号

中国高考报告

作　　者 : 何建明
特邀丛书编辑 : 韩小群
责任编辑 : 贾瑞娜
责任校对 : 宣　慧
责任印制 : 王宝根　苏爱玲
出版发行 : 新世界出版社
社　　址 : 北京西城区百万庄大街 24 号(100037)
发 行 部 :(010) 6899 5968　(010) 6899 8705 (传真)
总 编 室 :(010) 6899 5424　(010) 6832 6679 (传真)
http://www.nwp.cn
http://www.nwp.com.cn
版 权 部 : +8610 6899 6306
版权部电子信箱 : nwpcd@sina.com
印　　刷 : 北京京华虎彩印刷有限公司
经　　销 : 新华书店
开　　本 : 710mm × 1000mm　1/16
字　　数 : 390 千字　　印　　张 : 25.75
版　　次 : 2018 年 3 月第 1 版　2018 年 3 月第 1 次印刷
书　　号 : ISBN 978-7-5104-6384-6
定　　价 : 70.00 元

1978年——中国改革开放启幕

1978年——我的文学生涯开始

庆幸，我的命运与时代、与祖国同行。还有一份安慰：当我离开这个世界时，有人可以从我的文字里触摸到中国今天的脉搏是如何跳动的……

何建明

重要创作历程及个人成就

1978 年	创作第一篇中篇散文《湘西探险记》
1980 年	发表第一篇报告文学《腾飞吧，苍龙》
1982 年	创作第一部军事题材小说《第二道战壕》
1986 年	出版第一部报告文学作品集《缉私大王》
1988 年	出版第一部长篇小说《东方毒蛇》
1989 年	由同名作品改编的电影剧本《西行囚车》被搬上银幕，此片获珠江电影制片厂优秀故事片奖
1990 年	第一次获中华宝石文学奖
1993 年	任文学杂志《新生界》主编
1993 年	发表第一部长篇报告文学《野性的黑潮》
1994 年	第一次成为《青年文学》封面人物
1995 年	《共和国告急》出版，此后获第一届鲁迅文学奖
1995 年	《科学大师的名利场》发表
1998 年	《落泪是金》发表，此后获第二届鲁迅文学奖、第一届徐迟报告文学奖、中国改革开放优秀报告文学奖
2000 年	《中国高考报告》出版，此后获第一届正泰杯全国报告文学奖
2001 年	《中国高考报告》被日本、澳大利亚翻译出版
2002 年	《根本利益》发表，此后获第二届徐迟报告文学奖、人民文学奖特等奖、第六届国家图书奖提名奖、第二届正泰杯全国报告文学奖，入选中宣部推荐的党的十五大献礼书目
2002 年	《国家行动：三峡大移民》出版，此后获中宣部第九届“五个一工程”奖，入选中宣部推荐的党的十六大献礼书目
2003 年	《北京保卫战》发表，获《文汇报》优秀作品奖

2003 年　完成电影剧本《廊桥悠悠》创作（此为与谢晋导演合作项目）

2004 年　由《根本利益》改编的电影《信天游》上映

2004 年　《永远的红树林》发表，此后获第四届正泰杯全国报告文学奖

2005 年　《李琬若：从中国留学生到美国市长》出版，并被美国翻译出版

2005 年　获国务院授予的“全国劳动模范”称号

2005 年　任《中国作家》杂志主编

2006 年　《男人的美丽男人的梦》出版

2007 年　散文《父亲的体温》入选中学课本及教辅资料

2007 年　《部长与国家》获第四届鲁迅文学奖、第三届徐迟报告文学奖荣誉奖

2008 年　《生命第一——5·12 大地震现场纪实》出版，此后获第二届“中华优秀出版物”奖、第四届徐迟报告文学奖

2008 年　任作家出版社社长

2008 年　荣获“全国新闻出版行业领军人才”称号

2008 年　根据《国家行动》改编的同名电视连续剧在央视播出

2009 年　任中国作家协会党组成员、书记处书记，中国作家出版集团党委书记、管委会主任

2009 年　《国家行动》电视连续剧获中宣部第十一届“五个一工程”奖

2009 年　《我的天堂》出版，获中宣部第十一届“五个一工程”奖

2009 年　《永远的红树林》获新中国六十年优秀中短篇报告文学奖

2009 年　获中华全国总工会“时代领跑者——新中国成立以来最具影响的劳动模范”评选活动提名奖

2010 年　根据《部长与国家》改编的电视连续剧《奠基者》在央视黄金时段播出，此后获中宣部第十二届“五个一工程”奖

2010 年　《忠诚与背叛：告诉你一个真实的红岩》出版，此后获中宣部第十二届“五个一工程”奖、第三届中国出版政府奖,入选“2013 年全国青少年推荐阅读的优秀书目”

2010 年　任中国作家协会副主席至今

2011 年　《国家——2011·中国外交史上的空前行动》出版，后获人民文学奖特等奖，入选“2012 年中国报告文学优秀作品排行榜”、中宣部推荐的党的十八大献礼书目

2012 年　《三牛风波》出版，荣登北京图书大厦畅销书排行榜

2012 年　任中华文学基金会理事长至今

2012 年　当选中国报告文学学会理事长至今

2014 年　《南京大屠杀全纪实》出版，此后获第四届中国出版政府奖、人民文学奖特等奖

2015 年　获亚洲品牌协会“中国文化品牌新领军人物”荣誉

2015 年　《真假之间》发表

2016 年　《爆炸现场》出版，获中国出版集团优秀销售奖，入选“2016 年中国报告文学优秀作品排行榜”

2017 年　《死亡征战》出版，被英国、法国翻译出版

2017 年　《那山，那水》发表

（截至 2017 年 9 月）

目 录

开篇语

激发我写作这部“百姓情怀，学子心声”的《中国高考报告》的，是在听到几位秀美如柳却内心灼热的女孩子的话后——

中央电视台《实话实说》节目，一位刚刚考入大学的女孩子在谈到高考时，以视死如归的口吻说：“我以我血荐高考。”

《梦里花季不下雨》的作者，已就读四川某大学的刘超、彭柳蓉两位女生在所写的文章中谈到高考时，不无激愤道：“高考不死，大难不止。”

《南方周末报》报道：一位女学生以《我要“武装起义”》为题，撰文说：“如果有一天，全国的学生进行一次‘新五四运动’，炸学校，拒考试，烧课本，那本人积极参加……”

……

我不知道国人听了这些女孩子的话以后有什么感想，我嗅到的，却是一股浓烈的战争气息。

20 余年了，中国恢复高考制度使得今天 35 至 50 岁年龄段的社会主流骨干们，每每谈论起它时都有种“起来，不愿做奴隶的人们，我们通过高考，已经走出了人生末途……”的感觉。然而，在这一代人的子女也开始走向高考战场的今天，为什么我们听到了截然相反的声音呢?

2000 年，当国家宣布 10 年后将使我国高等教育入学率由目前的 9% 左右提高到 15% 的目标，当全国各界为此齐声欢呼之时，不知是否有人想到在今后的 10 年间，中国 1.5 亿多考生中仍将有 85% 左右的青年学生不能步入大学？这个数字给我们传递的是怎样的信息？那就是：上大学的竞争激烈程序，较以往将是有过之而无不及。

竞争将在城市与乡村、东部与西部、好校与差校、穷人与富人之间展开……因此，高考仍将是中国未来 20 年间百姓最关注的问题和影响民族复兴的大事。

当我下决心在世纪之交动笔写《中国高考报告》时，又出现了许多意想不到的事：

“什么，你要采访高考的事？那你什么人都不要找了，我就可以给你说上三天三夜！”

没想到，我的采访题目刚刚透露，竟然引起那么多人的共鸣。

在素有“状元之乡”的苏州，我碰到了第一位“计划外”的采访对象，当时他激动得近乎失态的表现，着实让我吓了一跳。

阿元，这位家居苏州的江苏某报名记者，在我与他交往多年的印象中，他从来是说话一腔软绵悦耳的吴语，做事彬彬有礼，走路也生怕抢客人半步的“温情男宾”。可这回，他竟然没说完第一句话就从椅子上跳起来，激动得脸都发红了：“不怕你笑话，我的女儿正准备高考。可为了她能不能考上大学的事，我们全家这三年的日子真不知是怎么过的。这三年，家里所有的一切都是围着孩子读书的事转。我女儿不是那种很聪明的孩子，无论怎么下功夫抓，成绩就是上不去。不怕你笑话，就在前不久期中考试时，当我怀着惴惴不安的心情要来女儿的试卷看到她的成绩时，我竟然当着孩子和老婆的面，自己打起自己的耳光……你听了好像有点不相信吧？老实说我自己也想不到自己怎么会做出这样的举动。当时我确实这么做了，我只觉得自己为了孩子的学习已经把所能尽的力量全部用上了。从初中二年级开始，到后来初中升高中的中考，到为她跑学校，以及进入高中后天天盯着她的成绩……说得露骨一点，我和老婆为了不影响孩子每天的晚自习和让她自习后能踏踏实实睡好觉，我们甚至连夫妻间做事的胆子都没了，其他工作和生活上让道的事儿就更多了。那天我打了自己的耳光，女儿吓坏了，跪在地上说爸你就打我吧，是我没考好。我对她说，不怪你，都怪我这个当爸的无能，没给你想出好办法让你成绩上去。我女儿听了哇的一声号啕大哭起来，转身就要冲出去寻短见。她妈见了急坏了，冲过去拦腰将她抱住拉回了家。后来我们全家三口人抱在一起痛哭了一夜……”

堂堂七尺男儿，在诉说他家千金高考的经历时，竟数次呜咽。

我的心感到重重的一击，没想到中国的百姓们为了孩子能考上大学，竟然要付出如此沉重的代价！

“你写，你一定要写。你当作家不写中国高考这样一件正发生在千千万万家庭的大事，你这个作家当得也没什么劲！”阿元兄哽咽着，抹着满脸的泪痕对我说。那眼神告诉我，似乎如果我不写这个题材，我就是一个对不起十三亿中国百姓的文化痞子了。

我知道，阿元兄居住的历史文化名城苏州，是个出文化人的地方，仅明清两朝苏州就出了好几十个状元。那时的状元可不像今天我们说的带引号的“状元”。旧科举考试时代，每年一次大考，全国只有一名状元（个别年份多一名武状元），最后都必须经皇帝钦定。苏州一市能出如此多的状元，可见教育的风气自古就盛。阿元夫妇与现在多数中国家庭相同，只有一个孩子，女儿娇娇是他们夫妇的掌上明珠。知识分子出身的阿元夫妇对女儿从小重视培养，娇娇小时候聪明伶俐，爱好艺术，绵言细语的苏州口音，标致漂亮的脸蛋儿，使她从小有种天仙的气质。她喜欢苏州评弹，更爱充满现代气息的吉他。初中时，娇娇曾经获得过市少年吉他比赛第二名，为学校争得过荣誉。要上高中了，爸爸妈妈对她说，娇娇，上高中是为了考大学，可不能再分心了。娇娇是个听话的孩子，嗯了一声后，抱起吉他，把脸贴了上去，然后将吉他挂到墙上，这一挂，就是整整三年……上高中后的娇娇无数次想摘下吉他，但手从来没有敢伸上去。阿元在省报当记者，教育口谁不熟？女儿自然到了苏州市的重点中学。但进了重点中学，并不意味着他的本来成绩就不是很优秀的女儿一下就能成为佼佼者。为了跟上同班同学，娇娇使出了自己的全力，可仍然居于下游。为此，阿元开始不遗余力地到学校一次又一次地讨好娇娇的班主任、任课老师和各位校长大人，甚至还有那些比女儿娇娇成绩好的孩子及他们的家长——他不止一次低三下四地向一个个“聪明囡”和“聪明囡”的爸爸妈妈们求教，甚至为了获得某一“秘方”而不辞辛劳地寻找那些可以愉悦他人的“特产”，再撕下一向高贵的“无冕之王”的脸面，去叩开本来门槛低于自己一大截的“状元”之门……但三年后的1999年高考时，娇娇和父亲母亲未能苦尽甘来，他们成了这个苏州名校中仅有的几个“落榜生”及“落榜生”家长。

阿元急坏了，当他看到女儿整天不出门躺在床上欲死不能的情景，跺着脚对天发誓：孩子你放心，只要你爸有口气，我一定让你像别的同学一样去上大学。

阿元为此真的开始了“上蹿下跳”，使出全身解数，四处打听那些可以出钱进门的大学——只要它开口，就是狮子口我也认了。苦的是你孩子成绩太差时，你想找狮子口老虎嘴还找不着哩！走投无路的阿元最后不得不寻求电大、民办大学……就在这时，他的一个关系不错的某医学院的熟人告诉他：他们学校有个内蒙古来的新生，因为身体不行要休学，因而学校空出了一个招生名额！阿元一听，简直就是天上掉下了馅饼：行，什么价都行！

这个学院不算白也不算黑，阿元出了8万元（以赞助奖学金名义），终于圆了女儿上大学的梦。

“你这工薪阶层出8万元送女儿上大学，是不是太亏了点？”几个月后，我再次到苏州采访，见到阿元时问他，阿元兄竟然一点都不感觉冤枉地回答道：“亏啥？一点也不亏！我是自愿的。”他神采奕奕地告诉我，自女儿上了大学后，他现在天天开心，而且喜欢做善事——“我已经给几个因为经济困难而上不起学的孩子资助或者帮着牵线搭桥。什么都不图，就是觉得高兴，就是觉得我女儿上了大学后整个世界都变得灿烂了。你听起来是不是觉得我有点阿Q精神？可这是我现在心情的真实写照。”

阿元兄对我说这话时，脸上丝毫没有半点自嘲自讽的神色。我的内心却感到无比惊愕。

从苏州回到北京，听说我姐夫的女儿考上了大学，我们全家忙去祝贺。她是我太太的姐姐的孩子，叫红红。

红红是 1999 年 9 月跨进北京电影学院大门的。她上的中学是北京西城区的一所普通中学，没有列入区重点，更不是市重点。红红在班上的成绩一直是中流水平，这可急坏了我姐夫一家。我姐夫没赶上好年头，像城里多数与他年龄相同的人一样，在“文革”中“上山下乡”去了，大学成了他们那一代人的一个未圆的梦，可他不死心，靠自学完成了大专，又续读大本，读完大本又攻下了硕士，最后成了某大学的系主任。回忆他的后大学经历，姐夫用了这样一句话：那真正是奔命。他有了家庭后，上有老下有小，自己又因单位工作情况需完成 6 年的高学历课程，姐夫的苦可以从他的少年白头上找到答案，更可以从他不该早逝的父母身上获得某种解释，当然我还从姐姐的无数埋怨中直接体味到了。怎么办？一向神通广大的姐夫看到女儿在一个高考升学率比较低的学校里尚且混个中等水平，明摆着照此下去上大学没戏，沮丧的情绪几乎都带到了自己的讲台上去了。

不能就这样断送了独苗苗的前程！高中一个学期一个学期过去了，姐夫比自己面临寿命缩短还要着急。怎么办？偌大的京城，该想的辙都想到了，没有的辙也想到了，但最后还是没辙，高二了，红红的学习成绩还是老样子。人逼急了就是能想出招，我姐夫的本事就是在别人没招的情况下想出招来——他终于打听到河北燕郊某中学能把死马治成活马。原来，那是个农村中学，是个专门训练考生的工厂、专门培养高分的“集中营”。

于是姐夫决定：把在北京城里上高二的女儿送到离北京城几十里之外的河北燕郊某中学。

“第一次送她到那个学校时，我心悬了一路，送红红回来时我哭了一路。那学校哪是我们城里孩子上的学校呵！说它太惨了，好像我有意给人家抹黑，可对这些在城里生活习惯了的孩子来说，真是要什么没有什么呀！”姐姐曾亲口对我这样说过。

“那天爸爸妈妈帮我向学校交完好多学费，在没法说不脏的学生宿舍里铺好床，向我挥手告别时，我的眼泪哗地涌了出来，我心里向他们喊着我要跟你们一起回北京，可我喊不出来。我知道为了能考上大学，我是回不去了……”红红想起当年的情景依然一脸悲伤。

“先不说钱——那肯定少不了。红红她妈放心不下，恨不得天天下班后都去看孩子，无奈，为了方便就借钱买了一辆小车。开始我们真的是一天去一次，而且每次去时火急火燎，可一到那儿就像偷东西似的不敢露面，怕学校和老师瞅见了不高兴，更怕孩子看到了心里不踏实。头几个月，弄得我们夫妻俩整天心神不定，什么都干不成。想想看，一个在城里娇生惯养的女孩子，突然一下子到了既陌生又十分艰苦的农村，怎么能习惯？十七八岁的女孩子家，你是放手还是放心？手也放不下，心更放不下了！总之，比当年自己上山下乡那份难熬劲还难上几倍几十倍……”姐夫说。

红红就是在这种煎熬中度过了 360 天，我姐夫和姐姐也在煎熬中度过了 360 天……

1999 年 7 月初，红红回到北京原来的学校，与同学们一起参加了高考。8 月，成绩下来，484 分，被北京电影学院录取，而这个分数在燕郊某中学，许多同学根本进不了重点名牌大学的门，最多进个大专，或者就只有名落孙山。

姐夫后来笑着告诉我：就是因为这个原因才让红红离开北京到乡下去受了一年苦，他说河北的录取分数线要高出北京近 100 分。也就是说，在河北那儿上学，考分较差的学生，在北京可能也能上重点大学。红红通过一年的熏陶和努力，赶上了那里学校的中等水平，回到北京自然就考上了北京电影学院这样的重点大学。

秘密原来就在这里。我看到姐夫说这话时的那张笑脸上流淌的是苦涩的泪……

第三件事是我一个战友的故事：他原来是部队的功臣，但去年突然转业了，原因是为了他永远不愿再提起的一次执行任务。我与他曾经在一个部队工作多年，看在这个份上，他才最终开口。他的故事是由于他的一枪射出，彻底毁掉了一个考生的大学梦，我的老战友因此不愿意再继续从军，甚至对功臣的荣誉感也产生了某种动摇……

我的这位战友的名字很普通，叫金龙。中国人中有多少叫这个名字的？有几千？还是几万？太多了。金龙自己告诉我，他说他村里有三个姓氏，一千多人吧，叫金龙的就有五个，除张金龙王金龙赵金龙外，还有张姓金龙中的大金龙和小金龙之分。中国人从古至今最崇尚的是自己的子女成龙成凤，因而给子女起名为金龙金凤者之多，恐怕只有在今天电子计算机时代才有可能统计得出来。有一次我出差到浙江某县，正好宾馆里扔了一本当地的电话号码簿，那上面有住宅电话，我无意间浏览了一下姓名，结果叫金龙的户主竟多达 94 个。一个小小的县城会有 94 个金龙，这自然还没有包括那些装不起电话的金龙们，你设想一下，中国有多少叫金龙的人?！我的战友仅仅是千千万万个金龙中的一个而已。战友金龙是河南豫西人，家乡就在豫陕边界，天生要多几分黄澄澄的色彩。他运气算好，1974 年高中毕业后就轮上参军，当时对一名农村青年来说这是太伟大的事情了，参军意味着跳出农门，迈向龙门。别小看这个参军，在那个年代，几乎是全中国青年们最伟大和最崇高的选择了，就像今天的青年们报考北大清华一样。你想，那时城里的知青也只能上山下乡，而下乡知青一般是不被推选去当兵入伍的，只有农村青年才有这样的待遇，要不就是将门子弟才能跨进绿色军营。所以，它是我们那个年代的青年们的崇高选择。

但金龙和我成为战友时就曾对我说过，参军本来不是他唯一的选择，他本想去上大学，公社已经推荐他上河南大学，正在这个时候，他们同村异族的另一位金龙却与他发生了一次口角。那个金龙与他同岁，也是生产队的一名强壮劳力。这两个年龄相同的金龙在村上的表现也不分上下。我战友金龙的叔叔在公社当革委会副主任，那个金龙也有一个当过官的叔叔，只是那个官是在旧社会当的，叫作保长。两位金龙由于各自族叔官位的不一样，后面的命运就差多了。两位金龙高中毕业后都回到农村，都很积极，而且暗地里有点儿较劲。因为他们心里明白，公社每年都要从村上挑选好青年推荐去工厂，就是当吃商品粮的城里人。在那个年月，能进城吃商品粮，就等于是上了天堂。当年除了招工外，还有一件美事就是推荐上大学。种田人上大学当然要比单纯地吃商品粮要强出一截儿，因为乡下人进大学，这是金龙村上有史以来从没有过的事。在金龙高中毕业前三年有过一个娃儿被公社推荐上学了，那是洛阳某专科学校，中专生也是了不起的事呀，那年全村人特意召开了一个欢送会，为此大队长还宣布全村社员放假一天，以示庆贺。

金龙回乡劳动不久就遇上了好机会，公社让村上推荐一名工农兵大学生。这个消息传来，全村人简直沸腾了，但沸腾之后马上又沉默了，两个家族的人们聚集在一起窃窃私语：这个上大学的名额该给哪个金龙？说啥也得把名额给俺金龙，否则就不中！推荐未开始，李赵两边的劲儿就已经较上了。果然，那天大队开会，整整吵了一天也没有把人选最后确定下来，无奈只好把两个金龙都报了上去。结果下来得很快，这边的金龙被推荐上了，另一个则落榜了。你们以权谋私嘛！落选的那个金龙家族的人不干了，说这边的金龙不就是凭着有个当公社革委会副主任的堂叔嘛！而偏偏这边的族人们直着脖子告诉对方：哎，就是那么回事，谁让你们族上没出大官，有个当保长的小官还有历史问题。事儿越吵越凶，最后归结点都到了那个解放前当过保长的族叔身上。就在这边的金龙要上大学的那天晚上，村子上发生了一件大事：那边的那个金龙把有历史问题的同族堂叔给砍伤了，差点儿出了人命。由于村上人百般袒护，加上受伤的前保长觉得全是由于自己的原因而没能让本家族的金龙上大学才弄出了这么桩事，所以在上面来人办案时，他力争大事化小，免了那个因冲动而伤人的金龙的刑事责任。事情本来告一段落，可因为在同等条件下没能同样走进大学门，那个金龙的精神受到了极大刺激，虽然后来不再伤害本族堂叔了，却不时跑到已经上了河南大学的这个金龙学校里来闹事。出于安全考虑，有一年正好部队需要从大学里挑选一批干部，这个金龙便被半推半送地转到了部队，使得那个金龙从此再也找不到这个金龙的踪影。

同村的两个金龙，从此天各一方。依然在农村的那个金龙后来就在家乡结婚成家，并生了个儿子。而在部队上的金龙后来也落脚在南方某省的省会城市，转到了边防部队，并且与当地一个城市姑娘结婚成家，生了一个闺女。

天下的金龙千万个，本来这两个金龙完全可以过各自的日子，偏偏后来的命运又让他们两人巧遇了。去年，已经在省直属支队当参谋长的金龙接到一个命令：带部队执行任务枪决一批死刑犯。身为参谋长的金龙，为了确保第二天万无一失，亲自进了死刑犯看守所，对死刑犯的情况进行逐个检查。就像小说情节一样，金龙万没有想到的是，在这儿碰到了本村的那个金龙。

怎么是你？一身武装的金龙瞅着那个失魂落胆的死刑犯，好不吃惊。

死刑犯抬头只看了一眼，就扑过来抱住金龙的双腿，号啕大哭起来，哭得摧肝裂胆："金龙兄弟，你快救救我，快救救我呀！"

接着是死刑犯的哭诉：

好兄弟，你是知道的，那年你上了大学，可我没有被推荐，对我的打击有多大啊！你到部队后我再也找不着你了，慢慢也就死心了，村上的人都说我是疯了，可我自己明白，那是一时想不开啊。后来我知道再也没有希望，虽然恢复高考时我也曾想过试一次，可那时人家说我的疯病没好，我自己脑子里也找不到半点数理化知识了，就这样上大学的梦想永远从我身上消失了。第三年村上人就给我介绍了一门亲事，女人是隔山陕西潼关人。你知道在农村一结婚就啥前途都完了，生儿育女和种地两桩事成了全部生活内容。老天还算开眼，给我添了个儿子。有了儿子的那年，村上的人都说我的病突然好了，我自己也感觉到了这点，从那时起，我除了种承包的十几亩地外，把所有的精力和时间都花在儿子身上，因为我心头有个愿望，就是将来一定要儿子上大学，雪我这辈子的耻。我的儿子还算争气，从小学到初中都是班上的尖子，后来他上了俺们县城的重点中学。高中了，我喜在心里，因为能上俺们的县中，就等于离大学就差一步了。可老天爷对我就是不公，就在孩子上高一那年，孩子的爷爷奶奶相继去世，俺们那儿你是知道的，办一场丧事比办场喜事还花钱，两场丧事办下来，我拖了一屁股债，偏偏我家孩子他妈又得了重病，顿时全家债台高筑。没法，为了能给孩子交学费，我到了你们南方这儿打工。哪知道外面打工也不是好干的事，费了十几天才找到一份苦力，要说干活俺能扛得住，但这儿的老板太黑，过了三个月也不想给我们发工资，就每人每月发五十多块饭钱，还说谁中途不干或者干不好，就得扣掉说好的月工资。我从春节后一直干到八月份，老板还是不给我工钱，我急了，因为娃儿九月一日新学年开学就得交学费，我就跟老板要，可老板就是不给，还说现在给了你谁知道你是不是转身就溜了。我真火了，对他说你今天不给也得给！那家伙就找来几个保安人员，硬是把我赶出了厂门。我当时又恨又恼，心里想着千里之外的儿子在等着我寄学费回家，这边又碰上如此心黑的老板，越想越恼。当晚我就跳进做工的厂房，顺手抄起一根铁棍，然后直冲老板住的地方。我跳窗进了老板的卧室，一把将那混蛋从睡梦中揪起来，问他给不给我工钱，那家伙吓昏了，哆嗦着连说给给，后来他从柜子里取出 5000 元，说全给我，只要不对他行凶。我心想拿到工钱就行，我才不行凶呢！谁知我刚出门就被蒙头一闷棍，就再也不知人事……等我醒来时，发现自己在拘留所。后来才知道，那老板从柜子里给我拿钱时悄悄按动了暗藏的警报器，我就是被他的保安人员给击倒并当作抢劫犯送进拘留所的。公安人员还算公道，把我拘留十天后放了出来，但老板那儿的工钱我是永远不可能再拿到了。怎么办呀？想着正在家里等我寄学费回去的娃儿，我急得不知如何是好。真的，那几天我大白天上街抢人家包的心都有，愁得在火车站到处乱转。也许我当时愁得太让人看着不正常，突然有个戴墨镜的年轻人走过来拍我的肩膀，说老乡你是不是想找活干？我说是呀。他就问我愿不愿找个来钱快的？我说敢情好，最好干一次就能拿三五十元的。那人笑了，说行，你跑一趟就给 100 元怎么样？我一听乐疯了，连连拱手谢菩萨。就这样我接活了。那人只要我按他说的，上下午给两个宾馆里的三名小姐各送一份点心。我当时确实不知道那点心里还会有什么，于是只管认认真真地完成任务。一个星期下来，那戴墨镜的人说我干得不错，就给了我300元工钱。我觉得挺好的，就马上给家里的娃儿寄了回去。说实话，当时我是十分感激人家的，因为是他给了我一份好工作，才使我的娃儿能继续上高中，离大学门又近了一步。后来那人不光让我送货，而且让我到出境口接货，由于我一副乡下人的老实巴交样，每次送货接货都顺顺当当，新老板对我很赏识，三个月下来，他们就给了我整整3000元。我想这下娃儿三年高中不成问题了，再干一年下来，挣它个万把元，孩子上大学的学费都可以不愁了。正在我做美梦时，又一次我到南边的口岸接货时，突然被一群全副武装的公安人员当场抓了起来。他们说我是大毒品犯，先后经手过30多千克毒品，我一听就知道这下完了。说实话，看到老板对我出手那么大方，一个月有时给两三千块钱，我不是一点觉不出自己到底在干些什么，就算我确实没有见过和动过毒品，但那毒枭也确确实实是借我之手进行着罪恶的勾当。按照国家法律，我对自己构成死罪没啥说的，可我心痛呀，因为我出事后，正准备考大学的娃儿一下受不了这个打击，当他知道自己的三年学业全是靠我在贩毒运毒的过程中得来的罪恶之钱维持的时候，就再不到学校上学了，成天喊着要上南方来替我打工……娃儿是疯了，我好后悔啊！呜呜呜……

金龙看着从小与自己一起长大的同村同学落得如此下场，心头久久不能平静。死罪是不能更改的，这一点他清清楚楚，但他难以面对的是，明天竟要亲自带领行刑的战士枪决异乡遇见的这位老同学。

“你现在还有什么需要我做的？”金龙问金龙。

那个死刑犯金龙，再次扑通一下跪倒在金龙面前，一把鼻涕一把眼泪地乞求道：“好兄弟，我只求你一件事，你一定要在广州车站等我娃儿，一定要等他，再劝他回去上课考大学。啊，我只有这个要求，请你告诉他，我在九泉之下等着他考上大学的消息。啊，我就这个请求，你千万千万……”

瞄准——执行！

砰！

一条龙转瞬变成了一条永远死去和腐烂的虫。唉，人世间啊！

金龙对天一声长叹，心中涌起万千感慨。

离开刑场之后，有近两个月的时间，他几乎天天到火车站等候远方来的那个本该进大学的高中生，就像等待自己的儿子一般。多少次等待的时候，他一次又一次地这样设计着：假如他来了，就送他回豫西老家，再陪他上完补习班，来年再考，即使考不上也不要紧，后年再考嘛，一直到考取为止。

但金龙始终没有在广州火车站等到已经死去的那个金龙的儿子。他向老家打过几次电话，那边说娃儿离家后就一直没有任何音讯……一年过去了，金龙不再抱什么希望了。而在这漫长的折磨中，我们的功臣也变成了另一个人，他常对自己的妻子说，他在梦中常常见到那个同村的金龙指着自己的鼻尖对他说：是你，一切都是因为你当年抢走了我上大学的名额！

妻子越来越后怕了，她瞒着丈夫向部队领导为他提出了转业的要求。后来的一切便是我们知道的，这位名噪一时的功臣战友离开了心爱的部队岗位，转业到地方，成了普通的公务员。他说他不后悔，因为他这辈子毕竟有过不少辉煌，特别是上过大学，这对山洼洼里出来的人来说，那是最荣耀的事。现在他和他妻子的一切重心，就是在一两年后，完成送女儿上大学的任务……

考大学——这三个字，对每一个中国人来说，其分量实在太重太重了。到底有多重？它重得将许多中国人的腰背都压弯了，而且连我们中华民族的脊梁也被压得出现了严重的畸形。

正因为我感觉到高考在中国人心目中的分量太重了，故而决心去冒一次巨大的风险和代价，来完成这部涉及中国亿万人命运的高考报告，因为它实在是和平时期中国百姓生活中倾心倾力的第一大事……

第一章　大学——中国人的梦

东西方的追梦差异

东方人爱做梦，西方人也爱做梦。但东方人和西方人做的梦完全不一样。

2500年前，正是中华民族战火四起时，在鲁国，一位失去父亲的17岁天才少年在又痛失母亲之后，擦干泪水，怀着“学也，禄在其中”的信念，四方求师，不耻下问，后来终于三十而立。中年之后的这位先生，在求仕的道路上屡次失败后，便开始了周游列国，时达14年之久。当他饱受艰辛、屡至窘境，处处碰壁而终不得志后，有一天仰天长叹，忽见头顶有一异样之物自由飞翔在蓝天白云间，他便对其弟子感叹道：鸟，我知道它会飞，可是会飞的还常被人射下来。鱼，我知道它会游水，可是会游水的还会被人们钓起来。兽，我知道它会走，可是会走的还常落了罗网。只有一样东西，人们不会控制它，它爱在云里来就来，它爱在风里去就去，它爱上天就上天，这就是龙……你们要做就做龙吧。

这位一生雄心勃勃，却落得终身不仕者，就是名列世界十大思想家之首的孔子孔仲尼。由于他一生追求学而优则仕，且忠君尊王，以仁为怀，故被后人尊奉为中华民族的大圣贤，流芳至今。虽在他死后有秦始皇的焚书坑儒等等，但在2500多年的历史长河中，毕竟仅仅是小波小澜而已。“唯此为大”“读书是上”和以他的思想流传下来的“万般皆下品，唯有读书高”等认识，以及“书中自有黄金屋，书中自有颜如玉”这古老而经典的格言，时至今日仍被亿万国人所崇尚，而我们也到处可见孜孜不倦在寒窗之下苦读，以求一张大学文凭的疯狂与战争般的赶考热……

从鲁国这位周游四方的圣贤诞生到今日，世界东方衍生的龙子龙孙们举目远眺时，发现这块本是闪闪发光的大地，却被一个仅仅只有250多年历史的西方大国气焰嚣张地甩在后面。

那个国家是谁？比学而优则仕更优的梦在激荡着哪个奇异的民族？

是的，确有这样一个梦。这是一个西方人的梦，它的时间仅有250多年，约相当于东方泱泱大国历史的二十分之一。

这个梦是从英吉利海峡的普利茅斯港出发的，它乘着五月花号的小帆船，经过数月的惊涛骇浪，在初冬的一个早晨，抵达一块叫詹姆斯顿的北美狭长地带，并开始在那儿插上一面米字旗。后来这面米字旗改成了星条旗，于是诞生了一个新的合众国，英文简写为USA。从此，五月花号虽然永远不再启航，但成千上万的六月花号、七月花号及包括沉没的泰坦尼克号在内的无数帆船与铁船都涌至那块狭长地带，由于越来越多的帆船与铁船涌来，狭长地带渐渐扩张，再扩张，一直到可以称霸全球的今天……

这就是被现代人类治国专家们推崇的、叫那个在世界任何地方都想大声说话的国家的人无比骄傲的美国梦。

更多更好，永无止境……起初代表这个简单思想的美国梦，后来在《独立宣言》中便化作了这样庄严的语句：一切人生而平等，生存、自由、追求幸福是天赋人权。

IF WE CAN DREAM IT，WE CAN GO IT——在佛罗里达宇航中心的铝合金门上，美国人铭刻下了这句话，它译为中文就是：只要我们能够梦想，我们就能够实现。

我似乎明白了东方人与西方人在行为与观念上的差异，也似乎多少明白了这两个世界为什么在历经近一个世纪的争斗后，今天仍然时常表现出各不相让、互不理解。

东方人以追求圣贤与完备自己的学问为自己所要实现的人生之梦；

西方人以追求无限的个人自由与幸福为自己所要实现的人生之梦。

两种梦带着两种完全不同的意识，不同的观念，不同的信仰，甚至不同的文化背景……

我由此终于明白了上面的问题而不用去解释为什么同是年少或年轻的孩子们在一起比较时，我们中国的孩子在计算和学问上总能拿冠夺王，而在实践和创新上美国的孩子总是获得胜利。

东方人总是以自己悠久而辉煌的历史自豪；

西方人则把实现今天和明天的美满幸福当作自己的生活目标。

其实，西方人追求的梦的实质，是一种精神的张力，这种张力产生出了这样的制度：多党议会、民主国体、崇尚自由——当然都是资产阶级的。这种精神张力下的人便诞生了林肯式的政治家、卡内基式的经济学家和比尔·盖茨式的科学实业家，同时也滋生出了猫王式的摇滚疯狂、无法抑制的艾滋病蔓延和企图称霸世界的嘴脸。

中国旧考场

中国人的"学而优则仕"的梦，带给后来几千年的历史是什么呢？当然有很多很多进步与无数伟人的出现，但同时带给我们这个古老民族更多的是制度的死板，国体的专制，思想的封闭，还有其他许多许多……

说来也巧，那天在南京采访，朋友们说你写中国高考问题，那就不能不到我们南京的夫子庙那个大考场看一看。到了夫子庙，我抬头只见一座四角飞檐、走马腾龙的大阁中央闪出四个金光大字：江南贡院。

中国第一古考场就在眼前！正是踏破铁鞋无觅处，得来全不费功夫。

我走了几十所现代学校和高考的考场，一直在寻觅古代中国的考场是什么样，并想由此把中国这个世界上最大的考试国和历史最为悠久的考试作一比较，从中求得某种关联。我始终认为今天中国的高考到了如此白热化程度，总不会没有一点历史的相关因素吧。结果如何呢？

在现存最大的中国古考场里，我发现了历史的许多相似之处——

话说公元1368年，一位名叫朱元璋的农民领袖，举着起义大旗，横卷黄河两岸，推翻了元朝统治，重建起以汉族地主阶级为主体的明王朝。朱元璋在历代封建皇帝中，可算得一位明君，为使明朝江山长治久安，他把选拔人才放在头等大事的位置上，并在定国大策时说：为天下者，譬如作大厦，非一木所成，必聚材而后成。天下非一人独理，必选贤而后治。故为国得宝，不如荐贤。

在朱元璋之前，中国封建社会已走过千余年，前五百年，治国选官，都是以自下而上的选拔和自上至下的赏赐为主要途径。从尧舜禹夏商周的奴隶社会起，推举和传子几乎是整个中国古代社会统治的基本模式。当然这过程中也有一些是通过比考选拔出的用人先例。《周礼 · 地官 · 乡大夫》中便有这样的记载：三年则大比（考试），考其德行道艺而兴贤能者（即考试选拔德才兼备者）。随着秦汉封建王朝的建立，这种原始选拔人才的方式有了一定的改进，但基本形式不变，只是更加强调了礼贤养士风气，所以这段历史上出现过像窃符救赵、千金市骨、完璧归赵、毛遂自荐、悬梁刺股等许多经典故事。但真正采用考试方式选官则是从公元607年的隋朝开始。隋炀帝的一项诏令：文武有职事者，以孝悌有闻、德行敦厚、节义可称、操履清洁、强毅正直、执宪不挠、学业优敏、文才秀美、才堪将略、膂力骁壮十科举人。第一次提出了科举二字，这也为中国封建社会科举取士掀开了值得记载的辉煌一页。从此，“科举考试”“金榜题名”“万般皆下品，唯有读书高”“书中自有黄金屋，书中自有颜如玉”这等令普天下读书人目眩眼亮的词汇便一直延至20世纪。虽然科举录用人才制度存在这样那样的问题，但它毕竟给那些无官无禄的平民子弟，提供了可以平等登高攀峰的金梯。

科举的考试极其复杂，有乡试、会试、殿试，而各朝代的叫法也不尽相同。以明朝为例，乡试是由南北直隶和各布政司举行的地方考试，三年一次。明朝乡试最早主要以南京的国子监为第一考场，明都迁至北京后，故南京的考场就改称为江南贡院，且始终是全国最大的乡试考场，直至清末废除科举制度。会试是由礼部主持的国家级考试，能进这一级考试者便是俗称的举人。殿试是由皇帝亲自主持的最高级考试，状元就是从这一级考试中诞生的。殿试的名次分一、二、三甲。一甲三人：头名是状元，二名是榜眼，三名叫探花。其余称作进士。有道连中三元，即为乡试第一名，又获会试第一名，再获殿试第一名。其实这连中三元者太少了，在明代仅有黄观、商辂两状元中得。状元是科举考试金字塔的塔尖，也是旧时读书人的最高境界，自唐高祖武德五年的第一位状元孙伏迦起，至清光绪三十一年最后一名状元刘春霖止，在长达1280余年的漫长岁月里，中国先后产生过可查得名字的文武状元约1400名。

十年寒窗无人晓，一朝成名天下闻。科举时代，谁能中得状元，不仅能成为天下所有读书人敬仰的塔尖儿人物，更重要的是一般状元都由皇帝亲自封爵颁禄，而且一旦成为状元，不管你以前家贫如洗，或者沾有什么污垢之名，皇帝的封赏即刻可使你门第升天，苦尽甘来。从旧式的科举考试程序看，能获得状元称号也确实不易，虽然旧制度中常有买卖禄位，一些失意文人又编了许多像陈世美这样被人贬骂的忘恩负义的坏状元，但百姓心目中还有像吕蒙正这样刻苦攻读、终成大器的状元。无论如何，状元作为读书人通过考试能获得的最荣誉，它已经成为一种考试文化深植于民族之中，要不今天我们为什么把考进北大、清华等名校或者在当地考得最好的学生总是美誉为状元呢？

我虽不知自古以来的状元是否真有滥竽充数者，但我从小知道自己的老家有两位考上状元的人非常了不起。一位是咸丰六年考上状元的翁同龢，他做过清朝两代皇帝的师傅，中国最早举起开放门户大旗的就是他，而他鼓动光绪皇帝与腐朽没落的慈禧太后斗争，在一百多年前掀起的那场惊心动魄的百日维新运动，使这位状元先生永垂青史。康有为称翁同龢是维新第一师。另一位便是光绪二十年考上状元的张謇，从这位“不敢惊天动地，但求经天纬地；不敢指望它立竿见影，疗救古国千年沉疴，但求播种九幽之下，策效百岁之遥”的实业救国、教育救国者身上，我感觉到了状元的力量与智慧，状元的胸怀与追求。也许正是因为他们身上有不甘落后、不畏艰难、努力苦学、勇于进取的品格，自古人们便对获得最大成功的状元们总是给予褒奖。

天下读书人以当状元为荣，本身并不为过，问题是状元的产生过程让人感到心惊，又让人感到恐惧。

南京的江南贡院始建于南宋乾道四年（1168年），最初仅供县、府学子考试用。朱元璋定都南京后，此处集乡试、会试于一地。到清代，江南贡院发展更快，尤其是康熙年间，苏皖分建两省，而两省政治、军事仍旧一体，乡试也沿袭明制，故此地一直成为全国学子云集考试的最大场所。我虽未能看到古考场江南贡院当年恢宏的原貌，但当我见到这座位于金陵东南隅风水宝地的古考场遗址和博物馆时，仍心潮澎湃。仅清朝的267年间，江南贡院里就诞生了58位状元。江南才子唐伯虎、画坛怪杰郑板桥、《西游记》作者吴承恩、《儒林外史》作者吴敬梓和中国共产党的主要创始人陈独秀先生等都曾在此处挥汗应试过，他们中有的考中了秀才，有的考中了进士，有的考中了状元。

在江南贡院这座科举考城中，最为壮观、占地面积最大、令人看后最为毛骨悚然的要算号舍了。所谓号舍，既是考生考试的地方，又是考试期间考生们吃住的场所。江南贡院这个大考场有号舍多达20644间之多！我走进一排排像养鸟的笼子似的号舍细细观摩，觉得十分恐怖，那号舍外墙高约八尺，门高六尺，宽刚好一人之身多些。每排号舍长短不等，多则百间，少则几十间，前排与后排之间相隔不足一米，因此整个考场就是一排排猪圈鸟笼式的建筑，旧称号巷。号巷门口设有水缸和号灯，供考生夜间行路和白天饮水使用。号舍三面是密不通气的墙，只有朝南一面是出入处和考试见光处。号内有一块掀起的木制的桌案和一张坐凳，考生晚上睡觉时就把桌案翻下作床铺，有的就干脆躺在上面。所有考生自跨进这里，一直到考完才能离开号舍，吃喝拉撒全在其中。据传有一位才华横溢、文采超群的考生，因为没有占据好一些的号舍，只得坐于巷尾的粪号，结果几天下来，被粪桶熏得晕头转向，无法考试，还差点送了性命。有史料记载，由于号舍管理杂乱，常有考生被蛇咬死。有的考生则受不了号舍之苦，用烛签自刺身亡或悬梁自尽。至于考场的一条条规矩，更是名目繁多，且严厉之极，是我们现代人闻所未闻的：

负凳提篮浑似丐，过堂唱号真似囚。
袜穿帽破全身旧，襟解怀开遍体搜。
未遇难题先忐忑，频呼掌管敢迟留！
文光未向阶前吐，臭气先以号底收。

这是清嘉庆年间文士缪仙记述乡试感受的一首长诗中的片段，读后令人仿佛能亲身感受旧考场上那种“三场辛苦磨成鬼，功名两字误煞人”的辛酸以及获得一路连科的不易。江南乡试，各科应试学子多达两万余人，但能够录取的只有一百多名，其比例仅为1000∶1，相比我们现在的高考成功率难上几十倍。多数久困场屋、备尝艰辛的学子，最后只能名落孙山，折桂无望。但科举考试毕竟又是读书人通向荣宗耀祖、改变命运之路，同时也是证明个人才学实力的机会，所以像《儒林外史》中描写的一直考到七八十岁的人不足为奇。郑板桥从23岁考上秀才，到40岁才中举人，前后历经17年之久，比我们现在考博士要艰辛得多。而许多名流学士甚至连秀才进士都没有考取，当然有人本来就对八股文不感兴趣，但旧科举考试的艰难一面多少也能从中体现出来。

当历史车轮滚滚碾入20世纪时，清朝政府的腐朽统治已经到了山穷水尽的地步。一日，光绪皇帝收到湖广总督张之洞的一份奏折，上书：科举一日不废，即学校一日不能兴，士子永远无实在之学问，国家永无救时之人才，中国永远不能富强，即永远不能争衡各国……奏折后来到了慈禧手中，这位已入暮年的老妇自知无力抵抗时局变化，便顺水推舟，于光绪三十一年八月初四（即1905年9月2日），诏书全国：……着即自丙午科（光绪三十二年，1906年）

为始，所有乡、会试一律停止；各省岁、科考亦即停止。此诏书宣告了中国长达1300余年的科举考试制度的结束。1903年江南贡院乡试后得头元的刘春霖，因此也成为中国历史上最后一位状元。

科举废除之日，北京清华大学、京师大学堂和上海马相伯创建的江南第一学府复旦大学等现代学校已经开始建起。尤其是中国近代教育奠基人蔡元培出任孙中山领导的中华民国首任教育总长后，中国的教育更进入了第一个全盛阶段。一地方若是没有一所大学把有学问的人团聚起在一处，一面研究科学技术，一面推行教育事业，则永没有发展教育的希望。蔡元培兼容并包的大学教育准则，几乎成了后来以北京大学为代表的中国近现代大学的办学灵魂。大学学生当以研究学术为天职，不当以大学为升官发财之阶梯。他的这些思想与观念缔造了百年中国知识分子以学问为天职的那种勤学精神和对政治与物质常常不屑一顾的清高。中国的大学，在这些具有全新思想的先导者们的引领下，开始了真正意义上的崛起，并为20世纪中国诞生大批政治家、社会学家，特别是自然科学家准备了温床。但在前半个世纪，大学的大门一直朝有钱人敞开，穷人不可能或者说极少有人可以跨进去。

邓小平决策

1949年，毛泽东在天安门城楼的一声“中国人民从此站起来了”，宣告了一个新的历史纪元的诞生。劳动人民翻身当家做了主人，平民百姓才开始以公平竞争的方式获得上大学的机会，当然也有不少人因为工作和劳动的突出表现而被直接送进了大学，他们毕业后在各条战线上成了骨干和管理者，这使得大学真正意义上成了人民的高等学府。然而由于国家底子薄，广大劳动人民的文化程度很低，一般能读上小学、初中的就很不错了。在建国初的十几年里，大学仍是百姓可望而不可即的梦想。通过十几年的社会主义建设，随着人民生活水平的提高和受教育的普及，一批新中国建立前后出生的普通百姓的孩子开始有机会向大学门进军。可就在这时，一场持续十年之久的“文革”，使中国人上大学的梦彻底地被击碎了，大学停办，这是中国教育有史以来受到的最为痛苦的一次摧残，它所产生的负面影响，使连笔者在内的无数适龄学子失去了基本的接受教育的权利，并在一个相当长的时期处在人生前途的黑幕之中……这种痛苦，以及由此带来的沉沦只有亲历者才会有切肤之痛。

后来我们这一代人曾经有过重上大学的可能，偏偏又出了一个“白卷先生”。

“文革”和“白卷先生”给本来已经落后的中国雪上加霜，中国人久碎的梦何时复圆?

苍天在问，百姓在问，更有众多青年学子在问。

1977年8月，复出不久的邓小平挑起了主管教育的工作，在他心中装着一件早已想透又没来得及说出的大事，在那个炎热的夏天，他在人民大会堂，亲自召来四十多位教育界的著名人士及官员，其中引人注目的有周培源、苏步青、张文佑、童第周、于光远、王大珩等毕生从事科学与教育的专家。虽说那时“两个凡是”仍高悬在人们头顶，但因为此会是邓小平同志亲自主持，所以大家畅所欲言，难得痛快。

8月6日下午，有一位被邓小平邀请来的教授大概受到这个会议的气氛影响，激动地站起来，慷慨陈词：请中央领导尽快采取坚决措施，迅速改变现行的大学招生办法，切实保证新生的质量。因为大学招生是保证大学教育的第一关，其作用就像工厂的原料检验一样，不合格的原材料就生产不出合格的产品。可是这些年来，我们招收的大学生有的只有小学文化，我们这些大学教授只能为他们补中学甚至小学的文化课，大学成了什么？什么都不是，还谈什么教育成果？这种情况不改实在是不行了!

“查教授，你说，你继续说下去。”坐在沙发上的邓小平深深地抽了一口烟，探出半个身子，示意那个被他称为“查教授”的老先生往下说，“你们都注意他的意见，这个建议很重要哩！”

查教授提提神，继续他刚才的慷慨演讲。这时人们发现邓小平不时地在笔记本上记录着。与会人士抑制不住心头的激动，因为他们知道，一件大家早已想说想做却又不敢打破束缚的大事情就要发生了。

果然，等查教授发言完毕，邓小平询问了一下身边管教育的刘西尧部长有关具体细节后，当机立断：好，就这么办。招生会议重新开，高考从今年就立即恢复！

高考立即恢复！立即恢复高考！湖北大学的查全性教授是最高兴的一个，全国人民也跟他一样兴奋不已。

这消息应该说是1976年10月“文革”结束后，在中国老百姓中第一个引起重大反响的事件。尽管那时国家的整个机体仍处在僵硬状态，但恢复高考则如使冬眠的肌体的血脉，开始有血液在涌动，正是这血脉的涌动，神州大地像初春般有了第一抹新绿……

亲历恢复高考大战

1977年，新中国教育史上出现两大奇观：44天连续不停的教育工作会议；第一次在冬季进行大学招生。

似乎恢复高考招生的一切枷锁都已解除，但这时突然有人提出：中国虽然是个考试大国，但积压了整整十年的考生一起涌进考场，谁也没有组织过呀？首先需要一大笔经费，其次印考卷需要大量纸张啊。这两件事在现在想来根本不可能成为问题，可在当时不行，全国上下一片穷。问题因此上交到了中央政治局会议。中央决定：关于参加考试的经费问题就不要增加群众负担了，每个考生收5毛钱即可，其余由国家负担；印考卷没纸，就先调印《毛泽东选集》第五卷的纸印考卷！

从此，就有了世界上有史以来声势最浩大的一次考试，参加考试的总人数超过1160万。1977年冬和1978年夏的几个月时间内，神州大地竟有如此庞大的考试大军一起涌进考场，这本身就值得史学家们大书一笔。

中国人的大学梦在此次的大考中获得了最彻底、最淋漓尽致的展现。它有太多的精彩，也太令人回味。

就学龄而言，应该说我正是属于这部分人中的一员，但我却没有这个福分亲历这场波澜壮阔的大考——我当时已经走进另一种大学（穿绿军装的人民解放军这所大学校），遗憾地丧失了这次机会。但在今天，我身边却有很多这样的朋友与同事，他们以自己的亲历替我们那一代人圆了历史性的一场大学梦。

这场梦做得好苦，而圆它时又突如其来，让人不知所措。

“当时我一个同学特别兴奋地骑车来告诉我，说要恢复高考了。我虽然早就盼望这一天，但还是一下子就惊呆了，眼泪夺眶而出。我跟同学反反复复地说一句话：这下有希望了！当时那种情况，有点像在黑夜里走路，四周全是黑的，你什么东西都看不见，迷路了，你根本不知道往哪儿走。恢复高考这个消息，就相当于前头突然冒出火光。当时没有别的念头，只想着我赶快蹦到那儿去。”中国儿童剧院编剧、北京师范大学 78 届学生陈传敏所表达的心情正是当时数千万年轻人共同的感受。

那种感觉，其实用语言无法表达，只能是惊愕，只能是梦幻，只能是眼泪……

肖正华，67 届高中毕业生，77 届考生，现为安徽某师专附中高级教师。他对我说的那年恢复高考及他参加高考的过程简直就是天方夜谭：

……1977 年第四季度的一个早晨，我从收音机里听到了恢复高考的喜讯，就立即把它告诉了正在喂猪的妻子，她却并没有多大的反应，更没有我那种欣喜若狂的激动。一个农村妇女关注的主要是现实生活：丈夫、孩子、柴米油盐……

而我则有些措手不及，因为当时被公社抓差去写个现场会材料和编一个短剧。完成后，我掐指一算，离高考只有 11 天了，能用于复习的也只有 11 个晚上了。考什么呢？理科吧！翻晒物理，冲洗化学，只觉得雾都茫茫，欲记还忘。改道易辙，考文科！耙地理，挖历史，抢数学；语文和政治，就靠自己的老板油——凭自己经常为公社写点四不像的看家本领。总之，一切听天由命吧。

开考了，我坐在县二中第五考场 27 座。每场我都大刀阔斧，一口气从头杀到尾，然后再回师围歼顽敌。虽然时有“精逃白骨累三遭”的痛苦、“大雪满弓刀”的遗憾，但丝毫也没有改变我“不到长城非好汉”的信心和意志。为了下一场的轻松顺利，每一场我都第一个交卷，决不恋战。一位满唇茸须的小老弟考生替我担忧道：喂，27 号老大，咱还能泡幼儿班，做游戏吗？ 11 年才盼来这个机会呀，人生能有几个 11 年呢？换成李白，不说千年等一回才怪哩？

为了赶这趟考，事前我还专门向老岳父汇报了思想呢。“很好，能考上？”“能！”“那你就去考呗。”考取后，我才笑着向他求助，当时两孩子大的 6 岁，小的 3 岁，队里又刚分责任田，水旱地十亩，妻子拖着两个孩子怎么种呢？我是在转着弯子好请岳母大人照看外孙子呐。

第三场考下来，正往外走，背后有人喊我一声。我回头一看却愣住了。此人头上赤贫一片，嘴边蛮荒峥嵘，身着光滑滑黄滋滋的老棉袄，没外罩，没纽扣，拦腰一带束肝断肠。“磨剪子嘞抢菜刀”——他一声吆喝，拨云破雾，让我抓住了记忆的根襻。这不是当年因平均 99.7 分（百分制）而苦恼的老同学吗？这不是“文化大革命”中炮打江青的红卫兵吗？这不是后来下狱要判死罪的政治犯吗？原来，他刚平反释放，就马不卸鞍地赶来应考了。“什么都顾不上了，只好穿着这纪念服，大煞风景，大煞风景哟！”他爽朗地笑着解释……

开学那天，我在火车站等火车。漫不经心的视野里出现一位高中时的女同学，她大腹便便坐车去合肥某大学报到。听说后来在开学典礼仪式上，她作为“老三届”的代表发言，那理直气壮的大肚子，把懦弱、卑怯、矫饰和虚伪顶得无处藏身。她侃侃的话语，不时被台下热烈的掌声打断。

想想当年我们这些迟到的大学生，身在校园，心系妻子儿女，能修完学业，顺利毕业，真不知是怎么过来的，至于父子同级（儿子上小学）、夫妻同班、师生易位，种种巧合，说来话就更长了。

黄蓓佳，我的老乡，著名儿童文学作家，现为江苏省作家协会专职副主席。

那年恢复高考前她在长江江心的一个小岛上插队，在此之前她已经在这个长青岛上“接受再教育”4年了，而且还早已准备再继续4年、40年。那时知青除了老老实实“扎根”外，还能有什么企图？没有，也不敢有。不过黄毛丫头黄蓓佳有，因为她在1973年就已经写小说了——她现在坦言当时写小说就是为了“改变一下自己的命运”，但那是她藏在被窝里的想法。1977年夏天，黄蓓佳在岛上劳动，在扬州当老师的父亲写信告诉了她一个“内部消息”：可能要恢复高考！真的呀？黄蓓佳高兴得跳了起来，她知道她唯一能实现多年来藏在内心的理想的机会终于来了。一切都很突然，但好在生于教师之家，使她很快得到了不少复习资料。在考试之前，公社和县里进行了两轮筛选，很多人在初试时被淘汰了，女生被淘汰的居多，所以男生们很狂。黄蓓佳外柔内刚，她发誓为女知青争口气，当然更主要的是能为自己“找回个城市户口”。初试结束后就到县城填志愿。黄蓓佳的理想是北大——其实当时她根本不知道自己有没有这个能力。“可我们那时好像什么顾虑都没有，想啥就填啥，至于考得上考不上是另外一码事。”于是她填的志愿是北大图书馆系。填完志愿就回到村里等候一件决定她能否正式应考的大事。这天生产队召开全体社员大会，会议只有一个内容：让社员们评议，到底让不让黄蓓佳参加高考。这实际上是对黄蓓佳的一次政治审议，当时，黄蓓佳的小命就握在了这些大字不识的贫下中农手中。黄蓓佳紧张极了，因为她的家庭成分是“地主”，她知道仅凭这一条，她就有可能被卡住。能否获得通过，只有听天由命了。

“我记得清清楚楚，里面在开社员大会，我一个人在门外徘徊，像热锅上的蚂蚁。我感觉开会时间很长很长，其实最多也就半小时，可我太紧张了。这时队长从里面出来，他朝我笑笑，说你去考吧！就这么一句话，我的眼泪哗地流了出来……”黄蓓佳说，她考试并没有太费心思，考得比较顺利。只是在扬州参加高考阅卷的父亲对她有个要求：每天考完后，把答完的题写信告诉他，好让他估估分——老头子虽不在女儿身边，可心里比谁都着急。黄蓓佳说她每天考完后，竟能在当晚把所考内容一字不漏地再抄出来给父亲寄去。几天后，父亲来电话告诉女儿：基本没问题。有父亲这句话后，女儿就放下心了，干脆从此不下地了。在等候大学录取通知的时间里，她给父亲织了一件毛衣。毛衣织好时，知青朋友也欢天喜地地给她送来入学通知书：北京大学。没错。黄蓓佳打开入学通知书看了第一眼，激动得直发抖：她没有想到她被北大中文系录取了！这正是她梦想却又怕没把握而不敢在志愿上填的专业啊！

“那次高考太有意思了。我们江苏共有 3 人考上了北大中文系，有一个同学喜欢法律，结果把他放在中文系，而毕业后又把他分配到了省政法委。我呢，上了北大中文系，结果毕业后被分配到了外事办。我不高兴，因为我想当作家，所以拼命地写啊写，结果就一直到 1984 年写到了江苏省作协当专业作家。”

黄蓓佳说，她到北京走近自己“梦中情人”——北大的校园时心律加快了好多好多，因为以往梦中的北大仅是个概念，就像对皇帝头上的那顶皇冠的认识一样，可进了北大校园后，黄蓓佳发现这儿太大了。她当晚写信给父亲，说北大大极了，就像我们家的县城一样大！这位江南才女入学后就忍不住又动笔写了一篇感受上大学的文章，后来这篇文章被很多报刊转载了。当时没有稿费，到了 1978 年才有，她因此收到了后来转载她文章的《山西青年》寄来的 7 元钱稿费。“7 元钱就非常了不起了，是我一生中第一笔稿费呀！我用它买了一个铅笔盒，一本字典。铅笔盒伴我度过了四年北大读书时光，小字典至今我还用着……”黄蓓佳说着从书房里拿出那本已经很旧很旧的小字典给我看，她坐在沙发上久久抚摩着它，就像一下子重新回到了当年走进北大的那段难忘日子。

我知道在我们今天的作家队伍中，有相当一部分人跟黄蓓佳走过的路非常相似。他们从小就有当作家的梦，而正是恢复了高考，才使他们真正有机会实现自己当作家的最终愿望。

那年与黄蓓佳在北大同班学习的陈建功就是其中之一。他现在是我的兄长兼上司，已是国内外很著名的作家了，还是中国作协书记处书记。建功上大学之前当了 10 年挖煤工，过的苦日子比谁都多。1968 年，刚高中毕业的建功还在北京城里“闹革命”。一天，突然有一个同学告诉他：京西煤矿来招工，我替你报了名，你去挖煤吧！建功就这样去了煤矿，这一挖就是 10 年。到矿上后，他喜欢动笔写些东西，发表些自己的见解，所以矿工们很欣赏他，大学开始招收工农兵学员时，大伙推荐他，但一到党委那儿就没他的戏了。特别是有一天他从岩洞里挖煤出来，看到太阳刚刚升起，就猛然吟起《日出》里的一首诗：“呵，太阳出来了，可太阳不是我们的，我们要睡了。然后伸伸懒腰。”这事被“有心人”知道了，于是他便有了攻击“红太阳”的罪名。恢复高考的消息传到他那个矿上时，建功表现得并不特别，因为他当时并不太了解时势的变化，只知道自己和被打成“特嫌”的父亲一样是“反革命嫌疑”，他因此认定当个工人作家就是自己最高的理想了，而且当时文艺界都认为作家必须是从基层生活中才能培养出来的，学院那种地方不可能出作家。母亲知道了儿子的想法便不答应了，说什么也得让儿子“赶考”一次。建功说妈我现在连最大公约数、最小公倍数都不知是什么了，怎么个考法呀？他妈妈说你不会找两本书看看！

“这年秋天，我便开始了一边上班一边温习功课的生活。当时我们矿的知青中大约有一半人都在温习。”陈建功回忆说，“离校近 10 年，我的数学已经忘了很多，但经过温习有不少也渐渐看明白了，但对最大值最小值的公式我却始终搞不明白，也不肯背。当时和我在一个工棚里住的有个叫黄博文的，他数学挺好，我就发牢骚，说这太复杂了，我背不下来。他说建功我教你一招，你呀不要按它的公式，你就用 y，用导数来解。他也问我，作文怎么开头好呀？我也教他一招，我说你看题目沾不沾边，如果沾边你就可以写成一封信。1977年深秋的一个清晨，天还未亮，我们矿上用一辆大卡车，将我们这些参加高考的矿工拉去考试。那时天气已经很冷了，我看见寒星还在天上闪着，山路非常崎岖，卡车似乎开了近一个小时，才到了一个特别衰败破烂的院子，这是一所学校。我们都知道，决定我们命运的时刻到了。第一门是语文，作文题目是《我在这战斗的一年里》。一出考场，黄博文就紧紧地拥抱我，他说你给我出的主意太棒了，我果然是以给我爸妈写信的形式写的。最有趣的是，考数学时也有两道题是最大值和最小值，我也就稀里糊涂地用 *y* 公式套用了一番，答案果然很快就出来了，我的数学后来居然得了95分……听说自己被北大中文系录取的时候，我正在筛沙子，更确切地说，一位工友兴冲冲地跑来告诉我时，我正仰面朝天，躺在沙子堆上晒太阳。我记得听他说完了，当时我似乎淡淡一笑。接着，我又翻了个身，还想晒晒我的后背。那人说你怎么这样？我说着什么急，反正跑不了。直到我的后背也晒得差不多了，我才爬起来去领我的录取通知书。现在回想起来，有点儿后怕，那年我也只28岁，我的心就已如岩石般粗糙了。我的成绩平均在90分以上，总分在我们班是第四名第五名的样子。最为滑稽的是我的语文得分最低，只有80多分，其中作文失掉的分最多。大概因为我把作文写得比较花哨，写成了文章，而教师判题时却是按照作文规范要求的。听说北大要录取我时，改卷老师还很疑惑，特地跑到招生办询问：这个人为什么语文分数最低，而别的分都很高？招生办的人好像是说，这个人可能是个写文章的人，简历上说还发过作品……”

那年大考中，像陈建功这样进大学门前后有过奇特经历的，不止他一人。

郑晓江，1978年考入江西大学。现在他是南昌大学教授、校报主编，在生命社会学科方面是国内知名专家。他在给我寄来一堆他的代表作时，随信告诉了我他那年参加高考的一段难忘经历：

……我挤在一辆破旧的井冈山牌货车的边缘上，手紧紧地抓住车厢板，极力屏住呼吸，抵挡着阵阵刺鼻的臊味。

在铅山县参加高考后，我好不容易硬挤上一辆回武夷山垦殖场的车子，谁知它装了一只橡皮做的大氨水袋，车上人多，路又颠簸不平，不一会，氨水溢出，满车飘着冲鼻刺目的气味。我盈满泪水的眼睛木然地盯着路旁一排排往后飞奔的小树，心情沮丧到了极点。

年初，我和姐夫的妹妹郑红返回了阔别十年的南昌。我这个被戏称为“山里的猴子”的人，对这个变化不算太大的城市突然有了一些说不清的依恋。郑红和同学整日陪我在平整的马路上东逛西跑，晚上则去看《雷锋》《地道战》《地雷战》等老电影。这种生活与我在山中出门就攀坡、晚上早早上床睡觉的生活有天壤之别。郑红的母亲在饭桌上一边给我夹菜一边盯着我说：“你就一辈子待在山里吗？”这话像箭一般直刺我的心脏，就是这一瞬间，我突然下定决心：是应该从山里蹦出来，改变改变了！

这时恢复高考的消息传来了。回到西坑分场后，我凭着几本复习资料和 1977 年全国各省的高考考题汇编，开始紧张的考前复习。白天我到茶场去工作，区分茶叶的等级，照看整个茶叶制作工艺的过程，晚上就着昏暗的灯光苦苦攻读。

摆在我面前的困难太多了，似乎难以克服。我在农村中学读书，物理课讲农业机械，化学课讲农药的使用，数学课教大家怎么拨算盘，而语文课的教材是一本《毛主席语录》。我的知识实在是少得可怜。况且高考必试科目的地理、历史我压根儿没学过。没办法，拼了。我便把各门课程的内容分写在小纸条上，吃饭时背，走路时默，上厕所也拿着一大沓纸条。三个月过去了，武夷山垦殖场参加高考的五六十名知青和总场中学应届毕业的八十余名学生同赴铅山县正式考试。

天气炎热异常，挥汗如雨，许多题目我简直不知如何下手。语文考卷竟然没有作文题，只有一道什么改写题。上面印了一大段文字，要求改写成另一篇文章。我的妈呀！我从未听说过什么叫改写，应该用原文里的话写？还是纯粹用自己的话写？连这一点我都搞不清楚。

踌躇半天，只好提笔硬着头皮写吧。每考完一场，众多的考生便围着送他们来的老师激动地议论着考试内容。人头攒动，教师侃侃而谈，我站在人群的最后面，踮着脚吃力地捕捉教师和那些趾高气扬的应届生说的一字一句。我的天哪！好像每一题的答案都与我写的不一样。越听越沮丧，越听浑身越乏力。

坐在这该死的氨水车上——大家沿途这么诅咒着，总算回到武夷山垦殖场，再换乘手扶拖拉机，傍晚时分，我进了西坑分场。不愿惊动任何人，我轻手轻脚地回到房间取了内衣，来到平日我常去的溪流边，衣服也没脱，纵身一跃，扑通一声，全身没入水中。憋着气，直到肺部要炸开，再探头出水，猛地吐出满腔恶气，定睛遥望溪水对面的崇山峻岭，叹了一口气：这一辈子就待在这儿吧！

天蒙蒙亮，我又起床坐在溪水边发呆。山上的薄雾还未全散，一丝丝，一缕缕，或飘浮在山腰，或缠绕于翠竹绿树，不时传来几声犬吠，山里小镇的清晨十分静谧，人们还在睡梦中。吃过早饭，我一心一意去做茶叶了。

一个月以后，我们几个知青晚饭后照例坐在分场总机房前的木椅上聊天，高考的场景似乎已被遗忘了，我也极力去忘却它。

天渐渐暗了，阵阵凉风迎面袭来，我们仍天南海北地扯着，话务员在里面喊："高书记，电话！"与我们在一起聊天的分场书记高得福起身进去，一会儿出来对我说："你考中大学了。"大伙全都愣住了，我有些眩晕，到今天我仍无法用文字来表达当时复杂的心情。

第二天，我到场部打听消息。办公大楼前已贴出大红喜报，我的名字赫然列在红榜第一名。全垦殖场近八十人考文科，只有我一人考取。

一个多月的沮丧之情一扫而光。10月份，我出山赴学校报到，搭上一辆装毛竹的车子。坐在毛竹堆上，我用力抓住竹子，说："现在的命金贵了。"以前我从未想到珍惜这条命，不知为何，人一有了稍好的前程，连带着对生命的态度都变了……

郑晓江没有告诉我他走出大山时对生命的这种重新认识是不是

后来成了他重点研究生命价值取向的一个原因，但可以肯定，那次高考成功使这个“山里的猴子”改变了一生的命运。

王学文，1978年考生，现为黑龙江农垦红兴隆管理局教育中心干部、高级教师。我们来看看他的《大学圆梦》——

1977年初冬第一场雪后，村上小关校长告诉我：邓小平出山了，恢复高考，老三届都兴报名。

刚离开学校那会儿，魂牵梦绕的就是想上大学。随着时光流逝，上大学已经成了一个遥远的梦。走出校门已11年了，人生能有几个11年？家庭出身不好，社会关系复杂，使我丧失了当兵、招工、推荐上大学的机会。随着娶妻生子、柴米油盐，我已经成了地地道道的农民，大学梦早已破灭。听关校长一说，头脑中的记忆鲜活起来。我抵不住大学梦的诱惑，扔下捆了一半的苞米秸子，借五毛钱报了名。但回家没敢和妻说，怕她不批准。

初试在公社举行。感谢我学生时代的老师，教给我的知识仍深深烙在我的脑海里。作文题目是《旧貌变新颜》，我提笔就写：“踏着松花江边初冬的第一场雪，我复员回到了阔别五年的家乡。”真是意到笔随，一气呵成。监考教师一个劲地看我的手，我莫名其妙，原来十个手指有八个缠着胶布。

通知我参加复试是在半个月后，关校长到我家告诉我，12月20日到呼兰县城参加统考，并说我那篇作文在全县3000考生中考了第一，已经印发给各学校。公社文教助理到处打听这个复员兵，说以前咋就没发现呢？

妻对我说：“你有本事就去考呗，啥事扯过你的后腿？将来出息了别把俺娘俩蹬了就行。”其实她最心疼的是初考时生产队里扣了我90个工分，足足相当于春天9个工。

妻把队里刚分的豆油和亚麻籽油装了两桶，我驮到离家15里的火车站，卖了作考试费用。为了区别二者，我在两个桶上分别贴了标签。在小胡同里溜达，见人就问：要豆油和亚麻籽油吗？就像电影里地下工作者接头对暗号一样。一中年男子叫我到他家去，他把窝头切成片，分别放在两种油里炸，和他妻子反复品尝，一致认定我搞错了。夫妇俩对我的辩解不予采纳，还教育我中年人要诚实。我妥协了，将错就错，亚麻籽油当成了豆油卖。

另一桶豆油成交顺利，一个戴大口罩的男子让我给他送到家去。我乐颠颠地跟在他屁股后走了老远，一抬头却发现到了派出所门口。原来那老客是乔装打扮的治安员。结果豆油没收，理由是：粮油没完成统购计划前一律禁止交易。我心里直后悔，只怪自己粗心大意。

统考那天，我揣着妻给我烙的发面饼，早上5点动身，冒着零下30摄氏度的严寒，奔向60里外的县城。等到考场时，人已经成了“白毛女”。考生中，有十六七岁的娃娃，也有比我还老相的孩子爸妈，有一个女的直扯衣襟也遮不住隆起的腹部。我掏出钢笔，写不出字，冻了。我一边随手把笔放在身后的炉筒上烘烤，一边慢慢审题。等要动笔时，发现坏了：钢笔烤成了弯弓，一写字直转。监考老师忍不住笑，把他的笔借了我。我向他笑笑，表示谢意。谁知一下子笑收不回来了：这监考老师就是那天买油的中年男人。我急忙低下头答我的试卷。

作文题目是《每当我唱起东方红》，我想不落俗套，就写成了一韵到底的散文诗。监考老师老在我身边瞅我的试卷，瞅得我心里直发毛。交卷离开考场时，听他背后说：“写跑题了，不让写诗歌嘛！”我心里这个后悔呀，谁叫你审题不严呢！后来我看了山西一个考生的范文也是用散文诗写的，觉得散文诗也可往散文这边靠，此是后话。

中午在跃进饭店吃饭。把冻硬的发面饼掰碎，泡上饭店免费的老汤，再兑点酱油、醋和辣椒末什么的，吃起来有滋有味的。望着泛着油花的汤盆和“为人民服务”的牌子，感到这家饭店确是为工农兵服务的。心想，等考完后一定写封表扬信。等下午考完试赶到饭店时，发现汤盆和牌子一并不见了。服务员抱怨说供不起了，考试的人太多了。看来做好事贵在坚持。当然，表扬信也没写成。

接下来要解决晚上的栖身问题。住旅店两块钱一宿，超出财务支出能力。我找到“四海”大车店，睡通炕，不要被子，一宿三毛钱，正合我意。我坐在炕上角落里看书。电压不足，灯火一明一暗，一会儿眼睛看字就重影。屋里充满了烟味、汗味和泡豆饼的酸味，拌和着车老板粗重的鼾声和守夜人低俗的小调，叫人有一种喘不过气来的感觉。炕很热，很舒服。不一会儿有活物在动。开始局部偷袭，后来全面进攻，重点集中在隐私处。不挠，又痒又疼；挠破了，火辣辣的，更痒更疼。划火柴一照，老臭们忙不迭地往墙缝里钻。听说臭虫喜欢对血型，莫非我的前任也是O型血？我换个地方，学车老板的样子，把衣服脱得精光，用绳子捆了吊在高处。刚有点睡意，起早赶路的将铁桶、马勺又磕得“梆梆”响。第二天照镜子，眼圈都是黑的。硬撑着考完第四科，不敢再住店，连夜落荒而逃。

文教助理送来通知书时，我正在马圈里起粪。助理很为我鸣不平，说比你分数低的都进了本科，你才走了个大专。我说邓公没忘了咱们，就够意思了。再说这学咋个上法，我还得和孩子他妈好好合计合计呢。

去学校报到的头天晚上，我和妻子相对而坐，恍如梦里一般，妻子说了很多话，我一个劲地答应，记住了，又没记住。儿子睡了，梦里带着笑。女儿给我数白头发，女儿说：“爸，我也要等长出白头发才能上大学吗？”

我把女儿紧紧地抱在怀里，说：“不会的，永远不会的。”

王秀文，1967届高中生，1977年考生，现为中央某部驻外高级经济师。

他知道我在写这部“高考报告”，所以电话告诉我说没有他的那段经历，那这部作品“将是残缺的”。如此危言耸听，我便如约去采访。

王秀文确实与众不同，因为他是有过“劣迹”的那一类人。“文革”中他一度红过，还当过某市“兵团”司令呢！但很快又被另一“革命造反派”打倒，从此再不愿扛造反大旗，一心想搞点小“技术革新”。然而也许他的骨子里就有一种不安分的骚动意识，1973 年开始他的命运便急转直下，先是在“批林批孔”运动中被视为“孔老三”——他公然说“孔子的教育思想是中华民族文化与道德信仰的基石”。1975 年他又被打成反革命分子，关押在牢里 10 个月，后因身体不好保外就医。粉碎“四人帮”后，他总算可以回家了。1977 年高考消息下来，王秀文兴奋不已，在家大叫大喊了几天，说这回自己总算有了出头之日。但到市招生办报名时，竟然没有人敢接待他，他急了，骂人家是小“四人帮”。可招生办的人说你才是小“四人帮”的爪牙。王秀文搞糊涂了，后来有人悄悄告诉他：你是内定为还没有搞清问题的“5·16 分子”。王秀文一听傻眼了，追梦十余年的考大学看来与自己永远无缘了。于是他伤心地出走了很长时间。他到了新疆沙漠深处的一个戈壁滩农场，想在这儿的荒芜与严寒中苦度一生。他学骑马，学放牧，也学喝烈性酒，甚至去追逐从内地逃过去的女人。他变野了，连头发都不理。突然有一天农场来了一位浙江的生意人，收羊皮的浙江人带了一台小半导体，王秀文寂寞了很久，就借来听了一个上午，他听着听着，眼泪就掉了出来，然后就一下子不省人事……生意人吓得赶紧将他送到附近医院，还好，人家说他过度激动。咋回事？醒来的王秀文说：我马上就要回老家参加考试，我可以考大学了！广播里说像我这样所谓有“政治问题”的人也可以参加高考，入学条件一律平等！浙江那个收羊皮的生意人很痛快地说：今晚我请客。这一夜，王秀文喝得酩酊大醉……

他回到老家，把家人吓了一大跳，因为人家都知道他在新疆“自杀”了。“死人”现在竟然复活，还吵着要考大学！ 1978 年某市招生办都知道这事，也知道王秀文这位“野人”。

离参加高考仅有十来天时间，王秀文从一个老师手中借来一沓复习资料，把自己反锁在一间租来的小房里，他对家人和老师说：“你们这段时间谁也不要打扰我，只要在考试前一天来叫我就行。”

家人已经习惯他的“神经”了，以为他又犯病了，所以除了每天从窗口扔进点东西给他以外，并没有再多管他的事。老师们也偷偷地笑这个真真假假的“王疯子”是不是又疯了。他确实疯了，一连几天没有人见他从里面出来过，偶尔在夜深人静时，听到他在高声地说“疯话”。九天过去了，谁也没有把他考不考大学当回事，照旧各忙各的。就在大考的前一晚上，王秀文从里面走了出来，他学着“范进中举”的样儿，摇摇晃晃地走到附近居民家，一边喊着“哈哈，中了，中了”，一边做出一副醉样，惹得一帮小孩跟在他后面喊他“疯子”“疯子”。而王秀文则越加得意地做着中举的范进样。有个小孩使坏，在他半闭着眼往前走时，用一木椅绊了他一下，王秀文扑通一声，跌倒在地，孩子和路过的行人乐得哈哈大笑。这时有人过来取笑：王秀才，人家明天都要上考场了，你是不是真去当一回范进大人呀？

王秀文大惊，连忙问：今天是多少号了？

人家有板有眼地告诉了他。

“呜呼哀哉——我差点要误大事了！”王“疯子”一下变得不疯了，他赶紧返身，直奔自己的家……

第二天，考场上人头攒动。这时已经出名的王“疯子”到了考场，负责看门的人一见“疯子”来了，大喝一声：你来干什么？走远一点！

王秀文跺着脚：哎哟我的师傅，我哪有一点疯嘛！你不信看看我的准考证嘛！

看门的看了看准考证，没错。但再瞅瞅王秀文，他疑心了，叫来招生办的人问：这“疯子”怎么也有准考证？

招生办的人笑了：他是有点疯，不过不是神经病的那种疯，而是思想上有点那个，哈哈哈……

噢噢，明白明白。看门的回头重重地用拳头砸了一下王秀文的肩膀：小子，好好考，别再装疯卖傻！

好嘞！王秀文就这样走进了考场。

四门考试，王秀文每次都是第一个出来。有人问他考得怎么样，他总是学着范进的样连说“中了中了，哈哈，肯定中了”。

这家伙准又疯了。人们在背后朝他指指点点。

考试结束，又过了一段时间，与王秀文同进考场的人一个个相继接到了入学通知书，唯独他没有。

王秀文这回沉默不语了。有人这时拿他开心：疯子，这回“中了”没有啊？

呸，你们都给我滚！王秀文怒气冲天地拾起地上的砖头和石块，不管是谁就扔过去，吓得周围的人都大惊失色：疯子又疯了，别再去惹他了。

后来，王秀文听说自己的数学考了7分！他大怒，跑到招生办就满楼嚷嚷，吵着要看卷。大楼里的人一看是他来了，一边说着“疯子来了”“疯子来了”，一边赶紧纷纷关上门。王秀文更火了，见门就踢。最后他查到了自己的卷子，结果发现真的出现了大错：他的数学分数应该是77分，抄分的人没有认真看，抄成了7分，整整给他少算了70分！

“对不起对不起，实在对不起。因这次考生中数学交白卷的不是一个两个，能考7分的也不算少了，所以险些误你的大事。”招生办的老师一万个道歉。

这回王“疯子”很有风度地说了一声：“没关系，反正能‘中了’就行。”

好事多磨的王秀文终于如愿以偿走进了一所名牌大学，后来又当了研究生，如今正在海外四处“疯”着。

像王秀文这样的“疯人”获得上大学的机会，可以说是中国封闭了多少年后真正走向开放的标志。但中国又是个人口众多、教育落后的大国，能上大学的毕竟是极少数人，至1980年，我们的文盲仍有一两亿之多，绝大多数的青壮年只具初、高中文化。什么时候上大学成了所有青年和所有家庭的最高愿望？当然是改革开放带来的结果。当“科学的春天”之风吹拂神州大地时，当徐迟的一篇《哥德巴赫猜想》把陈景润这样埋头搞科学研究的知识分子奉为民族英雄和时代象征时，当邓小平一句“科学技术是第一生产力”的论断发表时，当北大方正、中关村电脑城如日中天时，当一群又一群知识经济下的百万富翁诞生时，当党政机关、中外企业甚至个体民营老板的招工牌上第一条件就是文凭时，当上大学越来越成为人们自我生存与争取有所发展的必备条件时……每一个中国家长、每一个到了就业年龄的青年和正在准备踏入社会的学生们都清楚地意识到：没有相当过硬的学历和文凭，个人或家庭的生存形态将面临不可抗拒的挑战。

大学，毕生的情愫

大学和学历，随着中国开放程度与国力增强，以及知识经济与科学发展的步伐而在不断升值、不断升温。现在，甚至已经到了谁若没有一张过硬的文凭，谁就难以跨进就业之门，更何谈大有可为的严峻时代了。

大学像一道无形的命运与身份的分水岭。

大学成为我们这个时代的必须。

谁拒绝了大学，谁就将拒绝挑战；谁放弃了大学，谁就意味着放弃了选择。

此时此刻，问中国的百姓什么是你生活中最大的愿望，他和她准会告诉你，是孩子的教育，是培养孩子上大学！

西方人一直不理解为什么中国人把钱都存在银行里，我们的国家决策者也费尽心思地通过各种手段来“拉动内需”，但从来就没有真正成功过。为什么？因为中国人的心里有个情结，就是赚了钱为孩子上学，存足了钱还是为了孩子上学，没有钱的也要存钱同样是为了孩子上学。据上海最新的一项调查表明：百姓手头的钱其中46%是作为“教育储备金”，这些钱他们不去进行其他投资，而是为了供儿女上大学之用。另一项调查表明，家庭经济越不富裕的家长们，越是把更多的钱用于子女教育，教育费用占他们手头资产的70%以上。

目前，中国个人的存款和现金达10万亿元之巨，也就是说中国人准备了近5万亿元左右的钱为了子女上大学。5万亿元钱像头猛虎，如果一下冲出来，可以摧毁整个国民经济，可以摧垮整个市场体系，可以让江山摇摇欲坠，但善良的中国老百姓却温情地将它紧紧地握在手里，以无比宽宏的胸怀，一点一滴地、细水长流地交给他们的子女，让他们去努力读书，体面地进入能够获得良好生存条件的大学……

13亿人几乎都这么想着，这么做着，因此中国人在20世纪后20年间对大学的理解与渴求，比任何时候都更明晰，比任何时候都更疯狂，比任何时候都更迷恋，竞争的残酷也就自然而然地显露出来，渗透到几乎每一个家庭。

有一次，青少年问题专家孙云晓先生给我们讲了下面一件事：黑龙江某煤矿城市，有一个姓宋的矿工家庭，全家5口人，仅靠几百元收入勉强度日。宋家有两儿一女，老大老二都是男孩，一个15岁，一个13岁，都在读初中。女儿最小，读小学五年级。令这个经济贫困家庭的父母感到欣慰的是三个孩子学习成绩都在各自的班上名列前茅。可在1996年9月的一天下午，老二和老三突然失踪了，家人找遍了孩子可能去的地方，依然没有踪迹，于是只好报警。公安人员费尽周折也没有找到，最后发现老大有些不对劲，被列为怀疑对象。父母坚决否认，说老大是个好孩子，从不招是非，更别说做坏事了。学校老师和同学都出来证明这家的老大是好学生。但公安人员的审讯结果却出人意料：老大承认是他亲手活埋了自己的弟弟和妹妹。一个15岁的少年如此残忍地杀害亲弟妹，谁听了都会毛骨悚然。原来这孩子经常听到他父亲说：咱家穷，只能供一个孩子上大学，你们兄妹谁考上了我就供谁，考不上的就下来干苦力活，供上大学的读书。老大比老二老三早懂事呀，心想兄妹三人成绩都不错，要是有两人能考上大学，就得有一个不能上，而老大想自己的成绩可能不如老二老三，这样上大学的希望不等于没了吗？他越想越觉得最好的办法就是除掉竞争对手。主意一定，老大从从容容地设下计谋，诱骗弟弟和妹妹上山，假装玩挖坑埋人的游戏，便将老二老三活埋致死……谁都不愿听这样的悲惨故事，但它实实在在发生在我们今天这个社会。人们议论说这孩子太自私、太冷酷，也有人说他父亲不该在孩子面前说那样的话误导。可不管如何解释，在这个孩子心目中，他有一种强烈的上大学的欲望，为此，他选择了他认为自己目前能达到的唯一也是最好的办法。我们该怪谁？怪这孩子？怪他父亲？也许我们谁都说不清。可有一点是清楚的，除了我们不知道年龄尚小的老二、老三是否明白上大学对他们的重要性之外，杀害弟弟和妹妹的老大及其父亲心中是极明白的。父亲因为自己的贫困和无能在为孩子叹惜，老大从父亲的话中体味到自己可能失去上大学机会的恐惧，正是这父亲的叹惜和儿子的恐惧，直接导致了这场悲剧。

大学，在这个矿工的家庭是一场噩梦，它毁灭了全家的幸福。当然，像这样的事例是极少数的，也不可能成为社会主流。大学梦对多数中国人而言，它是一座高山、一座险峰，有人通过这种攀越来证明自身的价值，有人则把大学作为自身价值取向的始发点、动力源。

说到这儿，我不由得想到一位如今已是风云人物的年轻都市才女，她叫张粲。

我曾对张粲说，如果这本《中国高考报告》中少了她的内容，就是一个缺陷。她当时没有明白过来，因为那时我的书稿尚在边写作边采访之中。

同在一个城市，但要抓住一位驰骋在商场上的女亿万富翁可不是件容易的事。我估计甚至有可能完不成这个采访计划，因为我仅从一篇有关张粲的报道中知道了她的一些情况，其余一无所知。有趣的是无巧不成书：当我托人满北京找这个才女时，突然有一天张粲打电话告诉我：“我的公司就在你们作家协会对面呀！”

望着对面高出作协办公楼两倍的“建材大厦”，我心中顿时升起一股“世界真的是你们的”感叹——因为张粲说：这 29 层高的建材大厦就是她盖的！

她在京城盖的大楼不止一栋两栋了，仅她本人的“达因集团公司”下属就有四十多家分公司，遍及高科技、保健品业和房地产业，公司员工超过 3000 人，在美国硅谷都有她的“公司部队”。

那天我推门进她的办公室，第一面见她时差点问她“你们老板张粲在吗”，要不是她抢先说“你是何老师吧？”我想我真会把上面的话说出口。张粲的形象给我感觉就是大公司里那类漂亮年轻和能干的“女秘书”，然而她恰恰是大老板。更不可思议的是，她的人生中有一段不可思议的大学经历。

张粲 1982 年以优异成绩考上北京大学，那时她才 19 岁，长得清秀淑雅，她聪明而有才气，活泼又机灵，当上了学生会文体部副部长，在北大能成为这个角色并不容易。我们还记得 1985 年的国庆大游行，北大学生经过天安门时突然向城楼打出“小平你好”的横幅，张粲是那次北大学生组成的两千人集体舞的总指挥。

那时的张粲，青春又单纯，充满活力又性格开朗。

突然，事隔几日，学校通知她：你的学籍已被开除，回家去吧！张粲还没弄明白怎么回事，眼前的天已经塌了……

原来，三年前，张粲在第一年高考时报的第一志愿也是北大，因为才十六七正值青春期的她，在考试时老发无名烧，结果平时成绩很好的她没有考出好成绩，后来被当作“服从分配”分到了东北某学院。上北大是张粲的唯一选择，北大也是她从小向往的学府圣地，加上张粲家里确有困难，她是部队干部子女，哥哥姐姐都上外地当兵去了，家中祖母年迈，母亲视力又不好，老父亲和整个家需要有人在身边，故部队出面请求东北某学院按休学为张粲办了退学手续。第二年张粲便以优异成绩考上了她向往的北京大学。然而按照当时的规定，第一年考上并被学校录取的学生是不能在第二年参加高考的，也许因为张粲太出名了，有人将她的事告到了北大，校方便在并没有全面了解事实真相的情况下做出了开除张粲学籍的决定。

还有什么比这更残酷的打击？一个前程无量的北大优秀才女，却在一夜之间成了轰动全校的“被开除生”！

尽管张粲和她家人及部队方面无数次向校方提出申辩，尽管北大全校有很多学生自发组织了“张粲声援团”为她力争挽留，尽管北大博士班的20多名博士生主动联合起来集体为张粲向校方提交恳请书，班主任、系领导等一些人，仍铁面无情地一次又一次逼张粲退学离校，搬出校门。

“你们就不能让我留在这儿？我什么都不要，我只要学习、上课还不成吗？”张粲哭着恳求，甚至就差没有跪在那些人面前。

“不行就是不行！”依然是冷面。

张粲眼泪干了，嗓子也哑了，她像散了架似的被好心的同学们架着去“散步”……“那样的场景，只有在八宝山才有呀！”现在的张粲说。

“那时我确实想死的心都有，但我还是挺了过来，一是我太恋北大了，二是同学和一些老师对我太好了。我本来就在学校比较出名，这件事出来后，没有哪个同学对我另眼看待，大家似乎比以前对我更好了，更包容了。正是这两点，我挺了过来。我发誓要在北大读完四年课程。那些日子里，我一边坚持留在学校上课，一边不停地写上诉材料，一有空就跑教委、跑新闻单位、跑各种有用和无用的关系，尽一切可能力图恢复我的学籍。”张粲回忆道，“也许正是那些日子里，我学会了到什么地方都不发怵的本事。我那时小姑娘一个，是学校的博士生们教我的，他们说你就得学会进门就跟人家说话，并用最简洁的语言，把你的故事讲给人家听。有一次到水利部，因为听说那里面有人跟当时兼任教委主任的李鹏认识，但人家有把门的，我没有证件进不去呀！于是同学们就教我，说你只管大摇大摆地往里走，有人问你找谁，你就看都不用看他一眼，对他说‘我找我爸’，你准能平安无事地进去。后来我还真就这样混进了水利部大院……”

我俩都笑了。

张粲说："最让我伤心的是，有的老师明知我委屈，却就是不让我进教室上课，你怎么求他也没用。班上组织集体活动，这是我最想参加的，可班主任死活不让我同去，现在想起来我还深深感到心痛……还有人向我中学的班主任发难，给她处分，并在现场大会上点名，要她检查。可我老师说：'我没错，我相信张粲是个好学生，不信咱们 10 年后再看。'后来别人把这话传给了我，使我坚强了许多。我一直感谢这样的老师和北大的同学们。因为即使按照上面的精神，像我这种情况也不应该受到开除学籍的处分。1984 年下半年，教委就已经做出了废除原来规定的在对考生进行'服从分配'时不与本人和家庭见面的做法，做出对非志愿分配考生必须与学生本人和家长见面的新规定。所以我坚持认为学校对我的处理不公平。我第一次报的也是北大，但因为身体原因没考好，人家不征求我本人和家长意见硬把我分到东北一个我根本不感兴趣的专业上大学。我从小就爱动植物一类的东西，后来看爸爸能把一枝杜鹃嫁接得开出好多鲜艳的花儿，就想当位生物学家。第一年高考时我报的就是北大生物系。后来由于报考受了挫折，一气之下，我在第二年考了北大国政系国际共产主义运动史专业。却没有想到我后来的大学梦出了这样更大的意外。我被学校做出开除决定是在 1985 年 3 月 8 日，从这年的'三八'妇女节起，我在北大便成了一个'黑人'。但不管他们怎样想把我赶出大学门，我就是不走，直到与班级同学一起读完四年本科全部课程，而且还一门门参加了考试……"

1986 年 7 月，张粲以非凡的毅力，完成了学业，但她没有拿到文凭，仅得到一纸证明，证明她坚持学习，成绩合格，及各方面表现不错，不包分配等。

张粲的情况在北大是唯一的一个，像她这样后来被许多老师和同学敬佩的"不读完大学誓不休"的才女在建校史上并不多见。历史的原因，使张粲这样才华出众的女大学生经历了并不公平的曲折磨难，然而她从来就没有倒下过。靠自己的优异成绩和在北大人人公认的才能与表现，她顽强地走过了青春最好年华。在同学们欢天喜地的毕业典礼上，没有张粲的身影，那时她已经到市团委、团中央和团校去打工了——她在这些地方干的是骨干工作，却只能拿一天一块多一点的临时工工资，因为她是没有拿到大学文凭的大学生。

大学始终是张粲一个衡量自身价值取向的坐标，因此她即使在经受别的女孩子可能永无能力承受的困难的岁月里，也从没有放弃对知识的追求。后来她力争通过考回北大研究生的方式来弥补她曾经有过的一段大学裂痕，可是客观因素阻碍了她。在此情况下，张粲仍然没有放弃初衷，一如既往。她从打水扫地开始，从倒卖电脑做苦力生意入手，一步步在自己设计好的大道上迈步走着，直到离开北大 11 年后，她又以出色的成绩考进了北大国际金融专业研究生班，而此时的她已经成为资产过亿的著名民营企业家和团中央表彰的全国十大杰出青年科技人才之一了……

“读书永远是我的生活，大学是我毕生的内容。”张粲在与我道别时说的话，道出了多数中国人对大学的那份抹不去的情结。

郭小林，著名诗人郭小川的儿子，现在《中国作家》杂志工作。他是我的同事，比我大 10 岁，但他的副编审职称却晚了我 8 年才拿到。1999 年 10 月，中国作家协会职称“高评委”又开展工作，身为杂志社负责人之一的我和另外几名领导同志极力把郭小林报了上去。几天后 53 岁的郭小林终于如愿以偿。然而在我祝贺他的时候，这位老大哥没有一点欣慰之色，他说：如果当时我不放弃考大学的话，不仅“高级职称”的事早已解决，而且也许会是位著名的“知青作家”了。

我握了握他的手，默默地点点头。因为我早已从他人那里知道：在当年的“北大荒”知青里，后来非常出名的梁晓声、张抗抗、陆星儿、肖复兴等人，都是郭小林的知青战友，当年的郭小林诗才横溢，且在当地小有名气，他的诗作出名时，文学圈里还没有上面提到的那几个人呢！“当时，我出名后，黑龙江人民出版社、昆明军区创作组等五个单位要调我去，可我却没有去，自己还挺牛的，认为我在北大荒能当个真正的诗人。”郭小林自己说。

郭小林亏就亏在他失去了本不该失去的上大学机会。

其实郭小林的“大学梦”也很强烈，只是他的特殊遭遇，使他几次与上大学的机会失之交臂。

1976 年，已经到了河南林县的著名诗人郭小川被当时的批斗弄得心灰意冷，对局势发展不抱任何幻想，决定长期留在林县。为此，他向林县有关部门提出了调远在“北大荒”的儿子郭小林到身边照顾自己的要求。郭小川这个要求得到了批准，就这样，郭小林来到了久别的父亲身边，并被安排在林县城关中学教书。可是郭小林没有想到，他来到父亲身边仅不到 3 个月，他亲爱的父亲、中国人民心目中的著名诗人郭小川，莫名其妙地在安阳地区革委会招待所里被大火吞噬了生命——他是在四化建设前夕、粉碎“四人帮”后即将出任文化部领导的前夕告别人世的。“郭小川之死”曾震动过中央高层，有关他的神秘死因，一直是人们猜测和疑惑的不解之谜。家庭长期遭受政治迫害和父亲的突然去世，给了刚刚定居林县的郭小林以沉重的打击。而当郭小林还没有从失父的悲恸中醒过神儿来时，1977 年恢复高考的消息意外地传到了他的耳边……

我要上大学！郭小林的第一个反应极其清晰和坚决。这也是父亲郭小川对儿子的期望。

那时的林县，交通落后，信息十分闭塞。从郭小林得到国家“恢复高考”的消息，向学校提出休假学习时起，离考试开始只有一周的时间了。

“教学工作很忙，只能给你三天时间。”学校领导说。

三天就三天吧。天生就有诗人气质的郭小林不以为然。

那会儿我可狂了——早几年在北大荒推荐上大学时，有人问我，如果是省师范学院你上不上？我竟然不屑地说：不，要上就上北大清华！这后来还曾成为团支部批评我骄傲自满的证据之一；因我那时已在省级报刊和兵团小报上发表了不少诗歌，在知青中小有名气。转到内地农村中学后，见有的教师对学生这样解释“厦门”：厦门就是中国最大的百货商店……你说，年轻的我能不狂吗？所考四科中，我自信语文、政治、史地毫无问题，也来不及复习了。麻烦的是数学。“文革”前我考上高中，没有上学就去了农场，十几年用进废退，文字能力颇有长进，但那点初中数学的老底子，早就忘到爪哇国去了。于是手忙脚乱地找书、求人，求县一中高中数学老师给我辅导；三天里没黑没白，一天十几个小时地看书做题，满脑子全是 *xy*、sin、cos……什么眼睛、什么睡眠，全都管不了了，拼了！大考之日（我至今清楚地记得是 1977 年 12 月 7 日），我一早赶到十几里之外的另一所农村中学，考场就设在那里。我的心里出奇的平静，大概是自信能考好吧。环顾周围的考生，似乎少有知青模样的，全是二十来岁的农村孩子——而我那年恰满 30 周岁。

填写报考志愿时，我毫不犹豫地选择了北大中文系，那时分不分一二三志愿，现在已记不大清了，反正我没有给自己留退路。不出所料，语文等三科，都是提笔即答，一气呵成：作文我最为得意，因为我在这种现场命题的作文考试中动了真情，落了眼泪。作文题为《我的心飞向毛主席纪念堂》，一见我便心中暗喜：这不正是为我预备的吗！稍加琢磨便伏案疾书——“当我翻开新出的画报，见到新建成的毛主席纪念堂的大幅彩照，我便不由得想起不久前我进京瞻仰主席遗容的情景，我的心又飞向了纪念堂……当我站到他老人家面前时，我心中激动地默念着：毛主席啊毛主席！我可不是一个人来看您的，我是带着两颗心（一颗知青的心和一颗老战士的心）来的！”——接着，我回忆了父亲在林县听到毛主席逝世时的悲恸心情，他让我给中组部打电报请求回京参加遗体告别的情形，以及他因意外事故去世而最终未能见主席一眼的遗憾；我还叙述了当年他在延安如何在主席思想哺育下成长为一名革命战士和诗人、他如何对主席有着深厚的感情、粉碎“四人帮”之后华主席如何率领我们拨乱反正，等等；当然最后结尾时也不忘加上“大颗的眼泪滴落在画报上，使我从回忆中惊醒过来”，“我决心在以华主席为首的党中央领导下，为祖国的四个现代化建设贡献一切力量”云云。这篇作文当然不可避免地带有当时的时代印记，说了些套话，但我确实是动了真情的，在写到“带着两颗心”

处时，我抑制不住自己，眼泪真的夺眶而出，滴落在考卷上。据一个当时被抽调到安阳地区参加阅卷的教师事后告诉我，他听说我这篇作文被当作了全地区的范文，大家都认为写得不错，但由于在“飞”字上做文章做得不够、对华主席歌颂得不够两点，未能得到最高分。考试结果，我落榜了。这太出乎我的意料了！我本以为即使数学不行，但其他三科考好了，可以“堤内损失堤外补”；而且我天真地幻想着，万一我考得不太好，国家会不会考虑刚刚从“文革”废墟上站起的中兴大业是多么需要人才，能不能网开一面让数学虽差却在文学创作上已崭露头角的我被破格录取呢？然而，我的美梦在严酷的现实面前显得是多么荒唐！其实，那时教育战线的极左影响还极深，表现之一就是排斥老三届等大龄考生——以 25 岁为界，应届考生的录取分数线为 150 分，大龄考生的录取分数线则为 250 分；年龄相差 10 岁，分数线却相差了 10 的平方！据别人告诉我，我的总分是 240 多分，数学不是 0 分就是仅二三分，与录取线只差几分。我就此与大学无缘。

倘若是在北京，或许消息灵通一些，我会和老三届们一起，去做拦蒋南翔同志的车之类的事情；或者，今年没考上，来年再考（据说 1978 年高考形势就有了极大改变，对大龄考生一视同仁了，题也容易一些）；我的命运也许会有所不同。但在当时，我困守穷乡，信息阻隔，加上我犯了犟脾气，发誓再也不考大学——这种唾面自干的做法，正说明我的愚蠢——从而失去了 78、79 两年再去争取的极好机会。

今天，已是年过半百，但依然从里到外冒着诗人“傻气”的郭小林这样对我说。

“那时我考大学，与其说是为了学习，不如说是为了调回北京。这是第一个误区。”郭小林剖析自己一生痛失大学生涯时回忆道，“为了调回北京，1980 年借调在京期间，我还有过两次考研究生的念头。头一次是写信询问北大的谢冕老师，得到的回答好像是当年他不收研究生；时间隔得太久，记不清了。第二次是得到一份招考研究生的简章之类，匆匆一看就草率决定报考复旦大学吴开晋老师的研究生，好像是中国古典诗词专业；还跑到什刹海附近的老北师大报名站去报了名。可笑的是我什么情况也不摸底，就在报名之前给吴老师写了信。在报名站，一位老师看到我的名字便认出了我，原来她是我小学同学的母亲。她见我报得不妥，便问为什么不考社科院新闻研究所办的研究生院，那是专为新闻系统的子弟而设的，报了准能考上（她知我父亲生前在人民日报社工作），我只得据实以告已给上海方面写信了。几天后吴老师终于来信，说是只招一名学生且早已内定了。所以，两次报名结果都是无'考'而终。两位老师都是我极敬重的，只是我其实根本不具备考研的水平，而且这样轻率，既是对自己不负责任，也是对老师的不尊重。1981 年我以对调的办法回到北京，上大学的动力遂告消失……"

我看到一向生气勃勃的郭小林，此时此刻的脸上布满了凝重的阴云。"1982 年初，我到首届茅盾文学奖的初选读书班做秘书工作，在香山昭庙见到刚毕业分配来作协的 77 届大学生王超冰，她告诉我，那年他们听说我报考北大，都想着我能来呢。这可极大地满足了我的虚荣心，而忘记反省自己的不足，只是一味地埋怨教育界；这种认识在后来一段时间，甚至发展成了混杂着嫉妒和怨恨的偏激情绪——大学生有什么了不起，我的能力比他们强多了！你们看重文凭，我偏不要文凭！况且，人们把当时社会上一窝蜂地考文凭的做法称之为混文凭，的确有一部分人混到手一张纸之后，实际水平并没有多少提高，我心里也是有些鄙夷的。可是，不要文凭又不成，晋级、评职称、分房……我以后的几十年生活无不受此影响。在几经犹豫彷徨之后，有一年我终于决定去考成人自学高等教育。一打听，乖乖！ 12 门课程，门门不易——又给吓回来了。1988 年秋，我自己给自己鼓了好几回劲儿，终于又下决心去考民族学院的成人函授大学。那天，好容易打听到报名地点，沿着民院新楼的楼梯往上攀，见身边上上下下年轻而富有朝气的莘莘学子，不知何故就自惭形秽起来，越往上攀越没了勇气，到了报名处，看到排在前面的姑娘小伙儿在登记表上填的都是十八九、二十来岁，想到只有自己是个四十多的半大老头子，就羞臊得不行——其实谁也没朝我看，自己就那么浑身不自在。就在快排到我的时候，我的勇气终于泄尽，像逃也似的跑走了。现在回想起来，只觉得自己真是非常可笑，也非常可悲，想学习、想深造是好事嘛，不丢人嘛，你说你害的哪门子臊！但说是这样说，做起来可就不容易了。悲夫，非大学拒我，是我拒大学也。”

如今女儿已大学毕业的郭小林说：“现在平心静气地想一想，上大学的心理障碍不存在了，经济上的困难也不大，只是没有时间——忙了单位的事忙家里的事；最主要的是老想写东西——虽说其实也没写出个样儿来，却总是牵肠挂肚，因为我不甘心当年的辉煌多年不再。至于大学嘛，或许只好等退休之后，再去上老年大学，以圆我今生之梦。”

像郭小林这样欲以毕生的时间圆其大学梦的人，在中国有千千万万。

第二章　备战黑七月

从1977年恢复高考到2000年，中国经历了23个高考的年头，当年在恢复高考中曾经因为作文好或者数学好而考上了北大、清华等最高学府的学子们，今天大多数已经成了社会各界的主力。现今他们的孩子也差不多进入了高考年龄或者已经进了大学。23年的岁月仿佛弹指一挥间，人们发现，同为高考，今天与昨天的情形则截然不同。当年，人们是多么期盼恢复高考，那些多年失去了上大学机会的学子们一听说可以参加高考了，就像黑暗中重新见到了太阳，就像枯萎的生命遇见了雨露。然而20多年过去了，当他们的孩子也开始考大学时，别说他们的孩子对高考感到害怕，这些当年在高考中出尽风头的佼佼者们也异常迷惘和紧张，甚至比自己当年进考场更加忐忑不安。

这是为什么？因为今天的高考竞争已经比20多年前的竞争要激烈几倍，甚至几十倍。首先是人数上的竞争。1977、1978两年虽说共有1160万人参加高考，成为世界上人数最多的一次大试，但实际上，如果用适龄青年的总人数来计算，真正可以参加高考的总人数应该超过一亿多人！但正是由于“文革”的特殊原因，使很多人在十年停试后一下重新恢复高考时，完全没有准备。许多人彻底放弃考大学的权利，他们没有走进考场，为那些走进考场的人让出了机会。而且当年的高考试题，难度远比现在低。

“我们那个时候参加高考心里没有那么多压力，无非是谁考上了就能够重新走进学校读书。即使考不上，身边不是还有很多人嘛，他们没有进大学还照样有活干，有饭吃，说不定就在你上大学的那几年里，他混上了一个比你大学毕业出来分配的工作还好的岗位。这种情况至少延至80年代末。可在我们的孩子也走向高考的今天，情况完全变了：你不上大学，就意味着有可能一生的贵贱从此确定，你将永远难以走进‘上层社会’。最明显的例证就是，你没有大学文凭便走不进红红火火的用人招聘市场，而只能去冷冷清清甚至脏兮兮的劳务市场。这两个市场实际上就是两种不同阶层的具体体现。还有一个情况是，那时我们参加高考虽然也下了不少苦功，但基本上是能蒙几分就是几分，很多人个别科目甚至交了白卷，但也进了大学门。现在行吗？肯定不行。我女儿第一次考了全市第二名，高出北大的录取分数线 20 多分却最后落得没有学校上——因为第一志愿的名额没挤上，另一所重点大学又不录第二志愿，这种情况在 20 年前怎么可能发生呢？所以说，同为高考，两代人经历的竞争背景完全不一样。”一位两代人都考入了北大的学生家长对我说。

从什么时候起，高考变得越来越激烈，越来越充满火药味？家长说不清，学生更说不清，唯独学校的老师能从他们一年又一年备战的“黑色 7 月”中感受和体味到。

中国的 7 月是高考的月份（虽然刚刚实行春季招生，但主试期仍未变化）。把 7 月说成黑色，是因为如同战争一般的高考硝烟弥漫了每一年的高考日子，只有硝烟弥漫的战争才可能使晴朗的天空变成黑色，可见高考在中国人的心目中是何等沉重！

12 年寒窗，为了 7 月 7、8、9 三日的决战；

背诵和计算堆积如山的课本与参考资料，为的是跨越这高高的龙门；

哺育和操心的无数个日日夜夜，为的仍然是能让儿女或学生在考场中战而胜之。

7 月，成了中国人每年必须经历的一场年度战争，但决定战争胜负的，又岂是考试的这三天？于是就有了下面的一幕幕可以闻着火药味的校园备战实况——

抢生——兵马未动先出招

认为高考的胜败是在 7 月的 7、8、9 三天的考场上，那肯定只有傻瓜才这么想。我从南到北采访的十几所名牌中学，它们的高考录取率之高，不得不令人敬佩，几乎清一色在95%以上，就是说，他们的高中生中每100个人里就可以有95个考上大学（包括大专），也就是说只要能进这样的学校，基本上就稳进大学了。名牌中学和重点中学，就是这样在人们心目中慢慢形成威信和树立形象的。

我考察的结果表明，现在各地的那些所谓名牌中学和重点中学，最早时并没有人授予它们这样的荣誉，而是因为高考之风把一些原来名不见经传的学校，变成了名扬四方的明星中学。在商品社会的今天，一切有名的东西都是含金量很高的，名演员可以获得高额出场费，名产品销售起来不用有人在一旁吆喝，名企业的无形资产听了就叫你吓一跳。名中学的牌子同样值钱，一个计划外招生指标，三万五万随便就能进账。

名牌中学之名靠什么而来？当然不是与生俱来的，关键是那个诱人的高考录取率。

录取率靠什么而来？下大功夫，认认真真，努力刻苦？名校校长们都偷偷地笑了，他们悄悄告诉我：如果中招招来的都是笨学生，我再有名气也不可能把高考升学率和录取率提上去呀！那叫傻干，而傻干是永远干不出聪明活的，只有聪明人才能干出省事又不费力的聪明事。

后来我才知道，他们所谓的聪明事，就是在学生还远未进入高考阶段，便已经选好了高考苗子——想尽一切办法把成绩优秀的好学生招进自己的学校，剩下的事只要按部就班就得了。在北京，大家都知道四中是名校，从这儿考出去的学生不是北大就是清华，奥秘在哪？因为它每年可以从全北京招收最好的孩子入学，它每年的录取学生分数线比普通中学常常高出二三十分，比如1999年，四中的中招分数线明打着的是600分，而实际上真正600分的学生是很难进得了四中的。为什么？因为全市600分以上的孩子都想进这所北大、清华的摇篮，而四中的招生名额有限，不是610分以上者只能望洋兴叹。中招五门课程考600分容易吗？对一般学生来说，这是近乎登天的难度！所以凡能进四中的学生本来就是优秀生中的优秀，人尖中的人尖。

北京四中全国只有一所，而且还是联合国教科文组织直接关心的学校，所以我们排除其他学校与它的可比性。各地、各市的名校之间的竞争就情况不同了，因为它们本来就都没有北京四中那样的特殊性，它们靠的是以各种招数来赢得社会、家长及优秀生自投罗网，并且为此挖空心思，不遗余力。

某校教务处老韩告诉我，他们学校每年为了吸引优秀生到他们学校来，有好几套手段哩。比如说他们教务处办公室的一位同志专门负责对外宣传和联络工作，定期请本市或者省报驻本市的新闻记者到学校联络感情，其实就是请这些记者来为学校当吹鼓手；或者硬碰硬地投出几万到十几万元的宣传广告费，以此让社会明白他们学校是有实力的；再有一招就是给每个教职员工分配拉生指标，每拉到一个市级三好学生奖励多少钱，每拉到 10 个过线（即超过学校录取分数线）者奖励多少等等，这样就可以确保生源的优质率达到目标了。

费那么大力气合算吗?

当然合算。老韩肯定地回答我，他通过一个老教师的亲身体会告诉我这样一个规律：一般好生与差生的区别，集中反映在他们学习的注意力上。优秀生或成绩好的学生，对学习往往有浓厚的兴趣，俗话说是能坐得住，不用老师费口舌就能自己管住自己。差生除了个别先天智力因素外，大部分是学习的注意力不集中，坐不住，你怎么管他也达不到自觉学习的那种效果。还有一点差异是，好学生一般通常有极高的竞争意识，眼睛总是盯着更高的目标，差生就不一样了，缺乏竞争意识，随大流，你用鞭子在后面抽着赶着，也未必起作用。有经验的教师所做的总结证明，在同等条件下，一个老师要把一个基础差的学生培养成优秀学生，所花的时间和精力等于教三至五个基础好的学生。这一比例说明，同样一所学校，生源的优劣可以影响学校至少三至五倍的教育效率。其实这还仅仅是一般规律而已，如果把优劣生内在的个人因素一起放进去，这一比例将会更加增大。

老韩向我掏心窝子说："你想，当老师的再有责任心，可学生总不是自己的孩子，他可能给你全心全意吗？这就造成了谁都愿意教好学生，因为越是好学生教起来越省事，越省事教起来就越有情绪和兴趣，这样就越能教得好，越能出成果。教差生就完全相反了，你烦都烦死了，一天到晚尽是些费不完的口舌，再好性子的人都会起急，到头来你还啥成绩都没有。所以我们给老师下指标，用奖励手段来鼓励大家去争取好生源，大家都能理解，也都能积极想法子，因为谁都知道，与其等以后让我去教一个差生班，还不如我现在就下下功夫争取一班好生来呢！"

"竞争就这么白热化地展开了。只要我们到每年的中招会场看一看，你就会感觉到抢生源的火药味。然而这仅仅是表面文章，那些看不见的战线上的抢生竞争就更加白热化。某校一个初二学生得了省数学比赛冠军回到学校后，即刻就有市重点高中学校的领导登门拜访，校领导当场向学生家长表示：在孩子上高中时，他们免试招他入学。家长和孩子听了自然非常高兴。这事被另一所高中学校的校长知道了，他们也想把这个省数学冠军抢到自己学校。他们听说这孩子还想在语文方面下点功夫，于是就派出一名优秀语文教师免费为这孩子当家庭辅导老师。一年以后，当那个承诺免考让孩子上高中的校长来给孩子办入学手续时，家长告诉他说孩子已经考进了某某中学，即被那个免费派家庭语文辅导老师的学校招走了。那校长对天长叹一声道：完了，我失掉的何止是一个好生，至少是十个、二十个呀！果然，那个把省数学冠军抢走的学校，立即借省数学冠军考我校的新闻广为宣传，这名人效应即刻发生效果，家长们互相之间都在传：你看人家省数学冠军都去某某学校了，我们还傻挑什么呀！于是哗啦一下都涌向了这所学校……哈哈，这所抢得一头凤，引来万头凰的学校的老师、校长们，高兴得不亦乐乎，因为这一仗不仅影响本年度招生业绩，对以后几年的招生都将起到极富惯性的连带作用。

“几乎每个学校的老师们现在都知道，想要在‘黑色7月’打个漂亮仗，必须在兵马未动的招生时就先下手，且要下狠手！”

至于抢生源在校长心目中所居的位置更是别人所无法感受到的。现已离职的某校老校长老王跟我谈了他的切身经历，听后让人觉得别有一番滋味——

老王原来在市一中当校长。而一中、二中在某市都是当地百姓心目中名声显赫的学校。一中相对历史要长些，所以在人们心目中称得上老大，且有省级重点中学的牌子在那儿。王校长原先是在教育局当副局长，从教育局调到一中任校长时，有人说他不走运，因为论资格、论在局里的年岁也该他坐局长的宝座了，可偏偏调整班子时，让另一个部门的一位不是搞教育出身的年轻人占据了正局长的位置。随后他向市领导提出，宁可到下面的学校教书，也不想在教育局待了。市里一研究，说行吧，照顾情绪，也为了能让新局长工作顺手，于是一纸调令将老王调到了一中当校长，同时还保留副局长的虚职。说老王不走运的人，是看了上面的这些情况才这么说的。

老王心里有数，教育局在市里和百姓心目中算个啥？尤其是像他原来当个副科级的副职局长，更是小萝卜头一个，谁把他当回事？教育局的大政方针都是上面指示、市委拍板、局长执行的，官道上那么一清二楚的事，有啥可图？校长可就不一样了，尤其是名校校长。老百姓说得形象：市长省长再大的官，我们挨不着他也不买他的账；老师校长虽说不是官，可哪家没有个小皇帝？老师校长专管咱家的小皇帝，所以老师校长是皇上的皇上，谁见了都得磕头见笑脸。

到一中就任后，老王不是没有压力，这个压力来自于周边地市，也就是说兄弟市县的中学间的相互竞争。压力归压力，可毕竟老王的一中是个老校，建校历史近百年，光上《中国名人录》的大科学家和著名人物就有一大串。头一年下来，老王处于熟悉工作的过程中。8月份高考结束，一中的高考升学率再创新高，排在了省里的前三名，又比过去名列五六位的排名往前迈出了重要的几步。市里百姓特别是那些考上大学的学生家长们纷纷向市委、市政府反映，要求给一中记功。在市新一届人大会议上，一位孙子当年考上北大的人大常委会副主任提议，应该给本市教育工作做出杰出贡献的一中留个人大代表和人大常委的名额。这个建议立即得到相当一批子女在一中读书或者是子女已从一中毕业的人大常委们的一致赞同。一中的代表名额下来后，自然理所当然地落在了校长老王身上。干了几十年机关公务的老王，第一次坐到了决定全市政治命运的权力机构的主席台上，此情此景，让他蓦然有种升天的感觉。

然而对王校长来说，这种升天的感觉仅仅是开始。市级人大刚开完，省人大代表的选举又紧接着进行，老王在差额选举中得票甚至比几个人大常委会副主任还高。红红火火、热热闹闹的省人大代表大会开完，全省先进教育工作者的会议又按期召开。不用说，高考率名列全省第三的县级市代表中，老王是最硬气的一个，因为高考升学率的前两名是省城的两所名校，老王的学校虽屈居在它们之后，其实含金量绝对不亚于前面两校，这一点省教委的头头多次在老王面前这么说过。老王当然爱听这些话，说白了——这是一个显示一中和他老王本人在与别人相比中的分量和资格的问题。

从省城几个会议回来，老王便从过去极少被市长、市委书记接见的副科职，一下成了市长、市委书记亲自上学校来看望的红人。市里不管什么会，只要一谈起改革成就，领导们就会把一中、把他老王抬出来。老王从此成了当地家喻户晓的名人，在百姓的心目中实际威望不亚于市长、书记。特别是新一年招生时，老王提出一中在前一年高考升学率达 95% 的基础上再上两个百分点，达 97% 的目标，和再扩大招生一百名的新举措，几乎使全市百姓都为之欢呼。

一中和王校长简直成了大伙心目中最向往的地方和最了不起的人物。老王曾在邻近的一个朋友那儿听说这样一则民间故事：有位农民到市里办事，一进城就迷路了，见了红绿灯也不知是走还是停。天黑了，想找的地方还没找到，便想找家旅馆住下。可旅馆要他身份证，他说我哪有身份证，旅馆说你没有身份证是不能住的。那老乡想了半天就说我认识城里的一个人，你们不信可以问他。于是人家就问他，你认识谁呀？他便把王校长的名字说了，并添油加醋地说了句：王校长跟我是亲表哥哩！旅馆的老板一听是王校长的亲戚，二话没说，顿时像见了亲娘舅似的为他开了个高间。那老乡舒舒服服睡了一夜后，第二天有些紧张地走到账台——他忐忑不安地想这回一圈猪崽的钱泡汤了。谁知旅馆的老板不仅没收他一分钱，而且笑嘻嘻地送给他三条香烟四瓶酒，还全是高级的。这位老乡弄不懂咋回事，那店老板悄悄对他说：我儿子就在一中念书，今年进校时，想给你表哥意思意思，可你表哥说什么也不要。这不，你跟王校长是一家人，我们想表的一份心意也有人收了不是？头回进城的这位老乡，哪想到一提王校长是我的表哥就得了这么多好处，于是回村后对老哥老嫂们说：城里就是好，只要说是王校长的亲戚，啥事都能办。

听说你现在的亲戚多了去了？这位朋友讲完传说，便问老王本人是否真有此事。

老王对民间传说没有否认，只是笑着说了句：麻烦也找了不少。其实老王心里是高兴的，至少从这种传说中可以看出他王校长在市民中的声望。

好笑的事还有。市里要分一批福利房给教师，这消息传出后立马有几家房地产公司老板主动找到老王，说王校长您的房子包在我身上，白白送您一套咱们不敢干，那样会让人说是贿赂您，但好的地段、面积大小、朝向好坏，还有装修方面，您只要一句话，我们全给您办了。老王有两儿一女，也快到结婚的年龄了，当教育局副局长多少年也没有解决过一次房子，这回理应可以考虑，但因为看到学校几位老教师家里困难更大些，老王就把公房的指标给了人家。房地产商们并不知道老王的心思，还以为王校长没看中送上门的优厚礼物。于是相互之间打听到底是谁的礼更能让王校长笑纳，暗地比着为王校长献礼。大家都知道，谁能打通王校长的关系，谁就等于有了比金山银山更坚实丰厚的财富——这就是自己的子女可以安安稳稳地进市一中、上大学。咱这辈子谁英雄谁好汉，已经是明摆着的了，后一代谁英雄谁好汉才是家族兴衰的根基。百姓都认这个理，所以能在王校长面前烧把香、念个经是最最重要的事。但后来王校长没有为自己要房，使得这次送礼竞赛也悄然隐退了。

老王在一中的校长位置坐到第三个年头时，教育局的那位年轻一把手被上面调走了。这时市委征求老王的意见，看他愿不愿意接第一把交椅。老王是聪明人，且又有一中校长的这几年升天的感觉，所以他连连摇头说能力有限能力有限，给谢绝了。正是这一谢绝，使百姓对一中王校长的为人更加敬佩三分。

年过半百的老王，此时人气如日中天。

然而月有阴晴圆缺。

在老王上任一中校长的第四年时，这年的一中高考率首次出现跌势，且跌幅达三个百分点。而同在一个市的市二中却出现了奇迹——与老大哥一中同为 94% 的高考升学率。

这一年，当地新闻媒体的镜头都对准了二中校长。

高考前，老王正随人大代表团在国外考察，回来得知此讯后暗暗吃了一惊。不过已经坐在省级先进头把交椅上的老王自己给自己宽心道：偶尔一失，不足为奇。

他照样做他们一中该做的工作，但是下面的老师们向他反映：二中今年招新生采取了新招，把不少好的生源抢走了。

老王听了有些不以为然：我们一中是全市百姓心目中的王牌中学，谁想歪招也别想挤掉我们。

在老王根本没有把二中当作自己对手的第二年，二中高考升学率又一次与一中拉平。

“既然是平，就不能说我们输给了人家呀！人们没有看到我们学校今年又拿到了全省素质教育先进单位的金牌？所以从这个意义上讲，我们是输了吗？再说，我们都是搞教育出身的，不能只盯在学生的高考升学率上，那样会使我们的应试教育越搞越严重，最终把培养人的教育工作引入不正确的路上，损害的是一代人或者可能是几代人的民族素质呀！”老王在年度高考总结会上对下面议论纷纷的教职员工这么说。他的话让相当一部分人频频点头，但也有一部分老师并不买他的账，提出要离开一中，到二中去。

老王火了：“想走的就证明他对一中没有了责任感，让他们走吧，即使是骨干！”

于是前后有五名年轻的骨干教师从一中调到了二中。

这一年二中为了抢得全市优秀生，便又出了个新招：他们与某国教育机构联合，在学校开设了个国际班，进行中、英双语教学。这使又一批本想报一中的好生又到他们那儿去了……

简直是招摇撞骗！老王听说后生气极了，把问题反映到市委。书记听后笑笑，说中国的旧教育模式也该改革改革了，双语教育那么多人喜欢，证明有它的市场，探探路没有什么错嘛。

老王第一次见书记这么不把他的意见放在眼里，心头不由一阵打颤：怎么，真的自己不如人家了？

可不是，这一年高考再度明朗后，二中的升学率和文理状元的分数都超过一中，第一次取代了一中，并一跃成为全市、全省教育先进单位。在百姓中间，一中不行了，送孩子上二中才能考好大学的意识普遍流行。随之而来的是生源和财源像回潮的江水一般，全都倒流到二中那头……

“校长，今年修校舍的钱都不够用了，是不是把那辆新奥迪换成桑塔纳？”行政办公室主任轻轻地走进校长办公室请示。

老王气不打一处来：“换！换掉！马上去办。”

这一天，老王到市人大开新一届代表大会，路上一辆崭新的奥迪在他前面戛然而止，对方的车窗里探出一张颇为得意的笑脸向他打招呼：“王校长呀！走，我们一起走吧。原来，那新奥迪里坐的是二中校长。”

老王的脸抽动了几下，佯作笑容地向对方挥挥手，说我还要办点事，你先行吧。

这一届的人大选举，二中的校长当上了人大常委，一中校长老王落选了。会议还没有开完，老王就请假回了校。

人大会议结束时，便是春节。往年的春节，老王家的门槛简直要被人踏破，他收到的参加各种活动的请柬和贺年卡能装满麻袋，然而这一年，老王只接待了不足十来个探访者和二十来张贺年卡。

真是世态炎凉呀！当外面的锣鼓和鞭炮齐鸣时，老王独自在家里叹道。他抚摸着一沓曾经闪闪发光的奖章与奖状，又看看当年一中新生摸底测试的成绩单，沉思许久后，拿起笔和纸，给市委领导写了一份辞职申请……

两个月后，老王的请求得到了批准，被安排在政协教科文办公室当主任。在一中新老校长交接大会上，一中新校长握着拳头对全校师生说：什么都是空的，当务之急就是要把学校的高考升学率放在头等重要的位子上开展工作。老王一听，有些吃惊地看了看自己的后任，他想说些什么，可又说不出来。

是啊，不把升学率提高上去，还有什么资格当校长？老王长叹一声，永远地离开了他心爱的教育战线。

春节到来之际，接老王班的新校长拎着几盒点心来看望老校长，并借机讨教些经验。老王长叹一声，说：我们本来就比二中强，问题出在生源的基础上，一句话，你想赶过二中，重振咱们一中的威望，就得想方设法把好生源抢到手，否则再费劲也是白搭。

新校长再问老校长：那么抢生源到底要使什么招？

老王说：什么招？凡是你可以把好生源抓到手的招都可以使。

新校长年轻，脑子反应快，便说：那我就从今年开始，跟各初中学校开始议定“合作联助班”事宜，你看行不行？

老王不解：什么叫“合作联助班”？

新校长说：就是从孩子上初中起，我们就以一中名义跟这些初中结成合作伙伴，共同办好初中三年教学，之后凡初中出现的优秀生他就得给我送到咱一中来！

老王一听，拍案叫绝：这招好！家长和初中学校都会欢迎的。

新校长站起身说：那我回去就这么干了。

于是，某市高考的抢生竞争便又向纵深处发展了一大步，初中阶段的孩子和家长们，已经身临其境地感受到高考“黑色 7 月”的硝烟开始向他们飘来……

赶时——决胜关键是两招

啥叫赶时？当然是赶时间呗。赶时间又有什么奥妙？奥妙太大了，大到你外行人根本想都想不到。

我在走访过的所有高中毕业班发现了一个极其普遍的现象，那就是进入高三毕业班后，差不多所有学校全都没了新课程。这怎么可能？按教学大纲规定，高三的课程是高考的重点之重点内容呀？高三不教课，高考能取胜？

对头，高三不教课，高考才能获大胜。在一次教育工作现场会议上，四川省代表、川西某校高中教研组组长王伟谈了他积累多年的“经验”。他说他们最早也一直按教学大纲规定，该在高三时照例上高三的课，等到高考前两三个月才开始集中学生进行考前复习，但后来发现这么弄就是感到紧张，要在两三个月内把高考所涉及的内容从头复习下来，学生感到紧张，老师也觉得难以完成。于是学校就决定在高三阶段的上一学期必须把一年的课全部教完，毕业班在来年春节后一开学就全面进入总复习，这个效果明显好于往年。但要把三年的高中课程压缩成两年半教完，就得在高二后一个学期进入高三课程。后来他们还是觉得无论学校怎么抓，就是抓不过附近某县中的高考录取率。论师资、论教学能力，王伟说他们学校一点也不比邻县中学差，到底问题出在哪里？王伟便派人暗暗探访——必须是暗暗地探访，否则人家知道竞争对手来了，为隐藏真相，会让你一无所获而归。王伟说他是假借看望大学时的老同学为名，才获得准确信息：原来人家绝招就出在高三的学期里根本不上新课程，全年进入大复习状态，用一年的时间投入高考的准备，以此来赢得大考全胜！三年的课程要用两年来教完，不是原教学大纲有问题，就是学校出了邪招。王伟回去对自己的校长一说，当了大半辈子中学毕业班老师的校长怎么也想不通。毕业班班主任会议上，校长把皮球踢给了大家：你们看，我们是按照教学大纲走，还是按照兄弟县中的路子走？多数老师说，这是明摆着的事，教学大纲就像国家的宪法，不照它做就是违法。可一些年轻老师不同意这种看法，说现在是商品社会，什么都看效益，教育同样要看效益。一个高中学校，如果不把高考录取率搞上去，说什么都是空话，别说我们等于辛辛苦苦白干，校长面子过不去，学校的知名度也永远上不去。高中三年课程是两年上完还是三年上完不是根本问题，根本的问题是高考录取率是不是第一位的，不把录取率搞上去，我们学校就会失去生源，最后大家的饭碗便会砸了。讨论异常激烈，三天下来，意见统一了，多数人服从了少数人，王伟的学校也决定从新一届高中生开始，从入学第一天抓起，每天多设置一个课时，每周多安排半天至一天的教学时间，高三开始，星期六、星期天不放假，全天候上课。"对学生和家长讲明白了：谁不参加加时课程的学习可以，但高考能不能考出好成绩，我们学校概不负责。"校长最后拍板，老师们就像面临世界大战一般，一个班一个班地动员，一个家长会接着一个家长会，口径统一：这是为了大家，为了你们有好的高考成绩，为了你们孩子有前程，所以必须校方、学生和家长一起努力。

"是否这样有违教育部的相关规定？国家教委好像不止一次规定非毕业班不准随便增加课时。"我便请教王伟老师。

"是有规定，但有几个学校是按规定办事的？除非你们北京的中学，因为离教委太近了，不敢违规。哪家高中学校不是我行我素？"王伟老师说，"事实上按照教学大纲的课程安排，高三的学生只有一两个月的时间进行高考复习。现在高考的分数竞争已经激烈到每争取到一分就可能决定考生一生的命运的程度，不靠全力拼搏，不靠比别人多出十倍、百倍的努力，怎么可能出好成绩？"

神州大地高考的滚滚烽烟，就是在这一天天的抢课时中变得愈加火烧火燎。高考就像一列失去控制的火车，越走越快，到最后谁也无力牵制，带着积聚多年的巨大惯性，向广大学子重重压去，于是给广大的考生留下一片片应接不暇的惊恐与无谓的挣扎……中国的高考紧张气氛几乎就是这样形成的，不是在高三，也不是在高二，而大多是从高一入学的第一天起便已经开始了！

某市曾经发生过这样一件事：刚刚经历了“中考”战火的一批学生进入市重点高中后，以为可以彻底松弛一下，家长也是这么认为的，可是在开学的第二个星期，学校就宣布：从下星期起，周六不再放假，改为全天候上课，星期天上午是“特色班”辅导，下午是“加强班”开课时间，各班同学注意，凡是成绩突出的可以参加“特色班”，成绩差的必须到“加强班”补课。高一生们一听就叫起来了：还让不让我们活呀？老师连头都不回地说了声：要活就得按上面说的去做，否则谁也救不了你们。学生们回家跟自己的家长一说，家长们都很吃惊，但对学校这样的安排只表示了不同程度的沉默，有的甚至表面上与孩子一起在家“义愤填膺”，可心里则偷着乐——就得这么抓，否则大学怎么考？同学们没有得到家长的真心同情，于是有“领袖”主动出来写信给市教委控诉学校的做法。教委后来把信转到了学校，学校拿到转过来的告状信，执行得也非常坚决：凡参与写信的同学完全可以不参加“特色班”和“加强班”。“哇——我们胜利啦！”孩子们好不兴奋，因为他们的斗争赢得了胜利。但这些同学很快发现，由于不参加周六、周日的课程，他们再也无法在平时的课堂上与其他同学同步学习了，因为老师讲的课已经远远走在了前头。尝到苦头的学生回头再想挤进周六、周日的班时，学校说：可以，但必须每人写出检查并加倍交补课费。到了下一周，参与写告状信的孩子一个个被家长押着走进校长办公室，垂头丧气地拿着补课费和检讨书站在那儿，逐个当众悔过。打那时起，这个学校的周六、周日班再也没有人敢提出异议，一直开到现在。学生和家长普遍反映：如果不是学校周六、周日班开课，家长肯定要多费不少心，说不定高考就落下一大截。

刚刚过去的2000年春节前，国家教委为了给中小学生“减压”，发了个“紧急通知”，内容要求全国各地在寒假时不得随意开设各种“辅导班”。这应该是个好消息，但效果并不明显，因为家长们一下急坏了，孩子在家干啥？整天看电视？一年一度的高考、中考春节一过就又“硝烟四起”，考不好谁管？教委管吗？不管。肯定不管嘛，它哪管得到千家万户？所以说还得有辅导。于是一时间全国各地的教师成了今春寒假最抢手的一族。以北京为例，所有中学教师几乎被“订购”一空，而且稍稍有点名气的名牌中学教师的家教费涨到每小时 80～100 元，就是这样的高价，依旧忙不过来。某中学的一位物理教师告诉我，他从 1 月 20 日正式放假开始，每天安排的家教时间多达 9 个小时，春节的几天里也只有大年初一那天没有学生来上课。他说在放假的近一个月里，所挣的家教费相当于他半年的工资，日均收入在 600 元以上。面对如此火爆的意外收入，这位教师不亦乐乎。我走访了几个京城外的中学高中班，它们多数是在春节后其他行业的职工上班时，也都开始了全日制的“补习”。这种名为补习、实为开学的上班的目的，仍然只有一个：那就是赶教新课，抓紧高考前的点滴时间，备战“黑色 7 月”！

赶课赶时，其实早已成为中国高中教育阶段的普遍现象。学校的反映是：我们也不想这么干，但高考压力实在太大，学校不为应届生争取更多的复习时间，就难以保证考生成绩。家长基本全部支持。理由是：学校有经验。老师知道应该用多少时间先学完高中课程，再用多少时间进行复习，以对付高考。只有学生感到太苦太累，因为三年的课程要在两年完成，等于每一天 24 小时必须干完 36 小时的事。这么一赶，全中国的学生，全中国的老师和全中国的家长，便一下子全都感到有做不完的题，干不完的“加班”。于是，备战高考的火焰越燃越烈，直到举国上下都觉得烫手烫脚……

分班又分流——对不起你的绝招

也许，中国是由于人太多的缘故，一旦有什么大的事需要处置时，总会将人分为一二三类，三六九等。人太多太杂，便得按胖瘦高矮，划出个优劣好坏，似乎这样方能按部就班地推进某些事件的历史进程。这些本来都是属于科学管理的有效手段之一，但无论什么事都这么分来分去，可就要坏事了。

高考的事太多，能否考上大学和升学率高与低，对考生和学校来说都是成败在此一举。将应届学生分类，也就成了备战大考的必须手段。于是最热闹的一招，莫过于考前的分班与分流之战。

按理，学生从来都有好差之分，即使在同样的环境下也有好学与不好学之别，尤其是大学的专业几百近千种，文理科之分在所难免。但问题偏偏出在这必须分的过程中，常常因分班分流而发生学生与老师、老师与老师、老师与学校、学校与家长、家长与老师和学生与家长之间的种种激战。

在恢复高考的前几年里，高中阶段没有分班分流一说，那时到高三下学期才为了便于填写报考上大学的志愿，要求学生进行文理侧重复习。但到了 80 年代中期以后，随着高考压力的逐年加大，分班已成为趋势。从人才培养角度考虑，进行“专业性”的文理分班无可非议，尤其是中国的教育从小学到高中的 12 年课程里，一直采用的是灌输式教育，很少能发掘个人智力潜能，因此有专家认为在高考前一两年，应该实行必要的文理分班。起初的分班根据上述理由，但现在的情况完全是另一种分班，即各学校为了取得高考录取率而将同学科的学生们以成绩好、中、差来进行高考前的大分档。成绩好的第一档被编入 A 班，学生均是学校和老师认为有可能取得高考好成绩的，这是老师和学校内定的必保生，他们是决定学校年度高考录取率的“主力部队”；第二档是那些成绩中游水平，推一下可能考得上大学的二梯队学生，他们被编入 B 班；第三档是完全没有可能考上大学的差生，被编入 C 班。也许除了一些在国家教委挂上名的全国著名中学外，几乎所有的中学都这么做，有些分得还要细一些，如 A、B、C、D 班，或者叫法不同而已，但实质完全一样。

“不分班不行啊。你想，学生总是有优良差之分，而高考又是一道死死的门槛，小学和初中，好生和差生同在一个班级大家不会有太多意见，可到了高考时学生和家长们便不干了，老师也不会干的。比如一个班本来有三分之一的同学有希望考上大学，但就因为班上有几个差生总是拖后腿，课不能往前赶，必然会影响好学生的进度。所以一到高二，学校就顶不住来自家长们的压力了。有一年我们分班稍晚了一些，成绩好的那些学生的家长就联合起来把校长整整围了一天，要求他必须答应分班，家长说否则孩子考不上大学就拿他是问。有的说得很激烈呀，说你学校要是耽误了孩子考大学的前程，我就把你学校和你校长的家全砸了。你以为家长们说说就是了？想错了，他们真能干得出来的！有一年一个学校就自以为顶住了‘分班风’，结果有两位成绩不错的孩子没有考上大学，学生后来对自己的家长说，全是因为班上有几位差生拖了他们的后腿，家长一听火了，把班主任和学校校长打得浑身是伤。被打的班主任和校长把打人的家长给告了。处理此事的法院院长的孩子，前两年也吃了没分班的苦头而在高考时没考上重点大学，人家法院院长明确告诉那被打的班主任和校长：你们这是活该！瞧瞧，你不分班试试？分班，那些成绩好的学生和家长当然高兴了。其实学校也是极愿意分的，因为利于教学，同时还能确保高考的升学率。可是哪那么容易分呀！那些被分到 C 班的差生们感到自己是被学校划入‘下等公民’，干脆不好好学习了，成天捣乱不说，弄不好反过来会让学校下不了台。那年我们学校就出现了一个分到 C 班的学生后来在高考时考了全校当年高考分数的第三名，这位学生在拿到大学入学通知书后，与家长一起抬了一桶粪跑到原来的班主任家‘感谢’，说是有意要臭臭那有眼无珠的老师。你说这老师冤不冤？这老师后来一个学期没有好好上班，精神受了刺激。问题最难处理的是那些被分到 B 班的学生，对他们有时很难界定。我就碰到一个家长很难缠地问我，凭什么把他的孩子分到了 B 班？我说是根据学校规定的三次摸底考试成绩多少多少这么分的，那家长提出你能保证那些所谓好成绩的学生中，就没有人是靠作弊而‘成功’的吗？我说那谁也说不准。他说这就对了，教师既然这都说不准，你就更没有权利用三次简单的摸底考试来把我家的孩子分到 B 班去。最后我只好投降，说你只要能在年级教研组长那里说得通，我就让你孩子归位到A班，后来他真的做到了，可那孩子到了A班不出三个月就自动要求退到了B班，因为他觉得A班进度太快，听了课仍等于没学。所以说高考前的分班是最热闹的，也是最难弄的事，但每个学校又必须这么干。不干谁都不能安宁。你校长不想分，要是当年全校高考录取率下降了，你校长日子就不好过；老师也愿意分班，不分班家长天天跟你磨，弄不好脑袋上给人砸个包出来。当然分了班也会不小心被人在你家里放把火。你作家可不要笑，真有这样的事啊。我们邻近的一个县的一所中学，就因为有个老师在分班时得罪了某学生，高考结束后，这老师在乡下的两间房子突然起火，好在村上的人抢救及时才避免了大灾。事后有人说，看到是那个落榜生所为，但谁也没有证据，再说那学生后来到南方打工去了，几年不回，被害的老师有苦难言……”现在在北京当文化“高级打工仔”的王先生，有声有色地给我讲了他过去在宁夏县级中学当老师时的亲身经历，高考前的分班所带来的阵阵惊涛骇浪把我深深震动了。

不能不承认分班教学的优点，它可以让那些比较有把握的学生接受更良好的教育，并向更高的目标努力；它也可以使那些本来有些吃力但在方法得当时又能迅速赶上的学生，获得上大学的可能；而对那些本来离高考录取分数线就有较大距离的学生来说，也可免受备战之苦，踏踏实实坐下来学些真知识。然而分班备战高考，客观上使学生们在还未进入高考的决战时，就开始经历一场心理试验，有人因此得意，又常常发展到忘形的地步。有位家长颇有切肤之感地对我谈起他的在一所名牌学校A班的儿子的转变过程。他的儿子原来在班里是前十名水平，分班时进入A班，那小孩子高兴得一下子从家长那儿获得了2000块的“奖励”——这是他老爸早先许诺的。在2000块钱拿到手进入A班后，他不是更加努力了，而是因为听了老师的一句“A班就是大学的预科班”，以为自己进了A班就可以稳拿大学录取通知书了。不出一年，这位学生由于对自己要求不严，成绩跟不上，被逐出A班，降到B班。这下子他受不了了，在学校里受到同学们的白眼嘲讽，回到家又被老子狠狠地揍了一顿。在如此几方面的压力下，这学生从此开始厌学，最后又降到了 C 班，成了彻底的差生，高考自然没有他的戏可唱。他父亲想为他再出钱弄个社会大学上上，但儿子说什么也不愿意，现在就只能在一家装饰公司做苦力活。

这位家长还不是最倒霉的，上海某中学学生张雯的家长更心酸。他们的“千金”张雯在前九年义务制教育时都是品学兼优的好学生，是同学、教师心目中的宠儿。可到了高中后成绩下降了，老师和她父母都着急，张雯自己更着急，为把成绩突击上去，她真的几乎达到了“头悬梁、锥刺股”的程度，但日久天长，身体跟不上了，记忆力也差了，在高二时她被无情地分到差班。分班名单公布的第二天，张雯没有来上课，她给父母留下一张字条后，在家中割脉自杀了。她在遗书上对父母说：“……女儿实在无颜面对你们，无颜面对老师和同学，也无颜面对自己。既然无法抬起头做人，在这个世界上活下去又有什么意义……”像张雯这样被高考备战时的分班所击倒的何止一个两个！东北某市 1997 年 10 月就发生过一起 7 名女中学生集体出走的事件。她们留给学校和家长的信中直言不讳地说：“是分班的残酷现实使我们不得不远离屈辱之地……”可见，不得不进行的分班教学，是高考前很多学生必须面临的一次近乎残酷的试验。

分班带来的战火并不仅仅烧在学生身上，教师之间也常常因此而烽烟不断。

某校刘、王两位女老师原来是少有的好姐妹，她们是同一所师范大学同班同学，又一同分到了同一所中学且同带高中班。本来两人你有事我就帮你代课，我有事叫你一声绝不会说个“不”字。但进入高二时，刘老师被学校安排教了 A 班，而王老师则被安排到了 C 班任课。这种差异让王老师无法接受，她怎么也思忖不过来，而且越想越觉得自己一定是被“姐姐”刘某算计了。王百思不得其解，最后认为肯定是刘为了达到能任教 A 班而不惜为校长“献身”，结果让她作了垫底。王越想越无法忍受这等耻辱，尤其让她气不打一处来的是，每当上课铃声响后，刘还总是笑嘻嘻地朝她打招呼，而且比平时更加亲热。“假惺惺的，少来这一套！”王心里骂得咬牙切齿。差生本来就叫人头痛，王心里不舒畅，再加上班里学生老出乱子，校长不时在大会上批评她，对教A班的刘则大加赞美，这使得王更加认定：刘出卖了她，刘与校长有见不得人的事。王如此忍气吞声地完成了高考前的C班教学，高考下来，她的班全军覆没，刘的A班则大出风头，有个学生还考了市第一名。不用说，王与刘两人在学校里彻底地成了优差两类教师的代表，刘成了全校的红人，而王则自我感觉正是由于刘的大红大紫，才使校长把她打入“冷宫”。一气之下，王用一夜工夫，写下了三十封状告刘某与校长通奸的诬陷信，发到市委、教育局、报社等几十个单位。这事闹大了，纪检部门派人一调查，纯属诬陷，王因此被开除出校。当她离开学校时，已经原谅了她的刘老师前来为她送行，王搂住刘泣不成声地忏悔……

王走了，但学校新一年的分班工作又开始了，校长说得非常明确：不这么做，谁也确保不了学校的高考升学率，与其让一些人感到难受，不如让更多人在考上大学和考上重点大学后好受。

校长还说，我们仅仅只是分班，要是搞分流那才真叫见招。

什么是分流？分流就是根据平时学习成绩，参照每年高考的录取分数线进行测定，把那些似乎没有希望考上大学的学生分流出校，这样做往好听里说也是为了学生未来的前途考虑——有时智力和能力差的确实有，让他们免受高考之苦，明知龙门跳不过，就赶快抓紧时机另找出路，如考职高呀，念私立学校呀，再在别的学校蹲班复读呀，总之你得离开本校，另谋出路。

分流从什么时候开始的？1995年时，国家教委曾发过通知，针对那些很难考上大学的学生，学校可以将其在高考前分流“出局”。这个通知精神当然有它的积极意义，首先是发通知之前，教育主管部门没有对分流一事有过任何态度，但分流在各地的学校中已成事实；第二是分流确实能减少高考对全民的压力，使学生、家庭和学校三方面都避免不必要的浪费。然而，分流本来就存在很多人为因素，加上不少学校借此作为手中的一根权衡自身利益、调节高考升学率的魔术棒，分流便成了备战高考的一场非常残酷的“战争预演”。另外，当时教委下发的允许采取分流的通知曾明确规定“必须经本人和家庭自愿”的原则，问题恰恰就出在下面并没有注意这个“自愿原则”。

因此，分流使学生和学校之间的矛盾变得异常激烈。学校在这一问题上几乎都表现积极主动，因为这是决定本校高考升学率的大事。我走访过某省一个偏僻的县级普通中学，在那里你看不出有什么硬件和软件方面的优势，破旧的校舍据说都是“文革”时扩建的，全校除校长办公室有一台电脑，用作打印文件外，现代化设施很少，更不用说什么“语音教室”了。学生说他们连做物理实验用的仪器全都是些破破烂烂的坛坛罐罐。至于那些老师的教学能力，更不敢恭维。我问一位英语教师是什么地方毕业的，他说是地区专科学校，选他任教英语是因为学校找不出第二个比他英语更强的人了。他们的老师中绝大多数是土生土长的本地人，很多人连省城都没有去过。但是这个中学对外称自己的高考录取率能达到 70% 左右。这个比例在大城市当然不算高，可在内地的普通县级学校里，那绝对是个高水平的学校了！后来我一了解才知其中的奥妙：原来他们开设的 4 个高三班中，有一个 56 人组成的大班是复读班，即专为那些落榜生“回炉”再读而特设的班级。复读班学生一般不在学校应届生的册子上，但学校却等高考一发榜，便将其中考上大学的人一下编入在册之列。而在另三个班中，有近三分之一的学生在进入高三第二学期，便被强行分流到其他地方去了，个别不愿走的，学校明确说，同意你留在高三班上课，如果毕业会考及格也可以发毕业证，但绝对不准参加高考。如此一进一出，这学校的高考录取率一下高出二三十个百分点。到时学校有面子，老师有面子，当地教育局和县长、书记脸上都有光。据调查，目前中小城市的中学里，如此分来分去的做法，已是各自心照不宣的事了，因此有人戏说：越是教学质量差的地方，高考录取率会越高。其中的奥妙全在于它可以借各种手段甚至动用政府行为把那些学校认为的差生分流出列。他们把剥夺学生上大学的权利变成了某些利益的魔棒，校长、局长和县长想要什么样的高考录取率，其分流的魔术棒便会怎么转动，在这样的魔棒下，广大学生成了不折不扣的牺牲品。

我听说过一个并非是笑话的笑话：西北某省有所边远中学的校长和老师们，最大本领不是如何在教学上下功夫提高学生的高考水平，倒是在分流学生这事上招数颇奇。先是硬的，不行就来软的，硬软不吃的就来泡磨术——天天派专员到学生或家长那儿做“思想政治工作”，基本上没有做不通的，因为他们手里有特别武器——对那些实在做不通的，交县、乡领导亲自处理，竟然出现过有一位党员的子女坚决不愿分流离校，县、乡两级领导多次找到这位党员家长，说你必须从一定的高度来认识和做好儿子的分流工作。那党员家长说我儿子愿不愿从学校分流的事跟我站的高度挨得着边么？县、乡领导很认真地对他说，怎么挨不着边呢？我们县是省上的教育先进单位，如果今年的高考录取率上不去就会影响全县的荣誉，这不就是政治嘛！最后那党员家长被逼无奈只好将儿子送到刚刚开办的职业高中去了。而对待普通老百姓的办法就更多了，你一定不服从分流也可以，我就罚你个够，罚得你心痛，看你还硬不硬！更有甚者，某校为了把个别“难缠”的对象分流出高考之列，竟然让医院开出智力障碍和“神经有问题”等诊断，彻底判处其“高考死刑”，从而顺顺当当笑摘“高考状元县”“状元乡”的桂冠。

然而今天的百姓已经不完全是愚民了，他们知道怎么运用法律武器来保护自己。2000年元旦刚刚过后的几天，北京市朝阳区机械工程学院附中的女校长怎么也没有想到一场官司轮到了自己头上，告她学校的正是几年前被学校分流出去的女学生、现在已就读北京联合大学的余亭亭。余亭亭在诉讼中陈述的理由是，她在1996年7月被该校高中部录取后，读了两年，到高二升高三时，学校怕一部分学生考不上大学而故意出难题试卷，结果包括她在内的几十名学生，因不及格而无法升高三，被迫分流到了“成人高中”，失去了宝贵的高考机会。余亭亭在家长的努力下不得不转到一家私立学校，并交了两万元赞助费才读上了高三，后来顺利地考上了大学。余亭亭以自己“分流受害者”的亲身经历与事实，起诉该校剥夺了她和其他同学读完普通高中和考大学的权利，并因此要求法院判决原中学赔偿她上私立学校所花的25000元和精神损失费1万元。北京市朝阳区法院受理了余亭亭的起诉。这场官司在本文成书时尚没有结案，但它至少说明了分流的做法多少包含了对学生高考权利的不公正的侵犯，否则国家教委也不会在1999年重新发文要求中学停止分流的做法。而余亭亭上诉后，被告方校长称，她的学校并非像原告所说的分流人数高达52%，实际是30%左右。然而这30%的分流数还算少吗？这等于因为分流而使该校高三学生中有30%的人被无情地剥夺了高考权利，难道这还不够残酷？

堂堂首都北京市都有学校敢这么干，那些边远地区的学校还不知会搞出什么名堂呢！人说“高考黑7月”，这个“黑”字不正是被浓烈的战火硝烟熏黑的吗！

模拟疯考——登天门的步步台阶

问高考生在高考前什么最令人头疼，他肯定会告诉你是没完没了的模拟考试。就像冯小刚的三部“贺岁片”今年出笼后，看到他老一套的故事、老一套的广告式宣传腔调，百姓们就群起而攻之、骂之、烦之。冯小刚的“贺岁片”才三部就让人感到“没完没了”，不可容忍，却没有多少人运用媒体宣传工具指责高考前学校里进行的一遍、二遍、三遍……几十、几百遍的模拟考试和练习考试，这真是怪了。

其实说怪也不怪，因为高考前的几个月、甚至一年两年的练兵考试在中国已经成为一种习惯，一种谁也无法扭转的历史潮流。

一个“考”字，几乎代表了中国五千年传统文化的全部内核。看看自古至今在培养人、教育人、选拔人方面，哪一样离开过“考”

字？它成了对付人的万能手段，而且值得称奇的是几千年来它从未走样。中国的考试是千古不朽的教育经典。

你问 360 天天天考有什么可考的？！那就大错特错了。教师们可有完全不同的看法，他们认为即使天天考，时间也还永远不够。至于为什么呢，就得往下看：首先是针对高考的五门课程，如果按一星期抽测两次，二五一十，一星期就是平均每天都得有两次考试，上下午各一次。这太轻松了！怎么可能安排得这么松松垮垮呢？至少每个课程两天一测验，一周一小考，两周一大考嘛！这是学校的规定。于是学生们发现，各门课程考试频率一下增加了一个“二次方程式”，成了每半天有两门以上的考试了！

但任课的老师还是着急：你们这样搞平均主义不行，数学是高考中的关键，数学考试和摸底考试量必须是别的副科一倍以上。于是仅数学就变成了每天上下午各一场小考，每三天一次大考。大考和小考是有区别的，小考是年级组织的，大考是学校组织的，考好考坏都记录在案。同学紧张，老师也紧张。

数学老师刚刚调整考试计划，外语老师又跳了起来：挤啥课程都成，但唯独不能挤了外语。谁都知道外语是高考中分数往下掉得最多的一门课，我们以往高考录取率，低就低在外语考试的分数上不去嘛！怎么大家还不吸取教训？说什么外语考试也不能少于数学，至少是一样多。

既然外语这么重要，那就跟数学课安排一样多的考试吧。学生就此又发现：每半天的考试由原来的两课时，增加到了三课时。

凭什么数学和外语搞特殊呀？高考的每一门都不能随便掉分，语文其实是最重要的课程。俗话说，考试考试，没有不重要的考试。既然每一门都重要，为什么复习和备考时就分重分轻，不公平嘛！

反正高考是统计总分的，哪一门落了下来都不好交代，所以平时怎么抽考怎么测验各门任课老师自定。校长最后拍板道。

呼啦——会议一散，文数物化外史地政各科教研组老师聚集一起，紧急制订考试计划，瞬间，全校展开了一片考试厮杀，你考我考大家考，早考晚考中午考，今考明考天天考……再往教室一看，学生的头一齐扎进了“卷场”。老师也不轻松，这个卷子还没有收上来，那个老师又“哗啦啦”的满屋卷子撒了出去。有个学生给我讲了个亲身经历的笑话：那是在他高三时，在班上“最后冲刺”第十周时，平均每天十节课，几乎课课都有考卷发下来。有位同学那天闹肚子，一节课下课后就往厕所跑，上课铃声响后他还没来得及回到教室。大约又过了十来分钟，这同学提了裤子赶紧往教室跑，一边跑，一边想着这堂课的外语测试，一进教室便向年轻的外语女教师要卷子。女教师看他那个慌张样，就说回你的座位。这学生以为老师生他的气，不让他考了，便急了起来，连声恳求，并解释拉肚子的事。女教师不耐烦地说解释半天干吗？回你的座位。学生一着急，本来就没有系好的外裤稀里哗啦掉了下来。教室里的人顿时哄堂大笑，那年轻的女教师红着脸扭头就回到了教研组的办公室。掉裤子的学生心想今天可是闯了大祸，要不马上向老师检讨就再不能参加今天的考试了。想到这儿，他急急慌慌地提起裤子向老师的办公室奔去，见了女教师连连赔不是，最后恳求道：老师怎么批评和处分我都行，可就得让我把这堂课上的考卷做了。女教师终于忍不住火了，高声嚷嚷着：这堂课哪有考试嘛！那同学张大嘴巴愣了片刻后飞步跑回教室，喊了起来：我得到了一个世界级新闻，这节外语课没有考卷啦！教室里随后又响起一阵哄笑，同学们告诉他，大家早就知道了。可是这位同学仍然欢欣鼓舞地说：这一定是他闹肚子带来的好运！

这件事听起来很滑稽很好笑，但从中我们可以看到处在高考备战中的学生们早已被整天的考试搅得晕头转向，神魂颠倒，在他们看来天天考、节节课考才是正常的，假如某一天、某一节课不考了，他们就认为是不是可能发生了世界大战。从高考走过来的学生都这么对我说：开始时大家很不习惯天天做卷子、节节课搞考试，后来习惯了，每天坐到教室，每节课铃声响后就是做考卷，要是哪天、哪节课没有了卷子，反倒让学生们不自然地打听起来：是不是老师病了？是不是上面又有更大的摸底考试来了？

就像战争到来之时，有的人因为经受不了战争的残酷，常常未见硝烟先疯了。一次次模拟考试和频繁的练习测试，使得一些心理素质较差的学生也时常临阵怯战，或半途而退。某校有个女生平时成绩还算不错，在一模、二模时的成绩也不断往上升，可在三模后一下子掉了下来，最后她在上课时一见老师夹着卷子进教室便紧张得浑身发颤，弄得老师不知怎么才好。可是这女学生又很要强，还非想做完每一张卷子，她越想做卷子就越紧张，最后不得不放弃后一个多月的复习练兵。家长急得满城找医院为她治病。医生说这是“考试过敏症”，需要静疗，就是必须安安宁宁地慢养慢治。到了这份上也只能如此，她和家长知道这种情况就没法参加当年的高考了，于是心神慢慢地安顿了下来。时过一月，医生和老师突然上门来慰问和检疗，大家有说有笑，什么事都没有，于是医生和老师对那女学生说，你愿意跟我们出去走走吗？那女学生说行啊，我在家一个多月快闷死了。她便跟着医生和老师一起出门了，后来她发现医生和老师把她带到了高考考场，那学生很惊诧地问老师：是不是让我也参加高考？老师朝她笑笑，说是的，医生说你的病现在好了，所以我们给你的报考手续全办好了，今天特意让你来参加高考的。那学生心头好激动，可她又怕自己不能上阵，便回头看看医生，医生朝她点点头，示意她完全可以进考场。接下来那女学生在老师的陪伴下进了考场。发榜时她的成绩达到了录取线，她高兴得流出了眼泪……

应该说这女孩子算是幸运的。我问过我在医院工作的太太，是不是真的有这种“考试过敏症”的患者，她说当然有，1999 年她所在的西城区某医院里，临近高考时就收过好几例类似的病人，其中十三中就有一个女学生因为得了这种过敏症，浑身上下都起了皮癣，最后连上学都根本不能去了，自然不得不放弃高考。

听听，这难道不是“黑 7 月”的战火给闹的？

但是教课的老师不这么认为，他们说高考不亚于打仗，既然打仗前的练兵是战争取胜的必要准备，那么高考前的模拟考试和测验是同样道理。有人扛不住倒下了，证明扛得住的学生更有可能在高考中获胜。什么都不要有顾虑，把卷子发下去，明天还继续接着考——考完了本校编的卷子，再考邻校的卷子，考明白了本地的卷子再考像你们北京这样大城市、有名声的外地卷子，考完了历届高考的卷子，再考今年各部门、各出版社、各考试机构提供的新练习卷子，考完了新练习卷子再回头考老卷子……别忙，即使新考卷都已笔试过三遍，那也得再进行口试、面试，口试、面试完了还有开卷考、闭卷考，总之什么时候高考时间没有到就一直考下去，考到你感觉烦得不能再烦，可一天不考心里又空荡荡神慌慌时，考到你离开了考试仿佛就不能进入正常生活状态时，考到你吃饭睡觉做梦都在想着试题考卷时，考到你金榜题名、落榜无泪为止。

“你们这些作家、记者根本不知道高考的竞争有多激烈！不这么一而再、再而三地考试行吗？高考就像登泰山的天门，每一张卷子就是登天门的一个台阶，不走过几百个台阶行吗？”一位老师这样对我说。

排名——选拔“敢死队员”

考完试就以为没事干了？错错错，每一次考完后你们就看看那张排名表上自己的位置吧！

排名为何物？就是把全班的考试成绩按名次排列出来。班级排完后再看年级排名，年级排名后再看全校排名。别忙，全校排名后还有全区、全市排名。

如此复杂繁多的排名何用？排名的重要性可以用最复杂的话表述，也可用最简单的话讲明。复杂的话叫做：你不处在竞争的漩涡中，你就永远不会知道前面的路有多长、山外的山有多高，你知道、懂得和明晰竞争对自己有多重要后，你就会不顾一切、埋头加油、拼命朝前赶。简单的话只有四个字：落后可耻。

谁都不想在排名表上落后，但既然是排名表，便必定有前有后，于是高考前的硝烟便这样越燃越烈……

张玲是某校高三班学习班长，老师对她说，去年本校高考成绩不够理想，今年必须把全校的名次从兄弟学校那儿夺回来，你是班长，要带头，为了你个人的高考荣誉和全校的荣誉，必须次次争取考试排名第一。张玲深感任务无比崇高和艰巨，她努力再努力，进步更进步，一次次模拟、一次次测试，成绩都在全班第一。老师又找她，说班里第一还不够，要争取全校排名第一，张玲又开始努力再努力，进步再进步，终于，她又不负众望，为全班争得了新荣誉。后来老师不找她谈话了，而是校长找她了，说张玲同学，学校根据你的表现，准备发展你入党，这样你就是我们全校唯一的学生党员，建校三十年来头一次有学生党员。现在给你一个任务，就是争取再把排名往上提一提，争取下次模拟考试时，为我们学校在全区拿个排名第一。张玲在红色的党旗下宣誓时，虽然背的是党章规定的誓词，但脑子里想的是：我必须拿出好成绩，报答校长和老师的器重，争取全区排名第一。她再努力又努力，一直努力到有一天被人抬到了校医那儿……老师和校长后来再不理会她了，因为他们都认为正是她临阵胆怯而使全校的排名落到了第二位。

可耻！校长和老师用目光对她这样说。

真是可耻！张玲自己在心里骂自己。

后来她再怎么努力也没有把自己的名次往前提，反而使他们班在全校的排名一下子降到了第六位。

一天，张玲向兼党支部书记的校长交了一份东西。

什么？你竟敢想退党？校长气得浑身发抖，连声骂道：你是懦夫，彻底的懦夫！

张玲的眼泪像断了线的珠子……

与张玲同班的李也同学，被老师认为是可以接替张玲的重点培养对象。

李也出生在一个知识分子的家庭，从小接受的就是要比别人强上强的教育。但李也的成绩在高一时并没有排在年级前六名之列，这使得在初中全校第一名的她自尊心受到了很大的伤害。她恨自己过去的那所中学基础太差，但更嫉妒现在比她高分的那些神气活现的同学。“有什么稀罕，不就是靠老师开小灶嘛！”李也以前看到张玲这样名列前茅的人，打心眼里不服。她暗暗使劲，几乎在高一、高二的两年中放弃了作为都市女孩的全部乐趣，把可以利用的一切时间都用在了赶超同学的分数上。真是功夫不负有心人，进入高三之后，李也的分数已经列在张玲和另外一名男生之后，成为全校第三名，她本来就戴近视镜的眼睛前又多了一道圈，同学们因此送她个外号叫“靶子”。这回李也真的成了全校排名的“靶子”了。那天张玲“退居二线”后，校长在全校高考第二次动员大会上把李也推到了前台，表扬了李也这几年的刻苦与进步，并要求通过李也和指导老师的共同努力，争取在“二模”中将学校的名次夺回来。会后，李也同样得到了她过去十分嫉妒的“开小灶”待遇，她初次走进教研组，静静坐在那儿听老师讲题的感觉实在太好了，只有她一个人，而且老师是针对她存在的问题而讲的，这种有的放矢、毫无干扰的“小灶”，如果她几年前就能享受到，怎么可能有张玲辉煌的份呢？第一次“开小灶”时，李也体会最多的就是这个。

“李也，你现在与一般同学不一样了，是学校的重点培养对象，下次区组织的‘二模’，关系到我们学校以前被张玲同学丢失的荣誉能不能重新夺回来。校长的态度很明确：务求必胜，所以在学校练兵时，你的目标是必须做到百分之百的全校测验第一名。”

百分之百？！李也忍不住有些紧张起来，因为以前她是在别人后面赶超，心里想的总是努力朝前，而这种赶超过程除了她自己有感觉外，谁也不太会注意她，现在可好了，所有的人都盯着她这个靶子。李也一下子感到了巨大压力，而且同学们现在都知道她是吃过“小灶”的，考第一名是应该的，而落后于任何一个人都是不正常的。李也暗暗叫苦：过去我是只管一路拼杀，埋头朝前赶，现在我是站在山的巅峰，进也不是退也不是。我的妈呀，一旦有闪失怎么办呢？先不说是否对得起自己，老师和校长那儿就没法交代呀？

李也从来没有感到心头有如此大的压力。她忽然感觉四周有那么多人盯着她，有嫉妒的，也有嘲讽的，有幸灾乐祸的，更有杀气腾腾准备吃掉她的……“啊——老虎！老虎来啦！”李也已经几次在半夜突然大叫起来，而每次醒来全身总是湿淋淋的。

噩梦，做不完的噩梦。李也开始在一次一次保第一名的考试拼杀中渐渐感觉到精疲力竭，每次从考场上出来时，她都会头重脚轻，甚至胸口发闷，后来发展到一见卷子就冒虚汗，终于有一天她倒下了。这下可把老师和校长急坏了，因为再有三天就是全区性的“二模”了，他们怎么也不想看到“第二个张玲”，所以此次采取了对李也的特别措施，有两名校医对李也进行24小时监护。到第三天“二模”考试时，李也大有英雄出征时的那种声势，前后都有人护着，校长也来了，特意送给她五个字：第一属于你。李也当时掉泪了，她全身热血因此而沸腾，走进考场的那一瞬间真的有种视死如归的感觉。

上帝保佑，李也不仅坚持考完了，而且获得了全区第一名。学校为此举行了高考前的一次庆功暨最后冲刺动员大会。校长把李也请上了主席台，给她戴上了大红花，并号召全校应届高三毕业生以李也为榜样，争取本年度高考录取率再创新水平。

然而，出人意料的是，在此次会议后，李也坚决拒绝了学校希望她在“三模”时保第一的要求，而是连续请了两个星期的病假。有同学去看望时，李也讲出了自己的心声：我不想再当第一名了，因为我不想让自己成为这种考试排名的“敢死队员”。同学好奇地说：当“敢死队员”有什么不好？能“开小灶”，还能接受校长亲自戴大红花的荣誉，多风光呀！李也使劲地摇头，说她宁可什么都不要，因为当“敢死队员”最终不会有好结果的，不是死在战场上，就是在战场上被杀得伤痕累累。

“李也，你得了第一名说话这么轻松，可你知道我妈上次看到班上的那张排名表后怎么对我说的呀？她说我是天下第一笨，下次再不把名次往上提前十名，她就抹脖子！”李也的好同学苏亚男学着她妈的样子做了个抹脖子的动作，连哭带跺脚地说：“你说我可怎么办？一模、二模都排在全班后十名，要是高考真的考不上，我妈她真会抹脖子的呀！呜呜呜……我怕死了，李也……”

李也抱住好同学，用双手拍拍苏亚男颤抖不止的肩膀：“放心，我一定帮你把名次赶上去……”说完，李也跟着大哭起来。

班里的排名虽说只在四五十个同学之间进行，但每一次考试成绩下来，那张排名表就像一道无声的发号令，激烈的战斗因此而开始。

光明和严格是从小一起长大的小伙伴，小学到高中从来没有分开过，除了是对好哥们外，还因为他俩都爱好足球。光明是前卫，严格是守门，只要他们俩同在，年级里的足球赛冠军十有八九属于他们。进入高中后，足球比赛被渐渐剥夺了，一切时间都被捆在了教室考场。光明和严格的成绩排名基本都在中游水平，前后差不了两三名。但是到了高三第二个学期后，光明发现严格的排名高出了他十多名，跨入了全班前五名之列。光明觉得严格很不够意思，既然是哥们儿，要进步就得一起进步嘛。有一天放学后光明到严格家，他一进门就见正在埋头做作业的严格慌里慌张地从自己的小屋里走到客厅，那阵势似乎不想让光明见到什么秘密似的。这越发让光明想看个究竟。后来光明终于借口说要向严格借VCD盘而进了严格的小天地，他往严格的写字台一看，发现了《北京海淀考王》。原来如此……

第二天起，光明就开始不再理严格了，他觉得自己的小哥们儿跟他玩心眼：这还不是明摆着的事，像《北京海淀考王》这样老师推荐的高考复习好书，他光明所在的小城里是见不着的，谁能搞到这样的书就很“牛”。光明心想，你严格从小跟我是哥们儿，但到了高考复习的关键时刻，却连得到了好的复习资料都不肯借我看，一个人暗着使劲把我扔在后二十几名，说轻一点是不够哥们儿义气，说重一点是忘恩负义——可不是嘛，在中考时我光明从表哥那儿得到了一套名校复习资料时，就毫无保留地给你严格复印了一份，现在你小子得了一套《北京海淀考王》就偷偷藏在家里一个人看，这不是忘恩负义是什么？

光明要报复，因为他知道严格有个弱处，那就是他的外语不好。但老师和同学们从来没见严格的外语排名落后过，这其中的奥秘只有哥们儿光明知道。

新一轮考试又开始了，严格的数学成绩照例直线上升，在排名表上已经跃居前三名。瞧着严格那得意扬扬的劲儿，光明心里的气不打一处来。机会终于到了，外语考试的卷子刚刚发下，光明见监考的老师走到桌前时，有意摆弄了一下自己的笔盒，然后用嘴努努坐在右侧前排的严格。老师马上明白是怎么回事，于是不动声色地暗暗盯着严格的每一个小动作，大约在开考十分钟左右，严格动作了：只见他佯装换笔，将笔盒的底一起翻了过来，正在这时，一只大手从严格的背后伸过去抓住了那笔盒，再翻过来一看，笔盒底有一张写得密密麻麻的小字条……严格作弊被当场抓住。坐在他后排斜侧的光明脸上露出了一丝快意。

新一轮的排名表出来后，严格从上次摸底的前五名一下降到了二十几名，而且受到了班主任在全班大会上的严厉批评。严格痛苦地低下头时，用仇视的目光斜了一下昔日的好友、如今成了仇人一般的小哥们儿光明，那目光分明在说：准是你小子出卖了我，否则不会有第二个人知道我笔盒下的“秘密”。

像上面这对因排名而反目为仇的小哥们儿，在高三年级中为数不少。有位同学告诉我，他说老师搞的考试排名，使本来和睦相处的同学间互相成了对手和敌人，常常同宿舍、同桌的人都互不说真话，谁要是能借某一计谋把对手弄蒙了，心里好像比考高分还得意和开心似的。“一张排名表，使同学间的友情彻底消失了，整天老死不相往来，埋头盯着对手使暗劲。可气的是老师还要用排名引发同学间的不和，进而制造家长与子女、以及家长与家长之间的矛盾。他们对排名在前的同学和他们的家长笑脸相迎，对排名在后的同学及其家长则横眉冷目，仿佛欠了他（她）债似的。”有个学校的同学们还透露道：他们的学校做得更绝，每次考试前是任课老师跟他们订合同，等考完后排名一出来就开始“现场兑现”，达到“合同”标准的，可以享受“提高班”免费上课的待遇，没有按“合同”规定达标的，想进“提高班”必须交一百至二百元钱。这种“合同”开始是在老师和同学之间签订的，后来又变成了学生与家长之间签订，如果学生考得没有达标，不仅学生本人受到某些像上“提高班”要交费那样的罚款式的处罚，学生家长同样要被召到学校接受训斥。

我参加过一个高考班的家长会，那会上若干位受到点名批评的学生家长中有的是大公司的老板，平时在自己的单位里从来是说一不二的绝对权威，可是到了这样的家长会上，就只能老老实实当三孙子。我问其中的一位家长对学校搞考试排名次有何感想。那家长很肯定地回答，他是赞成这种做法的。“排名可能有些负面作用，但正面作用应该大于负面作用。高考对孩子们来说是决定一生命运的门槛，不想争上游的人以后怎么可能在社会上获得比别人更多的成功呢？”这位家长说。

那次家长会上，学校的老师最后说：尽管上面一再要求取消考试排名，但他们不准备取消这种做法，其目的除了让学生有比学赶帮的竞争意识，还可以动员教师、学校和家长等各个方面的积极因素来确保孩子们在高考前一直保持高昂的战斗状态。

虽然近期国家教委又明令禁止将学生的分数进行排名，但看来只要高考不停，排名次的备战手段也不会轻易消失。

最后出招：户口大迁移

“考考考，老师的法宝；分分分，学生的命根。”当高考前所有的招数再翻弄不出新花样时，一切好生和差生、估计能考上的和考不上的全都成了学校和学生以及家长的议论中心时，一项更加惊心动魄的备战措施开始悄然拉开了帷幕，这就是“招外之招”的户口大迁移。

湖南与广西交界的A县和B市，相邻却各属两个不同省份。以往A和B都是本省的边远小县，是那种穷得没多少人爱管的地方，这两个县有一座相连的大山，大山的腹地隐藏着地下资源，过去曾经因为抢挖不均，发生过许多次血腥的械斗事件。不知什么时候开始，这两个地区的百姓之间竟然停止了械斗，变得和睦相处起来。B得益于广西壮族自治区的优势，由县改为市，而A则仍沿革县的旧体制。两个老死不相往来的地方，突然因为一件根本不能放到桌面的事，变成你中有我我中有你的睦邻、好兄弟。

这事说来蹊跷，是因为孩子参加高考引发的。A县在湖南，都知道湖南也是中国“五个高考大省”之一，每年参加高考的学生数量一直居高不下。受传统影响，送儿女上大学一直是毛主席故乡人的好遗风。当年湖南出革命的大人物，而今湖南出状元也在全国挂得上名。但在湖南考大学实在不易，应届高中生中能上大学的平均30%的比例都很难达到。那么多湘妹子湘伢子想上大学咋办？总有辙吧！有一天，在广西工作的B市教育局老李回到湖南老家的A县，他刚进门，本家的二叔就来找到他，说兄弟啊，你在那边的教育局工作，我想问问你，怎么都是在中国地盘上，俺的伢子考了450多分还上不了大学，可远房表妹的孩子在你们那个市才考了400分刚刚出头，咋就被大学录取了，而且还是个重点大学呐！这是咋回事？

老李笑笑，说二叔呀，我们那儿是广西，是国家照顾的少数民族地区，同样的高考生，最后的录取分数线要比咱们这儿的湖南省录取分数线低不少呢！二叔一听，眼珠子一转，说兄弟呀，那能不能想想法子，把我伢子的户口转到那儿去，让娃儿明年再考一次，我想凭他今年的分数，明年考上大学应该是没啥问题的。老李不好推辞，说我回去就替你试试看，能不能先联系一个接收的学校，这样可能更好办些。二叔听后很开心，说兄弟这事要办成了，我请你客，给你两大块腊后腿肉。老李咧着嘴笑，说事成了再说。老李回到广西的B市，凭着自己在教育局工作的面子，市二中的校长同意了接收那个湘伢子到他们那儿读书。

“校长，这事我得好好谢谢你呀！”老李在电话里对二中校长道了好几个谢。

“老李啊，你这一声‘谢’不是说远了吧？要说谢，还得我谢你哪！给我送人才来，明年真的高考录取比例上去了，我这个校长脸上不更有光了嘛！说不准还能加一级浮动工资哩！”

“哈哈哈……好事好事。”老李和校长一拍即合。二叔小伢子转户口的事由于校长出面到当地派出所去办理，很快也就成了——那派出所所长的孩子就在二中上高二，校长出面不是一句话的事嘛！再说B市是新建市，各方面的人才奇缺，正在通过各种渠道吸纳人才，重点中学吸引好学生进来也可以算得上是“引进人才”吧。二叔的伢子从进B市二中读书，到把湖南的A县户口转到广西B市，前后用了不到一个月时间。第二年高考时，这位湘伢子在广西B市考了578分，结果顺顺当当地被广西某重点名牌大学录取。消息传到湖南的A县老家，整个山洼洼都沸腾了。二叔一高兴，特意把有功之臣的本家兄弟、在广西B市教育局工作的老李也叫了回来，热热闹闹地在寨子上办了十几桌酒席。

“我家的伢子能被名牌大学录取，全仗着我们李家兄弟在B市那边花的心血。我得向这位兄弟鞠三个躬，烧三炷香。”二叔当着寨内寨外的亲朋好友，实实在在地给本家老李兄弟鞠了三个九十度的躬，点了三撮香。

这事很快传遍了A县三村五乡。于是张三来托老李、李四又来向老李求情，他们都是为了一件事，就是请老李把自己的孩子由湖南的A县转到广西的B市去上学、去落户。于是乎，老死不相往来的A县和B市之间出现了一个前所未有的“亲热通道”，一个又一个湘伢子湘妹子通过李伯伯、张伯伯、王科长、赵局长什么的被安安全全、顺顺当当地换成了自治区公民。于是乎，一向在自治区连名都挂不上的B市的高考成绩如坐火箭般直线飞升，一跃成为屈指可数的先进市。校长们荣光满面，市长们也得意扬扬。

“这事是好事，应该‘特事特办’。”市长对教育局和公安局、劳动人事局的头头们挥手道。

有尚方宝剑在，一时间，涌进B市的外籍高中生、甚至初中生，从湖南、四川、湖北等省纷纷而来，B市在这中间不仅获得了在高考录取率上的绝对优势，而且还在财政上获得了非常可观的收入——因为每办一个进市的户口，必须收缴几千至几万不等的“农转非”管理费。那些在湖南或者湖北等其他省份上不了大学的娃儿们，在这儿都轻轻松松地考上了大学，圆了他们和他们祖辈们的梦。

关于通过异地转户口从而考上大学的事，我在采访中发现，这还真是百姓为了孩子求学想出的绝招之一。其实异地转户口或者本地转户口，并非像湖南的A县转到广西的B市那么简单。中国现行的户口制度是一个非常严密而复杂的机制，想动一动可是牵动社会很多根神经的重大问题，可不是一般人一般地方都能顺顺当当地办得成的事。在南京，有位朋友告诉我一件事很有代表性，他说他的一个同事的老爹是省城一名职务不小的官，是当年解放西藏的老同志。这位老同志有个孙女前些年在南京上学，由于先天智力较差，成绩一直在班里“老末灵”，这可急坏了这位老同志的全家，孩子是全家的“千金”，眼下又都是独生子女，假如这女孩连大学都上不了，不说孩子将来好工作难找，说出去全家脸面上也过不去呀！儿子夫妇俩直让老爷子想想辙：“你认识的人多，看看上海北京有没有熟人，那儿高考的分数比我们江苏低一百分呢，怎么着也得让孩子上个大学嘛！”那些日子，老爷子一下班，他的耳边就是儿子儿媳的没完没了的催促。但北京和上海的户口一下两下不是那么好办，可时间不等人啊，转眼孙女上高三了，老师拿着几次摸底考试的排名找到这位身居高位的老同志，说在我们江苏这样的高考大省，每年录取分数线那么高，以您老的孙女现在的成绩，想上大学肯定没戏。

通融通融也不行？

难，现在的高考判分和录取都实行了电脑联网，不是哪个人可以做得了手脚的。

听了老师们的介绍，这位老同志感到了事态的严重性。“把历年各省的高考录取分数线的有关资料给我找一份来”，他命令秘书从教育局借来好几本相关材料，像当年研究连队渡江战役的作战图一样认真仔细。

根据孙女目前的成绩应该接近哪个省的高考录取线呢？广西？云南？嗯，与这两个省比较接近，但接近也意味着没有百分之百的把握，更何况接近录取线就不可能上得了重点大学。宁夏倒也不算高，但宁夏……宁夏的几位老战友死的死，退的退，真想让他们办点急事还说不定误在他们手里哩！不行，再看看。西藏，嗬，西藏的分低呀！对啊，如果孙女的分数能在西藏参加高考，不是更有把握吗？唉——没出息的娃子！

就这么着吧，西藏还有几个当年一起进藏的战友还在位，一辈子没求人家一次，这么件事总不至于被婉言谢绝吧！

“什么什么，到西藏去啊？老爸有没有搞错哇？”儿子、儿媳听后大惊失色，说你老爷子不是将孙女往火坑里送吗？那样我们宁可不让她考大学。

“真是短见识。让她参加西藏的高考，又不是让她一辈子进西藏！”老爷子见儿子、儿媳还没有明白，提高嗓门道：“等她按照西藏的高考录取线考上了大学后，就不能再想办法把她的户口重新办回南京来？”

儿子和儿媳恍然大悟，连声叫绝：“哎哟，还是爸爸的点子高啊！”

后来的情况我不得而知，想想这位老同志所下的功夫倒也实在不易。不过这类无奈中使出最后招数的迁户口之举，其实公安部门最了解底细。北京中央国家机关多，每年各部委调京的领导同志也不算少，我就遇见过有位调到某部委机关任司长的熟人，照例他在前几年就可以把全家的户口迁到北京，但他没有像别人那样着急，原因是他的儿子正在老家读高中。“孩子的成绩一般，我想让他在老家读完三年高中，即使他的成绩在我们老家是中等水平，但要到北京参加高考就有把握进重点大学了。”这位司长高屋建瓴地说。

果然，在去年高考前他办好了全家户口的迁移手续，儿子赶上了参加北京市的高考并一举中榜，进了一所理想的重点大学。

像这样借全国各地大学录取分数线的差异，又根据我国户籍制度上有可乘之机而进行高考前的这类“合理的流动作战”的，有人估计每年总有数以千计的人，他们也确实因此而上了大学。我们暂且不去论说“户口大迁移”到底对与否，但有一点可以说明，为了备战7月，只要可以运用的手段，学生和家长们都是无所不用其极试一试的。

“这算什么？只要能让我的孩子考上大学，就是上天揽月，我也会在所不惜。”这几乎是家长们共同的心声。像北京、上海、广州这样录取分数线低、考生成绩相对差的孩子家长，他们现在流行把孩子送出都市，通过亲戚朋友关系，介绍到高考分数特别高的江苏、河北、山东、河南等省的县地级甚至更下层的中学去接受高考前的特别训练，等到一年半载后再回城参加高考。虽然一时让孩子受点苦，结果则很叫家长们满意，因为孩子带着外地考生的学习精神和备考方法，基本都能稳拿大学入门券。河北燕郊中学，每年都接收一大批家在北京的高中生中途插班或者三年跟班学习。现在该校已经把开发北京生源当作学校发展的重头戏来做。而知道这所学校情况的北京的学生家长们也愿意把自己的孩子送到这里，首先是路程不远，其次是这里的收费是北京城里同等学校的三分之一左右，更重要的是这里所进行的高考前的一整套备战招数全是“河北式”的，从已经接受这所学校短期或者长期考前备战又回到北京参加高考的学生情况看，家长们获得的预期效果高达百分之九十五以上，也就是说很多本来在北京考大学没戏的孩子，受外地学校不同教学和备战方式“感应”后，基本上都考上了大学，甚至大部分超出了预想的效果。

一切都已准备就绪，只等7月高考的铃声响起……

第三章　目击高考现场

半个多世纪过去了，世界平静地度过了一个没有全局性战争的和平时期。但是，人的本性决定了这个世界上有许多地方总是处在激烈的争斗中。自人们可以使用笔记、相机、摄像机以来，几乎每件重大事件都被详尽地记录下来，但人们遗憾地发现：关于中国高考这场特殊的“大战”，却没有人将在现场所目击到的一幕幕战火纷飞、硝烟弥漫的战况入木三分地记录下来，所以我一直在寻找这种机会。

中国是个考试大国，每年参加高考的大军在千万人左右。这样的“战事”，时间之长、规模之大，为世界所绝无仅有。在 21 世纪之后，中国高考的这种空前的“战事”，或许会发生很大变化。因此在 20 世纪末的最后两个“高考大战之年”里，我着意做了精心准备，直接和间接地进行了“战地采访”，并动员了一些不同战场上直接参战的考生们，与我一起用近景记录了下面这些并不被载入中国教育史的另一类史诗性的战况——

目击之一：全城戒严

北京，中国首都。

这座皇家古城现今是中华人民共和国的首都，全世界瞩目的地方。每一次动用特别的“战时”手段——戒严，都会引起国外关注。北京是全国所有地方戒严最多的城市。一件重大的国事，一个重大的节日，一次重大的骚乱，都随之有一次又一次的戒严。

戒严，在北京习以为常；然而戒严对北京人来说又很反感——那是一种心理和行动上受压抑的管制。但只有每年一度的那三天，人们对“戒严”特别欢迎，这就是 7 月 7、8、9 日三天的高考日子。

不知从什么时候开始，高考需要全城的警察出动。我问西城公安局的警察同志，他们笑笑也一时答不上来。“总之有好些年了，慢慢就成了习惯”。一位老干警说，这事现在好像每年都有上面的布置，可开始时上面并没有作为一项任务来布置，而是我们下面执勤的同志自己联合起来做的。他说，最早他们分局处理过一件因为中途堵车造成孩子没能按时进入考场，孩子的父母大闹分局的事件。那考生的父母“打的”，在长安街的一个路口被堵住了，一队国宾车队正要通过，那时交通条件差些，一次国宾车队从开始警戒到通过，前后需要近二十分钟到半个小时，而这个考生就是在这时给耽误了。

高考年年进行，我们的国宾车队也说不准什么时间又上长安街呀，谁能保证每一年没有三五个考生给耽误了考试时间？我因这“不可抗拒的因素”有些为考生们担忧。

老民警笑了：也不知是不是真有人向上面反映。反正我们交警中有传言：大考开始，国家主席也让路。信不信由你，总之这几年我们在路面上执勤有体会，如今哪一年高考都没有因为中央领导的车队或国宾车队把路给堵死了！

真是绝对的好新闻：大考来了，全国上下都让路！

从民警的口中我还知道了许多有意思的“战事趣闻”：

有一个民警十几年来只要每到 7 月 7、8、9 三日，是不是他的班，他都要坚持上岗，不管天有多热，下着多大的雨。这位民警从来不说是为什么。大伙开始以为是他家孩子也在参加高考，可三四年后为什么他还认认真真地参加“高考戒严”行动呀？后来有人经过苦心“侦察”，方知这后面还有一段动人故事：该民警同志是老知青，十几年前他和女朋友一起回城后，便各自找工作。他的女朋友比他小几岁，回城那年还有最后一年的高考机会，但是就在这一年她参加高考途中由于心慌人急，加上车多人挤，结果在一个路口被一辆小车撞伤，后来送到医院抢救无效身亡。临咽气时，她紧握着这位后来当民警的男朋友的手说：希望他以后当个民警，在高考那几天好好执勤，不要让自己的悲剧再发生在别人身上。后来她的男朋友真的当上了民警，并且十几年来始终如一地参加着高考三日的执勤任务。

“能找到这位同志吗？”我向西城分局的民警打听。

人家笑着对我说：“这样的人物恐怕每个城市都能找到吧！”于是，他们就给我讲起他们自己经历的事：早些年，有个派出所突然涌进了一大帮人，是五六个男男女女把一位司机押到了派出所所长办公室。所长见激愤的人们押的司机是他的老熟人。那司机一进派出所看到自己的老“哥们儿”在，顿时便神气起来，哭丧着脸叫屈：你评评理，我好好地在马路上正常行驶，可他们一大群人堵在马路中央就是不走，我按喇叭他们也无动于衷，后来我连按了几下，他们就把我从车门里拖下来，这一吵起来，他们就把我押到你这儿来了。好啊，现在该由大哥你来断一断这个理！派出所所长还是第一次见这等纠纷，转头问那些义愤的人是干什么的。人家没好气地回答他说：都是考生家长。派出所所长一听就暗暗一乐，转身对开车的司机说：今天算你倒霉，人家是赢家，你输了。那司机满脸狐疑：你老兄今天怎么胳膊肘朝外拐了？所长狠狠地用手掌在桌上一拍：你知道我儿子今天在干啥？他在考试！懂吗？他也在参加高考！你小子知趣点，这几天开车最好绕远一点，否则要碰上我——哼，说不定连你的破车也给砸了！那司机还在那儿愣着，那群人则哄堂大笑起来，他们欢欣鼓舞地簇拥在所长身边，高呼“万岁”。

民警们笑着说，高考三天里，最倒霉的要算司机了，他们是有理说不清，弄不好还会被重罚狠揍哩！“而且我们要告诉广大司机同志，这几天中，没有你们说理的地方，我们就是向考生和他们的家长偏心……”

又是一个让人欢欣鼓舞的“内部新闻”！

据北京东城、西城和海淀几个主要的公安分局介绍，每年一到高考期间，他们总要处理几件考生家长与司机师傅之间的冲突。有一次海淀区发生这么一件事：一个送矿泉水的司机师傅急急忙忙地载着一车矿泉水正跑得欢，突然大马路上“杀”出五六个人来，看样子也不是什么警察或业余“马路天使”！司机就赶忙按着喇叭让他们走开，这一按喇叭不要紧，挡在马路上的五六个人一下变成了凶神似的冲过来打开车门就把他拖了出来。这师傅没弄清自己哪儿出了问题，以为有人要抢劫，于是便大声喊道：“救命啊！有坏人抢劫啦！——”他哪知这一喊就更倒霉，有人不知拿了一块啥东西，“哗啦”一下绑在他嘴上。完了完了，这司机心想今天可是遇到了杀手。他一心想着活命要紧，抢劫者不就是要钱嘛！于是他就一边“呜呜呜”地说着别人听不懂的话，一边赶紧从口袋里掏出钱包，塞给那几个“抢劫者”。可“抢劫者”拿了他硬塞过来的钱包不知如何是好，愣在那儿直摇头。这个司机一看这光景心想今天可要死定了：人家连钱都不要，一定是要他的命啊！他顿时吓得大汗淋漓，便“扑通”一下跪在地上，向这几个“抢劫者”磕起头来。那几个“抢劫者”先是一愣，随后哈哈大笑起来，并且赶紧给司机解开嘴上绑着的毛巾，又将他从地上扶起，告诉他：“你当我们是什么了？我们是高考学生的家长呀！”司机不信，说你们是考生家长干吗要绑架我？人家又乐弯了腰告诉他：那不是绑架，是因为你刚才按了喇叭，大伙才急了。司机这才出了口大气，他正想发作大骂一通，可想了想竟然把嘴里的脏话都咽了回去，转身从车上抱下一桶矿泉水，说送给你们了，省得你们在大太阳底下口干舌燥的火气那么大！这回轮到考生家长们不好意思起来，说我们刚才做得也过火了一点，差点把你吓出毛病来。师傅乐了，说，我不知道城里高考时，你们家长还在为子女站岗放哨。我孩子也在河南老家考大学，这桶矿泉水算我的一份心意，你们代我一起为我的孩子尽份心吧。这是谁也没有想到的事，几位北京考生家长听了这位司机的话，心头好是感激和歉意，当他们分手的时候，双方的眼里都噙满了泪花……

听过民警们“戏说往事”后，我觉得太有必要到现场“看景”了，于是在离家最近的北京四中考场的西黄城根北路一瞧：可不是，三四百米长的南北路口，都有警察严加把守，一辆辆必须经过的车子小心谨慎地驶过四中门口时，连斜视一下都不敢。再看看家长们一个个两眼瞪着马路，随时准备抓住那些敢按一声喇叭的“坏人”！那情景与神态，就连我这个骑自行车的都吓得不敢按一下铃。

真是了不得。我提醒自己：这里是战场！

四中离中南海、中央军委等国家首脑部门太近，考生们得到的警卫也格外特殊。但是同一个城市的其他考场就没有这样优厚的待遇了，有一天我骑车路过十三中观望“战况”，不想一进路口就有人让我下车。我问为何，一男一女就晃了晃袖子上的红套套，说：对不起，师傅，我们是给孩子们义务执勤的。

我明白了，这是考生家长自动组织起来的“纠察队”。这里已全民皆兵。

“不这样不行。我孩子是第二年参加高考。去年也是在这十三中，他说本来一进考场就紧张，外面的汽车喇叭一响，他就走神。我也不是特别信这个，但孩子说他去年差几分就因为这干扰闹的，我权当是真的吧。所以今年我主动为他站岗放哨！”一位家长听说我是来采访的，便跟着聊了几句。那个女同志过来凑了几句，说她宁可相信这是真的，也决不让一辆车子瞎按喇叭影响她的女儿考试。可见战争能使人们众志成城。

家长们告诉我，有的地段专门有警察在考场门前执勤，但他们孩子的考场门口没有警察，所以大伙就自觉组织起来。“都是义务的，可大家都抢着在烈日里‘站岗放哨’，都是为了孩子呗！”一位女家长给每位“值班”的人送来一瓶矿泉水，两天中，她已经掏钱买了二十多瓶饮料，她说话的神情显得非常高兴。

正如一位军事专家说的那样：战争往往会增进人们相互之间的特殊情谊。

1998年和1999年的高考期间，北京没有发生过什么特别情况，就连往年闷得令人透不过气的天气也变得凉爽了，但在全国的其他“高考战场”上，情况则大不相同。

1998年的7月7、8、9日，正是南方的长江沿岸和北方嫩江特大洪水泛滥的紧急时刻。湖北、江西、安徽等省的数百个县处在洪水包围之中。往年一到高考，这几个高考大省几乎从省长到百姓，人人放下手中的重要工作全力投入到确保考生们顺利参加高考的大事中去。现在不行了，滔滔洪水根本不把数以万计的考生命运和他们家长的心事放在眼里，依旧呼啸着冲向校园，卷走课桌与书本……怎么办？ 7、8、9 日三天，是全国不变的高考“战争日”。

“就是用我们的身体挡着，也要保证考生们顺利地进入考场！”前线总指挥部传来副总理的命令。

于是灾区沿途的各省市、地、县都下达了一道特别的战书：7、8、9 日三天的高考时间里，所有考场地段，允许实行特别警戒——这是一道深得民心的命令。

现在就读北京林业大学的一位湖北籍学生告诉我：他家离县城四十多里，考试前，他从县城的学校回了一趟家，本想把高考准备得更充分些，没想到的是他刚回到家，洪水也跟着进了村子，转眼间，他和村上所有的人都被接天而起的洪水围困在一个小土丘上。他在走出家门时连一件穿的衬衣都顾不上拿，但他却把准备参加高考的书包背在了肩上，他父亲和母亲让他帮着牵引的那头耕牛被洪水冲走了。在洪水围困的那几十个小时里，全村人都在挣扎着活命，唯有他仍静静地蹲在地上看书。父亲过来从他手中一把抢过书本就往水中扔，说你看看这都什么时候了，还想着念死书？他二话没说，一个猛子跳下水，捡回了书本，然后非常坚定地对父亲说：政府会想办法让我们准时参加高考的。村里的人取笑他真是书呆子，连命都保不住了，还在做着大学梦哩！ 6 号傍晚，当村上的人全都认定他的大学梦将被洪魔吞灭时，突然远处传来一阵隆隆的机动船声，随即听到有喇叭在喊：这个村上有没有参加高考的呀？我们是专门接送考生的，有的话请马上跟我们走！第一个听到的不是他，是他妹妹。起初他不敢相信，后来村上的人告诉他这是真的，他和父亲都哭了。临上船时，全村的人都为他送行。大伙说：小娃子，就你运气好，今年一定能考上大学！为我们全村争光吧！他点点头，向滔滔洪水围困中的父母亲和拯救着全村人的小土丘默默地发誓：放心，我一定拼全力考上大学。后来他发现，那只小机动船是县政府抗洪前线指挥部特意为接送那些被围困在洪水中的考生而专门抽调过来的。

那一夜，机动船不知行驶了多少地方，一直到天明，将他和其他十几位考生送到了县城。那泽国里的县城，与他前几日离开时已完全不一样了，街道成了一条条“河谷”，楼房像暴风雨过后漂在水面上的一张张失去光泽的荷叶，但只有迎送他们的一只只打着“考生专用”旗号的快艇与机动船，像巴顿将军的那辆“三星”战车，骄傲而威武地行驶在泱泱泽国中，没有阻挡，一路畅通。这位学生说，他从未感受过如此庄严和神圣的旅程。“机动船载着我们这些考生，就像威武的战车载着一队英雄一样驶向战场……时间非常紧张，因为一路上险情不断，中途不断又有考生被接进船舱，但大家表现得特别冷静和沉着。机动船到达考场时，离开考时间只有十来分钟，但我们谁都不感到紧张，后来我们那些走进考场的考生都认为自己发挥得比平时要好得多。我想，这在很大程度上，是因为大家在关键时刻深切而强烈地感受到了祖国对自己的关爱之情。”

1999 年，中国又一次经受了特大洪水的考验。虽然全国有三亿多人不同程度地受到了灾难的袭击与困扰，然而我们灾区的数百万考生们则是幸运儿，他们不仅丝毫没有因此耽误大考，而且获得了最真切的关爱和帮助。这也许是中国历年高考大战中最精彩的一景。

目击之二：移家入店

那天碰到老唐纯粹偶然，没想到一向花钱比抽血还珍惜的这位老同事却悄悄告诉我：这几天他们全家都住在三星级宾馆。

“干啥？是不是换了新嫂子在城里度蜜月？”

“去去。你那老嫂子连我每月的零花钱都一分分地数，我有能耐休了她？”老唐实情告诉我，他是为了高考的女儿，特意住了一个星期“假日饭店”的一套标准间。“你别说，人家三星级又有热水又有空调，就是跟在家过不一样。”老唐看看表，便非要拉我到他住的宾馆一坐。

“假日饭店”并非在京城闹市和商贸黄金地段，所以平日客流量不是很好，但客房价格却不低，一个普通标准间在400元以上。老唐领我进到七层他住的那套房间，里面除了两张单人床外，另有一张行军床。

“我们全家三口这几天都是在这儿过，晚上挤一挤，就可以省下好几百元钱，再说晚上我和你嫂子根本眯不了一两个时辰，所以从家里搬来一张行军床对付着。”

老唐在一边解释，而我则笑他仍然那样会算小九九。

“我哪能跟你比，一出手就是几十万字的大部头。你离开报社后，报社的骨干更少了，我这个副总编成天做校对工，一步都离不开。所以只能吃一千来块钱的死工资！”老唐还是老样子，干起工作一副革命老黄牛样。

“说说，这回怎么舍得花大钱住高级大饭店？是为了千金成凤不是？”我揶揄他。

他笑笑：“是你嫂子下的决心。她说她单位有个同事去年就是用了这个办法，结果孩子参加高考考出了好成绩，上了名校北师大。所以你嫂子说，在孩子紧要关头，舍得花一两千块钱，要是考上一个重点大学，不就都有了嘛！我一琢磨她讲得有道理：要是这几天不能让孩子休息好，考试差上几分，一旦考得不理想进不了大学就不用说了，即使考上了，好校与差校含金量差别就大了去了。大学毕业后找工作，名牌学校的有人抢着要，次学校、次专业，求姥姥告奶奶也找不到合适工作，到那时就不是赔一千两千的事。我一想对呀，一咬牙就全家搬进了这家离考场最近的饭店。”

看来孩子的高考也让老唐变得精明起来了。“一家吃住在此，感觉与家里不同？”我问。

“当然。”老唐像刘姥姥第一次进大观园似述说起来：“先说这房间，别看它像一个个笼子似的，它隔音呀！互不影响。不像你去过的我们住的那个大杂院，隔壁人家放个屁你这边都能猜得到是谁放的。这儿好多了，孩子说困了倒下就能入睡，空调一开要啥温度就啥温度，省去了我到处着急的份。孩子学习累了，把热水一放，泡上个把小时，舒舒服服。早上也不像在家怕误时弄得全家人睡不踏实，你嫂子一个电话，让人家饭店小姐来个'提醒服务'！哈哈，我现在知道过去你们几个记者为什么老把我按在家里，把出差的美事全都独吞了，原来出外住饭店宾馆就有这么好这么舒坦啊！就是饭菜太贵，也不合口味，这不，你嫂子回家给孩子做饺子去了。要不还真想写一篇'高考住宾馆就是好'的文章呢！"

想不到一个出于无奈的做法，竟使一向观念守旧的老唐也茅塞顿开。于是我想到为什么这几年每逢高考来临时，一些原本生意清淡的宾馆饭店又红火起来。原来它确实使考生和家长们方便了许多。在告别老唐后，我顺便采访了他所住的"假日饭店"经理，问问到底有多少是高考生包下的房间。

至少在三成吧！

三成？就是说约有一百多个考生在你这儿订了房间？

是的。去年最高峰时多达203人。今年天气凉爽，相对少了些。

我对经理提供的数字大为惊叹，因为这样大的客流量能在以往宾馆饭店生意极其清淡的夏季出现，对老板来说简直是喜从天降。

从什么时候形成了"高考客源"？无人知晓。现在各宾馆饭店把争取在高考期间接待考生这一特殊客源，几乎作为大家的共同竞争目标了。经理介绍说，尤其是近几年，不管家里条件好的还是不怎么好的市民们，都愿意在高考那几天把家搬到宾馆饭店里来。考生和他们的家长都认为，在宾馆饭店生活可以相对放松许多，如不用做烦心的家务和打扫房间一类的杂活，如果条件允许连饭都可以不做。这样，考生、家长都能省下不少时间，集中精力备考。

那宾馆饭店又如何相应做好接待这个群体的服务呢？

对于我的提问，经理的话就更多了，他说他们"假日饭店"从前两年就开始订出了多种相应的服务措施：如在客房里安排不同的灯光和书桌，供考生学习；在开放原有的游泳池与桑拿外，还添置了按摩、催眠等项目；饮食部特别推出了早中晚不同的“考生套餐”和“状元营养套餐”及“状元宴”“金榜桌”；还安排了短途考生接送专线。

真是生意人，换着花样赚钱呀！

“你何先生说对了一半。”“假日饭店”的经理狡黠地一笑，说：“我们宾馆饭店，只有把消费价格定在最适合的档位，而把服务水平提到最理想的位置，才能吸引广大‘高考客源’”。

我想也是。不管怎么说，随着生活水平的提高，以及人们越来越清楚“高考”这场决战对一个考生和对一个家庭来说都意味着什么，在最后时刻想尽办法合理地利用和分配好时间与精力，显然是明智之举。

1999年7月上旬，我所到过的北京金台饭店、京西宾馆、和平门饭店等几所附近有中学考场的宾馆饭店，所看到的进进出出的考生与他们的家长之多，应该说是当今高考和以往高考有所不同的一个新景观。然而，我没有想到的是，这样的景观不仅仅在一些大城市有，那些富裕的或者还不富裕的地方，也有同样或相似的景观。

在苏南某城，我随99级考生家长蔡坤走进了他的“新家”——说“新家”是因为蔡坤自己的家并不在这儿。这位搞服装的小老板自己在乡下的家是栋三层小洋楼，气派非凡，据说光装修就花了三十多万元。蔡坤入住这个市郊的“新家”已经两个多月了，这儿离他在省城中学读高三的儿子的学校仅几百米，十分方便。他告诉我，儿子在班上成绩中游，为了让儿子能考上大学，他在三个月前租下了这套三室一厅的房子，每月三百多元租金。儿子本来在学校宿舍住，但由于临近高考，复习时同学之间多少会相互受影响，睡眠也不是太好，所以做父亲的采取了“租房独住”的措施。

“效果好吗？”

“肯定好。”蔡坤非常得意地告诉我，他女儿在两年前能考成江苏文科状元与此法有关：“我的大孩子的成绩在全校一直名列前一二名，但临近高考由于压力太大，身体不太好，当时老师和我们都为她着急，可又帮不了什么忙，我和她妈都只有初中文化，想了想，能做的就是让她睡好吃好呗！这一想，就想到了给她单独找个吃住的地方。那年我们给她找的就是宾馆，一共住了十来天，她妈天天陪着她，慢慢地孩子身体和精神缓了过来，高考时发挥正常，考了全省文科第一名，现在在南京大学读书。我儿子比起他姐成绩差多了，处在龙门的门槛边。差是差点，但也得保他考上大学呀！所以这回我特意给他临时租了个'新家'，能让他有相对长一点的时间安心复习和参加考试……"

"你不是在做生意吗？有时间给他做饭买菜？"

"有。"蔡坤说，他每天第一件事是把儿子的早中饭做好，然后下午再过来为儿子做好晚饭。儿子的母亲则利用白天或晚上来帮助洗洗涮涮。

临近傍晚，蔡坤的儿子蔡志军从学校回到"新家"，打开书包边做题边等父亲做晚饭吃。当他拿起饭碗时，我问他这个"新家"的环境较之学校有什么好处。

"至少安静和放松多了。"他说。

我想不用多问，对一个临战的考生来说，能有这两点好处，就足够了。

"有信心考上大学吗？"

"有吧。"说话就脸红的蔡志军低下头瞅了父亲一眼："考不上也对不起他们呀！"

不错，后来我知道小伙子考上了军校。蔡坤来信告诉我，他的"新家"很快又被另一个考生家长包租了……

今年高考又将来临，又有多少考生的家庭已经开始了"大迁徙"呢？不用说，这一景观将更精彩，而且无论在城市还是比较富裕的农村，许多家长已经把这种高考前的家庭"大迁徙"视为一种"短平快"的投资效应。"你想，孩子从小学到高中读了十二年书，还不是为了这高考一搏？家长也不轻松呀，十二年陪着孩子度寒窗，为的是望子成龙，盼女成凤。到了高考的最后时刻，这把火候掌握好了，可以收到事半功倍的效果，所以这当口下点本钱是绝对值得的。"一位家长道出了已经在各地形成的高考前考生举家“大迁徙”的缘故。

目击之三：警笛声声

秦校长告诉我，他们以往并没有专门在高考时特请市急救中心的车子安放在学校，但他们吃过亏，也挨过家长的骂，所以从五年前开始就年年在高考期间备一辆救护车在校门口。也不知咋的，自有了救护车后，每年高考期间的“紧急情况”反倒发生得多了起来。有的家长说多亏学校备了这辆车；有的家长说，就因这救护车倒的霉。说什么的都有，但不管怎么说，要是没有救护车，下面的这些“战场突发事件”就很难处理了——

第一种用车属于常见问题。考试进入一半，有考生突然中暑。这样的情况通常好处理，只要抢救及时，一般不会有什么麻烦。问题是考生和家长并不那么配合。秦校长说，1997 年高考的三天里，他们那儿的气温连续高达 40℃。考场内一般没有空调，每个教室的四个角上都有一台电扇，但就是这样，学生们仍然汗水淋漓。监考人着急，学校也着急，校门外的家长更着急。但最着急的还是考生们。上午除了几台老电扇出了毛病外，没出其他什么大事。但一到下午问题就连着来了。先是 A 班的一个女同学做着做着题便“哐当”一下倒在了地上。考场顿时一阵骚动，监考人一边擦汗，一边维持秩序，老师们赶忙用担架抬走那女生。刚一出门，后排的一位考生嚷嚷起来：这个同学也中暑了！他这么一咋呼，全考场的同学就纷纷回头看倒下的那位同学。这是个大个头考生，他没有倒在地上，倒像睡着似的趴在桌子上。也许正是因为他个大的缘故，身子一压桌子，朝前一顶，惊动了前面考生。考场又一阵骚动。监考老师如临大敌，直让考生们只管自己考试，不要借机有任何“企图”。但事情偏偏不是那么回事。单说救护车上只有一个担架，那个女生被抬走后这位大个子男生就只能靠人背了。本考场当时两女一男监考老师，瞧那男老师骨瘦如柴，连转动一台电扇都要咧着嘴才能挪动 30°角。救人要紧！只见那男老师上前挽起中暑男生的一只胳膊，又将另一只手搭在自己肩头，可因为身高体重失衡，差点反把老师掀倒在一边。有考生嘻嘻偷笑，女监考老师一声尖嗓门："有什么好笑的？"吓得大家赶忙低头做题。正在三个老师手忙脚乱之时，秦校长带着两位校办食堂的师傅进来了。这俩师傅力大无比，背起考生就往外跑。谁知这么一折腾，中暑的考生突然醒来，一看有人将他"拖"出考场，就大闹起来："我要考试！放下我！快放下我！"他的一阵胡乱折腾，弄得大家不知如何是好。最后还是秦校长安慰他说：你先让医生打一针，要是感觉还行，再让你回考场怎么样？那考生听后，突然号啕大哭起来，说自己这下肯定完啦！肯定完啦！他像疯了似的挣脱开老师的手，刚想回头进教室，突然身子一斜，"哐当——"一声，倒在了考场门口。恰在这时救护车正好回校，那"哗哗——哗"的鸣笛声再次响彻校园内外……秦校长说，这一年三天高考中，先后有 8 名考生中暑，其中 5 个送往医院抢救，3 个在学校缓了几口气后再次进考场，但进医院的 5 名考生中只有 1 人重新回到考场，完成了考试。

第二种用车也属情理之中。这是另一年的高考头天。当考场的大门打开时，考生们呼啦一下涌进学校，然后又像潮水般地分流进入各个考场。可是当考生陆陆续续找到自己的座位时，学校广场上还有一名考生站在那儿发呆。老师过去问她是怎么回事，哪个考场的，不要紧张，拿出准考证来帮你一起找找。不着急，还有十几分钟时间呢。老师这一说不要紧，考生哇的哭出了声。怎么啦？你说话呀！哭得上气不接下气的考生终于告诉老师：她一紧张把准考证放在换下的那件衣服兜里……老师问，现在衣服在哪里？在家呢！考生又哭了。老师一声"我的天"后，赶紧找到校长，把情况一说。校长一看表，说赶快带考生上救护车，回去取可能还来得及。于是救护车的鸣笛又响起来了。考生的家离学校不算远，可也足足花了十几分钟时间。等学生"噌噌噌"地上楼取了准考证，救护车一秒钟都不敢多待就往考场跑。这当儿，老师让那考生检查一下准考证。没错，这回是明明白白拿在手里的，可就在这时，其中的一个老师惊叫一声：坏了！全车人跟着心都往外跳：又出什么事啦？老师从考生手中抢过准考证，就忍不住开骂起来：你是怎么搞的？你的考场不在我们学校，是某某学校！啊？考生大惊失色，随即又哇哇大哭。哭什么？反正上了车，时间还够。走，司机师傅，我们把她送到某某学校！要得！司机师傅得令后，救护车一个转向，立即又风驰电掣地飞奔在街头。当救护车到达这位考生的考点，考生平安地走进考场时，车上的老师双手捂着起伏的胸口，有气无力地问救护车司机：你们怎么没来医生呀？我、我的心都要跳出来啦！司机师傅哈哈大笑，说你老师做了好事，用不着医生。

第三种用车让学生和家长都感意外。秦校长说，救护车看起来是为了防止大夏天考生中暑，但真正派上用场的常常并不是考生病了，倒是一些想不到的“突发事件”，让你非用救护车来救急。有一年的一件事让他难忘：那是一个监考老师的事情。这位女老师当年也有一个孩子在参加高考，当然是在另一个考场参加考试。在这紧要关头，谁不为自己的孩子“参战”着急？这个女老师身体本来就不好，但对校领导安排她在一个考场作监考并没有回绝，因为她知道每年全市高考时抽调的监考人往往不够，需要很多老师一起上阵。她孩子有些埋怨母亲，说别的考生家长都是天天陪着孩子上考场，然后接回来，你倒好，把自己的孩子扔在一边不管，天天去为别人家的孩子忙活！她听后苦笑了一下，说妈明天也接送你。孩子听了自然很高兴，好像有母亲为他护航，闯“龙门”的保险系数也大了几分似的。他哪知道自己的母亲本来就是带病在坚持工作。为了能让自己的孩子也享受一份有家长在后面“保驾护航”的安全感，第二天，这位女老师只好比平时早起床一小时，先给儿子备好早餐后马上带他赶到他的考场，之后又立即挥手打的奔赴自己工作的考场。中午，第一场考完后，她又立即像赶火车似的奔到儿子的那个考场。儿子见母亲后兴奋地抱住她，并告诉她今天考得特别的好。母亲虽然累得就差没晕倒，可看到儿子那么高兴的神情，她打心眼里也乐滋滋的。就这样，为了自己的儿子，也为了别人家的孩子，这位女老师拖着沉重的身子，连续两天来回奔波，在第三天下午的最后一场考试结束前几分钟，她一下像散了架似的倒在了考场的后座上。秦校长和监考的老师知道她是累倒的，连忙叫来医生和几个年轻教工，将这位老师抬上救护车。这时考场的铃声响起来了，几百名考生和守在校门口的家长知道救护车里的是位为大家操心而累倒的女老师时，全都默默地站在两旁为她祈祷送行。“那情景我一直忘不了。这是无数次出动救护车中最感人的一幕，也凸现出高考中我们老师所奉献的一份真情得到了广大考生和他们家长的认可。”秦校长深情地说。

考场门口响起的鸣笛声何止以上几次，每一个老师和传达室老教工都可以讲出一段惊心动魄或者感人至深的经历。但是在每一个故事中，我们可以感到的仍是考场内外那紧张气氛和看不见的“战场硝烟”……

目击之四：临场血书

又是一个“黑色 7 月”。

大考前夜，某中学高三 5 个班的 164 名学生在老师的带领下，浩浩荡荡地向高考目的地进发。这是一个地处农村的市级重点中学，像以往一样，每次高考时他们都得从自己的学校整装到指定的城里考场附近事先住下并准备第二天的考试。所有的时间都是在有经验的老师安排下度过的，既不能太早，也不能太晚。太早会给考生过多的紧张压力，太晚会使考生对考场产生陌生感。

在看完考场后，老师说话了：“这是最后一次给同学们作战前动员：明天是你们一生命运的冲刺时刻，是生者和死者之间的选择，是光荣和梦想的决战，十二年寒窗的所有苦和累，将在这三天中得到回报。过去每天唠叨的话已经够多的了，现在只说一句：‘今晚好好睡一觉，迎接明天大考！’”

“咔嚓——”老师将电闸拉下，于是整个宿舍一片漆黑。这是老师们采取的强制措施，为的是让考生们能够休息好，以便明天精力充沛地上战场。所有的笔和手电之类的照明用具及学习用具也一律被暂时收缴。

“喂，你睡得着吗？”考生A悄悄掀起蚊帐问B。

“废话，能睡着吗？”B说。

“那你在干啥？”问。

B扬扬一只手指：“看这儿……”

A说看不到。

B示意他悄悄走过去看。

A凑近一摸，不由大惊出声：“哇，你怎么啦？流那么多血！哪儿刮伤了？要叫老师吗？”B“嘘”地用嘴巴示意A别出声：“这是考前的最后一件必须做的事，老考生们说……”说完他把手中的一块什么东西藏在了枕头底下，令A道：“回去睡吧。”

第二天一早，考生们以最快的动作完成了洗漱，当A和大家一起走出房间时，他的两眼仿佛一下凝固了，他被走廊两侧墙上贴满的一块块大小不一的布条、纸条惊呆了：原来同学们都以各种不同的文字写下了“上战场”的血书。再看看那血书的内容，A同学被震撼得浑身发颤——

“誓死一战！”

“我以我血为证：拼命冲刺到底！”

“搏不死则活，活不成则死！”

“为了父母！为了老师！更为自己：拼杀吧！”

……

血书之多连成了一片“血墙”。看上去十分庄严，也十分恐怖。

现在已经进入上海某大学的A同学告诉我，他本来或许第一年可以考上大学的，但正是7号这天起床后看到同学们写下的这一张张血书刺激了他的神经，那一年他走进考场，手中拿的虽然是考卷，但眼里呈现的却一直是那一份份血淋淋的誓词……三天考试，他的眼前无时不在晃动着同学们那誓死一搏的血书。因为他没有写，所以他自愧对高考的决心不如大家那么大，有种对不起自己、更对不起大家的强烈内疚。这一年他失败了。

后来老师和他自己都认为失败就失败在他没有写血书上。有老师告诉他，有一年一位平时成绩平平的学生就因为在考前拿出了破釜沉舟、决一死战之心，结果超常发挥，考上了北京一所名牌大学。老师从此便常常用这个学生的事例激励考生，于是，这个中学每年高考时，总会在临考前出现众多学生挥写血书的惊心动魄的场面。

“写了血书就真的管用？就一定能考好？”我问现在的 A。

A 说他也说不清，不过同学们都这么做了，他不做就会有一种无形的压力和内疚，他本人两次高考的结果正说明这一点。

我无法相信 A 的这种说法，但我又找不出另一种解释。我所采访的一些学校，特别是农村中学，几乎都有考生在临考前写血书的情况。写过血书并走过了“独木桥”的同学们说，这种办法有一定效应，因为人在临战时需要一种置自己于死地而后生的精神准备，这种精神准备越充足，就越可能获胜。而一位写了血书又没考上的学生则说，他第一次写了“落榜可耻”四个字，但出考场后他就意识到自己不会被录取，为此他拿起自己写的血书蒙在脸上哭了整整一天。他说从此他就觉得“落榜可耻”四个字就像烙在脸上，使他不敢在老师面前抬头，也不敢在父母面前抬头，更不敢在镜子面前照自己。他说那张无形的血书永远像一块蒙耻的布条笼罩在他的心头，他再也不敢重新参加高考了。后来家长带他到了精神病医院治疗了很长时间，才重新恢复了自信心。第三年他再次走进高考考场时，什么都没有写，只是心里默默地念着一句话：我要用自己的行动抹去心灵流血的昨天！后来他真的考上了，而且是一所不错的工商管理大学。

我不是心理学家，不能解释这类现象，但在考场前看到的同学们一副副或大义凛然，或视死如归，或惶惶不可终日的样子，我总会有所思索。不少学生告诉我，他们班在进入高三时就有人开始写下血书了，而且有人不止写过一次。我见过一位同学，她拿出三块用手绢写的血书，内容分别是：“十名是耻”“目标重点”“一次成功”。她向我解释，第一次写血书是因为她从高二升到高三后，前十几次班级考试排名总停留在十名水平。老师讲过，像他们这样的农村中学，成绩不在年级前五六名，是难以“跳出农门”的，更何况她是班级十名水平。她为此第一次写了血书，这份血书伴了她三个月零五天。后来她的成绩排名在班级前两名，年级前六名。这就意味着按学校往年高考升学率来说她的半只脚已经进大学的门了。但这时的她又把自己的目标定在了考重点大学，于是又有了第二份血书。她写第一份血书时，同学们谁也不知道，老师也不知道，只有她自己知道，因为她把血书放在枕头底下，但她每天睡觉之前都要看一遍。后来，等到高三第二学期开学后，她的成绩一直稳居在班级前一二名时，她的第二份血书已经从枕头底下移到了宿舍墙上，并十分醒目地高高地挂在那儿。“目标重点”，是她在这最后的半年里最重要和最明确的奋斗理想。在 7 月 6 日晚临睡觉之前，她揭下那高高挂在墙上的“目标重点”的血书，然后像举行一个庄严仪式似的，特意找出一块崭新的丝绸手绢，轻轻地摊在桌面上，之后她站立好身子，面朝自己的家乡，闭上双眼，两手合十放在胸前，默默地说了一句话：可怜的爸妈，女儿这辈子要彻底跳出农门了，愿上帝保佑！随后她毫不犹豫地拿起一把新买的水果刀，用力划破左手的食指，鲜红的血顿时流淌出来，她伸出右手食指蘸过血后，在雪白的手绢上写下了“一次成功”四个大字。第二天她进考场时，口袋里唯一带的东西就是这份血书……

“奇怪的是，这天我进考场后竟然没有一点杂念，像是口袋里这份血书真的在保佑我。三天考试下来，我没有感到一点吃力，顺利过关。”这位如今已经是某大学硕士生的女同学很不可思议地告诉我，她说当她后来进了大学向同宿舍的同学谈起自己的血书时，六个女同学中竟有四个也都写过血书，而且一致认为它还“很灵”。另外两个是城市学生，她们虽然没有“血淋淋”的经历，但却也写过类似的“战书”。1999 年北京高考结束时，电视上播放了北京理工大学附中某班全体考生写满了“战书”的一块大黑板。考前，老师把大黑板放在考场的门口醒目处，每天班主任在自己的考生进出考场时都让学生念一遍上面由自己写的“战书”，以此鼓舞士气，据说效果甚佳，全班高考录取率超过其他班。

“血书”，或者其他形式的“战书”，它在高考临场扮演着一个神灵的角色。至于到底灵不灵，老师和考生们宁信其灵而不愿轻易予以否定。

这是我在高考现场目击的独特一景。

目击之五：作弊

什么时代的考场上都会有尴尬的场面。高考是决定人生命运的大决战，这种时候的尴尬就更多了。想尽办法作弊，是几乎年年都会碰到的最紧张又是最难堪的一景。

参观南京的“江南贡院”后，我才知道，旧式科举考试的严格程度实际上比现在对高考考生的要求要高得多。早在清朝初期的顺治二年（1645 年）政府就规定：“生儒入场，细加搜检。如有怀挟片纸只字者，先于一体枷间一个月，问罪发落。如有人代试者，代与受代之人一体枷号问罪。搜检役者知情容隐者同罪。”康熙五十三年又规定考生入场“皆穿拆缝衣服、单层鞋袜，只带篮筐、小凳、食物、笔砚等项”。可无论怎么规定，考生挟带作弊之风仍不断。南京“江南贡院”历史陈列馆中收藏有十七张清代考生作弊挟带，这些小纸条相当薄，十几张叠在一起，还没有一张普通宣纸那么厚。每面直径四厘米左右的纸片上用毛笔抄录的《论语》中重要篇章，能有四五百字之多，字虽小得如同蚂蚁头大，却能看得清晰，且书法精湛。南京陈列馆曾请专家作过试验，现在竟然没有哪一种毛笔能写得出如此小字，可见旧式科举考试中挟带作弊者之功夫和心计。据南京江南贡院工作人员介绍，以前早有人传说，科举考试中有种专门进行作弊用的“坊刻小本”，已经在民间流传近百年，但“坊刻小本”到底是什么样，谁也没有见过。1997 年 11 月，江南贡院通过艰苦寻觅，才终于找到了一本科举考试场上作弊用的“奇书”。发现这本“奇书”的是一位曾经参加过清朝江南乡试士子的后裔，他是在清理祖上遗留物时，从一双清代千层粉底“文士靴”后跟里面发现的。当时，这位先生看到这双年代已久远的黑色缎面绣花靴上灰尘很多，便用拂尘轻轻一拍，不料从足有一寸多厚的后跟中，突然滑出一只仅火柴盒那么大的小抽屉，那稀世小抽屉里则密藏着一件稀世孤本《增广四书备旨》。“此书为线装本，枯黄色封面，左下角微有破损。里面七十页正文纸张洁白细腻，薄如蝉翼。书长六点五厘米，宽四点五厘米，厚五厘米，其版面仅为普通古版线装书的十四分之一。书虽小，内容却包括《大学》《中庸》《论语》三部书的全部内容和宋代大儒的详尽注释。书中每页千余个老仿宋体字，虽然字字如蚂蚁头，然而一笔一画清晰无比，绝无模糊不清的文字，其印刷技术之高着实令人拍案叫绝。”（见《江南贡院》第七十六页）此书一发现，立即引起国内外新闻和印刷界的广泛关注。吉尼斯世界纪录调查后，也确认此为中国现存的十万余种古版书籍中版面面积最小、文字最小和至今唯一发现的清代石印科考作弊奇书。乾隆甲子科年（1744年），有人传言到皇宫内，说有这种奇书流入科举考场之中，朝廷大怒，皇帝下令来搜，结果那年的乡试中第一场就搜出21人怀挟纸片等作弊之物，第二场又查出21人，另外2000多人因怕搜查而临场逃之夭夭了。乾隆听说后更是大怒，下令以后考试者必须脱下衣服，一件件“浸水”搜查，笔具之类的东西，也要在水里浸过三日才能允许带入考场。但仍然有高手照样作弊。

考试作弊是历朝历代考场上最惊心动魄的一景。

现时的高考也同样，每一年都有作弊的现象出现。有考试就有作弊者，这几乎是一个不可回避的定律。比起科举考试来，现在的高考作弊恐怕远远超过其水平。首先是现在不可能采用乾隆下令的脱衣搜身那样的检查，那会侵犯考生人权，谁也不答应，谁也不敢这么干。这就使得“挟带”有了可乘之机。这是最原始也是最容易被发现的作弊手段了。可监考的老师告诉我，每年的考场上总能抓住几个采用这类低级手段的作弊者。当然即使同为原始的“挟带”，今天与过去相比也先进了许多。有监考老师发现，某学生的“挟条”是用复印机特殊处理的，他事先把公式和语文试卷可能要出的古文，全都用复印机缩小在巴掌大的纸片上，字虽小，可看起来十分清晰。几十个数理化公式一微缩，也就手指大小。“亡命者”敢于为此冒风险，“难办的是一些女生”。当了十来年监考的某校王老师说，他在1988年就遇到这样一件事：在监考时，他发现有个女生老掀裙子，这个动作是很容易被联想到作弊的，当时现场监考的共三个人，两男一女。那女考生很有心计，女老师在的时候她不掀裙角，等女老师出门解手的时候，就猛掀裙子。王老师和另一个男老师想上前阻止，可一到女考生座位前，他们就觉得无从下手，因为一旦人家反咬你一口便够受的。他们赶紧请回那女老师，后来女老师就上前把那女学生“请”出来，让她自己掀开裙子。

“掀就掀！”女考生一点也不紧张地有意当着其他男老师的面把裙子掀得特别的高，连里面的小三角花裤都能看得到，结果什么也没有发现。这个机智的女考生其实打了个时间差。

老师们尴尬地相互看看，不知如何收场。而就在这时，那女学生捂住脸大哭大闹起来，边哭边骂监考老师“欺负”她，说什么也不进考场了。这一闹惊动了整个考场，也把考场外的包括那位女考生的家长招来了。好家伙，校长和门口的保安人员一齐上阵维持秩序。因为家长们都向着那考生，说你们这些监考的，不能没有凭证就冤枉人呀！王老师他们有苦说不出，只好忍下这口气，结果是学校校长出面向那考生和考生家长赔了不是，才算平息了此事。“你说我冤不冤？事后学校还把我们几个批评了一通。从那年起，我尽量不跟女考生较劲。不过，有时实在看不下去，所以就得罪人，弄不好还会丢小命哩！”王老师说，他们学校就有个监考老师，不知是得罪了哪个作弊的考生，有一次她下班回家，半道上走着走着，被人用车“哐当”猛地撞倒在马路边上，当场晕了过去，整整住了三个月医院，她的胳膊才痊愈。这位女老师在倒下时，听到有人狠狠地朝她说了这么一句："看你在考场上神气！"王老师说，他们学校地处小县城，相互之间都很熟悉。那些记恨她的考生认为，是你监考老师跟他过不去才使他失去了上大学的机会，却不从自己方面找原因，这使得很多老师宁愿不要几百元的监考补助，也不想因为一次监考造成个人和家庭的意外伤害，故尽量把监考的担子推掉。"但再推也总得有人去干，所以我们进了考场心里也发毛。见了作弊者不揭穿，对其他考生是很不公平的，可要揭穿一起作弊，你自己就得增加一份心理负担。作弊其实是最叫人痛恨的事！"王老师说。

考场作弊是历年高考中的顽症，而且现在的形式与方法之多，远远超过了监考老师的能力与经验。先不说老师与考生之间的相互勾结着的作弊，也不说某些地方官员为了追求本地的升学率而进行的集体犯罪性作弊，单说考生自己的个人行为，现今的作弊技术和手段之高之先进，也已令人叹为观止了。

BP 机刚在大陆出现时，有人就用场外的电话给场内的考生 BP 机上传达信息或答案。后来有了手机，有人就用内外两部手机进行直接"对话"，其准确率远高于 BP 机。再后来听说有人用遥控装置，把一种微型无绳接收器放在耳孔内、衣袖口进行内外"考答"。这样的考试极其轻松，考生只要轻轻对着藏在隐秘处的小话筒读题，无绳传感器便将考题传到场外的接应者那儿，场外的人迅速通过翻书或查电脑把考题答案告诉场内，这个过程之快捷和它比电扇声音还要小得多的传感效果，可以在监考老师的眼皮底下做得天衣无缝，一丝不露。当然，上面的这几种利用先进的高新技术作弊，后来都被发现了，但没有发现的又有多少呢？天知道。

有一次我到某大学采访，几位"过来人"给我讲起了他们的"高招儿"，我在现场目击后，简直目瞪口呆。

张和李现在同一所大学里读书，他们给我演示了两套作弊招数：

一是利用手势。张和李从小是好朋友，彼此间一抬足，一举手，在不言之中就能相互间明明白白。他们表现了如某题错与对的手势：张在为难时，他便佯装思考，将一只小手指竖起。一边的李便知道张需要他“通报”。下一步便是张把某题有难告诉对方，用的依然是手势。李一看张的手势便知道其困在何处，于是就能准确无误地发出信号：错为手指在空中打一个 ×，对便是用手势做一个勾的动作。他们俩人在做这些动作时只须用零点几秒的速度就能完成。张李说，这套“手势”他们用过很多年了，几乎可以打遍“校考”“市考”“省考”“国考”等各种考试。

另一套作弊方法是以桌面上的四个螺丝钉为代号进行“操作”。一般课桌上都有左右上下四个螺丝帽，张李早先就以这四个螺丝帽编好了一套完整的文理“密码”。比如现在文理科都有不少是选择题，张、李他们对付这类题是最拿手的：第一道若是对，便在右上方那颗螺丝帽上点一下，假如是错，就做一个画横线的动作。当然根据题的难易程度，左右上下螺丝帽合理搭配运用也就是了。

“你们俩人当时高考是不是在一个考场？”我问他俩。

张、李笑了：“我们运气好，总在一起。”

“那你们运用过上面的战术？”

张、李狡猾地一笑：“谁知道！”

我跟着他们笑了，又问：“听说现在大学里作弊现象也特多。你们的合作仍在继续？”

“必要时有可能。”说完，他们又大笑起来。“喂，大作家，我们可什么都没给你说过呀！特别是我们绝不出卖专利，你可千万不要将我们的专利传出去啊！”他们在我临走时不放心地叮咛道。

我也诡秘地朝他们笑笑，心想，你们的把戏应该让全世界的人都知道，这样至少可以防止再有人敢仿效。其实我也知道张、李的手段仅仅是无数作弊“技术”中的一两种而已，还有很多很多是没有被发现的。

每年高考现场，监考老师都能在考场中捉住一些作弊新招，而同样，也有不少是老师发现不了的。被发现和目击到的，永远是有限的部分。

目击之六：焚书坑包

对学生来说，什么事最解恨？十有八九会说考完一次大考后最解恨。自然，决定一生命运的高考，对多数学生来说，那无疑是最解恨的时刻。在高考现场，当三天的大考最后一声铃声响起时，当考生们无论是成功者还是失败者在跨出考场后，那种久积而又从未释放的情绪与情感，会如埋在地层深处的岩浆突然爆发一般涌出来。

我观察了 1999 年高考结束时的北京某一考场实景。有人开怀大笑地喊着："别了死亡，我活过来啦！"有人搂住迎过来的母亲或父亲，失声痛哭起来："我好苦，现在总算出头了！"有人则低着头，沉默不语地悄然躲开喧哗的人群，独自擦着溢出的泪；也有人又蹦又跳地将手中的笔和纸抛向天空……最让我惊诧的是，我看到有人抢过父亲手中的打火机，发狠地将几本《高考复习题要》连同书包，当场点燃并使之化为烟云，然后又发狠地用双脚踩了数下。有趣的是，站在一旁的父亲微笑着也走过去，协助儿子将半只未燃尽的书包重新挑起来，点上火，又痛快地燃烧了一把。最后，父子俩在熊熊燃烧的烟火中拥抱在一起，他们用这种特殊方式庆贺自己的胜利——儿子的胜利是赢得了考试的顺利过关，老子的胜利是宣告了精神上的彻底解脱。

许多学生和老师都曾目睹过高考结束时一次次庄严而悲喜交加的焚书仪式、坑包葬礼。

有个农村中学的老师说，他们学校每年在高考结束时，在学校操场上都有学生自发组织起的焚书仪式，而这种特殊仪式校方也阻止不了。"那焚书的场面极为壮观，几十个甚至数百个同学，每人将宿舍和教室里自己的全部课本和复习资料、考卷统统搬出来，堆放在一起，真的像山一样高。然后同学们把它点着，一样样地烧掉，火焰越燃越大，越燃越高，从白天一直能烧到天黑。有的同学在火堆旁跪着默默地祈求，也有人四肢直挺挺地躺在火堆旁一任高温炙烤，也有人在那里相互搂抱在一起痛哭……开始围着的仅是毕业班的同学们，后来其他年级的同学也来了，再后来老师们也围到了火堆前，大家一起默默地流泪，高声地欢呼，那种场面太叫人联想，太叫人想哭，太叫人歇斯底里了。不管是高考成功者还是失败者，不管是老师还是学生，大家都有一种情绪要告别一段刻骨铭心的历史，要告别一段难以忘怀的情结，要告别一段梦想与屈辱的努力……”这位老师用诗一般的语言，向我描述了他所目击的焚书场景及考生们面对焚书的心境。我从他的描述里感受到的东西很多，广大考生和老师在向这种必需又无奈的高考制度，发泄着自己心头那种说不出道不明的情绪，同时也在为自己付出的巨大代价作最后的葬礼，或者说是祭奠。

书烧了，情了了。高考和为高考付出的每一天，每一题，每页纸，每滴汗，需要有一个碑、一片林来作证。

“来吧，我们每人献出高考前用过的最后一个书包，作为这片土地的肥料与养分，再栽上象征我们全班同学共同生命的小树吧！”在某学校前的一个小山坡上，一群同学庄严地摘下肩上的书包，一个一个扔进挖好的大坑里，大家轮流往坑里填土，然后在里面栽下一棵挺拔的小树，又细心地用脸盆、茶杯、小勺浇上水，最后排队列在小树的周围，举手宣誓：我们的昨天刚刚结束，生命还在继续，努力吧，像小树一样茁壮成长……

当我听完这段故事，眼泪不由自主地流了下来。我在想，经历了高考的中国学生们，他们才是度过了真正意义上的“成人节”。因为只有经历过高考的人，才能体味到什么是梦想与光荣，什么是努力与无奈，什么是痛苦与屈辱。经历高考，标志着孩子们开始成熟，开始了崭新的人生。

有位城市的考生家长对我说，他孩子参加完高考后，也采取了焚书的形式告别中学，起初他和妻子都反对孩子这么做，认为不应把书烧掉，应该留下，或者卖掉也值几个钱，可孩子不同意，坚决要烧掉。后来他和妻子没有阻拦儿子的行动，他们感觉应该尊重孩子。孩子在烧完书本后大哭了一场，问他为什么，他说我只觉得这么多年太苦了，你们当父母的也很苦，我不想再回忆小学、中学所走过的每一步路。上大学了，我要重新做我自己想做的事，要不这个世界上就会失去本该是我的我。

我想无论是谁，我们确实应该深思一下这位孩子说的话。它关系到我们整个民族的教育形式与内容，改革与未来，而且又何止是教育问题，应该是未来中华民族生存和发展的本源啊！

人类是决定世界所有事物存在与发展的根本因素，而青年一代，则是决定这个世界的未来的全部因素。

第四章　苦水倒不尽　青春好烦恼

很早以前，英国的著名历史学家 H.G. 威尔斯曾这样告诫过我们：“人类历史越来越成为教育与灾难之间的比赛。”我们都知道英国是个素有经验主义传统的国家。而一位著名历史学家能在这样一个传统的国度向全世界发出如此告诫，足以振聋发聩。

灾难是什么？灾难就像 1976 年唐山大地震，人们在睡梦中没有来得及弄明白是怎么回事时，二十几万人就已经命归西天；灾难就像 1999 年烟台“大舜”号船被一阵狂澜掀至海底，二百多号人顷刻间死于非命……

灾难有自然的与人为的两种。20 世纪后，人类面临的灾难越来越多。

威尔斯把教育同灾难联系在一起，并宣称它们之间在进行残酷的比赛，确实有些耸人听闻。可是当我们回首今天我们正在恪守的那一套教育方式与方法时，就会发现，我们正在教育问题上不断地制造着与天灾人祸一样可恶的无数越来越严重的灾难！

可以置青春生命于死地的灾难的最直接和最严重的受害者，便是我们的高三学生。

曾经，很喜欢在中午的阳光下，坐在学校的草坪上与学友海阔天空地神聊，高兴了，就去荡一荡操场角落的秋千。而现在，我早已习惯在曾是快乐闲逸的时光里，与同学们互相考着数不清的公式、定理和单词，而那秋千的影子，也不知何时已在我心里生了锈，因为我是高三生。

曾经，常常在抽屉里藏一本厚厚的小说，趁父母不注意的时候偷偷地翻看，也常常在晴朗的黄昏，邀伙伴去打乒乓球。而现在，我的案头和书架上，五花八门的参考书堆积如山，而我可怜的球拍早已尸骨无存，因为我是高三生。

曾经，每每迫不及待地复回远方一个飞鸿，也热衷于为了博取“寿星”的一笑，在朋友生日之际跑遍一间间精品店，去挑选合意的礼物。而现在，面对青鸟带来的问候，我的信笺一再空白，我的心底一直“sorry”，也只能一次次用“生日快乐”的敷衍，代替往年带给友人的那一声惊喜的喊叫，不能再像从前一样心中默念的是“友谊万岁”，此时心中脑中全是满满的语数外史政，因为我是高三生。

曾经，爱在窗外淅淅沥沥飘着小雨的夜晚，让我的小屋里回旋起几缕柔柔的旋律，而我在音乐与细雨的感染下涂抹几行空灵的文字；也曾爱策划出一个个诸如“去看海”“去听音乐会”之类的假日行动。而现在，我的磁带盒上已经积满了一层不薄的尘灰，我的诗干枯了，无法再浪漫了，因为高三。

曾经，我还有许多曾经，可是，我无法再想这些曾经了……

看看现在的高三日子，心中不禁掠过一丝丝怅然。失去的，好像很多，然而路却是自己选择的——“人生能有几回搏”？

……为了那一瞬的笑颜，我无奈依然紧锁那颗想飞的心，安安稳稳地在蜗居里苦读。只是偶尔有不甘心的瞬间，就狠狠地想一想：哼，等高考完了，我要游内蒙古、下海南，疯狂地“报复”一下！

……

这是我正准备写处在高考最前沿阵地的高三学生的心态时，无意间读到的深圳实验中学心愿同学的一篇作文。

听听这个庞大群体的青春生命的沙哑呐喊，我感到的是一种与这位同学同样的无奈与沉重。我们的官员、老师、家长，还有所有以“有社会责任感”自居的人们，读此小文，也许会想起些什么，也许会明白些什么……

关于高三生，想说的话太多，也太多彩又多悲。平时，我们只注意了他们的升学率，却难有心思平静下来听听他们到底是怎么想的，现在我们就借这个机会一起来听一听吧，因为这对人们是有好处的。

作息表，我的“生死牌”——高三学生诉说之一

其实，我的学习作息表在初三时就有，那是爸爸妈妈为我参加中考准备的。后来我考进了市重点，于是在进入高三后，爸爸像指挥斯大林格勒战役的前线指挥官似的命令我：现在的“战况”会比中考时要激烈紧张得多，你应该而且必须有张以分秒为计算单位的作息表。于是我赶紧制作高三的第一张“作息表”，大体如下：

5 点：起床。

5 点 10 分：穿衣洗漱。

5 点 20 分：吃早餐。

5 点 35 分：离家骑自行车上学。

6 点至 8 点：自习。

8 点至 11 点半：上 4 节课程。

12 点：自修。

13 点至 16 点半：上完下午 4 节课程。

16 点半至 18 点：两节强化班课程。

18 点至 18 点半：自行车回家路途。

18 点 40 分至 19 点 30 分：吃饭外加看新闻联播。

19 点 30 分至 21 点 30 分：做作业。

21 点：休息 10 分钟。

21 点 10 分至 23 点 30 分：自习。

父亲对这张“作息表”表示初步满意，末了他加了一句话：重在质量。他的话中有话，因为在中考时我也是用类似的“作息表”，结果常常在最后的一个多小时里实在困得不行，伏在书本上睡着

了……

“高三了，一生的命运与前程就在这一搏上，你自己应该清楚。”父亲的话跟老师天天灌的一模一样。我感觉就像希特勒真的要打到斯大林格勒了！

但，大人们都忽略了一件事：那就是时间表是死的，现实的许多情况是活的，就像战争一样，突如其来的变化是决定能否取得战争预期胜利的最根本因素。比如我从家里到学校需要半个小时的自行车路程。可下雨怎么办？有一次长安街上的警察就是不让横穿，一定要等一队长长的国宾车队走过。整整二十分钟，我因为急着到校，差点让警察把我当作“破坏分子”扣到派出所。那天我心里窝了一肚子火，最后把一个老太太撞倒了，其实我明明看到她在我自行车还离她有一米左右的时候，就“啊呀啊呀”地先倒了下去。这个擦破了一点皮的老太太死赖着让我拉她到医院去看伤。我说我是学生，我要上课去，我把名字留给你，如果需要我出治疗费，我一定让我父母来付给你。可那老太太就是不放，说你留的名字和电话如果是假的呢？我的天哪，当时我真想哭，也真想跪下求她，但没有办法，她还是死死地拉住我的书包带不让我走，更可恶的是，在场的两个中年人也跟着起哄，不放我走。到医院一检查，其他什么伤都没有，只花了 20 块挂号费和一点包扎费。这时老太太才放走我，可已经 11 点了。半天课没有上，我就得利用其他时间补回来。

哪有时间补呀？我每天的 24 小时是严格地被安排着，就是拉屎刷牙，也都必须严格控制在五分钟内，否则老爸就会说我是有意磨蹭。那次为了补课，我不得不利用同学中午吃饭和课间休息的间隙，摘抄老师讲课笔记。谁知那几天倒霉事都让我碰上了，可能中午吃的饭冷了些，不争气的肚子就闹起来了。这一折腾我就开始发烧，一直烧到 39.5℃。在医院一住就是三天，打针、吃药，吊葡萄糖，那几天里虽然我的脑子迷迷糊糊，但躺在病床上的感觉却是那样地好。因为多少年里，我天天都得无休止地早起晚归，无论刮风下雨，无论烈日暴晒，听不完的课，做不完的作业，好像活着就是为了填海般地往脑子里装知识——谁知道这种知识以后还能否用得着。看样子爸妈都很着急，看得出，他们大半是怕我耽误太多的课程，而并非关心我的身体。第三天夜间，我的高烧实际上已经全退，老爸从我的饭量上判断我可以出院上学了，就对医生说，明天早晨再测一次体温，如果不烧了可以出院吧。医生说正好他们最近病人特多，床位很紧。我心想，见鬼，这么舒服的地方，我不多待几天才亏呢。于是我想出了一个计谋……第二天 8 点左右，小护士过来为我测体温。几分钟后，她从我嘴里拿出体温表一看，那双很大的眼睛睁得更大了："怎么，又 38.4℃了？"说完，她过来用手摸摸我的头，而这一切，我们配合得天衣无缝。"嗯，这孩子是没退烧。"前来给我准备收拾东西的老爸傻眼了，也露出几分急相，他听完小护士的话后，连忙问："能不能出院呀？"小护士不高兴了，说："你这个人怎么回事？孩子的烧还高着呢，你怎么让他出院？"我听着心里不知有多高兴，脸上却装出一副极其痛苦的样子，把头紧紧地捂在被子里。当我的目光与老爸那双疑惑的眼睛碰到一起时，赶忙避开……哈哈哈，我太高兴了，因为我又"合情合理"地躺过了三天的"作息表"，这是整个高中三年里最舒服的六天时间，也是唯一不用早起晚归的六天，然而我是在病床上争取到的。

你一定在想我的那张"作息表"上漏掉了一个重要内容，那就是周末的两天。对了，这正是我要向你说的。如果说一二三四五的几天里，我是在靠那张用分秒来计算时间的作息表去生活的话，那么周末两天里我的另一张"作息表"简直就是一张"斯大林格勒保卫战"的战斗图。请看——

星期六：

6 点起床（比平时我获得了一小时的优待）。

6 点 10 分：洗漱穿衣。

6 点 20 分：早餐。

6 点 40 分：从家出发，倒三次车，赶到宣武东经路的育才中学。

8点30分：开始在那儿上三节英语补习。

11点半：下课，在附近吃一顿便餐。

12点：乘车往西城黄城根的四中奔。

13点一直至20点：上完四中的“同步班学习”课程（中间有二十分钟休息，能吃一个热狗充饥）。

21点：回到家，半个小时吃完全天唯一的一顿踏实饭。

21点半至23点半：做两个小时的作业。

星期日：

6点起床（同样比平时多获得一小时的优待）。

6点10分：洗漱穿衣。

6点20分至7点20分左右进行一个小时的早自习。

7点30分左右，与家人共进早餐（这也是每星期唯一能与家人共进的早餐）。

8点半至12点：完成两个补习学校的作业。

12点至12点半，与妈共进午餐，老爸为了我的学费和改进全家的经济落后状况，每周在一位开饭馆的东北插队战友那儿帮忙一天，早十点离家，一直到晚上九时左右回来。

12点半以后，开始做自己学校的作业，这个任务一般都要到吃晚饭后的前两个小时才能完成。

21点至24点：自习（这是老爸规定的每星期“法定三小时”）。

周末两日的“作息表”是雷打不动的，其单调与所付出的艰辛甚至超过平时。也许我的脑子里总有一种想偷懒的意识存在，周末的日子里，我常常有意跟好脾气的妈妈作梗。

一次是“鸡蛋剥壳”事件。

那天是周六，我依然早上6点起床，等洗漱穿衣完毕，便像往常一样收拾好书包，坐到妈妈已经准备好了的饭桌前。早餐基本是固定的样式：一杯牛奶，一个煮鸡蛋，两块面包。可是那天我“出奇”地发现了一个问题：每天由妈完成的一道工序，这天不知怎么被忽略了：鸡蛋壳竟然没有剥好！于是我便大惊小怪地叫起来：妈，这让人怎么吃呀！快来快来！

妈正在忙着给外出的爸爸找衣服之类的东西，被我这么一叫，便赶紧从里屋往小餐厅走。“啥事？”妈的神色显得很紧张地问我。

我像老爷似的伸伸脖子，冲着桌面上的东西说：“你看，鸡蛋壳还没有剥呢！”

妈突然感到自己像做错了什么事似的，嘴里连声说着：“哟，我咋把这事忘了！”说着就动起手剥蛋皮。妈的手动了几下就又忽然停了下来，怒发冲冠地对着我大喝一声：“你死人啊？这么大的人怎么连个鸡蛋壳都不知道自己剥一剥呀？”

我呢，死心眼一个，眼睛瞅着墙上的那只挂钟，嘴里却不自觉地吐出了这句不该说的话：“我是死人吗？你没看时间多过了 5 分钟呀！我要迟到了你知道不知道？”

这时，我见妈一下像泄了气似的瘫倒在地，双手拍打着自己的双腿，悲切地哭嚎起来：“我这是作的什么孽呀！你这个臭小子，我、我要是死了你怎么办呀？呜呜呜……”

妈妈的哭声把我唤醒了：是啊，我都 18 岁了，难道为了上大学而变成一个连鸡蛋壳都不会剥的寄生虫了？假如是这样，我上大学又有什么用呢？对得起辛勤的父亲和善良的母亲吗？我仿佛自己一下从多年养成的恶习中醒悟，抖着双手将瘫坐在地的妈扶起，并对她说：“妈，是我不对，以后我自己剥鸡蛋壳。”妈一听，愣了半晌，然后破涕为笑，说：“不怪你，是妈耽误了你的时间。”说着又站起身麻利地为我剥着鸡蛋壳。看此情景，我的眼泪忍不住哗哗落下，“哇”的一声扑在了妈的怀里……妈妈笑了，带着几分苦涩，然后指指墙上的钟表：该是上课的时间了！我低头“嗯”了一声，便匆匆吃过早餐去了学校，但从此，每当我坐在桌前吃起妈妈做好的饭菜以及剥光壳的鸡蛋时，心中自然而然地恨起墙上的那只钟表，以及我自己的那两张“作息表”，我无数次地撕毁过它，可又无奈地无数次重新将它贴到床头的墙上……当我无比愤恨它的时候，我又会突然想起妈妈的那次瘫坐在地上哭嚎和父亲每个星期天拖着疲惫的身子回家的情景。

我只想好好上完高三，争取考上大学，这也许是唯一能真正撕毁“作息表”的出路吧！因为我深深明白，那张不起眼的“作息表”，既是我命运的“生死牌”，又是爸妈对我的“希望榜”……

“我没病，为什么非要进医院？”——高三生自述之二

我是个女孩，从小天真烂漫，爱说爱唱，但是考进重点中学后，我的爱好被无情地剥夺了，特别是进入高三后，那个五十多岁的“老人家”——我们都偷偷地这样称那位年过半百的老师，就更不得了啦，几乎每天要在课堂上讲一通：“同学们，现在是最后的时间了。命运就掌握在你们自己手中，把一切爱好、一切个性全部埋藏起来，集中所有精力，学习、复习、复习、学习……”在她的严管下，班上的文学社停了，歌舞组停了，甚至连女生和男生之间的玩笑也停了。如果她见我们同宿舍的几个女生在中午休息时说段开心话，也会板着脸过来训斥道：“有时间说废话还不如多养养精神！快，去午休！”

日复一日，我们往日充满活跃和朝气的班级，变得除了读书和回答问题时有声音外，仿佛相互都成了陌生人，除了埋头做作业，就各自捂头睡大觉。不是没有想说话的人，也不是没有想笑的人，只是那个“老人家”时时刻刻像幽灵似的站在我们身后。当我们刚想彼此说一句轻松的笑话时，突然发现她在身后站着，神经就会一下紧张起来，刚刚有的一份开心也随之消逝了……唉，我是个从小爱说爱笑的人，从小学到初中，如果一小时里没有从我嘴里说出一句逗得老师和同学乐弯腰的笑话，有人就会以为我是不是生病了。可是到了高中特别是高三后，“老人家”似乎对我格外严管，想必她早已从其他老师那儿了解了我的秉性，所以，只要有同学刚想

与我说上一两句轻松些的话，又立马将后面的话咽回肚里，脸色也变得非常特别，这时我转过身，准会看到“老人家”就站在我身后。慢慢地，同学们远离我，仿佛见了我就像见了艾滋病患者。有一次我真火了，抓住一个原本与我很要好的女同学，抱住她就挠她痒痒。谁知那同学急得大嚎起来，她越嚎我就越使劲搂住她，谁知她竟用胳膊狠狠地捅在我的左脸颊上，在我“哇”地叫疼的那一瞬间，她逃跑了。我当时愣在原地半天没有动，我心头感到无比惊骇，难道同学们都因为迎接高考而变成连玩笑都不能开的小胆子“羊羔”了？当我再转过头时，我又看到了那个“老人家”——她毫无表情地告诉我：下午下课后，到她办公室去一趟……

从“老人家”的办公室走出来的那一刻起，我就发誓：高三里，我再不与同学们说一句话！

日子一天天这样过去，我发现，以往总跟在我身后的那个“老人家”也不再像幽灵似的盯着我了，而且那张古板的脸有时也朝我笑笑，可我觉得她的笑与狼嚎时的狰狞没有什么区别。

日子又这样一天天过去。母亲发现了我的问题，说丽丽你怎么啦，以前人没进家就听你嘻嘻哈哈的声音，现在怎么一晚上不见你说一句话？我挥挥手，朝她说：“别烦我，忙着呢！我要做作业。”

妈妈仔细观察了几天后，跑到了学校，找到班主任，问孩子怎么啦，是不是没考好被老师批评了？还是出了其他什么事？“老人家”这回可给我说了一大堆好话，说你孩子现在进步大啦，也管得住自己了，这样下去考大学一定不成问题。“我有经验，女孩子在高三时最重要的是把她那颗玩野了的心收回来，这就等于高考成功了一半。”那“老人家”非常得意地跟我妈侃侃而谈。

我妈将信将疑地在家静观了我一段时间后，有一天突然走进我的房间，说：“小丽，你明天别上学了，妈带你到个地方看看病。”我感到很惊讶，问为什么。妈说：“你别管，我已经向你们班主任请假了。”当时我觉得很生气，可一想也行，少上一天课，还可以轻松轻松呢！

第二天，妈妈领着我到了市第六医院。我一到门口，就不肯进去。因为我知道这是一所精神病医院，初中时我班的一个女同学在这儿住院时我来过，而今天我妈竟然也把我当作精神病来就诊！

我气极了，转身就走，不管妈在后面使劲地喊，我气呼呼地只管自己一个人走路。

回到学校，“老人家”一见我就装模作样地过来关切地问我怎么样。我没有好气地回敬她：“什么怎么样？”

那声音肯定很大，引得同学们哄堂大笑起来。我没料到的是这回“老人家”竟一点儿脾气都没发，还招呼班上的同学说，以后你们要对丽丽同学好一些。

这是什么话？我心头的火更大了。中午休息时，我想找要好的同学透透心里的火，不想同学们还没等我把话说完，就连连摆手说好好，是你对是你对，便躲避到一边去了。

我想完了！于是就声嘶力竭地喊：“你们是不是神经都有毛病啦？！”说着，我就把一只茶杯摔了个粉碎，茶叶溅到了几个同学的床上，但是同学们谁也不发一点儿火。看到大家无动于衷、待我小心翼翼的样儿，我哭了，悲痛地号啕大哭了一场……

之后，妈妈又没让我上学，带我到了一所大学的心理咨询中心。那里有个“专家”，听说还是博士，我妈十分认真地对我说，一定要配合“专家”，问什么你就答什么。“我带你来之前就打听了，他们说这个专家治好了很多学生的病，人家还是北京心理学会的什么常务理事呢！”我妈已经“走火入魔”了，好像真的非要从我身上挖出点毛病来才是。那天我真急了，就在“专家”接诊的门口，跟我妈嚷嚷起来：“我什么病都没有，狗屁专家我都不看！”妈想不到我会当众这样向她大声嚷嚷，“啪”的给了我一巴掌。当时我的眼泪“哗”的涌出眼眶，心想这世上还有谁能理解我呀？妈，我恨你，恨你也不知女儿心！看着我妈那副后悔的样子，我也心软了，就想既然来了，我也好让“专家”证实一下自己没有病。

“专家”的诊室就是不一样，里外两间，外面的那间墙上挂满了各种脑神经结构图，大大小小的，还有外文的，他的书架里还放了不少诸如弗洛伊德的《精神分析引论》等书籍，给人感觉他很有学问也很“专业”。

“专家”见我后，先装作很随便地问我对当前的“小燕子现象”怎么看。

就诊就这样开始？我用眼睛瞪了他一下，心想谁有工夫跟你谈论“小燕子还是大燕子”，赶紧拿出你的真本事还我清白！

“专家”见我毫无表情，也不回答，便又提出了第二个问题：“你觉得未来的因特网是否可以与人脑连接呢？”

狗屁，你知道人脑怎能与狗脑同样思考一个问题？这话我是心里说的，但觉得很过瘾，因为我已经认定：这样的所谓“专家”也是无法还我清白的，或许更倒霉。

算给我说中了。在发现我几次毫无反应与厌烦之后，“专家”便让我妈在外屋稍坐等候，带我进了他的里屋。这是一间约十来平方米的小屋，里面除白白的墙外，什么色调都没有，给人一种恐怖的感觉。而这位“专家”则颇为认真地又问了我几个诸如“你假如真的感到心头烦躁，就可以在此敞开心扉”“或者你感到外面的世界对你很压抑，而在这里你用不着顾忌什么，大喊一声也行，高歌一曲也成”之类的话。听完他的话，我差点没笑出声，心想好端端的人，跟一个陌生人有什么可谈的，真要是在这儿大喊大叫不真的成精神病了吗？哈，看来所谓的“专家”才是一些有病要医的人哪！

上面的这些话自然没有说出口，我也没有在脸上表现出什么，只是依然一副冷漠。

“专家”像是使不出什么招，于是便让我出诊室，他有话要对妈单独说。

我在门外隐隐约约听到他在跟我妈说是“不轻的抑郁症”，“而且患这类病的人容易表现出冷漠、烦躁，严重的甚至还会自杀。我这儿有份国外资料证实：大约有 60% 的自杀者都患有这类抑郁症……”专家的声音越说越小，像怕我听到似的，而我听着听着则越发感到好笑，终于忍不住在外面大笑起来。

妈妈赶紧从诊室走出来，急切地问是怎么回事。跟在她后面的“专家”则若有所思地对我妈说：“好哭好笑都是抑郁症的表现形式……”

我再也压不住心头的话，大声叫嚷道：“你才是抑郁症呢！妈，走吧，我什么病都没有，咱们回家吧！”

妈妈满心疑惑地看着我，又满心疑惑地看了看“专家”，然后抱歉地向“专家”说了声“对不起”。

本来我想在回家的路上跟妈好好谈谈，也想借机奚落一下那个所谓的“专家”，可是看着妈在半路上拿着“专家”给我开的方子走进药铺时，我的心彻底地冷了。

那一夜，我听爸爸和妈妈吵了很长时间，爸说我妈是神经过敏，妈说她宁可神经过敏一些，也不能因为孩子有病给耽误了高考的大事。我呢，心想反正自己好端端的，于是只管蒙头大睡……

不知什么时候，我突然被妈叫醒，旁边还站着爸。

“丽丽，你说，今天是上学还是去医院住院？”妈非常认真地问。

我看看她，又看看爸。我发现爸在朝我笑，于是壮着胆子回答说：“妈，你女儿好好的，自然去上学。我又没病，为什么要去住院？如果你不相信，那么你还像以前让我痛痛快快地唱首歌……”

爸爸适时地从里屋将我尘封已久的吉他拿了出来。

于是我“噌”地从床上跳起来，像快乐的小学和初中时的样子，边弹边唱了首李玟的《好心情》：

……

我们都被祝福

常常有好心情

一见你就有好心情

像矿泉水清凉在心

溶化太多太多的情感交集

不是三言两语可以言喻
有你就有好心情
像夏天吃冰淇淋
因为想法感觉都有了感应
每个眼神都变成了动力

我唱完时，见妈的眼里溢满了泪水，她紧紧搂住我说 ：“我们的丽丽没病，真的没病……”

“是的妈，我什么病都没有，只是到了高三后，学校不让乐不让笑，所以我才……”爸见我们母女俩抱在一起“犯神经”，便忙拉起我的手 ：“走走，今天我送你上学去，再跟你们老师谈谈。”

从这天开始，我终于结束了“有病”的日子，重新以饱满的热情投入到紧张而又快乐的高考冲刺中去了……

我在乎分数，但更要自尊
——高三生自述之三

那天我跟父亲的争执发展到了极点。你们也许认为我可能是考得不好，老师找到家长告恶状，不是的，那天我考得非常好。数学得了少有的 93 分，而只比坐在我旁边的班里第一名少了几分。这本来是我从没有过的得意之作，可是老师偏偏让我伤心得差点跟他打起来。他说 ：“你能得这么好的成绩？不可思议。是不是偷看了旁边同学的？”他问这话的时候，班上有好多同学。我再也忍不住心头的怒火，说 ：“要是我偷看了别人的，我就是猪。可如果谁硬冤枉我，谁就是猪！”

好了，正是因为这句话，我的老师就破口大骂起来，说我存心欺负他，并把我曾经有过的所有“恶迹”——如进这个高中班是家里出了 3 万元钱才进来的，如在高一时曾得过四个“不及格”，尤其是得过一个“超级高分——7 分”全都抖落了出来。他好像觉得这还不够，便在我下课回家前先一步找到了我父亲……

“你小子丢人丢到我公司里呀！”一向在外对别人说一不二的父亲，回到家第一件事就让我“老实交代”：“你、你这个小浑蛋，用手指掐掐你的年龄吧！十八岁！十八岁就是法律意义上的成人了！如果你自己还认为自己是个人，你今天就老老实实把事情说个清楚！”

当董事长的父亲很少能在晚饭时准时回家，今天必定要跟我“算总账”了，那架势使我马上意识到那个老师找过了他。说实话，从小我就畏惧父亲，他急了会真的朝我拳打脚踢。记得上初中时，我因为差了7分没考上重点中学，他就用铁榔头般的大拳揍了我整七拳，打得我以后每次考不出好成绩时都能想起那一顿狠揍。高中了，父亲的拳头不再落到我身上，可无数次在我眼前挥动过。说实话，我真的心里很害怕他。然而这一次例外——

“没什么交代的！”我自知没做亏心事，分数是属于我的。

“你混小子还嘴硬！”父亲的拳头已经到了我的鼻尖上，我知道这一次已经很难避过了，但仍然倔强地闭上眼，等待他不公的惩罚……

“你给我跪下！跪下——！”父亲突然像头怒不可遏的雄狮，虽然没有出拳，却抬起了他的脚……我只觉双膝一软，“扑通”跪倒在地。

我的头依然倔强地昂着，但泪水再也无法控制地流淌在两颊……

“说吧，是不是偷看人家的了？不知道这比考零蛋更可耻吗！高三了，就剩下几个月的时间，难道你再让我用十万八万的血汗钱去为你买一个大学上？”父亲的眼睛里在燃烧火焰，声音一阵高过一阵：“知道吗？大学的门，不是能靠钱买得了入门券的！即使我拿出全公司的几千万元资金，我也没法为你这混蛋买回一张大学入学通知书！你知道我的钱……”

“我不要你的钱！不要——！”我至今也弄不清当时我哪来的勇气，我的这一声呐喊，把一向在家称王称霸的父亲也给镇住了。“钱钱钱，你就知道钱！难道不能相信你儿子一回！”说完，我只感到眼前一片漆黑，整个身子便软了下来……我虚脱过去了。

那一天后，我在家里整整躺了三天。母亲找来医生给我挂了三天葡萄糖，但医生却无法痊愈我心灵的创伤。父亲从那一天起就不再回家，母亲说他懒得看到我，见了就会来火。我心想我不也是这样吗？也好，眼不见为净。从床上再起来的我，打定一个主意，我要用我自己的“办法”来证明给父亲看：你的儿子不是孬种。

回到学校，我向班主任提出，或者给我单独安排在最后一排，要不就安排在第一排，因为这两处的座位可以证明我以后考试成绩的真实性。班主任还算通情达理，满足了我的请求，将我放在最前面的一个座位。

从此，我开始了为自我奋斗的新历程。两个多月后，期末考试如期进行，我的五门成绩都在 90 分以上，尤其是数学，成为全班第一，得了 95 分。当同学和老师向我祝贺时，我的脸上没有一丝笑容，因为我要的不是赞美，而是别的。

“好小子，行啊！三日不见当刮目相看呀！”那天，我的脚还没有迈进家门，就见日久未回的父亲从里屋向我迎来。我没有理他，只管放我的书包。父亲似乎并不在乎我的态度，只管高兴他的：“这回是你的那个数学老师跑到我公司向我报的喜。看来你小子不是朽木不可雕嘛！”

“好，照目前这样下去，你明年参加高考问题不会太大了。这下我为你准备的 10 万块上大学的钱，将来可以送你出国留学用了！哈哈。听着小子，一般来说，班级前三名的学生考大学是不成问题的。下一步关键的是你要保持目前的成绩。明白吗？”父亲乐得开怀，并侧着身子津津有味地发“指示”。

“你真的认为分数那么重要吗？”我感到该把心里话说出来了。

父亲睁大了眼，说：“那当然，对你来说，没有比学习和考试的分数更重要的了！难道你不在乎分数？”

“不。我在乎分数，但还有比这更重要的东西。”

父亲眨了眨眼，瞅瞅母亲，又不解地问我：“还有什么？”

“我的尊严！”我一字一顿地说完这四个字后，赶紧转身进了自己的小屋，把门重重地关上……我的两眼已经溢满泪水。

“这小子真成大人了啊！”门外，我听到父亲感叹地说。

“不离家出走，我就会举刀向自己的母亲砍去”——高三生自述之四

你已经听说了？是的，也不是什么特别丢人的事，反正高中学生离家出走的不止我一个人，女同学中也有很多人。你问为什么一定要出走？自己家里还有什么解决不了的问题？是嘛，我以前也是这么想的，但是到了高三，不知外国人是不是这样，反正我看中国人都是一个德行——人全疯啦！学生疯啦，家长疯啦，老师疯啦！

我是重点中学的，中考结束后以为到了重点中学就可以松口气，哪知“天下中学一般黑，重点中学更是黑”。我现在才不相信啥重点不重点，如果要说重点中学的优势，就是把全市全区我们这些从小学到中学更能适应应试教育的“做题能手”集中到了一起，培养成再高一个“段位”的做题能手而已。信不信由你。我到重点中学后的全部感觉就是这样，而且这里搞“考试工场”还给你高戴一只堂皇的帽子：你们在市“重点”，就是说你们是中学中的高才，大学的门对你们开得最大，多做题、做难题，是理所应当的。嘘，老师和校长们说这些话时从来气昂昂的，就像那些举着大刀砍人的刽子手从来不觉得自己有什么不对一样。

如果让我现在选择高中的话，我不会满怀激情地选市重点了。三年的经历，我体会到：“重点”就是比别人更残酷地摧残我们这些花季少年而已。十分可悲的是，不知上面的教育局、市领导和社会上对我们这样的重点中学还那么吹着捧着是为了什么？高一高二两年，我们的所谓“重点”就是要用两年的时间赶出高中三年的课程来。进入高三后，整整一年时间便是没了没完地做题。什么叫没完没了？生活中有人对重复三遍以上的事就叫“没完没了”。我真想对电影导演冯小刚说一声，你应该拍我们中学生的考试，那才真正叫作“没完没了”呢！

中国的什么族最大？是我们“考试族”啊！世界上什么人最辛苦？是我们“考试人”啊！

每天全市百姓还在呼呼大睡时，大街上有两种人在奔忙，一是打扫大街的清洁工，二是我们这些背书包的高三生。你6点进校门别以为就是早的了，比你早的已经在教室里上了近一个小时的自习了——老师天天表扬这些同学，就是为了提醒那些6点后才到的同学。6点到8点间的两个小时，常常很精彩：老师进门看一眼，就溜回到自己的办公室小憩去了，而我们教室里也总能听到那些惊天动地的呼噜声……哈哈哈，开始我们都会取笑打呼者，后来几乎所有的人都会变成“打呼族”，不再有人取笑了，倒是大家一旦听到某某人呼噜震天时，便悄悄向周围的人“嘘”一声：轻一点，别吵醒他（她）。瞧，我们多团结一致！这是逼出来的，因为老师家长不会关心我们这些最辛苦的“考试人”。

8点以后开始上课了。于是，数理化文史地的任课老师，便一个比一个能说会道地开始向你轰炸。这个说数学是所有高考中最重要的科目，数学学好，理化就能自然而然地带起来；那个说语文是高考成败的关键，很多单科成绩特别优秀的考生之所以没有考上重点大学，原因就是被他们的作文分拉了下来，所以语文课抓得好不好，不仅是文科生的重头戏，更是理科生的关键所在；这个说数理化靠的就是多做题做难题，那个说文科的关键是背课记题；这个说世界上没有哪种考试不是靠做题来判别考生优劣的，那个说大学录取的重点与非重点就在于考分的高与低……所有的话语都表达了一个意思：考试做题是你们唯一的选择，也是唯一的出路。

开始的一两个月里还真有些临战的感觉，但我们渐渐发现，之后的几个月里，老师除了把已经做过的难题卷子或者不知从哪儿找来的怪题卷子让我们重复再做外，并没有什么新鲜玩意让我们觉得有十分必要去努力，无非就是熟之又熟，剩下的就是人为造成的那些高考紧张空气。什么这个月搞“倒计时”，下个月搞“最后冲刺”，再下个月就搞“决一死战”……黑板报、操场上、饭堂内、广播喇叭里，还有宿舍走道，到处贴满、写足、喊着有关时刻准备高考的口号标语，使你如临战场，甚至像是进入火葬场的殡仪馆，一听那哀乐就深感悲切一样。

从早上6点进校到下午6点离校的12个小时里，我们所有的感觉就是在监狱或者说是在有监工的资本家厂子里服苦役。总算回家了，可是高三生的家比监狱和有监工的资本家厂子还黑暗。吃饭时本想轻松一下，顺便了解了解国家大事，刚刚把电视打开，母亲就瞪着眼睛："不是说好了，高三时天塌下来也不要管外面的事吗！"你瞧我们的家长怎么说的，我那个亲爱的母亲就这么说："天塌下来，有我们顶着，缺粮了，也有我们去张罗乞讨，可是高考的事只能靠你自己，我们没法替你。你不专心准备高考，对得起谁？"

在母亲的严管下，我在家里的12个小时，被囚禁在自己的小屋里。那小屋原来还让我感到非常温馨和舒服，因为那是我的小天地，可以在这八平方米的空间里拥有属于我的全部欢乐与秘密。但高三后，一直认为我"不老实"的母亲，特意让人在我木门上方挖出一个见方的小洞。我看到后就伤心地对妈说："你这么搞不是把我当犯人吗！"

母亲说："你要是安安心心在小屋里学习、做题，还怕别人老来瞅你？"

我无言以对，眼眶里噙满了泪水。

从此，我所有的行动都处在母亲那双严厉而不可抗拒的目光下。而我的所有行动也是由她统一布置：吃完晚饭，喝一杯奶，吃一块水果，然后开始做作业。22点，休息10分钟，然后再进入复习做作业，到夜里12点熄灯睡觉。一二三四五是这样。周六周日的安排，便多了一个上午和一个下午的做作业时间，除了多吃两顿饭外，没有改变任何内容。

我和母亲生活在一起，小学时母亲就和我爸离婚了，原因之一就是父亲认为母亲缺乏知识和修养，为此母亲发誓要把我培养成"有知识有修养"的人。她对我的关心超过了她自己，特别是在我进入高中后，她除了上班外，所有的时间都是在为我服务，围绕我的学习和考大学转。这是我深切感受到的，也真是看在母亲含辛茹苦的份儿上，我默认了很多事。但随着年龄的增长，我觉得不能在所有的事上都由她主宰我的一切了。因为我也是人，一个活生生的人，一个活生生的年轻人。

我们的争执开始时常常在一些小事上，比如我因为太困睡着了，她就在外面使劲敲我小屋的门。每次她敲门我就一惊，便嚷起来："你干吗不能轻一点？"

母亲说："轻一点你能听得见吗？"

她的话让我感到无奈而又愤怒。

我从小爱听音乐，上学路上，睡觉之前，甚至看书之中，随身听是我忠诚的伴侣。但母亲特别反感我带着它，几次警告说高三后不能再听了。我表面上答应，可行动上很难下决心，主要是随身听让我感到枯燥的学习生活中还有那么一丝丝的快乐。

我依然改不掉在做作业时戴着随身听的习惯，尤其是感觉疲乏时，耳边能有它优美的歌声相伴会稍稍舒心一些。但母亲并不同意我的观点，她坚持认为我是在有意"分心"。

"怎么又戴上了？告诉你，你再不听我可要把它扔到楼底下去了啊！"母亲不是在门外敲了，而是走到我跟前，扯着嗓门大声喊。

我只好暂且把它收起来，枯燥而又疲惫地重新伏到桌上做那没有尽头的卷子。不知什么时候，我觉得眼皮在不停地打架，抬头一看时间，才晚上 11 点。我庆幸方才小憩没有被母亲发现。为了能够坚持最后一小时的作业，我下意识地从枕头底下取出心爱的随身听，哇，感觉好多啦！

哇，是林志颖的《就是这一天》呀！于是我一边做题，一边跟着欢快地哼了起来：

对你的爱恋永远不变
每天每天你总在我的心田
对你的诺言不会改变

……

我把握未来每一天

天天灿烂天天思念从现在到永远——

“我倒要看看你怎么个‘天天灿烂，天天思念’法！”突然，我耳机里的声音戛然而止。原来母亲像个凶神似的站在了我的身后。坏了！我刚要收起随身听，却早已被手脚麻利的母亲用力一夺，转眼间，我还没有反应过来，她便把窗子打开了……

“别扔——！”我知道要发生什么事了，赶紧起身想夺回母亲手中的随身听，可为时已晚。只听楼下的水泥地上沉沉的一声“啪啦”，那声音使我不由得大喊大叫起来：“你想怎样啦？你不把我也扔下去呀！呜呜……”

我又是跺脚又是伤心地哭了起来，然后不顾一切地冲下楼……当我捧起散了架的随身听时，我的心也跟着碎了……我跪在随身听“牺牲”的地方哭得格外伤心，惊动了全楼的人，最后是母亲硬把我拖回了家里。

从那天的事件后，我跟母亲的关系发生了质的变化。凡是她让我做的事我都跟她顶着干。而她也怪了，似乎我不愿意做的事或者反感的事，她偏要我按她的意思去办——我们母女俩成为“死对头”。

时间到了1999年的初夏，这个季节应该说也是我们高三生最紧张的时间。不知电视台怎么安排的，它是不是对我们学生一点也不了解，偏偏在这个节骨眼上在电视里推出了《还珠格格》！这电视一放，赵薇演的“小燕子”把我们中学所有女同学都给吊疯啦！当时学校里除了高考的复习外，最让我们兴奋的就是“小燕子”的话题。“小燕子”真的让我们好爱好爱呀！大人们其实太不了解我们这一代人的心了。根本不是我们这一代人太浅薄的缘故，实在是“小燕子”那无忧无虑、敢作敢为的精神太让我们这些在学习和做题的苦海里的中学生羡慕了！可以说，“小燕子”精神，正是我们渴望而又得不到的、疾呼而又呼不来的形象！“小燕子”的出现，让我们感到了一种解脱，一种希望，一种追求！

大人们，你们现在明白我们为什么那么喜欢“小燕子”了吧！

我从来不承认自己是“追星族”的一员，但我对“小燕子”的喜爱超过了所有同学，因为我感觉自己受到学校特别是家庭的压制太多太重了，所以我更加喜欢“小燕子”。我虽然没看过一次电视《还珠格格》，可从同学们的言谈中我疯狂地爱上了小燕子，仿佛“小燕子”就是我性格的化身，我追求的影子。我因此向母亲“友善”地提出允许我看一次《还珠格格》，而且我还认认真真地写下一份“保证书”——保证以优良的高考成绩来换得我的这样一次权利。

“你别给我玩小孩把戏了。我怎么可能相信你这样的保证？看电视就会分心，尤其是我不让你看小燕子这样半疯半痴的丫头，浅薄得不能再浅薄了。我正准备给电视台写信呢，他们放这种节目到底是什么意图啊？引导孩子们都去学些什么呀？真是的！”母亲好像对“小燕子”早有一肚子气。真倒霉，我算是哪壶不开偏提哪一壶。

那天是星期天，母亲说她单位里要加班，她把饭菜准备好后，吩咐：老老实实在家做作业，什么事都甭想。我一听高兴得心都快要跳出来了：这下总算有机会目睹“小燕子”的风采了！

“哎，你去上班吧。我保证就在家好好做作业，今天的作业比哪一天都多！”我特意这么说，后来想想，这话等于是“此地无银三百两”。

母亲重重地看了我一眼，没说什么便出了门。

“万岁——”我放纵久被禁锢的心，估计母亲已经下到楼底时，便在屋里大声欢呼了起来。赶紧，先打开电视装置，然后接上电线……呀，楼道里突然传来熟悉的脚步声——坏了坏了，母亲返回来了。我赶紧神速地将插销拔掉，又将电视装置重新恢复原状，然后再飞步回到自己的小屋拿起书本……是母亲进门了，是她在电视机那儿停下了脚步，然后在电视机上扒拉了一下，好像检查有没有我动过的迹象——我根本没有回过身，眼睛盯在书本上，可我能感觉到母亲在外屋所做的哪怕是最细微的动作。此时我的心怦怦跳得不能再快了！

母亲终于走了，屋里恢复了平静，只有我的心与墙上的挂钟在跳动。我像经历了一次惊心动魄的战斗一样，忍不住自己对着镜子笑了起来。

我知道母亲的精明之处，所以第二次想打开电视时，就有意等待了一段时间。我知道从钟表上的时间证明这回母亲真的去单位上班了，这时我才去打开电视。

"解放了——！"我伸伸懒腰，极为自在地从小屋走出，毫无顾忌地走到电视机前，掀开布罩，插上电源，按动电视上的按钮……嗯，奇怪，怎么电视没有图像？

我急了，左看右看，电源、天线都是好的呀！是坏了？不对，早上还听到母亲在看天气预报么！这是怎么回事？我毕竟是学过不少物理知识的高中生，在检查过程中，发现了一个叫我气得直咬牙的事：母亲把连接电源的那个双脚插头中的一根拔掉了！

我的妈呀，你这是干什么嘛！那是个无法用其他东西替代的玩艺。面对母亲的"聪明"和眼前的无奈，我狠狠地敲了敲电视，一个人在屋里哭了起来——同学们在前一天就告诉我此时此刻正是《还珠格格》重播的时间呀！

我正在欲哭无泪、不知所措、强烈地想看一眼"小燕子"的时候，楼道里不知谁家的门内传来《还珠格格》的电视声音："小燕子！小燕子"——那陌生而熟悉的声音直灌我的耳朵，可很快声音消失了，是出来倒垃圾的邻居把门拉上了。

哇，"小燕子"的声音太刺激我了！在家惴惴不安的我终于想了个办法：到邻居家看一眼"小燕子"！

用什么法子敲开邻居家的门呢？对，就说我家电插头坏了，借把钳子什么的。

我敲开邻居门时，心头好不激动，但表面上装出十分镇静的样子。好客的邻居哪想到这是我一手"策划的阴谋"，当我表示对他们正在看的《还珠格格》也愿意看一眼时，他们全家人便热情地邀我坐下一起看。接下去的时间简直可以用"大大过瘾"四个字来形容了。在这个家庭里，“小燕子”不仅吸引了与我差不多大的一个女孩子，也吸引了她的父母和姥姥，我真羡慕他们全家。让我想象不到的是，他们在看完当时重播的两集《还珠格格》后，听说我从没有看过以前的《还珠格格》，就慷慨地拿出了录制好的两盘录像带又放给我看……

我完全沉浸在对“小燕子”的狂热之中，发现邻居家准备吃饭时，才想起该是我离开的时候了。“对不起，打扰你们好长时间。谢谢！”我不好意思地起身告别，三步两步地回到楼上的家。

当我用钥匙打开防盗门时，发现锁是开着的，心蓦然紧张起来：坏了，妈已经回家了！

“你到哪儿去了？”母亲早已站在小厅中央，开始对我进行审问。

“没、没到哪儿……去楼下邻居家借钳子去了。”我恨自己语无伦次。

“借钳子？那钳子呢？”

我傻了，到人家里半天什么也没做嘛！邻居对我借钳子的事怎么也没提醒一声呀！真是。

“你那点花花小肚肠，还想瞒我？”母亲早已气不打一处来：“我知道你不等我出门，就急着想偷看电视！哼，真有本事，自己家的电视不会捣鼓，还想到邻居家借钳子来！去呀，把钳子借来呀！”

“我知道是你存心把插头搞坏的。”我觉得不能不说，尤其是想到邻居家的那种温馨快乐情景，以及我与母亲之间的不平等。

“知道了你还跑到人家家里去看？难道你永远管不住自己偷懒？”母亲又开始没头没脑地骂起来，她骂人时的那种尖利的噪音最让我感到刺耳，而此时我感到的不仅仅是刺耳，是刺心，深深地刺着我的心！

也许是积压在心头的怨怼太多太多，我自己都没有想到我的声音会大得甚至有些歇斯底里：“我不偷懒！我从来没有偷过懒——！”

母亲大概没有想到我会如此反抗，她一愣，火更大了，使出她认为大人唯一能制服儿女的手段——抄起一把铁棍朝我砸来……我真的惊恐得脑子一片空白，因为我想象不出我的亲生母亲会用铁棍向她的女儿砸来！

我被求生的本能唤醒了！我退至不能退却的地方，我的手下意识地抄起放在桌上的一把菜刀并且高高举在空中……

母亲惊呆了："你你你想杀你妈呀？"

"我就想杀死你——！"我的声音几乎使全楼的人都听到了，于是我家的房子外传来无比猛烈的敲门声。

就在这一夜，我离家出走了，什么都没带，便离开了家，离开了母亲，一个人在我们小城的一条河边走了五个多小时，在这阴雨绵绵的五个多小时里，我呼天不应，唤地无声，无数次想向湍急的河水中跳去……那是我一生无法忘却的黑夜。现在我回想起那一夜的情景，我真庆幸自己那一夜做对了两件事：一件是我没有留在家里，假如真的留在家里，我难以压下举刀杀母之心；二是那五小时的漫漫长夜，使我有机会渐渐梳理我并不成熟的心路。

你们一定很想知道我以后的情况。我可以告诉你们：去年我考大学的机会失去了，但我和母亲都不感到后悔，因为我们母女和解了。后来母亲在我出走几个月回家后，重新找了一个中学让我去读，我和母亲对今年我考大学都充满了信心。回想起那段难忘的经历，我只想对所有的家长说一句话，那就是：请在严格要求您的孩子努力学习时，不要忘了给他们一点起码的自由，这样不仅不会影响他们的高考成绩，相反有可能获得意想不到的效果。

我认为这绝对没错。

为了"高三生的独白"部分，我采访过各地的几十名学生，在所有接受我采访的这些高三生中，他们都有一个共同的愿望，那就是他们对现行的教育，特别是"一考定终身"的高考以及高考前的学校教学模式提出了最严厉的意见也是最恳切的希望，那便是请求社会、学校和家长们给予他们最基本的自由空间、最基本的人格尊重与做人的权利。

"我们大部分人都过了十八岁的成人年龄，不能因为高考而剥夺我们生存在这个世界上的最基本的权利。我们要求有人权——我们作为新世纪一代中国青年人应有的那种既有严格要求，又能体现我们健康快乐与自由个性的人权。”一位现在就读于北京某著名学府法律专业的学生如是说。

关于学生的人权概念，我问过不少家长，他们在没有前提的情况下的回答显得很空泛，可真正接触到自己子女的实际情况时，其回答又让我感到吃惊。

“孩子的人权必须建立在一种有所约束的条件下，比如他们应该在完成学校和家庭对他们的基本要求的前提下，才能谈论此事。”——这是一位在大学当人文教授的学者的回答。原因是他的儿子也是位不安分守己的逃学生。这位教授是在恢复高考后圆了大学梦的“老三届”生，他的体会非常深切：“我的结论是，在中国尤其是现在或今后相当长的一段时间里，没有高学历，就意味着你失去社会对你的尊重与选择。设想一下，一个没有高学历的人，想让社会来重用你，那除非在你通过无数次、无数年的艰苦拼搏后才有可能，而有高学历者可以在走出校门时就获得社会给予你的种种机会。难道我们作为家长，有谁真心想让自己的儿女在无尽的努力与等待中来让社会承认和选择他吗？不会的。那样的代价不仅仅是时间和金钱的问题，而且也是整个时代与民族所不允许的。”

不能说这位高谈阔论的学者的话没有道理，但谁又能为我们的孩子想一想呢？

“剥夺了权利，剥夺了自由，剥夺了最基本的生存方式，我们不就成了一种机器吗？一种让家长、让学校用先前的那种模式制造出来的一代机器人吗？这就是你们大人们天天说的时代进步、社会发展吗？再说，当我们一个个变成考试机器后，我们的快乐、我们的创造、我们的幻想、我们的灵智，还有我们的爱情都被泯灭后，这个世界、这个时代还有什么是可以吸引我们生命活力的源泉？死吧——做一具还有心跳的僵尸吧！”学生们这样告诉我。

我想用实例来回答不少家长和老师在这一问题上的某些固执之

见，它们实在值得大家深思。

实例之一：《贵阳都市报》刊发的一位中学生留给父母的遗书

敬爱（的）爸妈：

我已不存在，请不要悲伤。我很对不起你们，请原谅。

我知道你们把我养这么大很辛苦。但是呢，我又没有报答过你们。我的成绩从来没好过，我也不知道为什么。我也不知道从什么时候我有想死的念头，我曾经有过几次想死，但是我还是不愿意过早地死去，但是这一次，我已经彻底地绝望，并不是什么原因，而是我已感到，我是一个废物，样样不如别人。而且由于没有交成绩册和补课本，老师没有让我报到，也没有发给我课本，今天我们班上来了个新生，侯老师对他讲："后面的同学基本上都是差生……"我想，我已被老师列入差生行列了。我也感到很绝望。下午，我去问老师，星期一交行不行？据同学说，他假期作业有两道数学题没做（没有通过小组检查），老师说："不行，今天不交星期一就不准上课。"我真的绝望了。

我也想过，我一死会给你们带来什么呢？有坏处、有好处，我一死，会给你们精神上增加了不少压力，好处是我一死，你们可以节约一大笔钱，你们可以不用愁我的开支，你们可以尽情地游玩，坐飞机、坐火车、坐轮船，而不用为我担心。我死了，也不要传开来。因为会带来别人所讲的闲话，对你们很不好。如果真的很想我，便给我写信，你们尽情地玩乐吧，你们也不要想不开，存折密码是1122。来生再见。

李渊

1997.2.20.10：17

另加一句：妈妈，不要责怪爸爸，爸爸也不要责怪妈妈。记住。

据贵阳的市民讲，李渊死后八天，报上刊出了这封遗书，几乎所有的贵阳人都为如此懂事的小李渊惋惜和痛心。李渊是位中学生，他的遗书中非常清楚地表明他的死因并不复杂，但却令人深思。那个老师简单而又残酷的一句“差生”和一个“不交作业就不让上课”，使早已对死读书和以分数论优劣而绝望的小李渊产生了想死的念头。而李渊对死所表现的那种冷静和死之前周到地为父母考虑的那种成熟，更使我们为失去这样的好孩子而痛惜万分！

我们从遗书中不难看出，虽然李渊只是个中学生，但他有思考和处事的成熟的一面。同样，在他的眼里，人生尽兴地玩乐是最大的难得、最大的幸运、最大的幸福——他因此用一句听起来十分幼稚却无比真诚的“你们尽情地玩乐”来祝福自己的父母。读到这里，我们都能感到中国的孩子们因为上学而受到的心灵创伤是何等的严重！

实例之二：见《北京晚报》1999 年 1 月 26 日报道（记者张鹏）

高三生杀死亲生母亲

本报讯：一个十九岁的中学高三生在没有深仇大恨和严重矛盾的情况下，竟然用极其残忍的手段将自己的亲生母亲杀死后碎尸抛入湖中。昨天下午在北京第一中级人民法院开庭审理的朱宇故意杀人案带给人们深深的思考。

在昨天下午的庭审中，旁听席上座无虚席，被告人朱宇被带上庭后，人们发现他还是一个脸上显露着稚气的男孩，然而当他用平静的口吻叙述所做的一切时，人们被深深震惊了。今年十九岁的朱宇正在上中学，面临着高考，他的家庭物质生活优裕，父母都受过高等教育，对他寄予了厚望。然而去年 3 月，朱宇萌生了杀母的恶念。朱宇说他对母亲的不满是从 1996 年开始的，当时他父亲因肝病住院，后来终因病重去世，他认为父亲的病本来可以救治的，但母亲怕花钱多没用好药，所以父亲才死。父亲死后，母亲与一个男人来往密切，朱宇认为母亲就是为了这个男人而不去救父亲。平时因朱宇的母亲对他学习管得很严，母子俩经常争吵。去年 3 月 25 日，朱宇交女朋友被母亲反对，两人又爆发了一场争吵，朱宇在这一天起了杀心。

朱宇找到同学崔楠，把杀母亲的想法告诉了他，让他帮助一起干。由于两人是好朋友，崔楠同意了。于是两人开始了周密的准备工作，朱宇翻阅了一些案例资料和有关人体生理解剖方面的书籍，接着买了一瓶镇静剂和一盒感冒冲剂。3 月 28 日中午，朱宇的母亲匆匆从外面赶回家中，不顾自己感冒，准备帮助儿子温习政治，准备考试。朱宇佯装关心母亲，就去冲了一杯感冒冲剂，他把碾碎的镇静剂放在冲剂里，母亲喝了药，不一会儿感到很困，就进屋睡了。朱宇在屋外耐心等了一个多小时，直到母亲睡得完全没有知觉了，他和崔楠用早已准备好的尼龙绳猛勒母亲的脖子，又割开了她腕上的动脉，杀死了亲生母亲。

朱宇和崔楠将他母亲的尸体肢解了，第二天早上抛入一公园湖中。然后朱宇到派出所报案说他母亲失踪了。接着他找人打开了母亲放在家中的保险柜，拿出一张 8 万元的存单，兑换了现金，给自己买了 BP 机、手机等物，并且筹备着用这笔钱开一家咖啡厅。直到去年 4 月 16 日，他被公安机关怀疑并拘捕。

在庭审中，北京金桥律师事务所的何桂深律师担任朱宇的辩护人，他认为由于父亲过世，高考紧张，和家长缺乏交流，感受不到家庭温暖等原因，朱宇实际上已经形成了严重的人格障碍，使思维意识逐渐偏离了现实，导致了他杀母的罪行……

朱宇的事同样引起了北京市广大市民的强烈反应，《北京晚报》在披露此事的那几天里电话不断，因为法庭审理此案时正值当年高考生紧张复习的最紧要关头。据值班编辑介绍，市民们的来电中，除了一部分人觉得朱宇这样连亲生母亲都要如此残忍地杀害，且杀害之后又采用恶毒的手段，必须严厉制裁外，很多人指出：朱宇杀母的根源正是朱宇的母亲太看重和逼迫儿子的高考学习。有位与朱宇同时正准备参加当年高考的学生在电话里对编辑说，杀亲生父母的心他们同学中不少人都有。“因为大人们为了让我们考上大学，简直把我们当作牲畜一样对待，我就被父亲用皮带抽过好几回。当父亲在空中挥动皮鞭抽在我身上的时候，我真想拿起刀砍断他的手，并且在他感到疼的那一刻再问他一声：我是不是你的亲生骨肉？如果是，你就不应该对我这样狠毒；如果不是，那你这样打我，我就可以杀死你，公安局找我算账时我不怕，因为我是在自卫……”一位高三同学用亲身的感受谈了自己对朱宇事件的看法。

在写到朱宇这件事时，朱宇这位只有十九岁的高中生，已受到了法律的严厉制裁。我与审理朱宇一案的法官和熟悉他的人进行了交谈，问他们朱宇杀母与他母亲对他的高考期望值太高，有没有直接和必然的联系。法官的回答非常肯定，因为朱宇自己“悔悟”时曾谈到，他母亲平时工作比较忙，对他的要求只有一个，就是学习要好。母亲在朱宇的父亲死后，有自己的生活打算，今后不可能跟儿子过一辈子。但作为对前夫的一个交代，儿子必须考上大学，也只有儿子考上大学，她才能既对得起死去的丈夫，也好重新安排自己后半生的生活，因此她对朱宇上大学的事逼得特别紧，甚至有种非考上不可的强烈和迫切的愿望。邻居介绍，朱宇从小聪明，脑子反应快，学习也不错，但因为他在交女朋友后成绩有所下降，他母亲就大发雷霆，不是采取正确的引导，而是逼得更紧，不许他放学后随便乱跑，星期天也不能随便出家门。朱宇认为，母亲这样对待自己，如果一旦高考不能录取，他不就成了母亲生活中永远的绊脚石了吗？母亲不就会采取更严厉的手段对付自己吗？与其母亲不让我活，还不如我先不让她活。就这样，不懂法的朱宇便有了常人不可理喻的极端行为。

然而，“朱宇事件”并非个案。就在我即将对本书“封笔”时，2000 年 2 月 25 日，新华社、《人民日报》、中央电视台均以非同寻常的声势，特别报道了浙江金华第四中学十七岁高中生徐力因不堪忍受学习成绩排名次和家长的压力，竟然打死了母亲。

报道说，徐力出生在一个普通工人家庭，母亲吴凤仙是金华县食品公司职工。由于徐力的父亲长期在外地火车站工作，徐力从小到大基本靠母亲细心照料。徐力的母亲工资不高，便靠帮别人加工点毛衣赚些钱供儿子读书，让孩子过着“饭来张口，衣来伸手，一心读书”的生活。徐力也很努力，一直是个好学生，初中升高中时还考进了一个重点班，也就是学校为那些有希望在高考中跳过“龙门”的成绩好的学生设置的班级。但在强兵之林中的徐力，学习逐渐有些吃力，高一上半学期排名全班倒数第二。母亲为此对他严加要求，徐力也算争气，下半学期的成绩一跃升至第十名。母亲吴凤仙喜出望外，便要求儿子从此每次期中、期末考试都要排在全班前十名。然而也就从这时候埋下了悲剧的种子。去年 11 月底，吴凤仙参加家长会时得知，徐力这学期期中考试的成绩排在班级第十八名。当天晚上回家，她便把儿子狠狠地打了一顿。徐力喜欢踢足球，吴凤仙就对儿子说：“以后你再踢足球，我就打断你的腿。”徐力感到母亲的压力无法承受，委屈的泪水直在眼里打转。

今年 1 月 17 日中午，徐力从学校回家，吃完午饭后，想看一会儿电视。在一旁的母亲板着脸说：“还有工夫看电视？期末考试快到了，你能保证前十名？”徐力说：“很难考的，我看不太可能考得上。”“考不上你还有心思看电视？”母亲就开始嚷嚷起来。儿子再也忍不住了，心头久压的怒火仿佛一下子奔涌而出，绝望中的他从门口拿起一把木柄榔头朝正在绣花的母亲吴凤仙后脑勺上疯狂地砸去，直到致死。打死母亲后，徐力感觉总算出了一口恶气。当时他确实也很紧张，但又感到从此可以不受人高压了。为了怕人查出自己是凶手，徐力立即采取了移尸灭迹的一系列手段，还写字条欺骗父亲说“妈妈去杭州看病了”。之后，他居然还照常去参加了期末考试。

然而徐力打死母亲的事件很快败露，并立即在当地和浙江全省引起轩然大波，而且一经媒体报道，全国上下为之震惊。《人民日报》于 2 月 12 日发表了《全社会都要关心支持教育事业》的评论员文章，新华社也于 2 月 13 日、2 月 14 日分别发表了以《不能“逼子成龙”》和《刻不容缓的一件大事》为题的评论员文章。《光明日报》、中央电视台、《中国教育报》等各大媒体也纷纷发表社论和评论员文章。如此一个“学生杀母”事件，有这么多中央媒体连篇累牍地报道评述，足见这样的事已经惊动了我们的中央领导层，而且正如新华社评论员文章所说，“近年来，因中小学生课业负担过重，导致学生出走、轻生；家长施加压力，教师体罚和殴打学生，甚至造成学生致残、致死等恶性事件时有发生，到了‘刻不容缓’需要制止的地步”。

“集中营”里的那个空位

在笔者的“大学三部曲”之一《落泪是金》发表后，收到过数以百计的各界来信，其间中学生占了相当一部分，他（她）们作为未来的大学生，看到我书中有关许多贫困生的坎坷读书经历后，奋笔给我写了很多信，表达了他们对大哥哥大姐姐们的命运的担忧，同时也向我倾吐了自己的很多“青春苦恼”，突出的是学习上的压力。在这些可怜的学生群体中，我发现了与高考命运誓死决战的“特别一族”，这就是学生们自称“高四”“高五”“高六”的学生们。

高中三年制，何来“高四”“高五”“高六”生？第一年高考没考上又复读再参加高考的学生是也。

原来如此。

高四生，是复读一年者；高五生，为复读二年者；高六生自然就是复读三年者了。在采访这个群体后，我才知道，中国的高考大军中，复读生是每年杀向“独木桥”上承担和付出最多的考生。他们那满肚子的苦水，用他们自己的话说，是“苦大仇深”得几天几夜也倒不完。

浙江金华某中学的一位“高五生”现在成了我的一位小朋友，经常与我通信。他第一次写信给我时，就非常直截了当地倾吐了他对现在大学的一些看法，尤其是他“非北大不考”的决心，让我看后十分佩服。这个学生虽说是落榜生，但其思想与文笔绝对不亚于任何一位在校大学生的水平。他悄悄告诉我，去年他高考时已经过了录取线，由于他“非北大不考”，自愿放弃了上大学，走进了复读班。这事因为他不敢告诉盼儿上大学不惜卖猪卖牛的老父亲，所以我要遵守我与他达成的协议而不透露他的真名。他告诉了我好多有关他们复读班里的事，引起了我对这个群体的特别关注。

复读班是什么样？
复读班是所监狱。
监狱关的是犯人，
上复读班的人说宁可到监狱，
因为犯人在监狱比复读班更快活。
于是我给复读班起了个名，
说它是希特勒的集中营……

把复读班比作“集中营”的说法，几乎是“高四”“高五”“高六”生的共识。每一个复读班的学生中都有他们对复读班的一些幽默诙谐的描述，而这些“黑色幽默”背后，正是学生们无奈的辛酸与苦水。

有人以为复读班的学生都是高考落榜生，其实不然，他们中间有相当一部分人，不仅不是没有通过高考录取线，相反他们是些已经闯过“独木桥”且成绩突出的小状元，他们没有跨进大学门有三种情况：一是填志愿出现的问题，如在河北燕郊中学有个同学去年考分超过 600 分，但因为他的第一志愿是清华大学某专业，他被挤了下来；他的第二志愿是东南大学，分数上不会有任何问题，可偏偏命运不佳，东南大学的第一志愿已经录取满额，因此这位高才生在轻松闯过“独木桥”后，却被意外挡住了路。当然，复读班里这样的学生是少数，他们是复读班里的“王子”，像神一样被老师们供着，因为再经过一年的练兵，来年他们很少不是出类拔萃的顶尖状元。关于他们的故事很少有苦可倒。复读班的多数同学说：这些占总数百分之一的“王子”不代表他们。第二种情况是因为头年录取的专业不理想便放弃入学而复读者。第三种情况就像金华的那位“高五生”，他只认名牌大学，其他院校一概不为所动。然而绝大多数复读生则是从“独木桥”上掉下来的落榜生。

“复读班”的名称，就像犯人胸前别着的标牌，它耻辱地钉在我们的脸面上，你一抬头便会迎来无数歧视与刺心的目光，于是你只好低下头，直到有一天你冲过“独木桥”后，你也不敢袒露曾经有过的这段经历……

这则“散文诗”是一个“高六生”写给我的一封长信的开头语。他说他是“集中营”里的“老囚犯”，因此对复读班的情况最有发言权。我也因此知道了许多关于复读生们的事。

大城市里的复读班已经取消了，这是“上头”的指示（国家教委有规定，尤其是省市重点中学不得设立高考落榜生的复读班，一方面是为了使每年的高考大军能够合理分流，如让一部分考生进入职高，一方面是促进学校现有教学质量的提高——笔者注），但是在中小城市，特别是县级下面的中学，复读班之多、之盛行，既是当地家长、落榜生的急切需要，也是地方教委创收的一大渠道。每年88%左右从高考“独木桥”上被挤下来的学生，正是处在那些教育质量相对低的“穷山恶水”之地，然而立志“走出大山”“跳出农门”的愿望最强烈的正是这些学生！路，只有一条——大学，便是这些孩子和全家人、全村人、全乡人甚至全县人的全部希望。

读，一年不行，两年；读，两年不行，三年……直到走过“独木桥”。复读班的琅琅读书声里，不仅有孩子的理想，家长的希望，村干部的企盼，乡长、县长的寄托，更有老师校长的脸面与梦想。

一位现在在北京大学就读的甘肃学生说，他上高中时，那个县城里还没有一个能上北京大学这样的著名学府的人。当他的老师和校长发现他是位学习成绩突出的“奇才”时，那种兴奋，那种执着，非言语形容。就在老师和校长认为的“奇才”第一年高考差几分达到省高考分数线时，老师和校长依然欣喜不已："再好好下一年功夫，明年你准成！"于是他们跑了几十里山路，找到他的本不想再让儿子上学的父母，恳求他们把儿子送回学校。于是他就进了复读班。进复读班后的一切都不再是属于他自已的了，老师和校长专题研究了关于他高考的特殊安排，抽出的顶尖老师都有一种光荣的使命感，因为他们中间不少人从来就没有踏进过大学门，把自已久远而崇高的梦想化作努力奋斗的决心，使这些人甘愿自我牺牲许多许多。这位学生的二十四小时都被特别安排，并有专人负责管理，就是上厕所、洗澡一类的事也要有人专管，以免他中间开小差而影响"正常"的教学安排——他成了"高级囚犯"。当这位学生在第二年一举考了全省第一名时，全校放假一天，欢呼"历史性的胜利"和"史无前例的成果"。校长和老师们都哭了，他们比这位进北大的学生还要高兴。

……一旦佩上北大校徽，每一个人顿时便有被选择的庄严感，因为这里是一块圣地。从上个世纪末叶到如今，近百年间中国社会的痛苦和追求，都在这里得到集合和呈现。沉沉暗夜中的古大陆，这校园中青春的精魂，曾为之点燃昭示理想的火炬。一代又一代的中国学者，从这里眺望世界，走向未来，以坚毅的、顽强的、几乎是前仆后继的精神，在这片落后的国土上传播文明的种子；这里绵延着不会熄灭的火种，它不同于父母的繁衍后代，但却较那种繁衍更为神妙，且不朽。它不是一种物质的遗传，而是灵魂的塑造和传播。生活在燕园里的人都会把握到这种恒远同时又是不具形的巨大的存在，那是一种北大特有的精神现象。这种存在超越时间和空间，成为北大永存的灵魂！

就是这样一段"北大招生简章"的开头语，这个学校的校长和老师都能倒背如流，且吟诵时的那种激情与神圣，可撼天动地。

从此，这所中学便成了名校。他们的复读班也就成了出状元的"熔炉"。

中国的复读班不少是这样发展起来的，但更多的则并非是制造状元的熔炉，倒是专门烧制泥瓷的“冷狱”。

说“冷狱”是因为进复读班时所看到的都是一张张冷面孔：家长把自己的儿女送进来时是副冰硬的冷面孔；校长在开学典礼（一般这种典礼会被取消）上扔下的也是一堆冷冰冰的话：从今天开始，你们只有加倍再加倍、努力再努力，除非明年不再见到你们，否则别给我笑出一声！老师的脸更冰冷，每天都有这样的话：你们这些学生就是笨！笨到家了！我教的学生就没有像你们这样的！笨，出奇的笨！学生们整天见到这些比欠他账还冷酷的老师，还能有什么欢笑可言？

不会有。学生自己心里清楚，当他们踏进复读班的时候，就已经不得不承认自己是比别人矮一截的差生，是在高考中落榜的耻辱者，是可以被人讥笑为“没出息”的低能儿。你家里再有钱，你长得再帅再美丽动人，你性格再高傲也没有用，你失去了你自己的全部，仅保存了你作为来年参加高考并努力获得成功的躯壳而已！

你不可以言辛苦。早知辛苦你为何不在当初好好学习？你不可以言单调，早知今天别人已经在天堂般的大学校园里丰富多彩时，为何在不该多彩时你却盲目多彩了？你不可以言无止无休的考试考试，早知今天那么多考试为何对以前的考试不放在心上？

你什么都不可以言。这就是进复读班后的你。

在同一个学校里上课，在那些比你小的高三生面前，你不可以言。那些骄傲的应届生听说你是“高四”“高五”“高六”甚至“高七”生时，瞧那小脸笑得都歪斜了！

受不了？那就回你自己的座位。

教室里也不会有人跟你说话。每一个人都想隐瞒自己的那份耻辱与惭愧，隐藏得越深，也许越能稍稍放松一下自己。

回到家你更不可以言了。如果是很富裕的家，财大气粗的老爸或老妈开口就把你所有的话噎回去：你有什么能耐？我大把大把的钱扔在海水里了？就是喂只乌龟也该卖出个好价钱了！你算什么？

连只乌龟都不如！如果是很贫困的家，看到父亲母亲还有一大串连裤子都穿不起的兄弟姐妹为了你上学在拉犁、卖血和啃野菜，你还能说什么？

默默地回校吧。把头低得再低些，直到把所有的卷子、所有的难题、所有的泪水、所有的伤痛处理好后，你再去表现你曾经想表现的疯狂与骄傲吧。

复读班里还有一个特别的现象，许多学生相互间几年下来仍很陌生，甚至老死不相往来。我在河北省一个县中的复读班了解到，他们那个班的61名（通常复读班都是大班，人数极多）同学中，竟然有十几名是外县甚至外省来的。同学之间都相互不十分清楚底细，连班主任对有的学生情况都了解甚少。“他们有的是自己私自出家门来求学的，边打工挣钱边进行学业，考好了回家再挽回那份屈辱，考不上家里人也不知道，因此也不丢脸。有的是某某县长、乡长或者什么处长的公子、千金，他们的家长怕在本地丢自己的脸面，就关照学校不要说出是他们的孩子，以防传出去败坏了他们的名声。总之，复读班里什么事都有，你想不到猜不到的事，在这里都有。”这个复读班的班主任对我说。

大家还是来听听给我写信的那个“高六生”讲述的那个令人毛骨悚然的故事吧——

我是复读班的“座底生”了，也就是老师嘲讽的那类“范进”式的人物，也许是考到孙辈一起进学堂的时候才能中举的蠢材。不过我知道自己并不太笨，只是心有些高得不够现实，才落得是个三年未挪动一个座位的复读班老生，那些应届小弟小妹们则称为前辈或“高六生”。凡来复读班上课的同学都有些怪，除了那些高分未被录取的高考不走运者和个别硬是被有钱有势的父母推进来补课的公子哥外，绝大多数人有共同的境遇：成绩平平，智力一般，于是这些人就像老师说的，不靠“死做题做死题做了死题做难题，难题做完做偏题，一直做到录取线”的笨办法和硬性强制的规定，是难以闯过龙门的。

同学们说复读班像“集中营”是有道理的。首先是这里的恐怖。我第一年进复读班时，一进教室就一眼看到了墙上那几幅巨大的标语：“决一死战在今年”“进龙门者为王，怯龙门者为鼠”“血洗屈辱”“誓死一搏”等等，那一个个“死”与“血”字读后感到格外的心惊肉跳，浑身冷汗。再看看我坐的座位上、破旧不堪的桌椅上也都刻满了“前辈们”一行行用血泪铸成的斑斑痕迹。我的桌子正右方有一行用刀雕刻得特别深的字这样写道：500 分生，499 分死。开始我不懂其意，便问旁边的一位老生，他告诉我，500 分是前几年我们省的高考一本录取线。原来如此。

“499 不也可以录取二本嘛！”我不解地问。

那老生听后淡淡一笑，说：“过一段时间你就会知道。进这儿的人都是疯子，他下的血书，发的誓言，死也要实现。差一分也不干，说死就死。”

有这么严重？我半信半疑地等待“疯子”的出现……

复读班开课了。校长专门来讲话，他说今年这个班是请示市教育局才同意继续开设的最后一期复读班了，同学们要珍惜这最后的机会。我后来第二年再上复读班时，校长又这么说，到第三年进复读班时他还是这么说。有一次我问校长，复读班真的以后就不办了？我们为什么年年还在办？他说，你知道啥？上面对办复读班是有不同看法的，市教育局也是今年不知道明年的事，所以我必须每年告诫同学们：这是最后的机会。

噢，校长可谓用心良苦。

学习开始了，老师并没有先上数理化，而是先开“誓死会”。几位同学像控诉万恶的旧社会一样，一把鼻涕一把眼泪地诉说自己由于没有听进老师的话，或者是把父母的话当了耳边风，结果害得自己高考落榜，以及由此而承受的种种屈辱与辛酸……那眼泪、那控诉，太容易引起我们这些高考失落者的同感了，于是全班特别是那些刚刚从高考中退下阵的“高四”新生们，常常哭得泣不成声，我亲眼看到在两年的“誓死会”上，有女同学哭得最后连气都背了过去，其中的一位甚至经医生抢救才脱离了危险。

“誓死会”后就有了“实际行动”。同学们个个要表态，开始写决心书，但写在纸上字太小，大家必须在很近的距离看才能知道你写了些什么。不行，决心书不足以表达大家的“誓言”。于是有人就用大标语的形式来表达自己的决心。我开始写的诸如“努力刻苦”“争取考好”之类的词，马上被班长和组长们指责为“太软”“太平”。

那应该写什么？我问。组长看了我一眼，从桌子抽屉里扯出一张白纸，又从笔盒里取出一把三角形削笔刀，就在我不明白他要干什么时，那把雪亮的刀已经扎进他胳膊的肉里，随即我看到一股鲜红的血溅满刀刃……我吓得几乎要叫出声来，但我的嗓子像被什么塞住了。

我看到组长用另一只手的手指，浸了浸自己的血，然后在白纸上“唰唰唰”地写下了5个血字：生死看今年。

“来，现在看你的了！”班长当着很多同学的面对我说。当我抬头看见自己处在众目睽睽之下时，心跳得不得了，浑身热血顿时涌至头顶。我不知哪来的一股勇气和力量，抢过组长手中的那把雪亮的三角刀，也在自己的胳膊上划出道口子，于是鲜红的血也蓦然涌出。我没有犹豫地把流着血的胳膊凑到桌前的正右方，对准那行雕刻得很深的“500分生，499分死”的字沟里注下我那滴滴鲜红的血……

“万岁——！”“英雄——！”“必胜——！”全班的同学们顿时为我欢呼，并且那一张张兴奋和庄严的脸上挂着对我的敬佩之意。而我当时一点也没有感觉到伤口的疼痛。我想我也疯了。

事后，每每看到那行被我用血注红的字时，我心头都会不寒而栗。关于“发誓”的事件中我还不算是最疯的，有人为了一句所谓的“誓言”，真的做出了疯事。有位男同学在班里许下“誓言”说，如果再考不上，他就从四楼跳下去（我们复读班所在的楼层）。去年他真的没有考上，当时高考成绩下来后，大家各怀心事，谁都没有特别注意他。那天，老师召集我们复读班的同学宣布高考分数和录取情况，上课的铃声响后，大家发现那个男同学没有进教室。就在这时，楼底下传来“快救人哪！快救人”的呼救声。教学楼里顿时大乱，当我们走下楼一看，吓坏了：那位男同学站在四楼拐角的一个窗口正要往下跳……这情景把全校的师生们惊得不知如何是好，楼下的人在校长老师的指挥下组成了人墙，一些老师乘机又纷纷从宿舍里抱来棉被，另一些人在楼下做劝说工作，而欲往下跳楼的男同学，则旁若无人地仰视着蓝天，不知在作何遐想。正在大家不知所措时，警车到了，那个男同学仿佛一下从梦幻中醒来，在他欲跳不能、欲生又不成的犹豫时刻——他的脚下已经铺满了软垫和师生们组成的人墙。有经验的警察同志把他救了下来。

这一场虚惊给整个学校蒙上了一层厚厚的阴云，好几天我们感觉心头像堵了棉团一般喘不过气来。

每届复读班里，都会冒出几个让你听来不信的疯子。有个女孩长得很漂亮，是原来中学的“校花”，可惜她的高考成绩不好，落榜后她也没有马上进我们的复读班，一直等到12月才与我们一起上课，据说在前三个月里她家托了很多人，也花了不少钱，想等机会看哪个大学愿意收钱收她，结果落空了。“校花”起初进来，从来不跟谁说话，看样子既有那种美人特有的傲气，也有些抬不起头的自卑。时间长了，她慢慢就跟同学们说话聊天了。大家议论说，上大学也就是那么回事，现在研究生毕业都不好找工作，即使我们将来费尽心思考上了大学，出来还不是做“高级盲流”，与其这样，倒不如男的现在就去做生意，女的找个大款嫁嫁算了。于是有人就对“校花”说，像你这样漂亮的女孩读什么大学，大学毕业证能值几个钱，你的脸蛋就是最高的“文凭”证书。那女孩听了哈哈大笑起来，说我现在想明白了，要是今年再考不上就嫁人，只要谁有钱，我就嫁给他。谁知她这半真半假的话不知被哪一位传出去后，以后常有那些长得肥头大耳或者瘦如猴狲的小老板、大款爷来学校观摩窥视。

来年高考，这位女同学很不走运，差几分又成了落榜生。一般来说，在复读班里，头年差几分落榜者，来年都能考个好成绩，甚至还有进北大、清华等名校的可能！可是就在我们一批落榜者重新踏进复读班时，这位女同学却穿着异常鲜艳的衣服，手挽着一位长得特别难看、年纪也显得很大的男人，走进了我们的教室。她乐呵呵地向我们大家宣布：她已经跟这个男人订婚，并马上准备出国旅行。说完，她朝我们甩下一把把各色各样的喜糖。可是我吃着她给的喜糖，怎么也觉不出一点甜味。当这位女同学挽着男朋友离开教室时，我看到她已经是泪流满面……

复读班里还有一个人的事我必须对你讲。你们外人一定想不到，我们对座位还大有讲究。比如像我这样的“高五”“高六”生，我选择座位有两个地方，像我去年高考考得比较差，通过一年复读后我的考分一下上升了几十分，那我一定要坚持坐在原来的座位，因为这样的座位被认为是“元气较足”，用教师的话说是“只要再坐热一点就开锅”。还有一种座位是上一年考出状元水平的“金座”和“银座”，这种座位是幸运座位，留有“仙气”。你们听起来觉得我在宣扬迷信，其实开始我也不信，但随着“高四”“高五”生一年年“升级”，你对这些事不信还真不行。我旁边的一个座位就“风水”好，在我“高四”时有人坐在那里，当年就考了个重点。第二年这个座位的同学又考了最好的大学。后来我问老师是怎么回事，老师笑着说，这个座位不是任何人都可以占得住的，若非校长熟悉，或家里是头头脑脑的，还不让你坐呢！我仍不太信，可在我当了“高六”生参加第三年高考时，我本以为此次班上最高分非我莫属，但最后还是坐在那个神秘座位上的同学抢走了第一名。你说怪不怪！

信不信由你。我们复读班上的人以及他们的家长都很迷信，家长时常会烧香磕头求菩萨保佑儿女上大学。也有些同学自己每天在观音菩萨面前双手合十祈祷。

于是，有经验和听说过座位之灵验的学生和家长们，每年在复读班开学时，便展开“抢座位”之争。复读班教室里年年满满当当，但我们的班上总有一个座位醒目地空在那儿，并且已经空了好几年了。据老师说，原来那个座位也是不错的“幸运座”，但有一年来了一位外地的女同学，她当时不知通过什么关系抢占了那个“幸运座”，可是这位同学不幸运，高考时就差两分没被录取，第二年她本人还要求进复读班学一年，就在她重新上课不到一个星期，突然接到了家里的电话，说她母亲急病让她回去。她急急回到家时，母亲已经断了气。三天后这位女同学搭一辆拖拉机返回学校，不想在半道拖拉机翻倒在山沟里，她当场身亡，书包里的高考复习书撒了一地，上面还留下了点点血迹……后来有人说，这位女同学在复读班没有考上大学后，母亲就不让她再进复读班了，可她瞒着母亲又报了名。当地老人说，这女孩子命不该是读书人。于是接下来，她坐过的那个座位再也没人敢坐上去了。有一年，一位天不怕地不怕的男同学说我才不相信鬼话呢，便勇敢地坐到了这个座位。半年不到，这位本来身体好好的同学竟然一病不起，自然不用说考大学了。第二年养好身体后他再进复读班时，有人问他敢不敢再坐那个座位了，那同学连连摆手，说我可领教了，那座位一坐上去，便有种透凉的感觉，直冷到你脚底心，你想摆脱也摆脱不了，还能念好书吗?

他的话后来成了历届复读生的“经典传世定理”，再也不敢有谁拿这个座位来赌自己跳龙门的命运了……

高三生是中国高考的“主力队员”，他们每人都必须上场。关于他们的故事，每一个人都能说得极其生动、形象，感人肺腑，催人泪下。有人说，高考是高中生们获得再生机会的龙门或丧失理想的“鬼门关”，也是一生荣华与低贱的分水岭。这话看起来说得重了些，其实在中国的现实社会里，就是这么回事。

然而高考对中国人来说，不仅仅是“直接参战”的高中生们的事，他们的家长付出的代价和寄予的希望也许更大，因此表现出的种种心态，也就更显得似乎不可思议。

第五章　可怜天下父母心

我曾见到一则报道，说鞍山有一位只有初中文化程度的妇女，为了送儿子上大学，竟然陪着儿子上完了初三到高中的四年课程。报道写得很简单，但我看后心情异常沉重，因为实在想象不出那位家长为了儿子到底付出了多少心血！

其实，在为子女上大学这件事上，每一个家庭都有一部自己的书，而这每一部书，都是沉甸甸的。

下面我记录的十来位家长在子女考大学过程中所付出的辛劳，就是全国近两亿中学生家庭的缩影。

败落在儿子手里的“一枝花”

李倩原来与我是同事，我们曾在一个编辑部工作。我从部队刚转业见到她的时候，她真可谓“三十岁的女人是金花”。论风韵、论气质、论为人处事的热情与坦诚，足以使她成为具有现代色彩的单位“一枝花”了。李倩的儿子在小学时都是由她婆婆带的，李倩的丈夫从事驻外商务，很少在家里，所以她是个爱玩爱串门子的主儿。我在报社时，李倩就是个热心肠的人，谁生病、谁结婚、谁夫妻之间出了什么摩擦麻烦，凡事她都爱管。

“闲的呗。”李倩有时也自嘲。

因为工作调动，我同李倩分开也有七八年了。去年有一次我在西单图书大厦买书，有位老师写了一本书，宣传广告上说“×××老师教的学生为什么50%以上考进北大清华？”很吸引人，那位老师签名售书的场面，简直叫我们这些从事文学创作的人汗颜，长长的等候签名的队伍直排到图书大厦门口。我从三楼买完书出图书大厦时，突然看到一楼队伍中有一对男女吵了起来，那女的硬要插队，五十来岁的男人就是不让她插，结果越吵越凶。我走过去一看，原来那女的正是李倩。李倩一见我这位老熟人，便有些不好意思再跟那男的把闹剧演下去了，只见她两眼泪汪汪的。

"有几年没见面了？都认不出我了吧？"李倩很沮丧地问我。

老熟人了，我直截了当地告诉她："确实。不过我不明白是什么原因让过去从不发愁的你改变了自己？离婚了？"

李倩两眼无神地说："跟离婚差不了多少。不过不是我与那个冤家的问题，而是我与儿子之间的问题。"

"怎么？你不是从不管儿子的吗？"

"过去是。可那种生活早已结束了。从四年前开始，我就像头被套着缰绳的马，再也没有歇口气的日子，我怀疑自己能不能挺得到儿子参加明年的高考……"李倩的眼泪又出来了。突然她猛地抬起头，朝我大声嚷嚷起来："你何建明不是作家吗？为什么不写写中国人考大学的事？为什么不呼吁呼吁改革改革高考模式？考考考，哪年不考死孩子考死家长？难道真的就找不出其他更好的办法？"

又一个"逼"我写高考题材的采访对象。李倩当然属于比较典型的一种情况：

在她儿子上初二之前，用她自己的话说是从没有把孩子读书的事放在心上。婆婆公公帮她把孩子吃喝拉撒的事全包了。但初二后的一次家长会上，李倩大吃一惊，原来自己的孩子不管是不行了，因为儿子的班主任板着脸直截了当地告诉她：要么让你儿子转学，要么让他留一级！李倩听了老师的话，脑子嗡的快要炸了！她向来是个极要面子的人，儿子的成绩已经差到同班的其他家长不能容忍的地步。李倩的同事中还有两个人的孩子是她儿子的同班同学，一向要强的李倩觉得这个面子丢得无法接受。问题的严重性还在后头，李倩的儿子小虎从小在爷爷奶奶的关怀下长得人高马大，14 岁时已经身高 1.7 米，体重过了 120 斤，活脱是一个小男子汉，却时不时半夜里在家中的被褥上"画地图"。加上小伙子长得像李倩，学校里那些与他一样早熟的女孩子便向他猛烈地进攻——一个星期最多时接到十来封“求爱信”。

那天，李倩开完家长会回家，一肚子火等候着放学的儿子。

不一会，门“哐”的一声被踢开了。不用说，准是小虎回家了。

李倩看着比自己还高出半个头的儿子，以及儿子那充满朝气的装束，她突然感到有些吃惊，凝视着儿子：什么时候他长成大人了？

“妈，我的运动鞋太过时了。我看到新街口商场又有一种新款式，明天给我500块钱。”小虎根本没有注意妈妈的表情，依然像平时那样，想要什么张口就来。

“你给我坐下！”一个很严厉的命令。

儿子一愣，看看反常的妈妈，暂且收敛住，找张椅子坐了下来。

“说说，到底是怎么回事？”

儿子装傻充愣：“妈，什么事这么严重？”

“你、你看看自己，白长了那么高的个！全班倒数第二，除了那个先天有病的外，就你是班上最有能耐的了。看看，三次数学考试加起来不到90分！”李倩把家长会拿到的几张卷子扔在了儿子的脸上。“难道你真的一点不知道为自己争口气？啊，你说说，到底是怎么回事？”

儿子长这么大还没见过母亲这么认真地对待过自己，今天是母子俩对话，爷爷奶奶被“隔离”到不知什么地方去了。小虎感到很委屈，于是一边抹着眼泪一边擦着鼻涕反问妈：“我知道自己成绩不好，可你知道人家的家长是怎么抓孩子学习的？天天帮着找老师找家教，甚至天天陪着一起听课呢！就你把我往爷爷奶奶这一放，什么都不管。你和爸又都不是天才，我的成绩能跟得上人家吗？要是你能有人家家长的一半心思帮助我，我也会得个全班一二名的！”

“嘴能耐！你要有那本事我可以豁出去！”李倩见儿子跟自己抬杠，气不打一处来。

“那好。就看你的了。”儿子把自己的房间小门“砰”的一关，里面即刻传出一首不知是哪个歌星的“我很烦，这个世界太少真情太少爱”的歌声。

李倩一听更是火冒三丈。“小虎，你给我出来！”

“砰！砰！砰！”李倩只觉得自己那只敲门的拳头都疼了。

“妈，怎么啦？”从门缝里探出半个头的儿子，双手捂着耳机瞪大眼睛问道。

李倩上前一把将小虎头上的耳机摘了下来：“从今晚开始，我陪你做作业！”

“真的？”小虎又惊又无奈地折身从书包中取出课本和作业，噘着嘴说：“开始吧——”

这一开始，可让李倩尝尽了当一位辅导员外加保姆的高中生母亲的酸甜苦辣。

第一件最让李倩为难的事，是她这个拥有“大专”毕业文凭的母亲，对儿子的高中数理化题目基本上是睁眼瞎子，所以给儿子请家教是当务之急。她先到了北师大家教中心，那儿的学生给她介绍了一个。第一天进门一看，李倩就傻眼了：怎么是女学生呀？不行。别家教没当几天，儿子把人家小姑娘弄得晕晕乎乎的就麻烦大了。第二次倒是换了个男孩子。但一堂课下来，小虎就提出：此人不能再用。李倩问为什么，儿子回答得极其干脆：他连什么是VCD什么是DVD都弄不明白，还老打听我家里管不管饭。妈你说，能让这些上大学之前连火车都没有见过的贫困生当我的老师吗？

唉！依你。李倩白了一眼儿子说，我下个星期到北大、清华家教中心，问问能不能找个合适的。

为了能给儿子找到比较理想的家教生，李倩一连请了3个半天的假，外加每次到北大、清华“打的”花去的120块钱车费，最后总算把清华的一位据说当年是湖北的高考“状元”请到了家里。

“状元”的水平确实不一般，但儿子的能力却很难适应清华高才生的教学速度。特别是一而再再而三的提示后仍然不见效时，“状元”有点不耐烦地从口中冒出了句“你怎么这么笨？”什么，老子出钱把你请到我家，让你骂我的呀？儿子不干了，朝“状元”手一挥：“你走！马上就走！回清华当你的‘状元’去！我不稀罕你！”

“阿姨，我来你们家共35分钟，四舍五入，外加回去的路费，你给50元吧！”“状元”找到李倩，要回了那份该得的报酬后，转身就走了。

当妈的李倩可苦了，心想：事没办成，一个月费力费心得来的200多元奖金，为了请一个家教全给“泡”了。

李倩不死心，托人跑到西城某重点中学请了位家教老师。“只要能把我儿子的成绩补上去，老师您有什么事要办尽管说。”讲好每小时60元家教费后，李倩生怕亏待了人家“名教师”，赶忙讨好地补了一句。

“没什么，我比较忙，得让你儿子到我家来上课。”名师说。

“这是一定的，您这么有名，肯定不会是教我孩子一个学生呗！”李倩满脸堆笑地对人家说。

“那就算我同意收你儿子为学生了。不过我只能给安排在星期天的晚上八点到十点这个时间段。”名师说。

“行，您有时间就行。”

“那咱们就这样定了。”

李倩临走时，顺便又从书包中取出一只长条形红盒，假装十分不好意思地对“名师”说：“这是我在参加一个新闻发布会时人家送给我的一条水晶项链，不值钱，您戴戴看合适不合适，如果不合适就把它扔了！”

“名师”的脸上马上表现出惊诧：“哎——这么漂亮的礼品，我喜欢还来不及呢！连戴都舍不得呢。”

李倩佯装“逼”着人家收起水晶项链后，便赶忙离开了“名师”家，对着长空自叹一声道：500元又没啦！她攥着依然留有百货大楼服务小姐手温的那张水晶项链的发票，自己骂自己道：阿Q！

家教是定下来了。但每周星期天晚上的这一堂到“名师”家的上课却成了李倩极其伤脑筋的事。让儿子一个人自己去吧，有点不放心，让孩子的爷爷奶奶陪着吧，更不现实。最后李倩还是决定自己陪儿子去。这一陪就是四个多月。这四个月中每月四趟，四四十六趟，可把李倩折腾苦了。那个“名师”家在北四环外的祁家豁子，李倩家在城内的长安街旁边，上一堂家教路上就得倒两趟车不说，把儿子送到人家后的两个小时，可让在外面等候的李倩作难了，进人家门显然是不合适的，中途回自己家又不值得。无奈，李倩每次把儿子送到老师的楼底下后，就自个儿找个地方看看书，或者构思一下手头的采访素材，要么打打新闻腹稿什么的，总之得找点事消磨这两个小时呀。眼尖的李倩终于发现一处“好地方”——不远处有个电影院门口挺亮，看个书划拉几笔还真成。一次、两次，李倩还真的发现在明亮的灯光下可以做自己想做的事。等到儿子从人家里结束课程时，她不觉得半点无聊，甚至有时还感觉时间不够用哩！三次四次……李倩和儿子每次在这样的夜晚里各取所需，颇感充实。

可是就在第六次时，意想不到的事出现了。

那天，上完家教的儿子准时在 10 点 10 分跑到电影院门口找妈时，妈却不见了。

“妈妈——！”小虎开始四处寻找，后来不得不大声叫喊。

“小……小虎，我……我在这儿呢……快来扶我一下。”黑暗处，有个变了调的声音在呼救。

小虎紧张地奔跑过去，一看，原来是妈妈倒在了地上。“妈你怎么啦？谁欺负你了？伤得重吗？妈我扶你起来！”

李倩什么话都没敢对儿子说，只推说自己摸黑摔了一跤。等到儿子叫来一辆出租车送他们回家后，她忍不住回到自己的房间捂着被子伤心地哭了起来。她足足哭了大半夜。我采访时问她到底出了什么事，李倩才有些不好意思地对我说出了实情。

那天，李倩像往常一样，独自倚在电影院门口的一处灯光下看书，不知什么时候，眼前出现了一个身材蛮壮实的小伙子。那小伙子手里拿了两张电影票对她说：“大姐，我的朋友今晚没来，这儿多了一张电影票，扔了也浪费，你进去看看吧。香港片，消磨消磨时间。”

李倩还没来得及思考一下这突然的“友好”，便被对方热情地拉进了影院，并在那小伙子旁边的座位上坐了下来。电影随即开始了，银幕上出现着男女主人公不断热吻和拥抱的镜头，场内人并不多，里面静得出奇。许久没有在电影院感受过这种场面的李倩，似乎也被银幕上男女主人公的情绪感染了，内心深处那份早已冷却的情绪此时此刻不知不觉涌进了血管……就在这时，突然她感觉有一只并不老实的手碰上了她的腰际，先是停在那儿没动，见她没有反应，便开始大胆地向她的前身上部移动起来……

“干什么？”李倩低声而又严厉地侧头责问送她票的那小子，随后站起身就往外走。

“大姐，你别走呀！”身后，黑暗中他在喊她，并顺势扯住她的衣角。

李倩抬手狠狠地一甩，大步出了影院。她一边走一边自言自语骂自己“活见鬼”！

“大姐，你别走呀！”身后，黑暗中他在减她，并顺势扯住她的衣角。

李倩一惊，回头一看，原来正是那个想在黑暗中动手动脚的无赖。

“你、你想干什么？”李倩使出全身力气，想抬高声音吓退对方，可声音不仅没有丝毫的严厉，反而多了几分颤抖。

“嘻嘻，大姐是这儿的常客了，何必要弄小弟呢？”那无赖嬉皮笑脸地凑过来，满口秽语：“怎么，你是嫌我太嫩？错错错，大姐，也许天太黑，你不小心看偏了眼。不信你伸过玉手摸一摸便知……”

李倩吓得连连退了几步。但她知道此时此刻必须自己给自己壮胆，于是便提高嗓音斥道：“你这个流氓，滚开，滚开！要不我喊人啦！”

阴暗的灯光下，那人先是一愣，也许这时他才发现自己真的弄错了人。“× 的，你不想干事，可也不能白白浪费老子的钱财呀！”

“你、你想干什么？”李倩一下没弄清对方的意图。

“装什么蒜，给呀！老子总不能白贴了半天陪你呀！”

原来他是要电影票钱呢！李倩赶紧哆哆嗦嗦地从口袋中掏出十块钱：“给，还给你票钱。”

“嘿，你拿我当猴耍呀！”李倩还没有反应过来，对方那只有力的手早已向她伸来，抢走她钱包又猛地一推，将她推倒在马路边……小虎喊她的时候，那混蛋其实刚刚离开不久。

李倩没有将这事的全过程告诉儿子，但就因为这可怕的一幕，小虎的家教从此结束了，是李倩主动向儿子提出来的。

被请家教折腾得又气又恨的李倩虽然不再想为儿子请什么人辅导了，但让儿子的成绩上去的心思却丝毫未改。随着高考的临近，李倩劳神简直到了极点。

进入高三后，小虎的成绩显然比以前有所进步。李倩站在儿子面前，笑着拍了拍小虎的脑壳，毫不掩饰地说：“这是咱娘俩共同努力的结果。”

“最主要的还是我的内因在发生作用。”儿子并不客气地回击道。

李倩点点头，说，嗯，这一点应当给予肯定。问题是你的进步还不能保证高考的绝对把握，必须进一步加大“内因作用”。对了，我已经根据你在班上所处的中游水平，特意为你制定了一个“半年赶超计划”，就是用六个月时间，每月赶超班里两名同学，二六十二，这样半年下来，进入高三后一个学期，你的成绩就可以在班上达到前三名水平。这叫“量化赶超法”。

“量化赶超法？”正在埋头吃饭的小虎，一听老妈的新花招，嘴里的半口饭再也没有咽下去，放下饭碗便进了自己的小屋，再不想答理谁。

李倩才不管儿子这一套。心想男孩惰性大，你不用鞭子在后面赶着，他是不会抬腿快步往前走的。

根据李倩的“侦察”和“刺探”得来的经验：要想让孩子成绩突上去，只有两条路可走，一是多做题，二是巧做题。

第一条可行的路说白了就是多花时间。为此，李倩给儿子小虎的作息时间作了最详尽的安排，每天放学回家后先完成学校布置的作业，然后再做由她亲自选定的辅导资料二十题，文理各一天。第二天六点起床后用十分钟洗漱，再用半小时对前一晚上做的题进行检查，然后是十五分钟的早餐时间。留有五分钟机动时间作上学前的准备。周六、周日当然是全天候的复习与做题，其早晚时间与平时一样。

小虎对上述的安排表示默认，但他提出：“我的所有时间已经被无情地填满了，如果要我像一台机器运转，条件是我的个人行为将同样全部机械化。”

“什么意思？”李倩对儿子这一怪怪的问题不明白。

“没什么意思，你已经分分秒秒给我安排了，我不可能像以前做些我自己本应做的事，比如吃早餐时你得给我把热牛奶吹凉了，鸡蛋壳必须剥好，同样，晚上睡前也必须把洗脚水端到我跟前，等我洗完后再倒掉，最好还扶我上床——请别打断我，应该还用音乐为我催眠什么的。”

“你——！”李倩气得直想发作，又被儿子将了一军。

“先别急，如果我说的不成问题，那老妈你的要求我也答应。”小虎两眼盯着母亲，一眨不眨。

李倩“唉”地长叹了一声，说：“好吧，我们一言为定。”

“一言为定。”儿子头也不抬地搁下饭碗就进了自己的小房间。

第二天早上起来后就开始“练兵”，儿子在“规定”时间段里做得一分不差，倒是当妈的李倩有些不自然：热牛奶有些烫，小虎夸大其词地在坐在桌子前大喊“快吹凉吹凉呀”，看着儿子在一旁扮着鬼脸看自己手忙脚乱剥熟鸡蛋壳的样子，李倩气得胸脯一起一伏。晚上母子俩又开始了“规定”项目的分工……12点差7分钟时，儿子宣告“规定项目”全部完成。已经困得眼睛都快睁不开的李倩，赶快为儿子端来洗脚水，等刚倒完洗脚水，躺在床上的儿子又大呼小叫地嚷着“催眠曲”没有打开，大约十来分钟后等到儿子“呼呼”入睡时，疲惫不堪的李倩就像浑身散了架似的。

可是说好的事就得坚持，否则前功尽弃。李倩咬咬牙，一个早上一个夜晚地跟儿子“开仗”。十几天过去后，俩人之间的“分工”渐成习惯。只是有一日把李倩气得忍无可忍，那天早上她正忙着为自己上午要参加的一个新闻发布会而做准备时，儿子则在外屋大声咋呼起来："妈，不行不行，你耽误我时间了，怎么没有把鸡蛋壳剥好呀？"

正忙着的李倩一听便大怒："混小子，你自己的手到哪儿去了？"

"这不是我的事，我不干！"谁知儿子毫不含糊地回答说。

"你——"李倩大怒，从里屋冲出来，拾起桌上的鸡蛋，就扔在了儿子的脸上："我看你会不会剥！"

接下去，便是母子俩的一场激烈争吵。李倩为此班也没上成，自己的采访任务也搁下了——那天她在家里关起门哭了半天。儿子放学回来就钻进了被子，什么作业都没做。

最后着急和投降的，还是当母亲的李倩。

第二天早上开始，李倩无可奈何地对儿子说，是妈不对，我们还是像以前一样，明确分工。该我做的全部我做，该你完成的你也必须完成。小虎没有说话，同样机械地恢复了以往的做法。

只是事过三个多月后，令李倩更吃惊的事发生了。

那天，儿子放学回家后吃完晚饭，照例一个人关在自己的那间小屋里。李倩呢，则在自己的卧室赶着一篇第二天就要发排的新闻稿。像通常一样，过 10 点半后，她就会轻轻敲一下儿子的房门，问问儿子饿了没有，想吃点什么夜宵。

"儿子，说话呀！"李倩感到有些奇怪地追问了几声。

背对着她的儿子仍然不说话，直挺挺地坐着。于是李倩走了进去。当她看到儿子的模样时大吃一惊：以往虎头虎脑的儿子，今儿个咋傻瓜似的愣在那儿，两眼朝着黑洞洞的窗外面无表情，一言不发。"怎么啦？小虎小虎！"李倩使劲地摇晃儿子，直到她急得快要掉出眼泪时，儿子总算不紧不慢地吐了一句话：

"其实我对考大学一点兴趣也没有。妈，真的，我不想考大学了。"

什么什么？你给我说说清楚！李倩惊愕得半天没把张着的嘴合拢。

"为什么？啊，到底为什么？你给我说说清楚！"李倩急得直跺脚。可儿子说的还是上面那句话，任凭妈妈怎么跺脚，他的脸上依然毫无表情。

这一回，李倩哭了一夜。她是搞新闻的人，平时见多识广，小虎突然出现这种精神状态的后果太可怕了，这不仅意味着当妈的这几年来花费的精力付之东流，更严重的是，盼望孩子考大学的愿望将成泡影。

第二天一早，小虎还是机械地在6点起床，可这回当妈的李倩则重新把他拉进了房间，说你今天别去上学了，待在家里。儿子不听，说为什么我不去上学？不是你规定我这个时候起床？一会儿我还要早自习呢！李倩强忍着眼眶里的泪水，把儿子拉进了房间，然后她便直奔小虎的学校。

小虎的班主任也很惊诧地说："你家儿子近半年学习一直很认真，月月都在进步，已经从中游赶到中上游了。昨天考试时我还对他说，照你现在的进度，到明年高考前，准能赶到班里的前五名。"

李倩一听更是揪心地在老师面前掉了眼泪。"不知怎的，小虎从昨天晚上开始就精神不对头……"

"这可不是好兆头。快带他到医院看一看。听说北医六院专门看这类病。唉，每年我们学校的高三毕业班，总会有那么一两个同学出现不太正常的情况。没办法，孩子们压力太大了，我们当老师的也个个像得精神病似的……"班主任的话还没有说完，李倩就有些急了。

"请你少说几句行不行？"

小虎的班主任一下愣在那儿，她不明白李倩为什么对她那么厉害！

还用说，现在李倩听到"精神病"这三个字就头发胀。

李倩带小虎到北医六院看后的结果已在预料之中。医生建议，孩子患的是中度抑郁症，可以暂不住院，但必须尽快治疗，当然可以在家治疗，必须休学三个月。

完了。在走出六院的那一瞬间，李倩第一个反应是儿子的高考梦彻底完了。三个月休学，就等于放弃了小虎的第一次高考。怎么办？李倩从给儿子看病那天之后的十来天时间里一直在想这一问题。她也专门跑到学校跟老师商量此事。老师只说："这事主要是你家长拿主意，我们可不敢出意见。"

李倩把小虎的父亲从外地逼了回来。

“还用问，当然要儿子嘛！”丈夫的态度非常干脆。但他哪里能理解承受高考旋风影响的李倩有怎样的压力？

在单位，因为儿子得了“精神病”而上不了学后，李倩总感觉那几位家中也有正在准备高考的子女的同事，似乎总用异样的目光在看着她，而且让李倩不能容忍的是，她们的每一个笑声似乎都在有意嘲讽她。

“有什么好笑的？”一天，李倩实在受不了了，便拍案大怒。当时编辑部的人都感到莫名其妙，李倩在身后隐约听到有人在轻轻骂她：“准是也得了精神病。”

“你们才是精神病呢！”李倩觉得自己再也忍受不了了，在编辑部又哭又闹了一场。当她被单位的一个主任送回家时，她一下想到自己没了脸面，恨不得死了算了，可是回头看看愣在一边的儿子，她情不自禁地走过去，抱住他大哭了一场……

然而眼泪救不了儿子，也改变不了自己的处境。小虎的父亲因为工作忙，放下几千块钱又离开了家。小虎的爷爷奶奶倒是与李倩一样着急，但又急不到点子上。怎么办？李倩想来想去仍不愿轻易放弃小虎的高考，因为从老师那儿知道，小虎他们的课程实际是早已学完了，现在就是重复地做各种试卷，没有新课。这情况让李倩产生了一个念头：儿子不去上学，只要安排好，一边治疗一边照样可以争取参加7月份的高考。到时候也许让那些笑话我李倩和小虎的人大吃一惊呢！

行，就这么干！目标一定，李倩倒是心情平静了许多，对小虎的治疗也进入了正常的安排之中。

她想，先必须把小虎学校每天的学习安排弄到手，尽可能地让儿子与班上的同学复习内容接近。为了做到这一点，李倩又是塞红包又是说好话，跟小虎的几个任课老师达成“协议”——每天放学之前，她到学校把当天复习的内容记录下来，然后回家给儿子布置。这件事看起来简单，做起来特费时间和精力。李倩每天要准时赶到学校，否则人家老师就回家去了，这就等于影响小虎后一天的学习。

李倩又常常不能守时，而任课的老师也常常有其他事不能在约定时间跟李倩见面。有一次为了等物理老师，李倩左等右等了三个多小时，后来才知道那位老师生病住院没有来！在西北风里冻了几个小时不说，第二天李倩还不得不掏出一百多元钱买了礼品上医院看望人家。不这样做还能有什么法子？拖着疲倦不堪的双腿回家的李倩，瘫坐在木椅上，对着镜子里那似乎一下老了几岁的身影，辛酸的泪水忍不住哗哗地流淌出来……

日子就这样一天天过来。李倩充当着有病的儿子的“家庭老师”的重任，每天除了自己的工作之外，所有的时间全部用在了儿子的学习上，其实她的工作中相当一部分的时间和精力，也在为儿子准备这准备那，好在报社的工作弹性很大，这使李倩有机可乘，否则换了那种上下班都要签到的企事业单位，她李倩早被老板“炒鱿鱼”了。

时至1999年7月高考的日子，北京的天气突然异常凉爽。当几十万家长和考生各怀心事地走进考场时，小虎突然对她说：“妈，我觉得自己没有把握，我想明年再参加高考。”

李倩久久地看着儿子，她心里真想大喊大骂“你这个浑蛋”，可嘴上没吐半个字。她只是朝儿子点点头，然后回到自己的卧室，躺在床上痛哭了一场……她感到过去几个月、几年的辛辛苦苦全都白费了。哭过之后，李倩又重新抖起精神，认真地叫来儿子，坐在她面前。

“小虎，我尊重你的意见。不过，我们还必须像从前一样我安排你做题，争取参加2000年的高考。”李倩俨然像一个严肃的教父，让儿子在自己面前起誓。

“妈，明年我一定参加高考。”儿子起誓道。

……

“这不，又快一年了。我和小虎从来没有放松过一天。其实着魔的倒是我，因为孩子还在家里治病，能够稳定就行，所以凡是听说外面有什么对高考有好处的事、名师开的复习班，我几乎都要去看一看，了解了解。这不，你都看到了，为了这，我如今早已变成了一枝枯萎的花了……”李倩朝我苦笑道。

“想开些，高考虽然重要，但儿子毕竟更重要嘛。”我想不出更具说服力的话来安慰老同事。

李倩嘿嘿冷笑道：“话这么说，可是儿子已经这个样了，如果还考不上大学，今后他这辈子还会有什么前途？”

我想了想，真的答不上来。

也许这正是中国千千万万父母想的同一个问题吧！我不能不再次深思。

猪棚陋室里扶起两个娃儿上大学

在采写这部作品时，正值1999年高考的最紧张时刻。有一天我看到了一则北京广渠门中学“宏志班毕业生全部考上了大学”的新闻，于是便决定去采访“宏志班”毕业生们的家长。

高全根，是“宏志班”班主任高金英老师向我介绍的第一位家长。高金英现在也算是北京教育界的名人了，但她一讲起高全根一家为孩子求学的事，就会情不自禁地落泪。高老师把高家的地址抄给我后，第一次我竟然没有找到。因为高家没有电话，我估摸着节假日他家应该有人，所以就在五十周年国庆放假的那几天里找他们。

这一日，我骑车去崇文区幸福大街的樱子胡同寻找高家。关于北京的穷人我以前有所了解，也到过一些贫困家庭，但此次采访高家却又使我“大开眼界”，原来住在小胡同里的北京穷人还有那么多啊！高家住的院子是个“门”字形三层简易楼，里面到底住了多少户人家我估不出来，反正从我踏进那个所谓的院子时，就得注意两边搭建的小棚棚可别碰了自己的头，扎了自己的眼睛。才下午三点，可那楼道里得摸着黑走，因为狭窄的通道上既没有照明，更没有一个窗子，各家堆放在两边的物品使留下的通道刚够过一个人。走道一侧还有一个公用水龙头，那水龙头上有一把很粗笨的锁箱。接我上楼的高全根师傅告诉我，他们一层楼的人全都在这一个龙头上用水，所以大家有个习惯，一到规定时间就得把龙头锁上，以防浪费或另层楼上的人来窃水。我听后真忍不住要笑：都到网上购物时代了，可这儿的百姓还在过着20世纪60年代的生活呀！一点没错，当我走进高全根家时，这种感受就更强烈了。

老高的家只有一间房子，总面积15.7平方米，没有厨房，更没有厕所，也没有内间外间之分，里面竖排着的一双一单两张床，双人床上面搭一个小隔层。老高说他两个儿子上大学之前就有一个睡在上面。但我怎么看怎么觉得这屋里无法睡下四个成年人。老高苦笑着解释，1996年3月他住进这儿后，就没有一天是全家四个人同时在这间房子里睡觉，如果孩子回来了，就是他和妻子到单位去"值班"，如果孩子上学住在学校，他才和妻子有可能"团圆"。房间里除了两张床以外，就剩一个三屉桌和一个木箱，木箱上面是一台二十英寸的新电视。老高说这是他家为"迎国庆"多年来添过的唯一的东西。我听后心头直发酸，是啊，建国都五十年了，就在我们首都北京，竟然还有像高全根这样的贫困户！老高很客气，要给我烧水，我说不用，他非要烧，可他家连个水壶、水瓶都没有，只能用那个做饭的大铝锅，搁到走廊里他的"露天厨房"去烧。

当老高用双手端着大铝锅为我倒水时，我不由感叹地说你这儿太艰苦了！这位共和国的同龄人却连连说："我们全家已经知足了，很知足。"

这是怎么说的？我不明白。

老高很认真地告诉我："这房子还是北京市市长亲自批的，要不我全家现在还住在郊区的猪棚里呢！"

看我惊诧不堪的样子，于是老高便给我讲起了他作为北京知青为了孩子能回城上大学而有过的种种辛酸经历——

高全根原籍是河北深县人，1957年来到北京的父亲身边。1964年上的北京43中学。两年后，"伟大领袖"关于知识青年一定要上山下乡接受再教育的号召出来了，高全根是班上第一个入团的干部，在学校动员学生们上山下乡时，老师问他能不能带个头，高全根说行，随后拿起笔就写了下面一行字：我，初三班高全根，坚决申请到内蒙古。写完后就交给了学校。回家后他也没有让父母知道。"就是知道了，当时他们也拦不住。"高全根说。没几天，军宣队就批准了他和班上的另外15名同学，一起到了内蒙古四子王旗。高全根说他们不是兵团，而是真正拿工分的牧民。这是1968年的事。到1971年时，与高全根一起下乡的另外十几位知青走的走，跑的跑，只剩家里没门路又穷得叮当响的高全根还留在当地。一天，他到公社开会，公社干部对他说当地的乌达矿务局五虎山矿要招工，问高全根去不去。他说那就去吧。就这样，他幸运地被招到矿上当了一名每月拿82元工资的挖煤工。这在当时，能从牧民变成吃"商品粮"的工人简直就是进天堂一般。但那里毕竟是个风沙和冰雪肆虐的戈壁滩，矿上的生活也极其艰苦。那时知青们对自己的前途不抱任何幻想，不多久高全根就和矿上同事的一位表妹结了婚，之后就有了两个儿子。那时全家人就靠他一个月82块钱工资维持着。到了80年代中后期，知青可以回城了，高全根因为当了矿工又成了家，所以按最初的政策他只能把一个孩子送回北京。到了1992年，知青政策又有新的说法：只要能找到接收单位，就可以把全家迁回来。已经离开北京二十多年的高全根觉得这是个机会——主要是为了孩子将来能有个大学上，所以便托人联系了京郊的一个接收单位，于是全家回到了久别的北京。但是二十多年过去了，北京的变化令高全根这位北京人面临了许多他想象不到的事，其中最重要的是房子问题。

接收单位说了，我们可以勉强接收你，但房子是绝对不可能解决的。北京有色金属粉末厂能接收高全根的最大原因是：这样的工种一般人不愿意干。然而一个四口之家不能没有房子呀！北京又不像内蒙古农村，随便搭建一个小棚棚没人管你。在内蒙古苦了二十多年的高全根，没有想到偌大的一个北京城，竟然没有他的立足之地！他着急啊，大儿子已经进高中了，小儿子也快进初中了，没有一个固定的家，怎么能让孩子上学读书呀！自己的一生也就这么着了，可孩子的路还刚刚起步，不能耽误啊！他高全根难就难在他是个穷光蛋返回北京的，且还拖着没有工作的妻子和两个读书的孩子。高全根在那接收单位一个月也就六七百块钱工资，他用这份工资养活全家四口人，已经省得不能再省了，哪有余钱在城里租房？无奈，老高只好托朋友帮助。朋友把他带到市郊十八里店乡周庄一队的一个猪棚那儿，说这里有个猪场仓库反正也是闲着，你看能用就住下，不要一分钱。老高还没看一眼是什么样的地方，一听不要钱就连声说："行行，不要钱就行。"

高全根就这样在离别北京二十多年后，终于找到了一个暂时可以住下的"家"。那是什么家呀？大儿子第一个进的猪棚，又第一个"哇啦哇啦"地吓得从里面逃出来：爸，这地方不能住人，耗子大得跟猫似的！老高不信，哪有耗子比猫大的事嘛！他进去了，脚刚刚跨进去，突然从一堆草窝里"噌噌"窜出两只硕大无比的耗子！老高惊呆了，犹豫了，可他想不出还能为妻儿找到另一个可以跟这儿相比的地方——这儿不要钱，什么都不要。

"那几年怎么过来的，我现在连自己都不敢去想一想。"老高说，"也不是我这个人好将就，或者说我们这些当知青的家庭好将就，没办法，我当年离开北京时就带着一床被子和一本语录，现在回北京时是带着老婆和两个大儿子回来的，能回到北京就是场梦。我跟妻子和孩子们经常说，我们是北京人，但又不全是，既然现在户口能落在北京，算是最大的福气了，其他的咱们啥都不要跟人家比。妻子和孩子都是听话的，他们跟着我已经吃惯了苦，但没有一个属于自己的家的这种苦，和其他的苦不一样，这才叫苦呢！是那种不像人过的日子的苦。就在我回北京前几年那么难的情况下，也没有耽误过孩子一天的课。住猪棚后，我给他们每人买了一辆自行车，我自己也有一辆，是送他们两个，外加接送妻子和自己上班用的。十八里店乡到最近的南城边也要近一个小时，而且很长一段路没有公共汽车。我每天要很早起来，五点来钟就得先送儿子走，儿子再倒换两次车，再骑自行车在七点左右到校。约莫6点来钟，我回到家后忙吃上几口饭再带妻子出门，将她送到有公共汽车的地方，让她好在一个单位做临时工。之后我再蹬车上自己的单位。晚上也是这样，先把妻子接回来，再去车站接儿子，每天儿子们回来最晚，不会早于八点钟。我看着孩子很争气，他们从来不叫一声苦，穿的衣服是破的，睡的地方就是猪窝，前面没有门挡，后面的窗没有玻璃，冬天刮风能钻进被窝，夏天最难受，蚊蝇到处都是，蚊帐根本不管用，孩子们说他们从来没有见过那种嘴巴有一厘米长、身子跟苍蝇那么大的蚊虫！我说我也没有见过，这只有在多少年没人住过的野棚草窝里才能见得到。我和妻子反正每天下班后就没什么事干了，可两个儿子不行，他们要做作业。冬天他们只能在猪棚外面的石板上做。你问有没有电灯？哪会有呢！是人家遗弃的猪棚，不会通水通电的。我们做饭靠的是煤炉，孩子看书做作业用的是油灯，一直是这样。冬天冷我们好像没有特别感觉，大概我们在内蒙古待的时间长了。可夏天的日子就难了，猪棚不知有多少年没人用过了，那虫子蚊蝇横行霸道，我们一家就成了它们袭击的对象。每天一早起来，看到孩子们的身上脸上都是红一块肿一块的，我心里又难过又着急，可什么办法也想不出来。再新的蚊帐不出三天准就被大蚊虫咬穿了，真是苦了孩子们……”

老高说到这里哽咽得说不出话。

“唉——日子总还得过呗。”长叹一声后，他继续道，“那些年里，我们全家很多时间全浪费在路上，孩子上学要比一般的同学多花至少四个小时路程。家里没有钱，所以他们尽量骑自行车，我都记不清经我手到底换过多少副车胎！看到孩子能骑车到城里上中学，我感到有一种希望在我心头涌动。我两个儿子非常不易，他们从内蒙古农村的学校转到北京市的学校时，连本书都没有，起初上课时像傻子似的什么都不懂。但他们十分努力，也从不跟人家比吃穿，上高中了也还穿着有补丁的衣服，你们听起来可能不相信，可在我们家一点也不奇怪。”老高说着抖抖自己身上的衣服，说：“你看我现在穿的，回北京快有十年了，我只添过两件衣服，其他的都是缝缝补补再穿的旧衣服。孩子跟我们一样。我大儿子是在猪棚里考上重点中学的，又在1997年以全校第二名的成绩从北京十五中考上第二外国语学院，考了534分，这个分那年是可以进北大的。二儿子高岭是在猪棚里考上广渠门中学宏志班的。我二儿子是一个十分要强的孩子，他进宏志班后学习特别努力。这是一个专门为贫困家庭的子女们特设的班，学生是来自全市贫困家庭的几十位优秀学生，他们相互之间都在竞争。高岭因为自己路程远而耽误很多时间，又没有一个起码的家而内心非常痛苦，他在做作文时写了一篇很动感情的作文，哭诉为什么在这万家灯火、高楼耸立的首都就没有自己的一个立足之地，倾吐了孩子渴望有个哪怕能安一张床、一张写字台的家的心情。他这篇作文让班主任高金英老师很感动，高老师便利用一个星期天，跟着我儿子来到了我们这儿。当她看到我们一家住在远离市区的一个猪棚里时，忍不住眼泪都流出来了。高老师说她教的宏志班都是穷人家的学生，可像你们连个家都没有、只能住猪棚的，还是第一次听说和看到。高老师是大好人，她说她要尽自己所能帮助我们解决房子问题。”

“她后来带电视台的记者到我住的猪棚里现场采访，又向市里反映。1996年3月31日，在当时的北京市李市长的亲自安排下，我们全家搬进了现在这个地方。你可能觉得四口之家住在一间十多平方米要什么没什么的简易楼里太寒酸了。可我们全家已经很知足了，因为总算有个家了。”老高颇有几分自豪地指指桌子上唯一的装饰品——一个我们已久违了的小管灯，说：“这灯是一个亲戚送的。它的功劳很大，它把我家两个儿子都送进了大学！”

老高的二儿子高岭是1999年从“宏志班”考上北京农学院的。我问老高现在家庭的情况怎样，他说他比以前心情舒畅多了，因为两个儿子都上了大学，圆了他多年的梦。“我现在日子过得还很紧巴，我自己下岗了，厂子只给一点社会保险，我和妻子俩人每人每天就只有17块的收入。她在赛特那儿刷碗，我在一个单位做临时工，要负担两个大学生孩子的上学费用几乎是不可能的。好在学校能免一点，孩子自己勤工俭学挣一点，加上我们省一点，所以就只能这么紧巴着过。因为我这辈子没啥可追求的了，就希望孩子能有出息，他们现在都上了大学，我看到希望了呀！你说我还能有什么别的奢望？”

那天走出高全根家时已近傍晚，京城上空的一道晚霞正美丽地照在他所居住的那栋像鸟笼似的简易楼上，外面是喜气洋洋的庆祝国庆五十周年的阵阵歌声、鼓声和踩气球的欢笑声。我忍不住取出照相机，给老高他们这栋“京城贫民窟”留下一张照片，我想以此告诫那些生活像蜜糖般幸福的富有的人以及我们的官员：不要忘了这个世界上还有不少人的日子过得很难，应该再想些办法帮助他们！

苦命的知青父母

采访高全根，使我对知青那一代人在今天为了把自己的子女送进大学所表现出的那份强烈意愿，有了更深刻的了解。据调查，在1977年恢复高考后，当年知青中真正重新进大学又把光辉前程夺回到自己手中的仅仅是数百万知青中的一小部分而已，而像著名的作家陈建功，著名导演陈凯歌等社会精英，更是凤毛麟角。也就是说，大部分当年的知青由于“文革”而断送了接受高等教育的机会，并且由此造成了一辈子的悲惨命运。

这或许也是中国今天的高考为什么越来越让人感到进入了牛角尖和死胡同的重要原因之一。世界上还没有哪一国国民像中国人对考大学表现出如此的狂热。

十年浩劫使一代人失去上大学的机会，也强化了以后两代人共同渴求冲进大学门的那种“决一死战”的情结。这种状况只有中国才有。

“我再不把儿子送进大学，就意味着从我之后的几代人便会丧失做人的最基本的资本，也就是说在我之后我们崔姓将彻底沦为贫民阶层。”通过自学已在北京市某机关任副处长的崔先生谈起这个话题时，显得异常激动。

"可不是嘛！"他的话像汹涌奔腾的大江之水，一泻而下。"我是老三届的，后来到北大荒去了。恢复高考时我没有参加，不能全怪我。当时一方面我们仍受读书无用论影响，一方面我在团部任领导职务，工作忙，分不开身，把参加高考的机会让给了别人。如果说当时我自私一点，完全可以像别人那样，扔下手头的工作去复习，去参加高考嘛。回城后，我在一家福利厂当支部书记，工作还是那么忙，天天都要为几百号人的生存发展着想，还得经常跑外勤，哪来机会去脱产参加这个班那个班？你不信可以去看看我的档案，尽是什么'先进工作者''劳动模范''先进党员'之类，可在填写一张张先进上报表上，文化程度那一栏一直是高中毕业。有啥法子。比比人家，那些当年在兵团给我手下打杂的人，现在个个是教授、局长。我不感到心寒？不就是因为人家后来上了大学，手握一张可以敲门的文凭，所以便提拔得快嘛！我们这些没有文凭的，再拼命干，也不如人家一张文凭'水平'高呀——哪怕连最基本的一个车间都指挥不好，可是人家学管理的博士毕业生，照样可以比我们早提拔到处级、局级岗位上。而我们呢，就因为没有进过大学，所以什么好事都与你无关。这公平吗？可有谁能改变得了？"崔兄的一番话听起来像是牢骚，实际上反映的是当今的一个活生生的现实问题。

我知道老崔的儿子今年也在读高三，准备参加2000年高考。"你可以到我单位问问，我早已不是当年那种先进分子了。我现在上班是三天打鱼两天晒网呀，这我心里明白，处长局长也不会说我什么，反正在我之上有一大堆人闲着，我多干活并不一定落好。乐得我能有时间把精力放在儿子的学习上。你问我儿子的学习成绩怎么样？当然不错了，我希望他圆我的清华梦。现在我和爱人的全部希望都放在儿子身上，只要他能考上名牌大学，我就觉得社会对我们这些知青的不公，算可以补回了，否则我一辈子心理不平衡。"

我与老崔相约2000年夏天，等他儿子考上大学后我们一起上他的一个"兵团战友"开的"北大荒"饭店隆重庆贺一番。

"其实我这样的情况不算什么，你要有机会采访采访那些没有回到北京仍在外地的知青们，他们为了孩子能上大学所付出的，那才叫人感动呢。”老崔向我作了一个重要的提示。

后来我从市高招办的工作人员那儿获得信息，每年北京市高考学生中都有不少在外地长大的知青后代。1999 年的高考开始后，我就留意了这样的对象。北京西城的十三中和四中的高考点离我的住处都很近，高考那几天我特意天天往这两个考点跑——我在寻找采访对象。8 号那天我终于找到了一位在山西工作，看上去已经成了“北方大妈”的考生母亲。这位考生的母亲明显特征是“土”——可以说土得根本看不出她曾经是北京城里出生的人。

“我、我是堂堂正正的北京人呀，可现在我连小时候一起读书的同学都不敢见了，为啥？就是因为我现在这个样子，还有人相信我是北京人吗！”这位考生母亲一说话就擦眼泪，看着她满头银丝，我心底油然升起一股怜悯之情。在我保证不说出她的真名后，这位大姐才同意接受我的采访。

我这里称她为章大姐吧。

章大姐是 1970 年下乡的，还没有读完高中，她就随着学校一声令下跟同学们到山西吕梁山一带插队去了。她与当年很多北京女孩子一样，是瞒着家长自己硬把户口迁走的——那时候这样的行为是“真正的革命行动”。她本来因为年少体弱可以分配到条件好一点的乡村，但由于“革命意志坚强”，要求到最穷的山区落户。就这样，她在山西的运城地区的一个山村安家落户了。那是个几乎与世隔绝的穷地方，上乡里的小镇也要走上近一天的山路。章大姐到这儿插队，住在一家有三个儿子的老农家，主人待她不错。特别是每当生产队分给她重活累活时，这家当家的老爷子就嚷着叫三个儿子帮她干。日久天长，章大姐便把这儿当作了自己的家。尤其后来她在北京的老母亲去世后，便跟这家房东的关系更亲近了。在她插队的第三年，房东大妈给她从城里扯了一块的确良布，送到了她的小屋，随后问她愿不愿嫁给她家的三个山伢仔中的一个？她摇头也不是点头也不是，最后还是这家的老爷子选定的——嫁给二伢子吧。就这么简单，她就当上了这家的第一个儿媳妇。她的丈夫年龄与她还算相配，大 3 岁，而她的大伯子已经 32 岁了还是光棍。当了人家的媳妇，接下来自然就是生儿育女了。到 1980 年那会儿，那些当年与她一起下乡插队的知青都可以回城时，她的大孩子已经 8 岁，小的也有 6 岁了。根据当时的政策，她回城是没有希望了。

她只好默默地流泪，偶尔站在黄土高坡向自己的故乡遥望一眼，像是做错事似的很心虚。岁月的沧桑已经使她渐渐淡漠了自己是个北京人的概念。她把漫无边际的黄土高原和身边的两个孩子，当作了生命中全部的寄托。

突然有一天有人告诉她：根据政策，你可以有一个孩子回北京。

她的那个已经枯萎了的“北京情结”之苗，仿佛在这一夜间猛然焕发出了活力。那颗死了几回的心一下子被打动了：坚决送娃儿回北京上学！

不管丈夫怎么嘀咕怎么啰唆，她在家里第一次表现出了不容更改的坚定——孩子一定要送走！送到北京去！

”北京，我的北京啊！“多少年来，她第一次站在黄土高坡上，使出全身力气，对着自己故乡的方向，大声高喊。

她给北京送来的是小女儿。为了送谁回北京，丈夫还跟她吵了一场。丈夫的意见是送儿子，而她则坚持送女儿。“山里的女孩子除了嫁人和替别人生孩子外还有什么出息？”她抱住自己的儿子，痛哭流涕地对他说：“不是妈不心疼你，可你看看妈现在还有哪点像城里人？哪点像北京人呀？妈不能再让你妹妹一辈子像我一样的苦命……”

临走那天，她抱着两个孩子，痛哭了很久很久，一直看着送儿子的拖拉机开出几道山弯，她才与女儿一起千里迢迢回到了久别的北京。

啊北京，多么熟悉而又极其陌生的北京。章大姐虽然在插队的 20 几年中也多次回过北京，可当她此次领着女儿重返北京，细细观察亲爱的故乡时，她才真的感到故乡的变化实在是太大了，大得她这个从小生长在这儿的老北京人有种完全找不回自己曾经是个地道的北京人的感觉。她伤感起来，眼泪不停地流，害得一旁的女儿连声说：“妈，要不我们回山西算啦，这儿不是我们的家。”

“胡说，这儿才是你的家。记住，有谁问你时，你要一点不含糊地告诉他们，你是真正的北京人！”她要满嘴山西口音的女儿发誓。

女儿只好老老实实地听母亲的话，孩子哪里知道母亲让她牢记这话的真正含义。

她把女儿带到北京后，遇到的头件事是给女儿找所学校。哪知本来很简单的事，却弄得她不知如何办才好。章大姐在北京除了两个哥哥外，没有什么亲人了，她自己的父母在前几年就谢世了。虽然两个哥是亲的，但天各一方，再说哥哥家的孩子最小的都快大学毕业了，大孩子早已有了下一代。章家祖上有房子，可后来拆迁全都变成了公房，这样一来等于她在北京的根也没了，她女儿的落户问题，也是她同两个哥哥前后商量多次才定下的。最后还是大哥心胸宽敞些，章大姐的女儿就落在大舅家，可大舅妈说孩子住的地方得另外想办法。她看看大哥家的情况也确实为难，一个小三居 5 个人住着已经够呛。她便和二哥二嫂商量，因为二哥家也是个三居室，两个女儿一个快要结婚了，另一个刚上大学，挤挤应该是没多少问题。但二嫂一脸不高兴，碍于面子没对她直说。

“这样吧，正好我们一楼比别人方便些，我给孩子在门口搭一小间出来，要是她嫌，以后我就跟她换，妹你看咋样？”二哥显得无可奈何但毕竟是真诚的。

“行，娃儿能在北京有个落脚的地方就成。”章大姐没有特别的要求，能让女儿有个睡觉的地方便是阿弥陀佛的事了，还讲究啥？再说哥哥怎么着总是自己人嘛。

女儿落脚的地方就这么定下了。之后是上学的事。谁知这事让章大姐好一通劳神和操心。附近的两所中学都是市、区重点，人家说孩子的基础太差，婉言谢绝了。她便跑到跨区的另一所三类中学，那个校长还算好，因为他曾经也是位知青。不过校长说：“插班的照顾我给了，但现在学校负担也重，你孩子上我们学校，肯定增加了老师的工作量，为了我好向大家交代，你得给学校意思意思。当然你量力而行啊。”人家说到这份上，她也只有满口“那好那好”地回答。不多，就4000元。可要她拿出这4000元就等于要了她的老命！带孩子离开山区时，丈夫把全家的积蓄一个子不剩地给了她，那也就是2000来块。除了用于车费和给两个哥哥家买了点见面礼外，口袋里就剩1500来块。孩子上学是大事，也是章大姐为了圆自己回北京梦的全部希望所在。无奈，她只好硬着头皮向大哥二哥伸手借。钱是借来了，可她与两个家的关系从此变了味。二嫂当着她的面对自己的丈夫说：“往后咱家的日子就像中东地区一样，没个安稳了。”章大姐把泪水噙在肚里，脸上还只能装出一副笑脸向哥嫂们告别。

“娃，以后手脚勤快些，二舅家刷碗洗菜和做饭的杂活你多干点，不要贪玩贪睡，啊！记住妈的话了没有？”

“嗯。”女儿的眼里噙满泪水，嘀咕道，“妈……我害怕二舅妈。”

“有啥怕的？她是你亲戚，不许你对舅妈犯嘀咕！啊，听清楚了吗？”章大姐很生气地说。

女儿突然“哇”的一声扑在她的怀里：“妈，我想跟你回家……”

她更生气了，“啪”地抽了女儿一个耳光，斥道：“你要是不给我好好在这儿念书，就哪儿都别想回！”

女儿再也不敢多嘴了，低着头，眼泪依旧“啪嗒啪嗒”地往下掉。章大姐装作什么都没看到，可当她转身走上西去的火车时，泪水一下像断了线似的往下流……

“北京啊，你是我梦里也在思念的故乡，如今为什么我在你的面前像个路人？难道你真的永远把我们这些知青和我们的后代给抛弃了？啊，北京，你能告诉我吗？北京——”她两眼凝视着渐渐消逝的那熟悉而又陌生的城市轮廓，心底在凄楚地高声呐喊。

章大姐的女儿留在北京，留在自己的哥嫂家，可是对一个从小在封闭的山村长大的女孩子来说，这里所有的一切都是既陌生又可怕的。不说学校里的同学始终把她当作“外地人”对待，也不说她根本没有伙伴带着她熟悉这个本应同样属于她的城市，单说在舅母家的日子，就让她有种难以诉说的孤独和被歧视的感觉。

女儿从舅母和两个表姐的眼里看得出她们对她的到来并不欢迎，她也知道这个家里舅舅并不能成为她所依附的靠山。她记下了母亲的话：少说话，多干事，手脚要勤快。为此，她早上先于大家起床，然后帮助烧好开水，做好早饭。但她学不会煮奶，常常把舅母给两个表姐订的三包牛奶煮得只剩几小口，要不就是干了锅。

"你是看着表姐们吃奶生气怎么着？"舅母终于发怒了，再也不让她做早饭了。

母亲临走时吩咐她，城里人一般吃完饭不爱刷碗，你就眼尖点，等晚饭后人家看电视，你去把碗刷了。她照母亲说的去做，主动收拾一大堆狼藉的锅碗勺盆……

"这都是谁洗的呀？油乎乎的，脏死了，还不如不洗呢！"小表姐一边拎起一只碗，一边斜着眼看她，然后娇滴滴地冲着自己的妈叫道："妈你快看，这碗上的油渣都是什么时候的呀？"

舅母赶过来，看了看她洗的东西，嗓门一下子大了："笨得出奇，洗几个碗都不会，就只会白吃白住！"

她委屈地躲进自己的小屋，眼泪哗哗地湿透了小枕头。十五瓦的昏暗小灯泡下，她含着泪给远方的母亲写信："妈，你快来吧，我不想在这儿念书了，我想离开舅舅家……"

女儿的呼声像箭一样刺痛着章大姐的心，她不敢耽搁时间，怕女儿在陌生的地方有个三长两短。

"怎么才走三天又回来了呀？"当她跨进哥嫂家时，嫂子一脸的惊诧。

章大姐还能说什么呢？只好顺口说怕孩子在这儿呆不惯。

"怕是在我们这儿受苦吧？真是笑话，在北京好好地住着，难道还赶不上山西那个穷地方呀？"嫂子拿话挖苦道。

章大姐脸上赔着笑，心里却阵阵作痛。她走进女儿的那个楼外搭的小棚，一股扑鼻而来的气味让她无比恶心。"这孩子，大热天的，也不知冲冲澡？咋啦，身上怎么那么多红斑？虫咬的？"

“妈——呜呜呜……”女儿哇的一声，扑在母亲怀里哭得两肩都在颤动。

“她们什么都不让我……等我洗澡时就说换煤气怎么怎么不容易，我说小屋蚊虫多有没有蚊香点一下，她们就说山里来的人，皮肉都像树板似的，还怕小蚊小虫？一次我来例假，用了一下表姐的舒而美，她就骂我说你也配用这？我就只好等她们用完后扔在厕所里偷偷捡起来洗净，然后在这小屋里阴干后再自己用……妈，你带我回去吧，我不想在北京上学了……”

“啪！”母亲有力的粗手掌打在女儿的脸上。“你敢！”章大姐强忍着不让眼泪流出来，那重重的巴掌仿佛打在自己心头。

她左思右想，决定让孩子搬出二哥家。可是到哪儿去呢？她找到居委会，居委会说这事她们管不了，再说你们父母都不在北京，孩子就得有监护人负责，其他人谁都担当不起。

无奈，章大姐想起了几个中学同学，可是多少年没有联系了，她凭着依稀的记忆，找到了这些同学的家。当她推开老同学家门时，几乎没有一个人还能认得出她这个已经完完全全变成了“山西大妈”的二三十年前的老同学了。

几番诉说，几番眼泪，老同学开始伸出了友谊之手。有位在国家机关当处长的女同学说她可以从自己的下属那儿借间库房给她女儿暂住。“不过北京社会治安比较复杂，我不放心你女儿一个人住在那儿。”老同学说。

“有我陪她呢。”章大姐随口说道。

“这就好。”老同学放心了。

章大姐给自己出了个难题：怎么陪女儿呀？

事情已经没了退路，不这么着，孩子就得重回山西，永远别在北京读书了。不不，章大姐咬咬牙，说什么也要让孩子能替自己回到北京，能读上大学！

为了保证能供孩子上学，她必须在北京找份活干，为此她托人办了个卖菜的执照。每天都得四五点钟赶到大钟寺市场去批发，然后蹬车回城里的固定摊位。不管刮风下雨，必须天天出门。但天天出门并不一定能把菜卖掉、赚到钱。有一个夏天，章大姐想着要给女儿交下学年的学费，就跟着人家多进了些西瓜，哪知一进货就下了几天雨，好端端的西瓜转眼烂成了一锅粥。一着急，章大姐连发了三天烧，卖西瓜没赚钱，住院看病反倒花了300多元。气人的事还多着呢，有一次卖菜时，一个男人明明给的是一张十块钞票，章大姐找他四元八角后，那人就大叫大吵起来，说章大姐有意赖他90元钱，开口就骂："你们卖菜的这些外地人就知道黑北京人！"章大姐有口难辩。

最令她伤心的是，人家根本不把她当北京人看待，那种受歧视的点点滴滴，使她从此放弃了卖菜生意。

后来她又当过环卫工，扫过街，管过十几个厕所，甚至还干过谁也没有听说过的其他好多种北京人不会相信、也不会注意的活。"北京城里，只要你能说得出的脏活累活，几乎没有我没干过的。"章大姐说。

这些她都不在乎，她在乎的是自己的女儿能在北京上学，能考上大学。像所有家长一样，她更担心自己的女儿成绩跟不上，她也尽自己所能帮女儿。没有钱买辅导资料，更没有钱请得起家教，她便用自己的方式去寻找办法。比如她主动到开高考辅导班的学校义务打扫庭院，跟那儿的门卫师傅和上课老师搞好关系，一次又一次地帮助那些听课的孩子们热菜买饭，然后求人从老师和孩子手中借一本辅导教材或者听课笔记，再回家一个字、一道题地为自己的女儿抄下来，第二天再还给人家。章大姐说她在女儿后来上高中的三年里，曾经到不下十几个高考辅导班当过义务工，也常常利用休息时间，一整天一整天地蹲在书店里帮女儿从《海淀考王》等众多高考参考新书上抄下复习题。最后连不少书店的员工都认识她了，被她感动了，也就破例允许她进行"现场盗版"……

那年9月，当章大姐把女儿送进大学校门后，她已经身患多种疾病，本该留在北京这样医疗条件好的大城市看病，但她没有，她怀着对还在山洼洼里辛勤劳作的丈夫和儿子及那个属于她的家的一片眷恋之情，回到了山西，重新拾起了赶毛驴的鞭子……

英雄落泪为娇女

建刚是边防部队的上校老参谋，也是我国南方海疆缉私战线颇负盛名的英模。当年我在武警部队搞新闻时，建刚曾接受过我的采访，所以我们比较熟。他满脸胡子茬，具有天生的军人气质。当年他就是凭着这样威严英俊的形象，把女大学生赵梅“骗”到手的。说“骗”并不过分，20年后，已经从女大学生变成某市国土局科长级公务员的赵梅，谈起当年她与建刚的婚恋史时，就直言不讳道：“当兵的对象，十有八九是骗来的。”

这次她是特意从千里之外的西北老家赶来与丈夫“和好”的——这话是建刚在电话里悄悄告诉我的。我当时正想了解一下军人家庭子女的高考情况，便自然地想起了建刚老弟。我知道他家的那位“千金”也到了参加高考的年龄。正巧，他女儿将是21世纪第一批考大学的学生。建刚在电话里说：“你的弟妹正好回来探亲，她的目的就是拉我回去给女儿找路子补课。你说我哪有时间？这不，一来就跟我闹别扭……”

建刚的部队在紧靠南海的海滩上，每天头枕波涛，条件比我十几年前见到的要好多了。“但任务却比过去也重了几倍。”当年英俊潇洒的建刚如今也已两鬓斑白，因为长期的海上生活而变得十分“沧桑”。

“你写孩子们高考的事实在太好了。我可以说，没有哪个阶层比我们军人家庭在子女高考问题上所遇到的困难再大的了。先说我们当兵的家庭在子女教育问题上的先天不足。像我们这些在一线当兵的，大部分是农村出来的。提了干后，就想改变一下祖宗的生辰八字，弄个城市户口的对象，为的是从我这一辈人开始也‘吃商品粮’——现在听起来很好笑，其实我们那会儿太在乎吃不吃‘商品粮’了。但是在城市找对象，真的愿意跟你一辈子并且甘愿长期独自孤守在家的女人可是不好找呀！能找到，但大多数不会是很有知识层次或者家庭背景好的。我家的赵梅一直说我是把她骗到手的。你想假如我们不是当年借着威风凛凛的军装和军功章，外加保证尽快转业的许诺，人家堂堂大学生谁愿意嫁给我们这些傻大兵？她们哪里知道，一旦嫁后就由不得她们了。再苦再累你也得受着，再寂寞再孤独你也得忍着。就是真想离婚也不是那么容易，咱是军婚。一年一次的牛郎织女探亲假，什么事都干不成，但生儿育女的事倒是不耽误。可孩子出来后事就多了，女人的心思差不多全花在孩子身上。入托、上学接送，从小学到中学，当母亲的确实太不容易。可我们在部队里也没闲着呀。我们是在海上缉私，越是岸上的人在逢年过节万家团圆时，越有人从浪底里钻出来疯狂地走私。十几年来，我有大半的探亲假被走私分子的猖狂活动搅掉了。难得回家一次，‘报仇’似的跟老婆黏在一起，想补回‘干旱’的日子。所以孩子的事有意无意地被晾在了一边，等到想起这事时，假期又到了。老婆拿出女儿一叠叠打着‘×’的作业，无可奈何地朝你摇摇头，只好说一声：得了，再说吧，不要耽误了你回部队。就这样，我一次又一次地感谢妻子的理解，也一次又一次地在歉意中吩咐女儿要好好学习、听妈妈的话。回部队后，成天忙得时间不够用，甚至连想老婆孩子的时间都没有。有一次我确实还真想起了她们娘儿俩，可我只能深深地埋在心底，因为我正躺在医院——一次出海行动中我被走私者用枪击伤了胳膊。在流血和面临死亡时我想起了她们，但我只能默默地呼唤她们的名字，连一个电话一个电报都不敢打，怕她们知道后吓出病来……这就是军人的苦楚，常人没法感觉和体会。但我们军人的家庭却也有子女要上大学呀。我们的孩子往往由于身边缺乏大人的照顾和帮助，成绩总不理想。怎么办？我不是不想，可我远水救不了近火。再说现在高中生考大学也太玄了，孩子们比我在前线打仗还紧张。打仗嘛，拼点勇气拼点机智还能夺个全胜，孩子们考试咋比打仗还费劲？你弟妹告诉我，说女儿自上高中特别是进入高二后，每天都要学习和自修十七八个小时以上，说就是这样作业还常常做不完！我感到不可思议。老婆对我说，你在部队帮不了女儿多少忙，但两件事你必须做，一是每月保证寄回800元钱供孩子学习用，300元是孩子的生活费，还有300元是孩子周末周日补课费，还有200元是买学习资料用的。你是知道的，我一个月连海上补助也就是一千块出头。每月家里抽走800块，我的日子怎么过？老婆对此毫不留情，说你一个人在外面冲啊杀啊完了就没事了，我们娘俩可不行！孩子要跟上人家的学习水平，起码的投入一个儿子也不能少。无奈，我只好自己断烟断酒，连上街都不敢轻易去一趟。你知道我老婆孩子在西北的小县城，要啥没啥，特别是孩子学习用的复习资料，很难买到，不像我们南方大城市方便。老婆来信说我女儿上一届的几个高考考得好的孩子，就是通过亲戚朋友到北京和广州等地弄到了几套好的'名师指导'复习资料。去年9月，女儿上高二面临分班时，老婆把给女儿买学习资料的任务交给了我。这个任务我是可以完成得好的。谁知那天我正准备上街，上级突然下达命令，说据情报获悉，近日有个特大走私团伙将出现在海上，命令我部全线伏击，争取一网打尽。接到命令后我立即投入了战前的部署，当晚率领四条快艇出海。走私者非常狡猾，在我们静候伏击的两天两夜中根本就没露面。第三天傍晚8时许，海面突然刮起大风，呼啸的海浪把我们的战艇时而掀至海底，时而抬到浪尖。根据惯例，这种时候走私者往往要出现。果然，大约在夜间10点左右，两艘走私船乘着海浪的呼啸，由南向北快速行驶在我们的视线之中。他们忽而加足马力忽而关掉马达，意在不让我们发现。可这一切都没有逃过我们的眼睛。当他们进入我们事先伏击的包围圈时，我一声出击的命令，我方四艘战艇像箭似的扑向走私船。走私船一看有伏击，立即加足马力，企图逃跑。但这已经是不可能的事了。然而我们没有想到的是就在我们接近他们时，突然从走私船的背部窜出三条小快艇，直奔公海。走私分子显然妄图逃脱法律制裁。于是我便命令两条战艇看住两条大的走私船，另一条战艇和我所在的指挥艇追击企图逃亡的三条小快艇。当时的海浪实在太大，目标时隐时现。但我们还是追到了两艘。在追击最后一艘时，穷途末路的走私分子选择了垂死挣扎，与我们展开了激烈的枪战。有五个家伙被我方当场击毙，可是我方也有名战士英勇牺牲。当时我的一只胳膊也挨了一枪子。”

“此次阻击获得了巨大胜利，而我们也付出了惨重的代价。回到岸上，我就被送进了医院治伤。就在这时我老婆从老家打长途电话到部队上，同志们没有告诉她我受伤的事，把电话转到了我治伤的医院病房。她一上来就追问我给孩子的辅导资料买了没有，我一听知道误事了，只好说还没有来得及上街。她在电话里只说了一句：孩子进不了A班，你自己向她解释吧！就把电话狠狠地挂断了。当时我真的是伤疼加心疼。想来想去，最后决定乘养伤机会回家一趟，也好当面向她们娘俩说明情况。半个月后，我回到家，一进门，女儿见我后，愣了一下，突然两眼好凶地瞪着我，然后一扭身子，‘砰’的就把门一关，进了自己的房间，连声爸都不叫。我真是火了，说你个臭丫头，老子为了你和你妈的安宁出生入死，流血流汗，要是你能看一眼你爸身上的伤痕和胸前挂过多少军功章，你就应该感到无比自豪和光荣！我的话还没有说完，这个小丫头猛地打开门，从里头伸出脖子，冲着我说，搞错了，你出生入死，流血流汗可不是为了我和我妈的安宁，你是为了别人家的女儿和她爸她妈的安宁！军功章？哼，军功章值几个钱？能给我换个重点中学？能给我换个A班？能以后保送我上大学？既然什么都不能，那就一分钱都不值！这个混蛋丫头！我听到这儿再也忍不住了，抽出身上的腰带，就向她挥去。丫头一看这阵势就哇哇大哭起来。这个时候我老婆正好回家，她不顾一切地冲过来夺下我手中的皮带，连说带骂地朝我嚷嚷，说你八辈子不回一趟家，回来就敢用皮带抽女儿？你凭什么呀？女儿长这么大，你操过几天心？你换过几块尿布，送她上过几次托儿所？带她上过几次辅导课？没有！你什么都没有！凭这，你就没资格碰一下女儿，更别想撒野用皮带打人！你听听你弟妹这张嘴，她的一顿训斥，对我简直是火上浇油。我这火炮筒脾气哪受得了她们娘儿俩这般欺辱！拎起旅行包就出了门，‘噌噌噌’的向火车站方向走去……可是越走我的两腿越沉重，最后还是回到了自己的家。当我再次跨进家门时，这回娘儿俩见了我，双双朝我扑过来。那一夜，我们一家三口抱头痛哭了好一阵子。我至今还弄不明白为了什么，想来想去，还是我老婆最后‘总结’的对：就为我们家的宝贝女儿读书的事。唉，说出来叫人难以相信。像我这样在敌人面前从来没有露出过一丝恐惧的人，竟然为孩子没能上一所重点中学、没能分到 A 班而泪流满面。中国人为了子女上学的事，真是把人折腾到家了！”

“女儿现在已经高三了，再过几个月，就要成为世纪之交的一批高考生了。可她的成绩一直上不去。这次赵梅来就是动员我争取在 1999 年底转业回家，她说如果我们俩人一起加把劲，还有半年时间兴许女儿的学习还能抓得上去。她说这是最后的机会了，还说我在部队立的功也不少了，边境上的走私犯是抓不完的，而女儿考大学是头一回，弄不好也可能是最后一回了。你这个当爸的可以不把自己的老婆当回事，但女儿上不上大学是一生的重要事情，再不管的话，这个家里还容得下你吗？老婆已经把话说到这份上，我还有什么可说的？没有，确实没有。想想自己年龄也不小了，这回我发誓也自私一回。这不，刚向总队领导提出了转业申请。”

“在本人坚韧不拔的努力下，总队几位主要领导终于点头了……”

我们的英雄在与我说完这番话后，就一直沉默着。看得出，他内心深处是非常矛盾和痛苦的。他是军人出身，虽然身在部队时也常常对单调的部队生活满腹牢骚，可一旦真的要离开部队，那种对军旅生涯的眷恋之情，非军人是永不能体会的。

带着一种说不清的心境，我决定跟建刚的爱人赵梅聊聊。我感受到了一位军人为了儿女的教育问题饱受如此多的负担与辛酸——

“世上什么人最孤独？能找得出比军人妻子更孤独的女人吗？不

能。我想不能。同你那英雄战友结婚后，我是有准备接受长期的孤独生活的。可是令我想不到的是：孩子的读书问题竟然比我作为一个女人经受孤独更难以承受。建刚的性格你是知道的，炮筒子一个。我在家里受的委屈都不敢跟他多说。唉，什么军人的妻子最光荣，什么英雄的老婆是个宝，那是电视里、歌词里说的好听话，现实生活里谁拿你当一回事嘛！那回我女儿初中升高中时，因为成绩一般，想给她找下重点中学，本想借她爸的光荣招牌找找关系，可人家根本不把这当回事。人家招生办的干部说得再清楚不过了，说现今的英雄劳模贱得连一斤豆腐都不如，想上重点中学？除非是上级特批的烈士后代，那也得看烈士是怎么个死法！你说这些话让你听了气不气？干脆随行就市吧。在我们县城里有三所升学率冒尖的重点中学，每年初中升高中时，这几个中学的校长家门槛就要被踩平。听人说，能进得了这些校长家门必须有两样东西，一是领导的条子，二是一叠叠的票子。我哪儿来这两样东西呀。第一次到某某校长家门前，东凑西借了2000块钱，像贼似的溜进了人家的豪宅。我从来没有干过这类见不得人的事，所以一上来就跟人家坦白说，这2000块钱不成敬意，请校长高抬贵手，收了我女儿吧。那校长掂掂我那只装钱的信封，脸上的肥肉抖了抖，瞅着我上下打量了一番后，突然神色变得颇有几分严肃地说，我们为人师表，可不能收受礼品，特别是钱财；至于你孩子的事，容我们研究研究，只要有可能就一定会招收的嘛。我当时一听简直如同黑暗中见到了一丝光亮，于是一边像做错了事似的赶紧收起那只装钱的小信封，一边谢着退出了校长家。半个多月过去了，当我还在梦想着等候那个校长的答复时，同事们听说后嘲讽我实在太傻了，那学校扩招的名额早已被各种有条子、有票子的人给抢走了。我开始还不相信，跟他们争辩说那校长是个清官。我还把那校长拒收我2000元的事说了。我的同事们一听我这话，都边笑边朝我摇头，说我太不懂'行情'了。他们告诉我，那校长其实不是拒收你的钱，而是嫌你信封里装得太少了，人家根本没有放在眼里！没听说人家都在背后里叫那校长是'万校长’吗？就是不到一万元，人家大校长就不会笑纳的。听完同事们的话，我才恍然大悟，又自惭形秽。我和建刚结婚十几年，带一个孩子，俩人一年的工资能积攒几千元的话也都全部给了铁路买探亲车票，哪来那么多钱呀！我生气极了，心想就是孩子不上重点学校，也不能养那些吸血鬼。于是我跑第二家重点中学。当我叩开这位校长的办公室门时，那颗闪闪发亮的秃脑袋上两只贼溜溜的眼睛直在我全身上下打转。我一看就知道是个比吸血鬼更可怕的家伙。没法，求人家的事，就得让人家的眼占点便宜吧。可是谁知那道貌岸然的校长，竟然说办公室里不好谈，人多眼杂，咱们到附近的酒吧去谈吧。说着，不等我表态就起身拉着我往外走。当时我浑身起鸡皮疙瘩，可念着女儿上学的事，又不好当面驳人家的面子。”

“后来我们到了一家酒吧，大概那校长是那儿的常客，老板一见他进来便特别热情地将他和我领到一个单间。这类酒吧我是第一次进，整个屋子里软绵绵的音乐和灰暗的灯光，令我心头怦怦直跳。那个像灯泡一样发亮的秃脑袋上的一对贼溜溜的眼睛，此时更令我心惊肉跳。我觉得不对头，便起身要走，那东西一把将我拉住，贼嘻嘻地开腔道，你不是有事找我吗？坐下坐下。说着他用力一拉，将我拉到他的大腿上。我急了，猛地将他一推，告诉他，我可是军人妻子，我的丈夫还是战斗英雄！那家伙先是一愣，继而哈哈地大笑起来，说当兵的老婆更需要别人的关爱嘛！瞧他那个德行，我知道这是只不吃到鱼腥绝不叫的淫猫，便直截了当地问他，我的孩子到底能不能上你的学校？他一听，似乎觉得有戏，便恬不知耻地把那张臭嘴凑过来，色迷迷地说，这可全看你了！说着那双爪子朝我胸前伸过来。我的头嗡的一声爆裂，不知哪来的力气，抬起双手猛地将那家伙往沙发上一推，破门而出……我都不知道后来我是怎样走回家的，只听女儿问我，妈你怎么啦？怎么满脸都是泪水？我这才忍不住哭出了声……”

我看到赵梅的眼里晶莹闪烁，那一定是拌着苦涩的泪水。

赵梅擦着泪痕，继续说：“这样的事，像我们这些军人的妻子不知一年中要遇到多少次，而且还只能把泪水咽在肚里，让男人们知道了有时反弄出麻烦。你说说看，他们这些在外当兵的，哪知家里我们这些女人受的冤苦啊！其他的事咱能忍就忍，有辱也吞了。可孩子的事耽误不得呀！那是孩子一辈子的前程啊，真耽误了对得住谁呀？要说嘛，做女人难，做军人的女人最最难！”

“这就是你为什么一定要让建刚今年转业的最根本理由？”

“可以这么说。”赵梅突然脸色变得颇为严肃，“他为国保边防牺牲了我作为女人应该享有的十几年生活，这我可以承受，但现在孩子长大了，到了决定女儿今后命运的关键时刻，建刚他有义务承担作为父亲的责任，尤其是当我力不从心的时候，我这样想并不过分吧？”

“当然。”面对我们的孩子，即使是功勋卓著的将军和元帅，也该暂且放下手中的指挥刀而去提携帮衬一把，因为孩子们确实是我们的明天啊！

在即将完成此作时，我给已经到地方工作的建刚打了一个电话，询问他和赵梅以及他们的千金的情况。他颇为兴奋地告诉我，他女儿现在的学习大有提高，看来今年的高考是有把握的。

听到这个消息，我心头也像放下了一块石头。我知道，在中国的亿万百姓家庭里，军人的子女是一个需要特别关照的群体，否则将是极不公平的。

写到这儿我自然而然地想起了另一位战友，现在已是某省武警总队的司令员了。他叫张宝光，将军军衔。宝光将军当年与我同在武警学院任职，我转业后他只身到了南方，开始任总队的副参谋长，之后任参谋长，五年前任总队长，去年由军委主席江泽民签发命令晋升为将军军衔。宝光的家在北京，从小在北京的将军院里长大，后来成为“八一队”的运动健将。他在北京有个幸福的家庭，娇妻娇女，令人羡慕。那年我们一批家在北京的战友“集体”转业进了北京落户时，宝光则到了海南。老实说，我们这些战友对他的举动并不是十分赞赏的，因为当时海南省刚成立，而且武警总队也成立不久，且当时也只是个师级编制单位。我们半开玩笑地对他说，你的未来顶多只是个大校。大校在北京能算个什么？什么都不是，跟进京打工的农民一样多。那时海南特区刚建立，走私和敌情十分复杂，武警的任务非同一般地区。但将门出身的宝光说他就是爱那种冲锋陷阵、惊心动魄的军人生活，海南勤务的特殊性可以满足他的这种渴望。宝光到海南后的战斗生活确实并不轻松，可以说是相当的艰辛与危险。那时海南几乎每天都有走私分子在海上猖狂，至于胶林和原始山林里的土匪以及灯红酒绿下的海口、三亚大街上的杀人、强奸、抢劫等恶性事件也是层出不穷。宝光是参谋长，老百姓都以为是大官，其实当兵的人都知道，以他的职位，在每一次执行紧急任务和处理突发事件时，既是前线指挥员，又是提枪冲锋的火线战斗员。在那些年里，宝光的女儿妮妮在北京读中学，当爸爸的他不仅难有时间回北京看望心肝宝贝，而且连一直陪伴妮妮的妈妈，最后也让他这个参谋长以一条“战事需要”的理由，调到了海南。妮妮知道妈妈要离开自己时，哭得好伤心，但懂事的女儿擦干眼泪对妈说：“爸爸出生入死，经常要挂彩，有你在他身边会好些的。我会自己管好自己的。”妮妮上高中时，正是宝光带部队执行公安部命令在海南境内全面开展“严打”的紧张日子。那可不是闹着玩的战斗，几乎天天都是刀光剑影。女儿妮妮写信告诉爸说，我现在的学习太紧张，天天要考试。宝光在巡逻的警车上或是在埋伏的草丛里给女儿回信说，爸爸和你一样紧张，你攻下一道难题，我便在完成一个歼敌战斗，我们在南北战线开展竞赛如何？妮妮说，好啊，我跟爸爸比赛，看谁消灭的敌人多！不过爸爸，你千万千万要注意安全，小心踩上坏人的地雷与炸药，你要永远记住妮妮和我妈妈都在等你回家。在很残酷的战斗面前从不掉泪的宝光，读着女儿的信，眼泪忍不住流满两颊。他在丛林中提笔，给女儿妮妮写道：孩子，爸爸用枪声和捣毁匪窝的信号弹为你的高考演奏进行曲……那一年，妮妮在北京挥汗决战“黑 7 月”，赢得了高考好成绩。父亲宝光在五指山腹地的密林里指挥部队出击，一举击毙海南建省后最大的犯罪匪首刘进荣，胜利消息传遍海岛，传到公安部和中南海。

妮妮现在是上海外国语大学的三年级学生，她至今保存着将军爸爸当年为激励她参加高考写的“军令状”——“努力考取上海外国语大学！”

将门出才女。妮妮说她一直梦想能够成为上海外国语大学的一名学子，所以爸爸“发”下了这个“军令状”。“嘻嘻，我成功了！在爸爸的肩头扛上那金光灿灿的国徽章时，我对爸爸说，你的将军衔上有我妮妮的一缕光。爸爸一听，搂着我开怀大笑着说：当然，还有你妈妈的一缕光呢！”

听着将军一家人的对话，我心头顿涌暖意。

毫不讳言，正因为我曾经有过15年的军旅生活，战友们的家庭似乎更容易进入我的视线。1999年春，我们中国作家代表团在新加坡开完会回国途经深圳，这是一个我已经有11年未踏过的城市。与第一次来时相比，深圳的变化是巨大的。我拨通了集体转业到此地的基建工程兵老乡和战友的电话，之后的情景是极其令人激动和难忘的。我至今找不到世上哪一种情谊能够超过战友情的，更何况迎接我的是一群我的老乡战友！

望着深圳一座座现代化的摩天大楼和车水马龙的大街，我忍不住在内心感叹道：深圳，你真该感谢我们的基建工程兵战友。80年代初，一位老人在南方画了一个圈，于是中国就有了一个代表改革开放的大特区。而正在老人画圈的时候，他又在军队建设上重重地画了一笔：裁军百万。我的基建工程兵战友两万余人服从命令，南下到了初期的深圳。那时深圳只是一个荒僻的小镇，我的战友告诉我，他们在前几年过的日子完全可以用“不堪回首”四个字来形容。住的是小毛坯房，吃的是自己垦荒种出的菜，干的是最苦的活——整天挖沟打洞修大路。“我们不少人都是北方长大的，从来没有到过南方，更没有见过像苍蝇那么大的蚊虫！吃下一口东西，得往厕所跑三趟。唉，那日子现在想都不愿去想……”在我的两万多名战友中，现在不乏已经成了百万富翁、千万富翁的，但只要他们回忆起当年经历的战斗生活，都会流下眼泪……

这些都是昨天的事了，我现在关心的是他们的下一代，因为他们的孩子基本上都在上高中或开始考大学了。然而当我就子女上学问题采访他们时，却意想不到这些特区“垦荒牛”们有着无比的辛酸与无奈。

黄钢，当年第一批开赴深圳建设工地的基建工程兵战友。谈起他那个去年刚在深圳考上大学的儿子的有关情况，“一言难尽。”黄钢叹了口气。他说，他是1983年在进深圳前同家乡的一位姑娘结的婚。当时有两种考虑：如果深圳干得不好，就回老家，因为老婆孩子在河南老家，组织上也不能不考虑；如果深圳待得下去，就想法以后全家都过来。在当时基建工程兵大军里从将军到士兵，几乎人人都是这么想和这么做的。但是没有想到的是特区变化实在太快了，快得让这些埋头在为深圳的现代化城市铺路盖楼的官兵们一觉醒来时，发现自己辛辛苦苦建设起来的城市，竟然被成千上万的“淘金者”都给占领了，包括户口、住房、好工作、好单位。甚至那些住着他们盖的房子赚了大钱的商人和漂亮的女人们，连楼门都不让他们进……

“我们部队同志的孩子，大多数跟我一样，基本在1989、1990年前大部分家人还在老家，因为这之前我们自己还立足未稳，而且根本没有时间和工夫去考虑自己安置落户的事，成天忙于当‘拓荒牛’。等我们立足后，发现我们亲手建起的美丽特区有许多事竟然对我们自己关起了门，如家属落户、孩子上学等全变成了需要‘走后门’的难题了。你也许听说过曾经发生的万名基建工程兵官兵大罢工的事件吧？那实在是我们感到生活对我们太不公平了才做的事。后来问题得到了基本解决，大家的心便安定了下来。可是有些事已经不是政府和组织所能包揽的了。其中突出的就是孩子上学的问题。当我们还在埋头盖房铺路时，深圳的其他建设已经一日千里地在发展，来自四面八方的人才潮水般地涌入。而当我们这些‘老深圳’人准备从老家把自己的老婆孩子迁来跟我们一起过时，已经全然没有了我们可以去的地方：家属工作，全被那些打工者抢去了，孩子想上的好学校也都被大富豪们的子女占据了。我们辛辛苦苦建起来的深圳，最终成了别人的乐园，我们自己的坟墓——可能我说得重了些，但事实上我们经历的心理痛苦的确是这样。深圳后来一般招工单位都要求有大专、大学以上的文化。我们一想惨了，等我们的孩子参加工作时，不得至少要大本以上的文化程度吗？于是把孩子培养成大学生成为我们安家落户后要做的头等大事，一连串的难事也就开始了。首先，我们的从山区或者文化底子本来就差的农村甚至边远地区来的孩子们转学到深圳后，学习跟不上。怎么办？找好学校呗！可好学校是我们这些人进得去的吗？好学校找不到我们就想法请好的家教吧。于是在我们基建工程兵单位里，请家教成风。大批内地来的大学生一时找不到工作，便纷纷进驻我们的每家每户。随即我们辛辛苦苦盖楼筑路积攒下的血汗钱被卷得所剩无几。有的人自己的家里还没有来得及买齐家具备好新床，即将挣来的钱都花费在孩子的家教和上学上。家教一个月高的一两千元，一般的也要花上几百元。我们的工程头头为了让自己的女儿进深圳最好的中学，特意一个月花 3000 元请博士生做家教。我们的职工家属曾经反过来为那些当家教的大学生们做保姆。有个职工的家属来深圳后一时找不到工作，她丈夫又一天到晚在工地上，家里的孩子请了一个湖北某大学的本科生，每月说好了给 2000 元进行三个月的强化家教。那女家教不仅吃住得我们职工管，而且还必须负责接送她。有一次这个职工在工地活忙了些，没有及时把钱送回家，这个女家教就直骂孩子的母亲，最后让这位母亲当着孩子的面跪下认错。天下哪有这般理：主人反给请来的家教下跪！可是这样的事就在我们基建工程兵建设队伍中发生过。我们的职工知道后，就找到那个女家教，狠狠教训了她一顿。结果人家有叔叔在公安局工作，把我们的职工关了起来，最后是我们单位群起攻之，才把人放了。想起这些事，我们这些没有被钢铁和水泥板压垮的人，却被孩子上学的无奈压得心痛泪流……”

"就说说我自己孩子的事吧。"当年还是满脸稚气的黄钢，如今已是满颊胡须的中年大汉，他在我面前毫无掩饰地一把鼻涕一把眼泪。他说，他的孩子是上完小学才到深圳的。孩子没有一开始就到深圳上学就是因为当时黄钢的家没有安顿好，再说一家四口人一下到深圳仅靠他一个人的工资也很难度日，所以等他家属也找到工作时才把两个孩子从老家迁到深圳。没想到他的大孩子进中学成了问题。他找的第一家中学比较好，花了5万元赞助才进去。可一年下来学校通知他，由于成绩跟不上，劝其转学。没办法，黄钢一年白丢了5万元血汗钱。后来找到了另一所中学，可另一个问题出来了，说户口不在所在地，不能插班。好说歹说，黄钢托人拐来拐去找到市教育局的一位干部，才给解决了。上到半年，学校让孩子带回一张通知，要求学生"自愿赞助三万至五万元，用于改善学校设施"。黄钢家本来经济就紧张，一个半人（他爱人的工资只能维持自己的生活）要养活四口人，再说刚刚被前所学校"宰"了5万元还没喘过气，怎么"老虎"又来了？黄钢硬压着心头之火，脸带很难看的笑容找到校长请求"从宽处置"，黄钢想以曾经是这所学校的建设者身份出现，可能校方会给三分面子。谁知那校长见他后就眼睛一瞪，说：人家一个插班生交20万的都有，你们这些穷当兵的怎么这么赖嘛！黄钢一听就急了，回敬道：你知道这所学校是谁盖的吗？那校长说，我管谁盖的？在深圳盖房子的还不是些下里巴人？黄钢说他从未受过这等污辱，开口就朝那个校长骂道：你这样的家伙也配当校长，我把孩子送来是瞎了眼！骂也算骂得痛快，可孩子上学的事毕竟仍然是个问题。无奈中，黄钢又从单位借款把儿子送进了一所私立学校。私立学校倒是省心，可黄钢说他从此就像一个背了座山的老愚公似的，每天想着的是怎么还债。

"现在深圳的建筑市场已经不怎么好做了，竞争十分激烈，我们单位不得不做些贸易。前年我从施工一线要求调到贸易公司做部门经理，意在多赚些钱，供两个孩子上学，还要还债……"黄钢说到这里，不好意思起来，"你别看我的名片上已经是'副总'了，其实徒有虚名。如果不是公司生意惨淡，单位也不会走马灯似的老换老总。

我们都是当兵出身的，也许一辈子就改不了当兵的毛病。可这生意场上，我们当兵人的性格便成不了事。这不，我们也算是可以做些进出口贸易，要说黑着心赚大钱不是没有机会，可事情一到我们这些当过兵的人手里就不成。比如香港总有人说在你们进口的建筑材料集装箱里装点内地市场上热销的手机、VCD 什么的，我们哪会答应嘛。有位老板不知从哪儿知道我儿子要考大学，便约我到沙头角‘喝茶’，当场拿出 10 万元港币，让我答应在我们的一批集装箱里装进他的手机。我说这事你找错人了。他说没有找错。我问，你凭什么说找的就是我？他说，凭你两个孩子都快要上大学了。我一听就火了，我家里的事用得着你管吗？那家伙可能还从来没有见过像我这样的人，请客的喝茶钱也没有付，收起那 10 万元钱便跑了。

“其实我当时是窝心，本来为了孩子上学的事遇到那么多叫人说不出道不明的事，他个外人凭什么也来捅我的心窝？我们已经够累了！”

我的这位战友一点也没有改变当兵的性格。其实后来我了解到，在我们基建工程兵战友中，还有无数为了孩子上学而付出更多代价的人。下面这位，我不便把他的真实姓名告诉大家，就叫他老马吧。

老马在当年是师里有名的精明人，在部队集体转业到深圳的第二年，他一看成天跟砖瓦打交道，还不如回自己的西安市，于是费尽周折从建设大军中分离出来，通过各种关系进了西安的一家大型军工企业当后勤仓库副主任。开始几年，老马很庆幸自己离开深圳这条路走得及时正确。哪知一转眼深圳成了全国人民向往的地方，先不说那是个黄金成堆的前沿市场，单说很多内地人到那儿去一次就兴奋得好像跟出趟国一样；又听不少战友传来消息，说他原来部队上的某某人现在已经是百万富翁了，过几年又听说另一位原来在他手下当兵的人成了千万富翁。老马听后心里痒滋滋酸溜溜的。这光景没过两年，老马所在的军工企业关门转产，40% 的人下岗，像他这样非技术人员自然是首当其冲地成了第一批下岗对象。这下可让老马傻了眼：自己堂堂一个军队营职干部没了饭碗，家里一个上高中的孩子都供不起呀！这事闹的！

老马左思右想，最后不得不老着脸皮跑了趟深圳，找到已经当了深圳市某建筑总公司总裁的原部队副师长。“老首长，请你开开恩，我还想回深圳来，要不孩子上学我都供不起了，他还有两年就考大学了，我不能耽误他的前程呀！呜呜……”老马的脸是丢尽了，当初他是瞒着这位领导离开深圳的。老首长看到他的样子，说：“看在你当年曾经为我当过几年警卫的面上，也看在你孩子面上，我帮你想法再把你的关系办来。不过工作问题你自己解决。”老马连连向老首长叩头，心想，此一时彼一时，现在进深圳户口可不像他们部队刚集体转业那会儿。现在能进深圳一般关系是根本不可能的呀！老马重进深圳的事在老首长的关心下办得很顺利，但工作却并不理想。最早他想过回部队继续干老本行，但几年过去变化已经很大，原来的的位置不可能再留给他了。无奈，经人介绍，老马凭着他西北大汉气宇轩昂的外貌，进了某公司当保卫部长。在公司当保卫部长说穿了就是“看门”的角色。战友们有时碰到一起，便跟老马开玩笑，说你现在混得不错啊，当了个“营职军衔的看门狗”。这话对老马刺激很大，但为了全家人能在深圳落户，老马不得不忍下这口气。但事情还不止于此。老马要使自己的家人进深圳，必须依靠公司出面帮着办才行。有一天，他终于怯生生地敲开了“总裁”的办公室。而正是这一敲门，使老马后来的命运发生了质的变化。

老马意想不到的是，他所在的这家拥有几千万资产的大公司的老板，竟然会是一位三十来岁的水灵女人！而且这位水灵女人与他第一眼相交时，双方竟都呆呆地相互注视了至少一分钟以上的时间：老马是为对方的美丽所倾倒，那年轻女总裁则是被充满雄性气概的下级所震惊……下面的事是老马身不由己了，且他也不是没有自己的某些深深埋在心底的欲望。后来老马被调到了“总裁办公室”当干事，其实是女总裁的私人保镖加情人。老马的工资收入立马丰厚许多，全家的户口也很快到了深圳，只是他不能经常回家，有时甚至一个月回不了一次家。而难得回家一次的主要任务，是给家人送生活费和儿子的学习费用。老马的儿子在一家私立学校就读，费用很高，每月都得送一次钱。有一次老马跟那女总裁到香港谈生意比原计划晚了一个星期回来，等到他去给儿子送生活费时，儿子见了他就冲着他说：你倒跟着婊子在外面舒服，我在学校等了你多长时间你知道吗？想买一个 CD 都买不成！老马当时气得脸都发青了，自打他跟女总裁有那事后，当年的老战友们好多已经不怎么爱理他了，这已让老马的自尊受到了伤害，而今自己的儿子竟然也拿这事来刺激他。"你小子也想往我身上泼脏水呀？我还不是为你小子上学念书才赖在人家身边的？"老马把多少年积在心底的怨愤一下撒在了儿子身上，他抬起那只有力的胳膊，使尽全力，朝儿子的脸上、头上抡起……儿子被打得皮开肉烂，一气之下休了学，离开了家。打这以后，老马常常像失魂似的，甚至连与女总裁亲热时也显得心不在焉。没过多久，用女总裁的话说，老马已经是匹不能再上坡的真正老马了，自然，他不可能再留在女总裁的身边，他的职位由一个从内蒙古来的新"马王"所代替，老马回到了他过去的保安部。

所有这些，老马对过去的老战友谁都没说，倒是他流浪一年的儿子悔过自新地重新回到了学校，并且开始认认真真地读书了，老马那颗凄凉的心有了些暖意。只是现在他不能像过去那样每月只送一次钱，他现在必须每月跑两次学校。儿子知道，他老爸现在已经被原来的公司一脚踢了出来，到了另一家小公司当副主管，一个月的工资不到两千元，所以他必须每月分两次给儿子送钱……

"你们不也都是从没有文凭的解放军大学校出来的嘛，干吗受那么多罪，非得硬撑着让孩子以后上大学不可？"在同老战友们谈论子女问题时，我颇有感慨地发此言语。不想立即受到几乎所有战友的有力反击。

"何兄你不要说得好听，你敢说将来你不让你的孩子上大学？"朝我说话的是我的老乡战友徐建平。我们是同乡加同学，又在一个部队待了好几年，亲如兄弟，他的爱人也是高中老同学，叫鲁建英。

徐建平把我问倒后，便坦言说起他们在深圳的感受：我们这代人是为深圳搞基础建设的，那时的工作有力气，有干劲就行。现在可不一样了。你光有力气光有干劲会连饭都吃不上。这不是说瞎话。深圳每年从内地来打工的人中，光大学生博士生等在人才招聘处门口就有好几万！就说我们部队搞建设工程吧，你单位如果没有几个硕士、博士生当技术人员，人家业主招标时考虑都不考虑你！你还有啥能耐？

我知道我的老乡比较有出息，手头的钱已经都是七位数了，便说：在深圳这样的地方，光有钱不成了？

那也是前几年的事。徐建平说，没有文凭，在以后的现代化城市中肯定吃亏。就拿我们这些人来说吧，照理在单位干了二三十年了，论经验论资历都该当上层领导了吧？可不行，上面考核你就缺最重要的一条，就是你没有学历。技术单位，没有进过正规的大学进行专业学习，确实不行啊！你不服没用，我们这些人连 26 个英文字母都背不齐，而现在我们用的设备很多都是进口的，全是英文说明。跟外商做生意也是，不懂点外文你吃了亏还找不着北，这怎么行？我们这些人这辈子也就是那么回事了，可不能再耽误下一代呀！他们要是没有大学以上的文化，就别在深圳这样的地方呆！真的，我们今天能在深圳待得住，是因为我们确实是流过汗、流过血的深圳拓荒牛。但如果我们的孩子也只有像我们的文化水平，那他们真的会在深圳待不下去的。靠我们留下的几个钱能维持多久？有道是：金山银山能吃空，只有知识和能力才是现代社会的立身之本。

我惊喜地发现，现代化的深圳使我的战友和老乡的意识已经无比进步了。不过，每个家庭的情况是具体和现实的。我知道，徐建平的儿子正在上高中，且成绩不怎么样。他对此怎么看？我很想知道。但徐建平有意回避这个话题。从另一位老乡那儿，我了解到了实情：徐建平为了让儿子以后能考上大学，花了 20 几万元把儿子送进了一个什么“国际”学校。

“小平不容易，在孩子身上没少花钱。本来不一定非要进那些贵族学校，但他的太太鲁建英执意要送孩子到最好的学校读高中，其实她自己为这孩子上学的事吃的苦比自己干工作还多……”我的另两位老乡战友悄悄告诉我。这使得我有种必须采访徐建平太太的想法。

其实我与徐建平成为同班同学时，早已经跟后来成为他太太的鲁建英有了好几年同班同学的历史了。鲁建英是我小学和初中的同学，她后来因为家庭的原因没能上高中，但这并没有影响她成为我老家一带有名的、人品与相貌都很出众的姑娘。鲁建英属于那种性格开朗、办事干脆的女人，只是我们很多年没有见面，她那张本来很动人的脸上添了不少皱纹。因为从小就是老同学了，鲁建英那晚谈了她很多我以前并不知道的事。下面是她的话——

……你是知道的，我家的成分不好，所以初中毕业后就没有同你们一起上高中。可后来“文革”结束了，我们这个年龄的人就马上觉得自己吃了大亏，因为大学考不成，再进高中年岁又大了。剩下一件事就是嫁人。那时能嫁一个军官可能也就凭着自己一个相貌上的优势吧。徐建平他们集体转业到了深圳，我在 1986 年也到了他身边。那时我和孩子的户口还没有落实，所以也只能到一些单位做临时工。直到过了两三年后，户口才正式到了深圳，可那时深圳人才市场已经被来自全国各地的精英占领了，啥部门啥单位进人都是要大学生。我们虽然也算是深圳人了，但找起工作远不如外地来的大学生们容易。丈夫一直在原来的部队单位工作，一个高中生也能凑合有口饭吃。我就不行了，只有初中文化，再能说会道也只能干那些简单的体力活，比如小企业的操作工、饭店的服务员什么的。我来了几年，换过四个单位，全都是给人家当下手。有一段时间在一个宾馆当服务员，30 几岁的人了，家里又有孩子老公，可在外工作天天要看人家的脸色。特别是深圳的宾馆、饭店这些地方，人家主管和经理都是 20 来岁的小孩子，可人家都管着你，因为她们都是有文凭的大学生什么的，你没有文凭，再有能耐也只能当端盘或扫地的服务员。服务员也不好当呀，你每天都要与宾馆的客人打交道，而那些客人一住下来，便以为深圳的宾馆服务员都是妓女，无时无刻不瞪着色迷迷的眼睛盯着，左唤右呼叫你“小姐小姐”的。那些外来的打工妹经不住诱骗，下水便是常事。可我们这些有家有室的“老姐”哪受得了那些臭男人的那些德行！正是在当宾馆服务员的日子里，我坚定了一个信念，就是自己一定要拿下一个文凭。为了这个目的，我这几年没少吃苦，别人的太太放假过节在家搓麻将、陪孩子丈夫，晚上出去过夜生活。我则骑着车、撑着雨伞去上课听辅导……三年多时间，几乎天天都是白天上班晚上上课，星期天还得去听辅导。前年我总算拿到了文凭，现在我在一家大公司负责财务，虽然一个月只拿一两千块钱，不算多，但跟以前相比，我觉得人格得到了尊重，业务能力也很不一样了。正是从我经历的酸甜苦辣中，我更加感到儿子他们这一代，必须接受高等教育，否则不仅永远进不了上流社会，而且连基本的工作与生存都成问题。

“听说你儿子正在上高中，成绩不是太好？”我问。

鲁建英没有回避她最担忧的事，她说她儿子的成绩不行，所以花了28万元才进了一个“国际”私立学校。

“怎么要那么多钱？”我感到惊诧。

据说是包上大学。谁知道是真是假，反正有合同签着，它学校以后想赖也不易。她说。

“如果还考不上大学你又怎么打算呢？”

办法总是有的，这年头只要有钱啥事办不成？鲁建英好像心中早已为儿子设计好了一条通向大学的“金色通道”——实在不行，再花钱把他送到国外去呗！深圳很多家长都是这么做的。她介绍说，在深圳就两种人，一种是自己很有本事，也有学历，但工作和生意忙，顾不了孩子，这些人的孩子的出路就是送出国。还有一种是自己什么文凭都没有，但很有钱，所以孩子的出路也是送出国。“苦就苦在我们这些既不是很有钱又不是很有本事的人，可孩子是一样的呀，所以我们同样供一个孩子上学、考大学，要比别人日子难过多了！否则我也不至于老得这么快，让你老同学都快认不出了……”

老同学的话，深深地留在我的心头。是啊，真是天下的父母都不易。很多人认为深圳的人都拼命在赚大钱，赚了大钱好享受。其实他们哪儿知道，有“拓荒牛”之称的深圳人，绝大多数拼命工作、拼命赚钱的最终目的，是为了自己孩子的未来前程。他们自己哪里顾得上去享受和奢侈？孩子是他们的全部幸福与希望，他们为孩子铺路盖楼，建设美丽的城市，赚很多的钱，而生在蜜罐里的孩子又有多少人知道父母的这般心思？在深圳长大的孩子们，不少人只知道花父母的钱，却不知道父母为什么愿意把滴滴汗水挣来的钱给他们用，因此也不把父母的钱当作一回事，甚至连书都不好好读。比如徐建平夫妇的儿子，是个很聪明的孩子，长得又很帅，但就是成绩上不去，他真的笨？不是，是他还没有真正懂得父母因为爱而为他付出的那么多心血。

2000 年 1 月，我又到深圳出差，见到老同学。徐建平夫妇又非常沉重地告诉我，他们的儿子已经从“国际”学校出来了，再次花了 6 万元给他转了个高中学校，又怕儿子在新学校基础不扎实，让本来已经高二的儿子退到高一“复读”。他们与我长谈中一声长一声短地哀叹无奈。我听后真想替他们揍那儿子一顿。

“何叔叔，我很想见见你呀！可听说你马上就要回北京了？真遗憾。你的书我都看了，很好看，真不错。下次有新书再给我寄来啊！”真是没有想到，第二天在我临上飞机前，电话里传来了徐建平儿子的声音，让我大感意外。

“好好，一定！”我想起该给这位留级的“复读生”说几句像个长辈说的话了。“听说你的成绩不怎么样啊！那可不行。记住，以后的竞争十分激烈，你爸和我们这一辈人不管能力大小，总还有机会给我们自己弄口饭吃，到你二十多岁时，如果没有一个高学历，恐怕连口饭都很难吃上了。明白吗？这是叔叔的肺腑之言。”

“我知道，叔叔，现在我明白一点了，一定好好学习。对了，你们北京四中和《海淀考王》一类的高考复习资料很不错的，以后想法给我寄点来啊！”

"好啊，我一定给你弄几套这样的书，还有比这更好的……"

"那你一定不要忘了。"

"当然。"

"叔叔再见。下次带妹妹和阿姨到深圳来玩。"

"好的。再见——帅小伙。"

没有想到一个电话使我对老同学那"朽木不可雕"的儿子完全改变了看法。这么聪明的帅小伙，读书就真的那么无奈？我有点不信了。但愿我的判断是正确的。

从徐建平和鲁建英夫妇身上，我感受到了一代深圳人为了自己子女上大学求出路的艰辛历程。那是苦涩的，但步履却是咚咚作响的，而且有一种谁也挡不住的力量！

老根的无奈"措施"

比起我的这些军人出身的朋友来，下面的这位家长为其女儿所付出的心思，则要更加让人揪心——

他叫老根。老根的女儿玲玲是独苗苗，长得美丽动人，12 岁时就有人追在她后面要跟她"谈恋爱"。那时玲玲虽看上去像个可以谈恋爱的花季少女，可对男女之间的事并不懂。见有人追她，吓得直哭，回去向在工厂生产调度科当科长的老爸一说，气得老根第二天下午就到校门口等"坏小子"露面。后来自然没等着，因为那男孩子是附近中学的一名高中生。当这位高中生弄明白了玲玲才是位初一生时，就主动放弃追求了。玲玲发育早，有不少好处，比如在同班同学中，每次体育比赛、文艺活动，她总是被选上，而且由于她长得漂亮，学校或年级有什么对外社会活动，总把玲玲抬到前台。玲玲也不负众望，总把自己的角色扮得合适到位。但比别人早熟的玲玲也有烦恼，那就是她的学习成绩总不稳定，有时考到全班前三名，有时差得连中游都勉强。从初中到高中，玲玲自己也弄不明白是怎么回事。高三"一模"时，她得了全班第二名，老师也对她给予很高期望，"二模"时玲玲却一下掉到了全班第23位。吓得她自己直发高烧。正在班主任和她老爸老妈着急时，“三模”时玲玲又不声不响地得了个全班第四名。最后父亲和她的老师一致给玲玲“会诊”，结果是：这孩子心理素质有待提高。

前年高考前十天，老根问女儿怎么样，玲玲说感觉一切正常。孩子的妈是街道清洁工，没有多少文化，关于女儿的学习问题都是老根把关，所以老根对女儿高考前的一举一动最放在心上，甚至最细微之处他认为都得关照到，比如买点“脑黄金”，比如备个临场要用的氧气袋，只要能想得到的，只要别的考生家里有的，他老根也全都为玲玲备好了。

7、8、9三日，老根天天陪女儿考试，但每一门考完出来时，玲玲都怨自己没考好，那烦劲比谁都厉害。

别急，也许你自己判断有误，说不定成绩还是不错的。父亲用这样的话安慰女儿，玲玲就是摇头。8月初，高考成绩下来了，玲玲的同学大半考上了，甚至平时比她差不少的同学也考上了大学，而玲玲则没有考上，而且成绩差得让同学和老师都感到意外。

老根没有让女儿放弃再考。因为玲玲的老师和同学都认为玲玲是一时的失误，只要放平心态，来年一定能考个重点大学。落榜之后的玲玲经过老师和同学的鼓励，在父母的支持下，走进了复读课堂。复读班对许多同学来说是压力特大的，可玲玲一点也没感觉到，因为她的成绩一直在复读班里名列第一。第二年高考的硝烟燃起前的一个月，老根跑到学校问老师，玲玲的情况到底怎么样。

“没有问题，绝对成。”老师肯定道，说不定玲玲今年能考上北大、复旦。

老根乐滋滋地回到家，又重新拾起头年为女儿买的氧气袋和没有喝完的“脑黄金”，还为女儿备了几只大王八。

新一轮的高考又来临了，老根见女儿临阵时怎么又犯了躁！

哪儿不舒服？

玲玲摇摇头，没有回答父亲的话。

走进考场，玲玲感到自己头一年的心焦口燥的毛病又上来了，她越想越紧张，越紧张就越心焦口燥……不用问，与上一年结果一样，气人之处是两年的高考分数不多不少，竟一模一样！

老根气得直骂："没出息！"

玲玲蒙着被子在床上三天没起来，两只眼睛哭得像桃子。骂归骂，哭归哭，可玲玲的问题到底出在哪里？老师比家长还着急。最后还是被一名从外地调来的女老师"诊断"对了——一定是孩子的经期给闹的。

老根虽说同家在农村的老婆结婚十几年了，但女人生理上的事他过去从来没有注意过。男人只管爱，只管娶女人做老婆，只管上床睡觉，只管等着抱孩子，如果是女孩子的话也就是少用拳头而已，所以老根压根儿就不知道女人的身子还有那么多"毛病"，比起男人可复杂多了。他翻开那本搁在抽屉里足有十几年的《家庭生活手册》一看，上面写着，许多女人在月经前数日起到月经中期出现很多反应，如下腹痛的就占45%，腰酸的占27%，情绪不稳定的占22%，有倦怠感的占26%，还有什么患头痛的、目眩的、腹泻的、甚至狂躁的、记忆力差等等，毛病还真不少哩！老根长叹一声，过去咱们大老爷们看来还真没有少让孩子她妈们受罪哩。

玲玲的高考成绩就是被这该死的"月经"给闹的。老根把书本一扔，心想这回算是找到"问题所在"了。剩下的就是"对症下药"。

"这事本该你们娘儿们去做的，叫我一个大老爷们怎么开口？"半夜里，老根从老婆身上滚下来，长叹了一声，无可奈何地坐起来抽着闷烟。

第二天一早，他赶到市医院，像小偷似的左瞅瞅右瞧瞧走上三楼的妇科门诊部，老根感到所有的人都用奇怪的目光在审视着自己，特别是那些年轻的女人，向他投来的目光无一不是鄙视的，老根越想越感到自己脸上发烧，心里越紧张，目光越是让人觉得痴呆呆的。

"你是干什么的？陪人来看病的？"突然，一位穿白大褂的女医生瞪着两颗“卫生球”一样的眼睛向他发问。

“看看？这儿是你东溜西瞅的地方吗？快走！”女医生用严厉的口气责令他。

一连三天，老根天天来到三楼的这个医院妇科门诊部，却没有一次不是落魄而归。当第四天老根觉得必须要为玲玲“完成任务”，再次来到三楼的妇科门诊部门口时，此次迎接他的不光是那个穿白大褂的女医生了，而且还有两个身强力壮的男士。

老根想笑又想哭，可就是说不出话来。当他最终把自己的心事“坦白”给两位医院的保卫干部听时，人家差点笑破了肚子。那位瞪“卫生球”眼的女医生，最后非常温柔地给老根介绍了一种办法，并特意为他开了一个处方。“连续吃上半个月中药，外加内服这些雌激素和孕酮混合剂，就可以把你女儿的经期调整过来。”女医生说完仍然认真地吩咐道，“关键要用药准确。”

“一定一定。”老根手捧处方和药单，连声向女医生致谢。

回到家里，老根就忙开了。考虑到必须“见效”，老根便对老婆说得租个地方让玲玲安下心来备考，所以他向一位亲戚借了一间闲着的房子，从6月份开始便按照医生的吩咐“实施行动计划”。老根可是费尽了心，先是早上起来到市场上买好一天的菜，然后是三顿饭，再就是上午必须煮好的3帖中药。玲玲讨厌吃中药，“一闻就想吐”，她说这话时，老根气得眼珠子差点掉出来。

“你不吃也行，能保证考上大学？”

女儿不再有话了。闭上眼睛，皱起眉头，一口口往肚子里咽苦水。老根呢，每天宁可晚到班上被扣工资也要看着玲玲一口一口将药吃尽。那些日子里，老根把女儿关在小屋里40多天，总共吃了36帖中药。这事从头到尾，老根就没有跟女儿说过到底是为了什么，玲玲也因为有了两次落榜的经历，对父亲的任何有关为自己高考做的事，只有服从而根本没有了询问的权利。有一次她实在觉得药太苦，喝到一半就想倒了，老根差点抡起巴掌往她脸上打过去。

“你知道我弄这些药被别人踩成什么样？”老根的脸都变了形。

玲玲再也不敢说药苦了，只当是自己考不上大学命苦吧。女儿大了，老根也不好意思问女儿“例假”什么的，只好每天注意厕所篓里的脏纸是不是有血。从玲玲妈那儿知道女儿上次的“例假”是30号，如今已是2号了，老根见女儿仍没动静，他着急得连上班都停止了，天天留在小屋里守着玲玲。看女儿上一次厕所，他转眼就跟着进一回厕所。7月3、4、5号三天，老根的神经简直快到了断弦的时刻。6号早上起来，老根第一句话问女儿的便是：你啥事没有？

玲玲摇摇头，说啥事没有。

身体有没有不适？

没有。玲玲还是摇摇头。

明天又要考了，紧张不？

不了。我已考了二回，这次感觉最好。

40多天来，玲玲头一回朝父亲笑。

真的？

真的。女儿突然问父亲：你给我开的什么药方？好像挺管用，以前每次高考前我总是浑身不适，心里特别烦，这回好像特别平静。

“玲玲，爸为你……”老根刚想吐露真言，突然又戛然而止，改了口吻，“爸已经为你明天的考试准备了一辆车，送你到考场，中午再接你回来睡一会。你只管安心考就是了。”

女儿“嗯”了一声，默默地重新回到题海之中。

7、8、9号三天的考试，玲玲从从容容地走进考场，又从从容容地走出考场。当9号下午最后一门考完走出考场时，老根没有发现自己的女儿出来。他急得直奔学校的17号考室。当他走近那儿时，他看到了玲玲呆呆地坐在教室门口的石条上两眼朝天痴情地望着苍天……老根吓坏了，以为女儿神经出了毛病。“玲玲，你怎么啦？怎么啦？是不是最后一场没考好？啊，你说话呀！”

“不，爸爸，我考得挺好的。”玲玲突然抱住父亲，呜呜地痛哭起来。“爸爸，我、我现在感觉肚子有点疼。真的，哎哟，疼厉害了——！”

老根赶紧扶起往地下出溜的女儿，往肩上一背直奔医院……

玲玲被诊断为用药过度，当晚便住进了医院，而且一住就是两个星期。要是换了别的时候，老根的火气肯定不打一处来，这回他乐滋滋地一点也不心烦。因为从玲玲那儿他已经得知这次女儿的高考绝不会成问题。天遂人愿，玲玲出院那天，正好高考的分数下来，玲玲这回的成绩高出录取线 32 分，被西北某重点大学录取。

据说老根的“经验”一传开，在他那个小城就引起不小反响，好多女生家长都来向他取经。一时间，老根成了“考生名医”。你别说，还真有几个本来一直考得不好的女生，在老根的“调理”下高考成绩斐然，甚至还有当“状元”的。不过老根的“调理”也带来不少麻烦，有个女生因为“调理”过了头，不仅高考没考上，而且出现了罕见的“闭经”现象，半年没来过“例假”，那学生家长非要将“江湖加流氓医生”的老根告上法庭，最后还是老根出了 3000 元“赔偿”私下“了结”了。从那起，老根再也不为他人“行医卖好”了，问起他这些事时，老根咧咧嘴，说都是高考给灌邪的！

“被高考整邪的何止一个两个？你说我欠谁恨谁了？这倒好，孩子送进大学，丈夫却要丢了！”杭州市的孙怡女士有一肚子说不完道不尽的苦楚要对我说，我自然愿意听她的倾诉。

她说：“如果不是丈夫跟我闹到法院死活要离婚，我也不会把自己这事倒给外人听的，尤其是你这样一个陌生男人。唉，可天底下谁知道今天和明天的事呢？你们当作家的，写了很多书，但正经百姓的生活你们知道多少？我看是最多知道些皮毛而已。你们知道现在我们普通百姓为了把孩子培养成一个大学生有多难？我和丈夫原来都是街道小厂的工人，后来我当了小科长，其实也就是管那么十几个人，大小负点责任吧。女人嘛，干啥事都不像你们男人那样随便，你要把女人套在犁上拉，准会直到喘不过气时也不歇脚。我就是这个脾气，啥事都愿意干得不让人说三道四的。可没想到的是孩子的事操心折腾得我反倒没脾气了。最早要从初中升高中的中考算起，其实你写高考当然是个大题目，但现在的中考绝对不比高考轻松，孩子们都说：高考是龙门，中考是鬼门，要想进龙门，先得过鬼门。孩子上不了一个好的重点高中，以后考大学就悬了。进了‘重点’，也就是半只脚进了大学门。”

“我家是个女孩，发育早，十三四岁时就像个大姑娘了。可家里条件不行，结婚时弄到一个一居室的单元房子后就没调过房，孩子小时候就习惯跟我睡，长大了还是跟我睡，她爸就在我们床旁边搭的行军床上睡到了孩子这么大。一居室，小客厅又小，放个沙发，吃顿饭就已经没有身子转动的地方了。自从孩子上初三后，我们就把房间让给了女儿，让她在房间的桌子上做作业，平时晚上她做到什么时候，我们夫妻俩就等到什么时候，等她做完作业，我们再进去各就各位睡觉。”

“开始孩子还对大人之间的事朦朦胧胧，所以，孩子她爸想我的时候，就把我从大床上拉到他的行军床。不怕你笑话，有几次弄出了很大的声音，把孩子都弄醒了。女儿就吵着说，妈你干吗又离开我了？我和丈夫只得尴尬地笑笑。常常我一边的手被丈夫拉着，另一边被女儿扯着，说幸福也是，说无奈也是，总之既要照顾孩子又要不让丈夫太难忍了。”

“一到中考期间，孩子的学习压力特大，她的成绩在班上一直是中游水平，为了让孩子能考上‘重点’，我把心全放在她身上，每天陪着孩子很晚才睡觉，丈夫就先在行军床上睡，但后来他的打呼噜声让女儿无法静下心做作业，于是在女儿强烈反对下，他只好睡到外面小厅的沙发上。通常他在外面呼呼地睡着了，我和女儿在里屋还忙着挑灯夜战呢！等到女儿要休息的时候，我也感到很累了，但再累也得等孩子睡了我才能睡呀，得给她准备好洗漱用品、做些夜宵什么的，早上还要起来为她爷俩做早点，我的时间拖得最长，可这是女人应该做的事。”

“但在我丈夫眼里，我做女人的还有一件更重要的事，那就是陪他睡觉。这本来也是一点不过分的事，可过了40岁的女人，尤其是要顾孩子考学的40多岁的女人，再也没有多大兴致与能力和丈夫过房事了，特别是在我们家庭环境十分不方便的情况下。可天下的男人大概都不是这么想的，当他们想来的时候，其他问题就一概不怎么考虑，一概不怎么顾忌。但我们做女人的不能不顾忌，一方面我们精力有限，更重要的是顾忌孩子。在已经长大成人的孩子面前，你不顾忌就是很难堪的事。”

“我和丈夫的矛盾，就是从这些点点滴滴的顾忌和不顾忌中产生的。有时是我陪孩子做完作业都睡了，他突然兴趣来了，死活拖起我要来，我说不行，我不想来，他说他想死了，再不来会出毛病的。我哭笑不得，就依着他吧。但有个条件：不得出声，而且得到外面的沙发上。他只得轻轻地，而且很快就完事。然后从我身上滚下，长叹一口气，算是得到了暂时的满足。这时的我已经感到累上加累，什么都顾不得就到里屋的床上躺下就睡。谁知第二天女儿醒来大叫：妈你怎么……怎么光着身子呀？我一看可不是，连忙喊外屋的冤家把我的内衣拿进来。女儿已经大了，知道是怎么回事了，便装着什么都不懂似的，可我当妈的下不了台呀！接下去的时间就是全家各干各的，谁都不说话，眼睛都不敢对撞一下，因为一撞眼神就会弄得更尴尬。”

孙怡讲到这里脸上泛出几分红润，看我在认真记录，便又继续说道：“但十三四岁的女孩子还处在似懂非懂状态，加上我女儿从小没有离开我睡过觉，现在她发现我有在她睡着的时候偷偷溜走的‘不忠’行为，于是在睡觉之前，或者用双手搂住我的脖子，或者说上一句阴阳怪气的话。我拿她没有办法，但说心里话我多半依着她，因为白天要上班，干得累个半死，晚上回来又要忙着三口人的饭和洗洗涮涮的家务事，还要盯着女儿的学习，所以躺下以后的身子骨就像不是自己的似的，打心眼里不想让丈夫半夜里再来折腾我。”

“可俗话说，40多岁的男人是只下山虎，他哪忍得住干烧干煮？于是就来折腾和干扰我。我害怕呀！一则害怕顶不住他要死要活翻江倒海一样的折腾，二则害怕吵醒女儿。这心里头一害怕，行动上就不配合。有时他半夜摸黑走到我床头时，我就开始紧张，一紧张就弄出些声响，这一响就把女儿惊醒了，她就睁开眼睛怒嗔：你们干什么呀？还让不让人睡觉了？说完就打一个翻身，睡她的去了。可我丈夫就像头没有抓到猎物的饿虎，无精打采地回到他的小沙发上。我听得他在小沙发上长吁短叹地来回翻身，想着他也挺可怜的，便强打精神悄悄跑到外面小厅满足他一下。”

“但男人的毛病也多，你满足他了，他又觉得不够劲，好几次他就埋怨我说：你怎么什么反应都没有？我一听就火了，你没看我5点多起床，晚上天天都要等到12点以后才睡觉，我能有那么大的兴趣陪你吗？他就气呼呼地说：我是活蹦乱跳的大男人一个，你总得照顾照顾吧！我听后更火了，就回敬他说：我是累死累活的小女子一个，你也得照顾照顾吧？这么你来我往，就常常半夜吵起来。深更半夜，一吵就了不得，不仅把女儿惊醒了，连楼上楼下的人都来敲门问出什么事了，你说这闹腾的！几次下来，丈夫也觉得特别没劲，一到晚上我在里屋陪女儿学习，丈夫在外屋看电视也只能看‘无声’的，他爱看足球，有时电视没出声，而他的吵吵嚷嚷的叫唤声，气得女儿也直跟他吵。丈夫觉得再也忍无可忍了，说：好，你们在家，我一个人出去。他一赌气，还真的就开始常常晚上不回家。他不在家，我和女儿倒是清静多了，可我心里就有些不踏实，问丈夫干什么去了，他说到朋友家去玩了，我就不再追问了。但有一次他说到某某朋友家去玩了，第二天正好我碰上这个人，顺便打听了一下，人家说你家老陆已经有两年没上我那儿去过。这就使我心里犯嘀咕：他整晚不回家到哪儿去了？问他时，他则一脸不高兴，反问我：回家又能干什么？他一句话就把我噎住了，心想是啊，让他回家不是影响女儿学习就是与我吵架，与其这样，还不如‘放虎’自由吧！啥？你说我这是犯了‘历史性的错误’？可能吧。现在回头想想可能是，但当初处在两难中的我，又有什么办法？我总不能为了满足他的欲望而耽误女儿的一生前程！”

“开始，丈夫也没有出格，我多少打听到一点，他要不就到附近的酒店坐坐，或者到某茶馆泡杯茶，跟人聊聊天而已，而且有一次还打电话约我让我出去，但最后就发展到几天不回家。”

“那时我女儿都快要高考了，我不能顾两头，只好尽量不去想他那头的事，一心帮助女儿跳过龙门这一关。你可不知道，高考前两个月，又遇上孩子病了一场，我这个当妈的可急坏了，差点命都给送了。那次为了给女儿买药去，心里还惦记着到书店去买一套你们北京出的‘四中名师’高考辅导材料，在穿马路时被小轿车撞得滚倒在路边，我以为这下完事了，没想到还好，只擦伤了些皮肉。女儿高考的日子里，她天天睡不着觉，我就得每天为她擦背按摩，白天接送她给她做饭，等到她三天高考结束时，我也病倒在床起不来了。”

“十几天后，当女儿的高考录取通知书接到手的那天，她父亲毫无表情地回来了，当晚我们三人一起到馆子里庆贺了一番。第二天，女儿兴高采烈地向她的老师和同学转告喜讯出门了，她爸这时也把一份离婚协议书放到了我的面前，然后就出了门，临出门时他回了一下头，说：‘我们还是好说好散，女儿和家里的东西全归你。’我听后欲哭无泪，心想我到底哪一点做错了？我问天天不应，问地地不答，于是只好面对现实。后来我才知道，在我拼命为女儿高考的事忙里忙外的时候，忍不住寂寞的他被另一个女人领回了家，他从那个女人那儿获得了我许多年不曾给予他的东西……”

见孙怡已经很难讲下去了，我便插话道：“要我看你们好像并没有到感情破裂的地步。”

“可我也是个要强的女人呀！事到如今，你替我想想，我有什么错？或者说我有多大的错？是的，我作为妻子可能平日里没有满足他的欲求，但这并不是我有意的，孩子考大学是件大事，到了关键时刻，作为家长就得全力以赴帮助她上去，否则对得起孩子吗？那是孩子一生的命运和前途的大事！噢，就因为在这期间，或者说这几年里，我没有满足丈夫的要求，没有尽妻子应尽的‘责任’，男人就可以到外面寻求满足？你当作家是研究人的吧？你给评评理，我到底错在哪里？”

孙怡逼我回答，可我觉得很不好回答。

其实在中国，由于家长们太看重子女的高考，所以，他们牺牲了自己许多本该幸福和美好的生活与情感，这种付出和代价，有时实在太昂贵了。孙怡女士是千千万万为子女上大学而自我牺牲的家长中的一位。她和她丈夫目前刚刚办完离婚手续，现今每天回到家后的孙怡，感到特别的痛苦与忧愁，女儿上大学走了，丈夫也离她而去，本来拥挤不堪的小家，现在在她眼里成了空旷无边的一片沼泽和荒野，她觉得是那样的可怕，那样的不寒而栗……

与孙怡相比，凯丽女士为了儿子上大学的事，其崎岖的路走得更长。

我跟她相识纯粹偶然。那是前年我赴加拿大访问。我乘的是加航飞机。因为我不懂英语，加航的乘务先生对我服务时便十分冷淡，到了就餐时间，随便塞给我一份什么牛排就算对付了。看着他与我斜对面一位会英文的中国女士有说有笑的情景，我不是一般地生气，忍不住顺带嫉妒起那个会说英语的中国女人。正在我闭着眼睛的时候，“先生，怎么看您总吃牛排呀？”突然，那女人跟我说起了话。

在加航上能听到母语，我精神不由一振。是她呀！我有些不好意思起来，看人家多有礼貌。

“惭愧，因为我不会说英语，所以人家欺负我呗！”我不好意思地坦言。

那女士笑了，她转头朝那一直向她献殷勤的加籍乘务员“叽里呱啦”说了几句话后，我面前随即有人端来了一份热腾腾的中国饭菜。真是解馋！我笑着向那位女士表示感谢。

有了一个开头，便有了下面的很多话题。令我意想不到的是，在那次12个小时的飞行中，我却意外地获得了一个好素材。这是一个有关高考的另一类“天下父母心”的素材。

凯丽说她起这个名字的时候还不知道演《渴望》女主角的演员也叫“凯丽”。她这个名字是到了美国后才起的，她的真名叫桂芬，到了美国再用“桂芬”这样的名字实在不好听也不易上口，于是她起了个美国式的“凯妮”作为自己的新名字。后来因为又回到中国做生意，显然让自己的同胞叫一声“凯妮”很别扭，所以她又把“妮”字改成了现在的“丽”，全称凯丽，反正这个土洋结合的名字在国内在国外都可以用。

像所有出国的中国女人都有传奇故事一样，凯丽也有一部自己的传奇故事。只是我没有料到的是，凯丽的故事能与我这部高考的作品有关。

“我原来在外经委工作。”凯丽把座位搬到了紧挨我的旁边后，将头后靠在椅背上，便开始讲述起她的故事来：当时下乡回城的同学们都羡慕我能进国家部门工作，但是大家并不知道，进这样的部门如果不精通业务不会外文，你照样吃不开，甚至有随时被解聘的可能。平时工作我除了比别人上班早下班晚中间多干些打扫办公室的事外，在大家的心目中仍然是被人瞧不起的角色。这我也算认了，反正我们那一代是“被耽误的一代”，可我不平的是我的孩子，他不能因为我而在别人瞧不起的目光下生存呀。

我的第一个爱人是我们一起下乡的同学，他爱好摄影，回城后开始在首钢，后来因为今天参加摄影比赛明天跑到郊外抢个镜头，上班就没了规矩。后来他辞职自己开个“冲印彩扩”的小铺。他的心放在了摄影作品上，生意三天打鱼两天晒网，最后连自己买胶卷的钱都没有了。我们的儿子大了，初中毕业后上了25中，他是出钱进去的，一年学费加生活费也得万把块钱。问题是不光这些，孩子平时吃穿都得花费，特别是进高中后他的学习有点吃力，每星期还得跑四中奔八中的给他“加餐”，这钱就花老了！我家里的那个“摄影家”自己不挣钱，每月还得从我这儿拿钱，有时参加一个摄影比赛、外出参加一个会议，一要就是千儿八百的，他们父子俩都要向我伸手。

我在外经委单位里是个吃死饭的人，我常对他们爷儿俩说，你们也得为我想想，我一个女人家怎么可能养你们俩大老爷们呀！孩子小，不太懂，可我的那个冤家他还是左边耳朵听右边耳朵就出去了。我急呀，孩子上了高中就等着上大学，没有钱的孩子有成绩也未必能上得了大学。我着急，急得常常一听到办公室的同事在议论儿女上学如何如何地花了多少又如何如何地还准备了多少多少钱时，我就坐不住了，甚至乱发脾气。这样的日子我实在觉得没劲透了，上班看着不顺心，下班瞅着他们爷儿俩更生气。

可这有啥办法？我从自己没文凭没学历在哪儿都吃亏的经历中体会到，我的儿子今后说啥也得有个高学历，起码是大学本科。偏偏小冤家也不争气。对成绩不怎么样的孩子的家庭来说，钱常常是能否让孩子考上大学的关键所在。说来也巧，这期间有个加拿大商人劳恩出现在我的生活圈子里。我想劳恩的出现可能证实了这句话，在这之前我也是对那句话持怀疑态度的。劳恩是位做服装的加拿大商人。那年他是第一次来中国，情况不熟悉，他想从中国南方进口一批服装，希望我们外经部门帮助联系一下。也许是命里注定我要跟劳恩认识……凯丽说到这儿朝我一笑。

“劳恩的出现改变了你和家人的生活？”我把猜到的问题向凯丽提了出来。

她点点头，说你们当作家的就是人精，什么事都能猜个七八成。

“不一定。后面你与加拿大先生的罗曼史我就不一定猜准了。”我装出比较傻的样儿来套她的话。凯丽和所有的女人一样，是很容易上聪明男人的当的，她把自己与劳恩之间的故事向我和盘托出。

“我开始并不知道劳恩也会些中国话，所以接待他时心里有几分胆怯。谁知劳恩把我请到北京饭店，一两杯咖啡便完全打消了我的顾虑。劳恩说他的外祖父是华裔，因此他学到不少汉语，对中国话知道个大概。这使我大为意外和高兴，因为像我这样在外经委不懂外文的人，有了第一次可以同老外打交道的机会。我们一起到了江苏的南通，因为那儿有我的一个朋友，所以劳恩的事办得非常顺利。”

“一来二去，劳恩做成了好几笔不小的生意。当劳恩在半年中第三次来到中国时，他把我再次叫到北京饭店的那个咖啡厅，刚坐下，他就拿出一个大信封，说里面是 1 万元美金，算作给我的酬金。1 万美金，太多了！我当时真的心想，劳恩要是事情办成后赚了钱，给我三五千元人民币，那也算是意思了。可这么多钱我就觉得太有点那个了，所以我坚决推辞不要。劳恩有些着急，以为我是嫌少。当弄清我真的没有别的意思时，劳恩收起了那个大信封，然后思索了一会儿说，凯丽，你不是一直很想学外语吗？我给你作担保，到加拿大蒙特利尔去留学吧。怎么样？”

“劳恩的话真是让我动心了，照理40多岁的女人是很少再有出国留学的念头了，可十几年来我在单位因为不懂外语和没学历受的气与苦处实在太多了。劳恩的一句话真的把我那颗死了的心一下搅活了。不瞒你说，我当时完全被劳恩为我编织的出国留学梦给迷住了，甚至有些着魔。回去后我就对我先生说，我要出国留学了。我那‘摄影家’以为我是开玩笑，根本没有放在心上，还阴阳怪气地扔出一句话，说你要出国留学好啊，我们爷儿俩等着你一起把我们办出国哩！我没有理会他那一套，在办完单位辞职后，又马上让劳恩联系好了蒙特利尔的大学，不到三个月，劳恩把所有的手续全办好了。”

“那天当我真的把出国留学的手续拿回家时，我才意识到自己真的要离开已经有了17年的家了，才感到是那样的紧张和不安。丈夫和儿子全惊呆了，他们根本不相信这是真的。特别是儿子，说妈你出国后我高中的书怎么读呀？你一走我考大学的事更没戏了！我嘴上说这与你考大学有什么关系，可心里则在骂自己怎么连儿子考大学的事也全都忘得一干二净了？儿子本来成绩就差，我一走不等于放羊了吗？站在一旁的‘摄影家’明白过来我出国已成定局时，便阴阳怪气起来了。对儿子说，你妈的那颗半老不少的青春心已骚动，外加有个满胸脯长着长毛的老外已经向她伸出双臂，亲爱的小子，你我就甘于寂寞吧。什么大学不大学，以后能吃上冷面汤就很不错了。天要下雨，娘要出嫁。小子，拿出点男子汉气概来，《国歌》是怎么唱的？对，这样唱的：‘起来，不愿做奴隶的人们……’这一夜，我们全家三口子，各想各的事，唱的哭的嚎的，简直乱成一团……”

凯丽说到此处，已是满脸泪痕。

“后来呢？”

“后来我还是走了。”凯丽接着说，“因为对方学校的新学年要开学了，不到一个星期我就离开了北京。离家时，我特意到儿子的学校走了一趟。因为出国后我最担心的事仍然是他的高中学习成绩。那时他已经高二了。我想他应该争取参加一次高考，如果实在考不上再说。当时我真的不敢想哪一天等我在国外混好了接他出去读书。另外我还是感到中国的教育要比国外更好些，特别是大学之后的课。”

“儿子在校门口为我送别，我抱着他哭了很长时间，希望他能理解我，可儿子就是不说一句话。他越这样我心里越难过，觉得我这个当妈的对不起他。我离开他时，他说道：‘爸说要跟你离婚。’我一听，眼泪再一次蒙住了双眸，心头实在无法抑制住悲伤。当时如果不是单位那么多好友到机场送行，我真的可能就没有勇气登上飞机了。唉——这种经历你们作家要是经历一下也许真能写出惊世之作。可惜我不会写。”

凯丽苦笑道。

“冒昧问一句，后来你真跟丈夫离婚了？”

“我不敢获得施舍，所以这是必然的结果。在我出去不到半年，他便把离婚协议书寄到我留学的学校里。我又是电话又是写信，希望他不要看偏了我的出国留学。但他只说了一句，说镜头已经虚了，他看不见还会有清晰的图像出现。他用摄影家的独特用语告诉我，这个家是不可能再复活了。事到这个份上，已是没有什么余地了。我知道责任在我，便答应了他的要求。可是令我不能接受的是法院在判决时把儿子也判给了他，我知道后简直有点活不下去。那段时间里，是劳恩给予了我无私的帮助与关爱，使我从困境中解脱出来。”

“后面的故事一定是那个劳恩死死地追求你，而你最终抵挡不了他的关爱加恩情，所以便成了他的太太！”

凯丽冲我淡淡一笑，说：“那是你们作家编的故事。生活远比这样的公式要复杂得多，至少我经历的是这样。”

她继续给我讲有关她儿子的故事：“除了能够平衡我十几年来在单位压抑的心而不顾一切地选择了出国留学之外，我这个人可以说是比较保守的女人。尽管那时我已经离婚了，劳恩确实也苦苦追求甚至乞求过我嫁给他。然而我没有答应，原因只有一个：就是我要看着自己的儿子上大学，不能让他再重蹈我没有文凭而被人瞧不起的覆辙。”

“可是你不是说儿子已经判给摄影家了吗？”

“你以为母子关系仅仅靠一张离婚的纸就可以扯得断？”看来凯丽真的是个比较传统的女性。不过最感动我的还是她下面说的那些内容：“在我留学第二年的时候，也就是儿子参加高考的时候，我放下了自己在蒙特利尔的学业，中途赶回了北京。因为我太挂念他能否考上大学了，所以一回到北京就急着找他。我原先的那个家里根本就没有人影了，后来我跑到学校，才知道他已经有大半年不回家了。”

“他的父亲在一年前就跑到外地与他的一个女学徒同居去了，儿子在高三下半年后学习特紧张，就干脆经常不回家住。老师说我儿子的成绩一直不稳定，时好时坏，平时的成绩也达不上全班的中游水平。我是在高考的前两天才见着他的。”

“仅仅一年，当我看到自己的孩子时真是不敢相信，虽然他个头高了一大截，但双眸却有太多的冷漠与忧郁。我想作为母亲尽可能给予他一点补偿。我特意在考场附近的宾馆租了一间房子住下，天天送他上考场，又从考场把他接回来。但儿子除了默默跟着我外，多一句话也不跟我说。看得出他是对我怨恨在心。我知道这不能怪他，我只希望他能平平安安考上大学。”

“所以这一次我一直等到 8 月底才出国，我要亲自看到他的成绩下来。但儿子的高考成绩太让人失望了，离录取分数线还差 30 多分。北京的录取线本来就不高，可他还这么低，我感到有些不可思议。因为同他平时成绩差不多的同班同学都考上了，唯独他远远低于录取线。我带着一腔火气，跑到他母校责问他的班主任是怎么回事。哪知人家见我就反问我，说你是他的妈吗？你像他的妈吗？那老师好厉害，指着我的鼻尖就大声嚷嚷，说人家的孩子也有当妈的，可人家孩子的妈，在孩子高二时就开始天天盯着孩子，一天不离开，你这个当妈的倒好，甩手就往国外跑，跑得影踪都没有。噢，现在孩子考不上大学你来找我们算账，好啊，我们还想找你算账呢！就因为你家孩子没考上大学，我班的录取率一下低了几个百分点，我的奖金、我的职称都受影响你知道不知道？你拿什么来赔偿我？你们这些在外国当假洋鬼子的不是有很多钱吗，那就拿出十万八万赔我们呀！瞪眼干吗？”

“哎哟哟，我现在想起来都感到害怕。可当时我感觉那老师骂得太对了，把我这个自以为很关心儿子的母亲骂得无地自容。那一天，我跪在儿子的面前大哭了一场，请他原谅我这个没有尽到责任的母亲。儿子似乎也被我的一片真心感动了，他向我保证说来年他一定要考上。那天晚上，我们母子俩是在一片泪水中对天发誓的。由于我在蒙特利尔是请了一个月的假，所以我必须赶回去继续我自己的学业。”

“临走时，我把身上仅有的3000加元留给了儿子，希望他在之后的一年中找个复读班，再自己照料好自己的生活，并对他说，半年后我再回来，伴他高考前的半年学习。当我与儿子分手后，踏上返加拿大的飞机时，我才意识到自己陷入了困境。因为我把自己的下半年度的学费全留给了儿子，自己无法再到学校注册了。”

“劳恩知道后，仍然提出由他借我钱，可这次我拒绝了，一是我已经欠他一大笔债了，二是我更知道当债和情扯在一起时，还债人会有更大的心理负担。这样我只好暂时放弃学业，开始了打工的生涯。我知道我只有半年时间，过了半年之后我必须回到儿子身边，这是我对儿子许下的承诺。也就是说我必须在半年之中挣回一年的钱才能实现我对儿子许下的诺。现在想起来真是有些不堪回首，我也没有想到，为了实现对儿子的这个诺，我竟然会在国外吃那么多苦……”

凯丽忍不住掏出手绢，擦着脸颊上的泪痕。

我的心跟着她一起感到沉重。

“没有出过国的人都以为外国的钱是那么好挣，其实越富有的国度里，钱越难挣。那半年里，为了尽可能地多挣几个钱，回国好陪儿子参加高考，我几乎干遍了所有能干的打工活。我的英语还不过关，于是只能干给人家当家庭钟点工或者市政清洁工等别人不愿干的活，再就是干只有男人们才干的苦累脏活。加拿大很多工种是非常讲究男女之别的。不瞒你说，我有几次是女扮男装混进队伍去抢到活的。现在我听说国内有些下岗工人不愿当清洁工，我真有些想不通，在国外能有个就业的机会就是天大的好事哪，还有讲究什么工种让你捡捡挑挑一说？没有，也是绝对不可能的事。像我们这样既非投资移民、手中又无半张派司，业主用你，人家还得担着风险哩！”

“你问我记忆中哪一次找工印象最深？要说印象深的太多太多了。就跟你说一件吧，那大约是前年 11 月底的事。当时我在给一个身边没有子女的孤老妇人做钟点工，每天我是在下午 4 点到她家完成两个小时的家务活，不知怎么的，那天去后主人的门却紧锁着。按照通常的约定我等半个小时如果还不见主人回来我就可以走了。但那天不知有什么预感，我想是不是老太太出什么事了？于是便在雪地里一等就是两个多小时，那加拿大的居民住宅都是一家一户的别墅式的，我不可能到附近的居民家去等候，那加拿大的雪天要多冷就有多冷。不知是饿还是冷，我渐渐感觉自己的两条腿麻木，后来就根本没有了一点知觉，我知道自己可能快要顶不住了，想赶紧离开那儿，两腿却完全不听使唤，我想喊，嗓子又出不了一点点声音，突然我的眼前一黑，扑通就栽倒在雪地里……”

“我醒来的时候已经是第二天的早上五点多钟，我发现自己在一家教会医院里。后来我才知道当时是路过的一名警察救了我。而我打工的那家女主人那天没有回家是因为发生了车祸，她的伤势并不算重，却差点让我为她送了命。当那老太太托人将我的 200 加元的工钱送到我手中时，我忍不住号啕大哭了一场。我哭自己命太苦，我哭为了能供儿子考大学挣的这几乎是用命换来的钱。”

“半年后，我们中国的春节一过，我带着一秋一冬八个多月挣得的 8000 多块加元回到了北京。这是我向儿子作的许诺。在这之后的半年里，我天天陪着儿子，早上为他做好饭，再送他到复读班补课，晚上又陪着看他做题，偶尔也教他一些英文，毕竟我在加拿大呆了一两年时间，英文特别是口语能帮助他一些。就这样，我们母子俩天天如此，从 2 月份一直到 7 月初参加高考的 130 来天时间里，起早贪黑，连电视都没看过一回，除了菜市场和书店，什么地方都没有去过。也许是老天有眼，也许是我们母子俩的合力，我和儿子的大学梦终于得以实现。这年他的高考成绩高出北京‘一本’录取分数 60 多分，考入了儿子自已报的第一志愿理工大学……”

凯丽讲述的经历仿佛就是一个完整的艺术情节。

“儿子被录取的消息我是在临上飞机时知道的。当飞机冲上云霄，在北京上空盘旋时，我俯瞰着这片我生活了 40 多年的美丽土地时，眼泪忍不住哗哗流淌。当时我想如果不是我走上背井离乡、远离国土这一步，我不知道自己的儿子是不是能够更顺利地考上大学。唉，中国的父母也许是世界上对子女上大学最关心、付出最多的父母了。有道是可怜天下父母心。在中国的亿万父母心中，没有再比子女们上大学更令他们操心、担忧的了。你说是不是，大作家？”凯丽一边抹着泪，一边感慨万千地问我。

记得当时我没有回答她的话，但关于中国家庭对于子女高考所留下的沉重话题，从此却一直深印在我的心间。那一刻我就想，有一天我会将笔对准中国高考这一影响着亿万家庭的大事的。

在温哥华与凯丽告别的时候，我听到了有关她本人的一个令人欣慰的消息，她说她将在蒙特利尔大学与儿子在同一时间走出大学校门。

我遥祝凯丽和她儿子好运，也借此向为儿女教育付出万分艰辛的天下父母祝好运，愿他们为儿女编织的大学梦都能圆。

第六章　百姓问天

我不知在中国还有什么比教育和孩子考大学的话题更能引起百姓的关注。在我漫长和众多的采访过程中，无论是学生还是家长，他们向我也向自己提出了许多没有答案的问题，使我深感问题的严重性而不知所措。我的高中班主任张伟江老师，现在在上海市当教委主任，而现在成为他顶头上司的国家教育部部长陈至立就是从上海到北京来的。张伟江老师和陈部长过去就是熟人，他比谁都清楚．陈部长自当教育部部长后所进行的一系列改革措施步子够大的了，但张伟江老师依然告诉我，有些问题需要“问天”，并非主管部门能全部回答和一下子解决得了的。

于是，我只好代百姓恸问苍天——

一问天：王蒙为何只考60分？

当过文化部部长、现为中国作家协会副主席的王蒙先生也有过尴尬：他做过几次现在的语文试卷，结果成绩都不理想，其中最好的一次成绩是60分，剩下的则是不及格。

也许在今天这个数字化时代，拿笔杆子的文人已经被贬为低智能的一类人了，但我们唯一自信的是我们在文字方面的能力还可以与别人比试几下。然而想不到的是，在今天，我们唯一的优势也已失去，可以写文章、出巨著的人，竟然连一个中小学的语文水平都不过关。

某君也是一位著名作家，他儿子在他的熏陶下已经出过一部长篇了，可是他也不无悲哀地告诉我，他在儿子初中时的一次期中考试时为儿子搞了一次“押题作文”，结果大作家的“押题作文”只得了 52 分，老师说那篇作文缺乏规范语言。儿子从此再不敢让当著名作家的父亲代劳上阵了。

作家莫言的女儿曾把他的著名作品中的某一段“借”去写入作文之中，等老师阅后女儿拿回家给他看时，莫言脸上现出了惭愧与怒气：我的作品没有一句不是病句！

诗人邹静之为上小学的女儿做过一次吃力不讨好的事，老师要求根据句子的意思写一个成语，比如将“关于思想一致，共同努力”改成成语。邹静之对女儿说应该是“齐心协力”。结果老师批错，标准答案是“同心协力”。另一题是把“刻画描摹得非常逼真”的意思写成一成语，邹静之经过一番认真动脑后，指示女儿应该写“栩栩如生”。可第二天，女儿生气地跑来向父亲责问道：爸，你怎么又说错了，老师说应该是惟妙惟肖。诗人邹静之气得说不出话了，不过他真想用他那支多情的笔，呐喊一声：一切都见鬼去吧，这样的教育，只会将我们的孩子往死胡同里引！

顺便说一句我本人的经历。因为“文革”，我连最基本的小学拼音都没学好，但我自认为从上学到现在，写作文一直在同辈人中出众，故在女儿面前唯一感到优势的是“你的作文我可以包你到上大学”——我向女儿一直很自信地表示过，女儿也确实从“当作家”的父亲身上得到过好处。但进入初三后的女儿，突然有一天在我继续“主动”向她请求“上阵”时，她拒绝了，并坚决而无情地告诉我：如果再按你的作文做，我可能就得被撤掉语文科代表，严重的话，我可能连中考的成绩都要被拉下来！我的天哪！女儿的话，吓得我再也不敢在她面前提我那点自感“优势”的写作本领了，而且现在发展到连她写的作文都不要我“指导”了。女儿说如果我不照老师的要求去写，就肯定得不到高分，你愿意你的女儿考不进重点高中？考不上大学？所以，为了你女儿的前程，老爸你暂时委屈一下大作家的自尊吧。

女儿的话多少让我感到一丝安慰，但我仍感觉内心的意绪难平。后来我真的看到了——

《北京文学》1997年第11期一篇《忧思中国语文教育》，引发了一场全国性的大讨论。

之后，《人民日报》《光明日报》《北京晚报》《羊城晚报》《南方周末》等报相继展开了“炮打中国语文”的一篇篇檄文。与此同时，社会各界也纷纷加入了“中国语文教育”的大讨论，北大、复旦大学、中山大学和中国社会科学院等著名学府和科研机构的专家们的加入，使得中学语文一夜之间成了众矢之的。

“教材编纂上的问题是中国语文让人最伤心之处。”这几乎是所有专家和学者们共同的“痛恨之处”。

“从建国到20世纪末，五十年间，我们共有过九套语文教材，在早期的几套里，知识性占首要地位，而中期的几套，则充满了政治色彩。自80年代以后的语文教材似乎有所注重人文意识，可惜所编排的教材，几乎没有一点可以同这个时代同步前进的新内容……这样的语文教材不让我们的孩子在自然科学高度发展下，成为人文精神和知识方面的矮子才怪呢。”

“到21世纪，孩子们都会使用因特网，并在网上购物与设计星球上的新家园，可是他们却不会如何去面对和处理身边的人与人关系，甚至不会懂得运用最基本的语言建立自己的民族精神。”

“未来的社会，什么都可能发生，我们可以与别的国家的人一样去登月球，可以一样建立自己的导弹防御系统，然而我们却不能用同样的意志与精神去战胜别的民族，因为我们的人文知识早已枯竭，那些语文课本里的东西害了我们整整几代人……”

当我静下心来读一读专家们的这些振聋发聩的话语时，我的心被强烈地震撼了。我突然想起应该找出我们父辈和我们这一代人以及我女儿这一代人读过的那些语文课本，来引证一下是否真的马上会出现一场中国人文精神的大崩溃。我后来找到了八本不同年代的小学一年级语文教材，这些不同年代的不同教材使我们很容易认识中国五十年来的语文教育走过了怎样一条路子。

下面是这些不同年代的人第一次走进学校上的第一堂课的课文

及要学会的最初几句话和字词：

年份	课文	字、词
1949 年	开学了 我们上学	学校、我们
1955 年	早上起床穿衣服	毛主席、工人、农民
1958 年	日月水土	人、手、足
1961 年	公社送我上学堂	公社、学堂
1978 年	毛主席永远活在我们心中	毛主席、我们
1981 年	全国人民热爱共产党	热爱、共产党、人民
1989 年	我是中国人 我爱北京	中国、北京、我
1992 年	我是中国人 我爱老师 我爱爸爸 我爱妈妈	中国、老师、爸爸、妈妈

透过这些不同年份走进学校的学生第一堂课上所学的第一句话、所学的第一个字词，我们不难看出在不同时代的那些编教材者心里都有一杆编写语文教材的“秤”，这就是当时的时代烙印。过去的五十年，中国大体经历了三大历史进程，一是“文革”前的十几年，那是翻身的中国人对毛主席、对共产党的朴素感情下产生的对知识的渴求；二是“文革”十年，政治使中国人的脑子简单到只要“方向”不要其他的盲目；三是 80 年代以来的改革开放时期，人们注重精神，注重情感，也注重民族与世界对自我的影响。可见那些编教材的老师们头脑里都依据同一个“时代准则”，有所区别的无非就是深度与点面方面的量和质的差异。然而我们发现，在所有其他教材不断更新与变化的过程中，唯独语文教材在过去的十几年里还是一副老面孔。只要稍稍翻一翻孩子们初、高中读本，我们马上就觉察到，那一本本装帧越来越精美、价格越来越高的《语文》教材，内容的陈旧、篇目的单一，已经到了“谁看谁烦”的地步。

“政治人物的文章选得太多，谁的官大，谁就进语文课本。”

“鲁迅文章的选编也值得研究，是否应该选这么多？”

“中学语文的12本教材中，中国以外的作家所写的作品只占8%，照理应有30%～40%。除高尔基外，20世纪的外国作家一个也没有，获得诺贝尔文学奖的作家无一人入选……”

以上是1998年末北京大学的几位学生与他们的导师钱理群教授的对话。学者们对现有语文教材选编内容上的“不平衡性”，有不少自己的看法，但我们的作家们似乎对这方面的问题看法要少些。

戏剧评论家董道明是1952年的高中生，他说，留给他印象最深的就是语文课里艾青的那首访苏诗。另一篇令他一辈子忘不了的是蒲松龄的《促织》。“老师突然把我叫起来背那篇课文，恰恰是我刚背过的，于是我站起来就背，没有打半点绊子。老师为此特别夸奖了我。现在我仍然背得了它，尤其是‘怒索儿，儿渺然不知所往。既得其尸于井，因而化怒为悲，抢呼欲绝。夫妻向隅，茅舍无烟，相对默然，不复聊赖’这一节，我觉得他用几句话就把人物情感表现了出来，真了不起。”

著名作家贾平凹、余秋雨在谈自己的美文与散文创作时则多次提到过他们在读书时受朱自清《荷塘月色》《背影》等不朽之作的影响。《荷塘月色》是真正意义上的中国式美文，是那种渗透了中国人文思想和孔子儒学传统精神的经典之作。只有那些能够被《荷塘月色》浸透的人，才有可能成为真正的散文大家。贾平凹认为朱自清这样的文章是任何一个汉学文化学习者必须熟诵的。

其实，受语文课中的一篇经典文章影响一生的人并不仅仅限于作家。一位已经有十亿资产的“资本家”感慨地告诉我，他说他从小就因为受了《铁杵磨成针》文篇课文的影响，才克服了自己没有坚韧意志的毛病，“别看我现在资产多得可以用金子来堆山，但生意都是由一点点做起来的，而且生意场上大的和小的买卖具有共同的价值取向，你没有铁杵磨成针的精神，你就永远不可能拥有金山银山。”

战斗英雄黄继光、董存瑞和罗盛教的故事，还有雷锋、朱德的扁担等名篇不是的确影响过千千万万的少男少女成为国家的栋梁吗？

可为什么人们现在却对已经走过了50年历史的中国语文冒出那

么激烈和尖锐的意见了呢？

为什么连自己的文章曾被选进过语文课本的王蒙先生只能考 60 分成绩？

问题当然还出在教材内容的编选缺少科学性和合理性上。权威人士、人民教育出版社语文编辑室主任顾振彪这样分析道：

新中国第一阶段（1950～1955 年），语文课本是由中央人民政府出版总署编审局编辑的。初中、高中各六册，由人民教育出版社出版。这套课本基本上反映了我国人民民主专政各个方面的胜利，清除了封建的、买办的、法西斯主义思想对课本的恶劣影响。但在语文教育方面没有来得及做周密的考虑，语文训练和语文知识没有系统安排，过于忽视文言文。

第二阶段（1956 ～1957 年），文学、汉语课本是在建国后第一次对语文课本内容的改革基础上形成的。初中六册，高中四册。相对建立了比较完整的文学教学体系，选文绝大多数是名家的名作，编排方面也比较灵活多样，但由于过分强调纯文学教学，忽视了作文教学，也忽视了一般语文能力的训练与培养，而是按照文学史系由古到今的编排方式，违反了由浅入深的原则。

第三阶段（1958～1960 年），重新编写的语文课本。初中高中各六册。这套课本选材面广，课文按思想内容组成单元，语文知识短文穿插在各单元之间，但课文总数过少。后来在 1959、1960 年重新对上述缺陷进行了修订，可是单元的编排方面缺少计划性，同时语文训练也不够。

第四阶段（1961～1965 年），先后有过初、高中十年制和十二年制课本。这套课本注意了政治思想教育，注重了培养读写能力，选文力求规范，工具性较强，但缺点仍然明显，即实用性小，编排也不具严密性、科学性。

“文革”中的语文教材不值一提，都是以语录为主。

第五阶段（1978 ～1988 年）编的语文教材，对提高学生语文教学质量起过重要作用，其间曾经修订过几次．但老问题仍没有得到很好解决，主要是时代气息不足。

第六阶段即20世纪最后十多年的现行语文教材，虽然专家们力图改变以往的毛病，然而令人失望的恰恰又犯了老毛病——不愿触犯所谓的“敏感区”，结果因为追求老的内容而舍弃新的内容的“保险系数”，使整个教材远离现实，远离时代，最终被人讥讽为“爷爷上的课，儿孙仍在背”的古董。

中国的语文教材中存在的某些问题，人人都知道它不能再延续了，但却似乎谁也拿不出高招勇敢地摧毁它！

1995年，上海华东理工大学做了一次实验，让该校当年的3511名新入学的专科生、本科生、硕士生、博士生做一次中国语文测试。结果测试的平均成绩为63.9分。另一个结果是，学历越高，成绩越低。此次测试中，硕士生和博士生全部不及格。

呜呼！为什么？一位博士生说：我是学理科的，其实小时候我挺爱好语文，可后来从小学读到初中后，读来读去就是那些死板的东西，初中的课文与小学的课文没有多少实质性的变化，无非就是“思想深度”增加了些，再就是多加几篇古文和外国人写的文章。所以高中后我兴趣转到了理科。

对死板不变的教材，那些教学时间长的老师们更有意见，只是他们中大多数人不愿去捅破这层纸而已。

《盲点》一书中举例说的马文奇是一位普通的语文教师，1954年走上讲台，一站就是四十多年，而他对教材的感叹，便不仅仅是失望了：

1957年，他送走了他第一批学生。教第二批学生时，他对语文教材已了如指掌，他很想给学生们讲点新东西，于是他就反复思考教材中的每一篇课文．从不同角度不同侧面做一些新的理解，在过去的备课笔记上又增添了新的内容，他的努力同样换来了学生们的成绩，马文奇老师感到前所未有的为人师的快乐。

这样送走几批学生后，马文奇老师已教了十多年书，他对中学语文教材已倒背如流，在学校里被称为“语文通”，但他却感到深深的苦恼，他即使想从教材里再挖点新东西讲给学生听已是力不从心，他觉得无论自己怎样冥思苦想又都转回到自己讲过的东西上。他感到束手无策，他觉得一篇又一篇地讲那些不知讲过多少遍的讲义，是愧做老师的。

他于是打报告给校领导。想讲一些教材以外的文章，这在当年无异于惊世骇俗，得到的答复是：讲教材是老师的义务，至于讲其他是绝不允许的。他只好打消了这个念头，照本宣科，老老实实地讲教材，虽然，从那时他就开始有些厌倦这本教材了。

马文奇老师的惊世骇俗之举在“文革”中成了他不可饶恕的罪行，他要深刻反省讲教材以外的文章是出于什么思想动机，有什么反革命阴谋，是不是想趁机向学生灌输不良毒素？

马文奇老师的回答是想让学生们多接触一些优秀的文学作品，结果，这句话成了一条更大的罪状，马文奇老师因此被打折四根肋骨并被关进了监狱。

新时期以后，马文奇老师重返讲台，面对那一张张稚嫩的渴望知识的脸庞感慨万千，他重新整理备课笔记，虽然他累积起来的几米高的中学教学笔记在“文革”中皆被烧毁，但所有的笔记都藏在他头脑中，他重新开始了教书育人的辛勤工作。

从他第一次教书到他重返讲台再为人师时，时光一瞬间已流走了近三十年，可他手中仍旧是当年那本教材。他虽然因为想讲点教材以外的文章而进了监狱，但他并没有“认真反思过”。他再次向校方提出，“在讲好教材的前提下，他想给学生讲点儿教材以外的文章，因为这本教材他已经教了近三十年，其陈旧感是不言而喻的。他感觉中国已发生了翻天覆地的变化，因此，他对这次提出抱有莫大的希望。

但校方领导对此却听而不闻，只是说，如果学生考得不及格，影响了升学率，到那时，上至教委，下至学生家长都不会答应。

马文奇老师不明白，校领导只是开口闭口地提到教委和学生家长，为什么不真正考虑一下学生呢？他们所学所用以后在社会上发挥什么作用，为什么没有人来关心一下呢？

马文奇只好按部就班地讲下去，看着那些学生，他有时真不忍心再这样教下去、可他没有一丝办法。他有时想，怎么就没有人来呼吁一下教材改革呢？他曾经呼吁过，但他人微言轻。

有一次开家长会，一个他不认识的学生家长激动地叫他老师。原来，这位学生家长是他50年代教过的学生。这位学生家长对老师的恩难忘，忆起当年事情时感慨万千。马文奇告诉学生家长，孩子的语文不太好。学生家长也很苦恼，不经意说出的一句话让马文奇几个夜晚难以入眠。学生家长说："马老师，怎么学的还是那本教材啊！我当年的学生笔记丢了，如果不丢，让孩子看看，一定会考好的. 这孩子就是记笔记不认真。"

一句不经意的话说出了多少天下父母的心声。

身为多年老师的马文奇觉得一下子被这句话刺痛了。如果50年代的一本语文笔记，可以帮助90年代的孩子考出好成绩，那我们到底在教给孩子们一些什么东西呢？

还有一次，马文奇在课堂提问时，被学生问得哑口无言。学生回答不上来一篇文章的主题和段落大意，马文奇让他好好想想时，学生说："老师，我特烦语文课，昨天，我爸爸说，他们那时就分段，找段落大意，找作品主题，现在怎么一点儿没改变呢？"

马文奇看看眼前稚气未脱的学生，觉得学生说的正是自己这么多年想说的，他看看学生，无奈地摇摇头，让学生坐下，一言不发地拿起粉笔把"教参"上段落大意和中心思想的答案抄在了黑板上，让学生们认真地抄在笔记上，然后背熟，记牢。

马文奇临退休前一直盼望着能看到语文教材的改革，但最后他是带着满腹的失望离开了他站了四十多年的讲台。他很想告诉学生语文不是这么学的，教材里的文章也很有限，他很想让学生多读点唐诗、宋词、元曲、《三国演义》、《红楼梦》甚至老子、庄子，但他这些年只告诉学生要读好教材，要找对中心思想，概括好段落大意，注意加点字的解释等。他所期望的真正的语文教育在他大半生的教书生涯中却没有一点儿得以实现。

退休的马文奇望着已经上了高中的小孙子在台灯下写作业，而孙子的教科书竟然仍是当年他所用的教材，马文奇不禁掉下了眼泪。这眼泪不应该在90年代末的今天流下，今天毕竟是改革开放的年代啊！

老教师马文奇的伤心，凸显了一个中国教材、也是中国教育问题上长期存在的顽症，这便是见不着影子的官僚政府行为。北京市崇文区教研中心教研员苏豫生以自己亲身的经历指出了这一顽症的症结："我教课多年，到教研中心以后，听了大约一千多节语文课，平均每年一百多节课。我觉得语文课最主要的问题是把一篇生动的课文肢解成一堆知识拼盘，弄得学生对语文最没兴趣。我曾经调查学生最喜欢哪些课，其中喜欢语文课的人特别少，这跟我们今天的语文教材和教学方法有关系，这当中也涉及政府行为。比如教材的陈旧问题，现在中学语文大纲规定的101篇基本篇目，全国各地教材都要包括这些篇目。你要是不把这101篇抠好了，就会影响学生高考。所以，老师要受教材束缚，还要受高考束缚。如果取消了基本篇目，那么全国各地编教材就可以解放一些。我听到一些专家学者说，这个基本篇目究竟值不值得探讨，这只能通过政府行为来解决，不是任何一级教育领导机构能说了算的。"

有一次我到北京一所著名的中学做报告时，问同学们谁能说出90年代中国出过什么著名文学作品时，竟然没有一个人能回答我，到最后才有一个女生站起来说："琼瑶的《还珠格格》。"

我哭笑不得。

"你知道现在的老师要求我们的孩子怎样写作文吗？"一位颇有经验的家长振振有词地告诉我，"其实很简单，他们不要求孩子们有自已独立的思想，独立的立意，甚至独立的语汇。因为在老师们看来，孩子们的考试能力与‘标准答案’越接近越好。”

原来如此。原来我们中国的语文都已经进入了数字化“标准”操作阶段了。然而自然科学的高度发展，已经在彻底改变人类的思维形态和语言表达方式。

这使我想起了1999年高考语文试题在新闻报道中公布时，四川成都的一个中学的师生们顿时一片欢呼，原来他们的老师这年押题押出水平了——高考作文题《假如记忆可以移植》，正好与他平时给学生讲的一篇科普范文相同！老师和同学们为此欢呼万岁——正因为押题的正确，至少使这个班的一半以上同学朝着大学的门迈进了好几步。

“什么最可怕？不是原子弹，是我们人类自身的创造性被人为地扼杀了。”20世纪最伟大的人物爱因斯坦早就警告过我们。但中国教育界的某些人士则一意孤行地做着这样一件可以用“丧心病狂”四个字形容的事！

“她写的作文几乎全是假话、假感想、假故事大全。她的同学几乎都写过扶老婆婆过街，给老师送伞，借同学橡皮那类的故事。她们快乐地共同编着一样的故事，然后套上时间、地点、人物三要素格式，去教师那儿领一个好分。她们老师说‘天下文章一大抄，谁不抄谁是傻子’。”诗人邹静之在《女儿的作业》中这样慷慨激昂道，“我在书店看到过《儿童作文经典》这类的书，摆了一架又一架，我不知道‘经典’这词现在已经变得这么随便。这些书的最终目的并不是为了提高你的写作能力，它向你提供些应付考试的、可以改头换面的模本……我曾接触过一些大学生，他们看过的经典比我在‘文革’当知青时还要少，他们不看巴尔扎克，也不看冯梦龙，他们不看金斯堡，也不看白居易。谈到希望，再也不能想象十几岁的人能写出‘野火烧不尽，春风吹又生’的千古名句了。好像文化提高了，好像上学的儿童很多了，但我们看到的只是一个模子里走出来的孩子。”

模子是什么？模子可以用先锋词汇解释为“典型的数字化”。人的思维模型一旦成为像摩托罗拉手机一样以一种样式成千上万地出现在我们这个世界上时，难道不是人类自我毁灭的一天到来了吗？

中国的教学模式之所以引起国人的恐慌与大声疾呼“拯救”，便是这一道理。

深圳朱健国先生在一篇文章中说过两个例子让我难忘。他说参加了 1998 年高考语文阅卷的张智乾先生有过这样的经历，他在阅卷时发现，有道题要求用时间为主语造出两个比喻句，那些写“时间如航船，载我们去胜利的地方”的考生们，都被批卷的老师给了满分，而另一些写“时间好比我们手中的沙子，从我们手里漏去，从此不再回归；时间就像一列列车，载着我们，经过无数的人生小站，最后抵达死亡”的考生，则被老师判为“思想不积极”而给了零分。为此，身为判卷老师的张先生曾与一同判卷的老师们发生过争吵，结果失败的还是他，而且他还因此让某些领导产生了特别的看法。离奇的是，有位重点中学的权威老师，在调进一所高校的那一年，他的儿子正好考大学，儿子让他借着押题做答案，他的答案结果被判“错误百出”。后来他当语文教研组长后，以自己的权威告诉大家，他的答案就是标准答案，那些曾经判他帮助儿子做的题是“错误百出”的老师们竟一致拍手通过：组长的答案就是比我们的标准！

看，这就是中国教育中所谓的“标准答案”，原来是这样游移不定，原来是这样的随意。

那天我在北大与几位曾经胜利走过十几年的考试而迈入中国最高学府的社会学研究生们一起议论此事时，他们大为感慨道：“标准答案”是一个自然科学里转化来的数字概念，它是计算机时代的产物。可是社会学科里很多问题的解释和理解是不能用什么“标准答案”来判定的。中国的文字和词汇之丰富，一个字词又能有几种解释，还有明意、暗意之分，在这种情况下，谁能把诸如“齐心协力”与“同心协力”，“一心一意”与“全心全意”这样的词语分解出谁对谁错来？它们之间的标准与非标准，就连电子计算机都无法判定，何况我们那些靠主观臆断的几个判卷老师。而在社会学科里（其实一些自然学科里也同样存在）用“标准答案”来规范、框定学生和考生的认识、行为和能力，培养和训练出来的只能是那些考试机器和失去活跃思想、失去聪灵敏捷、失去独立人格、失去创造性的人！这样的民族教育即使每一个人都进入大学，其危害性也是很大的，大到用最快速、最强制的时间表来毁灭我们这个古老而优秀民族的活力！

中国已经走过了五千多年有记载的历史，几代人的时间在历史长河中仅仅是一瞬。但历史又常常因为一个人或者一个时代的某些行为，使得航船出现巨大的倾斜。由此我们设想，从我们已经深感“标准答案”之危害的过去十几年，到今后仍继续进行如此严酷死板的应试教育，那么我们中国就会出现两至三代人的创造力与独立人格的毁灭。而这未来的二三十年将是人类比任何时候都要快速发展的时代，当别人已经教孩子们如何通过网上搜索去占有资源与财富时，我们仍停留在教育孩子如何“铁杵磨成针”，这之间的差异将注定中国被人吃掉的日子不会久远了。

每年近千万参加高考的考生，加上他们的家长就是小一个亿的人数，再算上三亿中小学生和大学生们及他们的家庭成员，中国不是天天都有近一半以上的人在被“标准答案”所困惑并埋头苦干着吗？年年都有大批的学生不能继续升学，年年都有那么多靠死记硬背而迈进死板式教育门槛的学生，年年有那么多经历“标准答案”拿到一纸文凭却到社会上连饭碗都不好找的毕业生，无论他们是“成功”还是“失败”了，不都是这种人为的模式化教育的牺牲品吗？

如此看来，中国的作文谁都不会写了，只有那些老师，那些制定且背熟了“标准答案”的老师，那些手执考试卷子和红笔的老师们才会做。真是可悲。

有一位专家对我说，中国的高考语文试题，特别是作文试题，可以说恢复高考22年来，绝对打不了及格分，因为从国家考试中心的题库中选出题目开始，到阅卷老师的判卷、打分的整个过程，都充满了“八股文风”！他的话提示我对22年来的高考语文试题作了一次认真的翻阅，结果发现确实很有趣，也很可笑。

考题大体为四类。一类便是像1977年的《我在这战斗的一年里》；二类像1982年的《先天下之忧而忧 后天下之乐而乐》，1998年的《坚韧——我追求的品格》；三类如1980年的《读〈画蛋〉有感》；四类像1998年的另一考题《妈妈只洗了一只鞋》。这几类考题，“教书匠”们自我评价是“年年高考话作文，年年文题有创新”。其实，细看一下，就会发觉中国的高考语文试题都有一个共同的老毛病，这就是“八股”气。它集中反映了考题总是以模棱两可、含糊不清来实现对学生的“假想敌人”的攻击；往往不是侧重将作文作为考察学生的写作能力这一主导方向，而是使考生将大量时间和精力花在猜测题意上。像1988年的看四幅落水救人的图、1996年的《给六指做整形手术》和《截错了》两幅漫画题，这样的题意，不同考生可以得出不同看法。其实本来是可以发挥学生的创造性思维的，可偏偏考生们不敢这么做，因为老师早已告诉他们：如果不扣题，就会失大分。所以谁还敢轻易任思绪飞翔？一顶模式化的“标准答案”大帽子压在考生头上，你想发挥一下吗？你敢？当心你的一生命运可能就砸在这一“发挥”上！

于是，学生们每天都在课堂上听老师讲那些其实就是“八股”中“破题”“承题”等传承而来的“扣题”“立意”。其结果是说“扣题”，实为让你戴着手铐脚镣跳舞；讲“立意”，实则叫你蹲在井里游泳。久而久之，教书的老师就有了一套对付这种考题的本领，如老师教给学生：凡以后遇到像需要表明“责任”一类的题目时，就按照“谈谈孔繁森，批判王宝森，想到钱学森，联系中学生”的方程式去填就行了，而且准能获得高分。于是1998年高考作文主题“战胜脆弱”的卷子上，成千上万的考生为了表现“坚强”的精神，竟然不惜让自己的父母“双亡”，那一模一样的故事编得最后连判卷老师都发笑了，最好调查一下，如果真的父母双亡的，我们就给好分，如果不是，我们也给好分，因为这是中国式的“标准作文”。

用放大镜看完了语文教材和高考语文考题的幽默剧，再回头想想孩子们为什么不愿学语文，和今天我们庞大的国家，越来越出不了能写优秀作品的年轻人，是不是与此也多少有点关系？想想今天影坛、歌坛、电视台里那些肤浅不堪的“流行与时髦文化”，是不是也同样与我们多年来的语文教学有关呢？

太闷了，有人就会出来说话。关于语文教材的改革问题，自《光明日报》《羊城晚报》《北京文学》等报刊频频发表文章后，1998至1999年两年，几乎成了“讨伐中国语文”年。有人说，“让今天的孩子再读鲁迅的文章是教唆他学会跟政府对着干，是让他们从小学会伶牙俐齿。”“早该把鲁迅这样的古董从教科书还原到坟墓之中。”“郭沫若是什么？他的文章里渗满了奴骨，让孩子学他能获得赚钱的手段还是做人的准则？”“中国为什么出不了比尔·盖茨这样的软件之王，就是因为几代人一直在傻学雷锋故事和朱德的扁担那种傻人傻事”等等。本来是优秀民族文化的辉煌遗产，本来是中国新文化运动的杰出缔造者留下的经典之作，本来是共和国大厦与社会主义精神文明的基石，想动摇和抛弃它，不是很危险吗？什么可以丢，什么不可以丢，什么应该改进，什么应该弘扬，什么必须拒绝，什么必须坚持，如此大是大非，“秀才”们千万不要忘了，忘了就会出现麻烦。中华民族的优秀文化遗产和马列主义在任何时候都不能轻易“讨伐”的。记住这一点有好处。

值得一提的是，在我完成此作时，听到国家教委发出的关于《2000年秋季中小学教学用书目录》，首先是内容将作不低于三分之一的大调整，其次是高中语文的旧教材将被停止使用，这从另一个方面说明了现在的教育部门适应了时势的发展需要，同时也证明了社会上那么多人对现行教材的不满是有道理的。在今天国家教委所进行的一系列大刀阔斧的教育改革中，对教材的改革力度是前所未有的，让人欢欣鼓舞！

我们期待新教材真的能适合培养高素质的下一代。

二问天：明星与天才真能制造？

写这一问时，正好那天中央电视台午间新闻后的《今日说法》节目里，播出了这样一则内容：北京一个女高中生叫刘瑶，她母亲与天碟公司签订了一个由刘瑶方出资10万元、公司方出资20万元、两年之内由该公司将刘瑶培养成影视歌三栖明星的合同，但四个月后，刘瑶本人和她母亲觉得该公司没有什么作为，于是向公司提出退回已交付的5万元“培养费”款项。公司不干，说合同时间是两年内完成对刘瑶的“明星培养”，不予退钱。无奈中，刘瑶母亲把这家公司告上了法庭。最后法庭判定“天碟公司”没能按照合同内容完成对刘瑶应该做的培训工作，应退回4万元。

《今日说法》主持人最后说，此起民事官司，虽然原告刘瑶胜诉，但作为这样的民事案件，它给我们很多反面的启示，那就是：艺术明星这样的人才，并不是靠简单的人为包装培养就能实现的。主持人提醒广大学生家长，不要在培养子女问题上出现不合人才培养规律的错误做法。刘瑶的“明星梦”破灭的节目播出时间正好是新千年前夜。这件事永远留在了过去，但“刘瑶现象”在当今社会还有很多很多，我可以用一个简单的数字来说明：中国目前每年约有20多万青年在影视圈内淘金，其中女孩子占80%，也就是说约有16万女孩子在等待着哪一天会像赵薇一样被“伯乐”发现和重用。也许平时我们确实看到生活中一夜成名的人物越来越多，所以才使一些家长为了儿女成才，不断地制造着无数神话和离奇故事。而今确实由于许多所谓的“明星”带给本人及家庭丰厚的物质与荣誉，因而使得无数梦想一夜之间改变命运的家长与青少年们，对明星的崇拜与追求，变得越来越疯狂。

单说赵薇的追星族们的所作所为就能让人气死。一个女孩子听说赵薇要到她生活的城市演出，后来因为知道是个“传言”，于是就跳楼自杀，虽被人救起，仍造成终身残疾。另一个姓李的女孩子死活要让父母到派出所把自己原来的名字改成“李薇”，父母说你这不是神经有毛病嘛！就这么一句话，这孩子就离家出走了，把父母急得满世界找，最后孩子的母亲心脏病复发，死在了找孩子的途中……这些令人痛心和荒唐的事情，不胜枚举。

1999 年的北京电影学院因为《还珠格格》和学生赵薇的火爆，在新一年招生时简直空前热闹，着实让学院的知名度“实惠”了一番。本来表演系只招 30 来个学员，后来报考者多达 4000 多名！我一个亲戚在电影学院工作，他告诉我当时招生的场面之壮观、之热烈，听后真让我感到我们这些梦想当明星的家长和孩子们太值得敬佩了。

他说有位广州来的母女俩，前两年曾来过电影学院报名，但因为没有考上，老师有意无意间说了“这孩子还是有些灵气的”，高中毕业的女儿本来可以考进一所文科类大学，也因此放弃了高考，母亲原来在一个公司当出口部经理也不当了，她说把女儿培养培养，以后成了明星“出口”，一夜一首歌就是几万元，一年接上三五个电视片，百八十万元还不像捡似的！为此，母女俩在广州请了几位专业教师当家教，天天训练，花出多少钱不说，光那间原来当客厅的 40 多平方米房间里的地板都磨薄了两毫米。当她们第三年出现在电影学院时，老师对那孩子的结论仍然是“有些灵气”，但孩子仍然被拒于校门之外。女孩子哭得要死要活，当母亲的也不干了，责问老师凭什么不录取“有灵气”的孩子？老师被问急了，说我是怕伤了你们的心才这样说，可“有灵气”的孩子并非你们家一个孩子呀！你们看看来报考的孩子中哪个没有点灵气？再说“有灵气”的孩子也并不一定就适合我们学校的招生要求呀！电影学院的学员还需要其他很多条件，比如文化课成绩，艺术潜力大不大等等。那孩子的母亲拉住老师的手追问道：那你再说说我们孩子到底哪个方面有问题？老师连连摆手，说我哪敢再给你说？要真说了你回去又花几十万元请人培训，如果还是考不上，那时候你们不把我给宰了才怪。那母亲大怒，顺手抄起一根木棍，就往那老师头上砸去：你以为我现在就不想宰你？你害得我们好苦，光赔进去的钱就是几十万元，还有要不回来的几年时光！

有一位父亲说自从看张艺谋导演《红高粱》成功后，他就发誓要让自己的儿子将来也成为大导演。为此，这位父亲从儿子12岁起，就开始训练他当导演的能力，教他如何摆阵布局，如何策划戏剧情节，如何调动演员情绪等等，那儿子也算是聪明，教什么会什么。后来大了些，到十五六岁了，有一天突然问父亲，老这样练太没劲，得有些真人参加才行。父亲就说那你能动员几个同学最好嘛。于是经过儿子出钱“招聘”，还真来了几个临时“演员”，父亲一看，还行，儿子找的女“演员”还算有点“靓”。管吃管住这是自然的事，父亲掏腰包一天就是几百元。别人嘲笑他傻，这父亲说你们才傻，我现在投资，将来儿子有朝一日当了“张艺谋第二”时，钱算什么东西？一年不挣回几个百万就不是大导演！儿子也很卖力，天天放学回家的第一件事就是给几个女“演员”导演，常常到很晚。突然有一天父亲觉得到儿子回屋睡觉的时间了，于是来到“导演棚”里。天哪，自己家的小子正光着身子与一位同样光着身子的女“演员”搂在一起。父亲气急败坏地将儿子从地上拎起来，说我呕心沥血培养你当导演，你小小年纪不干正事，尽给我丢脸呀！

不知是今天的传媒误导了我们广大学生家长和不懂世事的学子们，还是我们今天的大众媒体过多地崇尚明星并给予他们太多光环的缘故，从80年代后期开始，与艺术和影视专业沾边的大学越来越热门。北京的电影学院、中央戏剧学院、北京舞蹈学院、中央音乐学院、北京广播学院这些可以诞生明星的高等学府，成了广大学子和他们的家长追求与奋斗的目标。为了能实现进这样的大学而编织的“大学梦”，我们从每一个考生和他们身后的家长那里所听到的故事，几乎无一例外的可以轻易进入我们的报告文学作品之中。

一对已经在中央音乐学院附近一间不足十平方米的平房里住了八年的东北父女俩，今年即将搬出这间“八年抗战”的小房子，我听到了这位白先生讲述他的“秘密历程”——

白先生是东北人，身材魁梧，看得出，年轻时是个很酷的男人。事实上正是这个原因，他才有可能被当时下放到东北的一位上海歌舞团女学员看中并做了她丈夫。白先生是实实在在的工人出身，当时在哈尔滨一家肉联厂当搬运工，体力劳动使他的雄性气概更加突出，加上他娶了位相貌出众的上海姑娘做老婆，在结婚的头几年，白先生可谓风头出尽，很快小两口有了一个千金，日子就这么平平安安地过着。待到上山下乡的知青开始可以回城了，白先生为了老婆的前程和孩子的未来，1987 年他们一家便搬到了上海。全家临时在闸北区苏州河边租了一间房子过日子。白先生的任务是负责每天接送孩子上学和到一家街道小工厂做临时工。女人是搞艺术的，一出家门就很风光，谁也看不出她生活在上海的“贫民窟”。过惯了那种充满了顶天立地的豪气生活的白先生，觉得上海这块地盘不适合自己，尤其是三口之家的生活实在无法正常维持。孩子是借读生，学校收费比一般的学生要高出几倍，女人收入不多，可每天用在化妆上的费用还得靠他做临时工挣的几个钱补贴。为留与走的问题，白先生没少跟女人吵架，最后俩人达成协议：女人留在上海，他带孩子回哈尔滨，离开上海的那一天，一家三口抱在一起哭了一场，夫妻俩心里清楚，这一别可能就不再是一家人了。第二年，女人给他寄来一张离婚协议书。信中说，离婚的原因不用说了，孩子可以留在哈尔滨，也可以到上海。白先生说什么也没有同意孩子到上海，他把女儿视为生命中最重要的部分，从此开始了一个男人艰苦的追求与梦想。

“孩子在气质与长相方面都继承了她妈的优点，同时又从我们东北人的血脉里获得了良好的身材。可以说，先天的条件她都有了。只是她不该留在我这样一个没有一点儿艺术细胞的父亲身边。”白先生说完拿出一张女儿的相片给我看。

“真是天生的明星！”照片上的女孩子，既有南方女孩子的秀美，又有北方姑娘的娇艳，非常出众。

白先生听完我的赞美，颇为自责道：这孩子如果放在你们北京人手里，现在不是赵薇也应该是陈红了。

白先生陷入那些令他难忘的往事之中。他说在孩子小学四五年级开始，总有人在他面前说，看这女孩长得多漂亮，将来准能当刘晓庆、巩俐一样的大明星。开始白先生并没有在意，直到有一次，孩子的学校被一家广告公司看中，做了个食品广告上了镜头。广告公司给学校 5000 元报酬，上镜头的孩子因此得到一件特别礼物。孩子回家跟父亲说了这事后，白先生琢磨了一夜，正是这一夜，白先生决定了一件大事：一定要把女儿培养成全国著名的大明星！

从此以后，白先生决心把自己的全部心血放在培养女儿身上，他心中有个强烈的愿望，那就是把从离婚老婆身上失去的东西，从女儿未来的光环中追回来！白先生本人对艺术一无所知，但他起码知道两点：一是女儿的学习必须好，二是女儿的艺术才能必须得有专业人士指导培训。前者他自己能做到，那就是严格要求女儿上好每一天的课，做好每一道题。后者他可以通过高薪请人达到目的。为此，白先生凭着强壮的身体，身兼三职，每个月赚回两至三千元来完成对女儿的培养。就这样，白先生带女儿度过了小学六个年头。要上初中了，孩子未来的路怎么走，这可是个大问题。

“什么样的环境造就什么样的明星。没有大的舞台就不可能出大的明星。”一位诗人气质的音乐教师对白先生说。这句话让白先生整整几夜没有睡好觉，因为有人对他说，你想把孩子培养成全国著名的大明星，不到北京的最高艺术学府学习深造，就等于白日做梦。

于是，白先生做出了一个令很多东北人称道的选择：辞职陪女儿上北京读书。

这是个难忘的日子：1993 年 9 月 1 日。这天，白先生怀着对北京的一片敬仰和对女儿未来的无限憧憬，住进了北京丰台区的一间农民房子。大城市规定就是多，外地孩子上学只能进私立学校，公立学校不可以上。白先生对此没有怨言，他反认为北京就应该这样严格管理，不过让他不满意的是北京私立学校收费太高，但为了孩子能上完中学，他忍痛把哈尔滨的三间祖传老房子卖掉了，将所得的 12 万元的三分之二交给了孩子上学的那所私立学校。

每次接孩子时，白先生看到像潮水一般的接送车队停留在学校门口，他不敢把带女儿的自行车停到附近300米以内的地方，一旦被孩子的同学们看到了，就等于让自己的孩子受到一次最沉重的心灵打击。白先生听市民指指点点，说上这个私立学校的家长都是大款，心里总是暗暗叫苦。为了不让孩子受到歧视，他在给学校的登记表上，家长工作单位和职业一栏里填的是“民营经商户”。显然在私立学校里，大多数家长的职业都是生意人，他白先生也算其中一个吧。学校很会刮这些财大气粗的个体经商户的腰包，一到逢年过节，总要想个法子让这些有钱的家长们慷慨解囊。六一儿童节到了，白先生又一次作为家长代表被学校叫去，老师提了个小要求：学校为在六一前迎接上级检查而要修建一座游泳馆，希望家长们支持学校并出点力，“当然是自愿啊，我们绝对不搞强求！”校长非常严肃地向家长们表示，并说一旦发现有强求之意，大家可以向上级教育局举报。马上就有真正的大款举手，说拿出10万元赞助学校。这边刚落下手，那边的另一位家长立即表示愿意出20万元无偿支持学校。最后有位据说个人资产达十个亿的学生家长一诺而出50万元。白先生在会上第一次看到了什么叫有钱人，也第一次领略到了穷人的滋味。从此他再不敢参加什么家长会了，他让女儿以“爸爸业务很忙，出国在外没时间参加”之类的话推辞。

其实，孩子上学仅仅是一方面的开支，白先生要负担的远远不止这些。京城的艺术界大腕太多，名人也太多，一个好的老师可以一夜间把自己的学生捧上天，找不到门道，转一辈子恐怕也不一定进得了艺术殿堂的门槛。白先生来北京时间一长，便多少知道些“圈里”的事，为此他给女儿设计好了几套成才方案，先是练习声乐和舞蹈。这两项基本功据说是未来女明星们必须具备的条件。白先生想要让女儿成为最红的明星，自然要找最杰出的老师。

好不容易找到一位收费并不太高却注重人长相的“导师”，条件是学生在学习期间的演出收入归他。白先生觉得这个条件是可以接受的，只是让白先生不放心的是，他总觉得这位“导师”眼里的内容不太对劲。唉，艺术家嘛，不都是那个德行！只要为了女儿的艺术才能有长进，就是火坑也得让她跳进去试一试：为了安全起见，白先生想出一个“高招”——他对那位“导师”说他愿意义务为“导师”家做家务。

“导师”眼睛一亮：行啊，说好了，我不付一分钱哟！没错。白先生保证。

女儿就这样交出去了。但白先生越干越觉不对头，因为那“导师”在给他女儿上形体训练课时，怎么两只手总是在孩子上身乱摸！

回到家，白先生旁敲侧击问孩子有什么不对劲的地方，孩子说没有呀。于是白先生就不好再说什么了。接着上课吧。

时间过得很快，当白先生又一次将5000元学费交给那“导师”时，对方告诉他说下个月要带学生上南方去演出一次，大约十天时间。白先生一想：反正孩子放暑假了，倒是个实习机会。不过临出门那天，他教给女儿出门在外的几个“注意事项”。天真烂漫的女孩哪知父亲心头的担忧，只顾点头，却并没在意老爸那双眼里隐藏的忧虑。

在女儿出去的几天里，白先生心神不定，那天因为想女儿的事而独自呆呆地在冷冻库里忘了出来，结果被同事关在里面，差点出了人命。第二天他便不能上班了，正好这天半夜，女儿突然从外地打来电话，哭着要回来……

白先生到广东顺德一家宾馆终于找到了女儿，还好，如花似玉的女儿没有出什么大事。这回他再不让女儿跟那个“导师”学艺了。女儿告诉父亲，就是这位“导师”在到广东顺德的第一天晚上，便让她进他房间“陪陪”。开始她并不懂“陪陪”是啥意思，后来发现不对劲时，便哭着要走。那“导师”就大发脾气，狠狠地抽了她两记耳光，气呼呼地对她说：“像你这样呆头呆脑的丫头也想出人头地？哼，只要我在圈内，就休想！”

去他的！北京有的是比他强的。走，我们重新找人给他看看！白先生让女儿擦干眼泪。

漫长的6年中学生活之后，白先生由初到北京时浑身散发着阳刚之气的东北壮汉，变成了从里到外不堪一击的弱朽之躯。“那是人苦心苦给逼成这样的。”白先生说。孩子在北京一年，学费加学艺的费用至少3万元，全靠他一个人挣出来。在北京当临时工最多的收入一年也就在万把元，其余的钱怎么来的，白先生说他不愿意讲。

最后他终于说出了他的秘密：每年他卖三次血，能得5000元；每个周末外出收废品，一年也在8000元左右：除此之外，他帮过一个小哥们在东北做成过一次大豆生意，赚了2万多元。“总之，除了没偷没抢，什么事我都干过。”白先生说。

同时，女儿自己也想了不少办法。比如她利用一个星期两小时为比她小的同学做家教，她自己的学习用具都是靠她自己挣来的钱买的。白先生很自豪地从一个打好包的纸箱里取出几个不同的书包和笔盒给我看：这些都是她用自己的钱买的。

我抚摸着一个个已经磨破的笔盒，感慨万千地想：也许白先生的孩子，是世界上唯一一个在“贵族学校”靠自己的劳动挣钱的学生了。

“可是你花了那么大的心血，最后却为什么没有让女儿上艺术类大学呢？”我一直不理解在北京苦苦挣扎了8年，一心想把女儿培养成明星的他，结果在去年女儿考大学时，却把她送进了一所普通大学，而没有送她到他梦寐以求的电影学院和戏剧学院或者是舞蹈学院。

“不是不想，而是有一天我突然感到自己的想法太过时了，或者说太急功近利了。”白说，触动他产生这个想法的是前年他带着女儿去某艺术学院招生现场所看到的一幕。“那天我和女儿本想观摩一下，谁知，那天的一个意外事情使我和女儿都改变了往日的明星梦追求。其实也不算是惊心动魄的大事，这种情景听艺术院校的老师们说年年都可以见到。正因为如此，才真正触动了我和女儿的心哪。那天我和女儿到音乐学院门口看招生，想不到初试的人有几千人！而且这些孩子一个比一个强，女孩子个个长得像花似的，好像都曾在电影电视里见过。结果呢，这些孩子没有多少被录取。我们看到有父女俩抱头痛哭，哭得伤心的程度令在场的人不得不过来劝解。那女孩子一边抹眼泪一边向在场的人说，她父亲已经得癌症三年了，就是为了她考音乐学院，不惜到一个有毒的矿上干重活挣钱才得的病。三年了，他把看病的钱全都花在了女儿的学艺上，这是最后的一年，结果她没考上，父亲再也无力到矿上为她挣钱继续学艺和考大学了……那父亲后来不顾脸面地流着眼泪对我们在场的人说，你们也别信啥明星不明星，孩子能有个有幸福的家庭、有个工作做就行了。人死了，还有啥求的？就是儿女成了大明星，当爹当妈的都累死了，能看见些啥呢？就算我们的儿女当了大明星，心里会有欢笑吗？没有，不会有的……”

白先生久久没有从这段往事中收回他的思绪，而我也同样因这个震撼心灵的故事而沉默了。

一个家庭的明星梦的破灭，使白先生父女俩对自己的人生做出了另一种选择。我问他是不是因为别人的失败也动摇了他们的信心，白先生摇头说：“完全不是。我的女儿的先天条件和后天才能都使我有足够的信心。但我们父女俩都一致同意放弃往日的明星梦，觉得这条路现在被严重误导了。如果说大学高考是千万人抢行的独木桥，那么选择当艺术家、当影视歌明星、主持人等职业的路，其实是比独木桥、比钢丝绳更难走。你想，现在高考录取率全国大概是10%左右的比例，大中城市几乎达到了50%左右。可制造明星的艺术类大学的比例是几百分之一，甚至是几千分之一！我自信我女儿可以成为这几百分之一、几千分之一，但我想，假如我女儿成了这几百分之一、几千分之一，那不意味着由于她的成功而使他人的梦想彻底毁灭了吗？这太残酷了！我不愿意自己的孩子和家庭出现这种被人挤压的残酷，但我也不愿意看到我和我孩子使别的孩子和别的家庭出现这种结果，所以我和孩子决定放弃。而且我也借此希望那些仍在苦苦追求把孩子制造成明星的家长们，早早休战吧！那实在是太痛苦的厮杀，杀害的都是我们自己。”

想不到学问不深的白先生说出了如此深刻的警世之言。

人为地制造明星，在今天的中国其实是个很泛滥的现象。据说目前在北京几家电视台“寄生”的编外节目制作人大约有上千人，而他们每人手下的“学生”少则十几位，多则上百位，也就是说北京城里的几家电视台外围至少有万人以上的少男少女（以少女居多）在等候哪一天中央电视台的大门或者北京电视台的大门给自己留出一条缝来，并期望在某“大导”的提携之下一鸣惊人，红遍神州。北京某台文艺部的一位名导不无苦恼地向我诉说，自从他当了文艺部节目的主审后，就时不时有陌生人跑到他家堵他，“你要是不理他们，说不定某个小报就出来一篇文章把你损得有苦难辩；你要是理吧，他们有的是全家，有的是父女，有的是母女，像藤似的缠着你，说是向你送人才来了，把一个大活人往你面前一推，说这是俺家的千金、公子，如何如何的爱好艺术，如何如何的有灵气，又如何如何的向往影视艺术。有钱的，开口便直截了当地说开什么价都行，只要让我孩子能像‘小燕子’一样演部戏。还说赵薇算什么？要是我孩子演小燕子，准比她强几倍。没钱的也一样慷慨，你大导演只要能让俺孩子演个角色，哪怕在镜头里露个脸，我们全家给你做牛做马都行。有一次我实在被一对父母的执着所感动，同时看看那女孩子相貌也确实可以，便有意让她在一个小节目里试着演个小角色。哪里想到，这位自报是高三生的女孩，竟把二百来字的台词读错了五六个地方。我说你这个文化水平以后怎么进大学呀？她说艺术院校主要是考艺术专业，文化课成绩不是主要的。我一听就跟她急了，谁告诉你的？你以为现在还像前十几年考一二百分就可以进艺术院校？美得你！现在，人们都以为唱一首歌，演个角色，露一次面就可以成为大明星了，就可以名扬四方、财源滚滚！这是天大的误导！中国现有专业影视人员不下一两万人，每年又有数百人从大学毕业，能在影视屏幕上闪闪发光的也就是那么二三十个，加上红火的歌手、乐手和其他艺术家不到一二百人，我们熟悉的大牌明星几年没戏接的比比皆是。就是赵薇同班同学和比她高几届的电影学院表演系的学生，在影视圈里打杂的也有的是。”这位有责任感的艺术家的一番话，足以让沉浸于明星梦的人们清醒了。

在南京，当我讲起电影学院1999年招生的“后赵薇现象”时，朋友笑说这并不稀奇。前一年，电视剧《小萝卜头》的剧组招聘演员引发了一场争当明星的大战。剧组在重拍这部历史题材电视剧时，导演考虑到“小萝卜头”的特殊形象，“要漂亮，看上去要有三四十年代的感觉，弱弱的小可怜的样子，当然孩子还必须有灵气……”原定开机时间快到了，可主角仍没合适的，于是有人提出公开招聘，这样可能选择的面更宽些。《新华日报》《扬子晚报》透露消息：剧组准备在全国范围内寻找“小萝卜头”演员，一个三至四岁，一个七至八岁。岂料从剧组透露信息到开机拍摄的一个多月时间里，全国共有十万余儿童少年经家长们之手，参加竞选“小萝卜头”。最后从这十万余名竞选者中，杭州的小唐天被剧组“一眼盯上”，成为一位“一步登天”的小明星。

一个人选十万人争！可见中国人追逐明星梦多么狂热。

对现实生活浅薄的认识、新闻媒介片面而庸俗的误导，使相当多的一部分学生和家长产生了做明星可以一步登天的错觉，因而在培养大学生的人才道路上出现了许多无谓的投入和盲目的追求，如今，已经到了打开这一误区的时候了。

与此同时，十分相信神和喜欢造神的中国人，又特别迷信那些制造天才的神话，可谓是急功近利，使尽招数。有家电视台报道过这么一则新闻：有一位30来岁的农民，把自己12岁的女儿培养成了神童，1998年考进大学。他的招数就是不进学校，因为他的理论是，传统的小学、初中、高中教学目的只是为了高考一关，用12年时间太长。他便按照历年考大学的要求，自制“教学大纲”，每天把孩子关在一间小屋里进行封闭式教学。从电视屏幕上看到这位家长的孩子很一般，看不出有特别的灵气。但这位把自己女儿制造成“神童”的家长，还真的把12岁的女儿送进了大学。这种教育路子培养出的孩子，是否值得提倡，暂且不论，值得关注的是，当这位家长把12岁的女儿送进大学的消息传出后，湖南、江西、湖北等好几个省的家长带着孩子，要求进由这位农民开的“神童学校”。当地教育部门得知后，说这是非法办校，劝说那些送孩子来的家长把孩子领回去，重新进正规学校。谁知家长们根本不听教育局官员的话，他们说，我们培养孩子就是为了让他们能够考上大学，至于选择什么方式谁也管不着，只要能保证孩子考上大学，他（指那农民）用什么方法我们都不在乎。据悉这个电视报道后，该农民的“神童学校”又一下多了两倍的学生。几十位来自各地的孩子正在进行着“神童”的教育与训练，有的孩子家长甚至连自己的家都不要了，陪着孩子到当地住下，他们一心期待两三年后自己的孩子能稳稳当当地走进大学校门……

有人后来问那位农民“校长”为何有此奇想，他的回答很简单：中国科技大学不是也在搞大学少年班？那是国家花大钱在搞，我不花国家一分钱，同样出了少年大学生，利国利民，你们应该表扬我才对头。

有人再问这位农民“校长”：你把女儿培养成“神童”了，她进了大学又能怎样呢？他理直气壮地回答：我没有想过她上了大学以后会怎样，但重要的是她比别的孩子提前好几年上了大学。中国的家长对子女们能有什么愿望？不就是希望他们上大学嘛！我的目的就是。我已经做到了。

瞧，有据有理，头头是道。

是啊，中国人对后代的期望，自古至今都是一个，那就是成名成家，“学而优则仕”。也许正是这个不朽的心愿，才使我们五千年的古老教育传统里，总有甩不掉的造神模式和造神本身带来的奇特效应。

现在四十岁上下的人都应该清楚地记得，当1977年国家恢复高考，数以千万计的青年人狂喜地重新拿起书本，走进新奇而陌生的大学校门时，一位年仅13岁的少年，也以优异成绩考进了中国科技大学，坐在了比他年岁大很多的大哥哥大姐姐们的身边。他就是名噪一时的神童——宁铂。这位被江西冶金学院教师发现的少年神童，具有超常的智力，两岁半就能背诵30多首毛主席诗词，三岁能数100个数，四岁学会400多个汉字，五岁上学，六七岁开始攻读医书，并掌握许多中草药，八九岁时已经能下围棋、熟讲《水浒》……“请科技大学去了解一下，如属实，应破格收入大学学习。”副总理大笔一挥，当年12月底，正值全国恢复高考第一年的最紧张阶段，江西省招生办派出要员，直赴宁铂家乡对这位神童面试，结果发现情况属实。宁铂不仅在文学、数学、医学和棋艺上才能超群，还有相当高的实际能力，主考老师跟他下围棋三盘，老师输了两盘。考试结束后，小宁铂还当场提笔写了一首七律诗。

“好好！太好了！有思想，有观点，有文采。此乃真神童也。”考官大人们无不拍手叫绝。宁铂从此作为中国神童的代表，在科学的春天里广为国人传颂。而也正是他这一神童的出现，使得全国各地迅速冒出了无数的神童来。那时的中国百废待兴，人才是国家最宝贵的资源和财富，党中央高层人士对智力超常少年给予极大重视，第一个神童大学生班——中国科技大学少年班便由此诞生。之后，北大、清华、上海交大等著名大学都相继办起了“少年班”，一时间，中国的“神童”到处都是。而像宁铂这样的少年天才的事迹，确实深深地影响和鼓舞了被“文革”耽误了一代的中国年轻人发愤图强学习科学文化知识的信心与决心。

宁铂式的神童，在中国“知识越多越反动”的极左时期结束后的拨乱反正中，起到了不可低估的作用，更给新时期中国高等教育增添了一道亮丽的风景线。新华社在中国科技大学少年班20周年回眸的一篇报道中这样说：科技大学在20年间已向全国各地招收共710多名15岁以下的大学生，已毕业15届，共550名学生，其中72%考取国内外研究生，100多名已获博士学位，这一比例远远高于普通本科生。少年班创造了中国教育界的一系列之“最”：11岁的大学生、15岁的研究生、23岁的博士生、26岁的副教授、30岁的教授。他们渐渐显示出群体优势，在国内外一些著名学府、科研机构和经济领域中崭露头角，担任重要工作。13岁考进科大少年班的施展，毕业后在国外攻读博士学位期间，一举攻克数学界著名的难题“关于布朗运动的数学模型”，30 岁就已成为法国居里大学的博士生导师。在美国加州大学的科大少年班学生张家杰是世界上第一位认知学博士……所有这些，都充分让人相信，“神童现象”的存在是客观的，有辉煌业绩的，特别是在人类社会进入“知本家”时代后，对二三十岁的博士在美国华尔街威震世界金融界的一条条诱人的报道，怎不叫国人叹为观止！

20 多年过去了，关于中国有没有神童，大学少年班的路子是否真的成功了，这些问题一直是人们关心和议论的焦点。而人们之所以热衷于这样的话题，就在于中国对造神运动始终情有独钟，它源于我们上一辈人对后一代人寄予的希望之巨、之热切，就像希望孩子像“小燕子”一夜成名那样，更希望自己的孩子在数理化方面有宁铂般的超常能力，中国的各个阶层的家长不免人人都有此心。这就使得“神童”们头上的光环更加神秘。

天才神童真的有吗？

1999 年 11 月中旬，我来到了如今全国唯一的保留少年大学预备班的苏州中学调查。这也是我作为苏州人第一次踏进这所从小在我心目中非常神圣的中国名校。吴江桥下古运河畔的苏州中学，也许是今天中国几万所中学中建校时间最长的中学了。1035 年，47 岁的北宋大文学家范仲淹到苏州任郡守。范大人在城里转了一圈就选定了一块建宅风水宝地——南园。“妙妙，此地真好，在此建宅，世世代代必生公卿。”一位风水先生在范仲淹面前连连称道。然而“先天下之忧而忧，后天下之乐而乐”的范仲淹回神一想：既然此处风水最好，与其吾家得此富贵，何不在此办所学校，让天下读书人都在此深造而共得此富贵呢？范仲淹不愧是一代名士，他立即将自己的想法上奏仁宗皇帝，请求捐地建学，造就人才。仁宗皇帝甚喜，准其奏章，从此苏州有了学校，“甲于东南”的吴学也由此开始，并一直沿袭至今。范仲淹捐地办学的故事在江南广为传颂，而作为建于此的苏州中学虽几经易名，但其根基在近千年间却始终未移过南园宝地一步。至于这里出过多少名士才子，真可谓不计其数。我只知道仅 20 世纪百年间就有孙中山的大秘书陈去病、语言学家吕叔湘、国学大师钱穆、史学家吕思勉、教育家王国维、叶圣陶、政治家孙起孟等一大批学者都在此执教过。在名师熏陶下的苏州中学，莘莘学子中人才辈出。当代名人史学家胡绳、顾颉刚、教育家匡亚明、科学家钱伟长、文学家于伶、严辰、陆文夫和国家女排教练袁伟民等都出自于南园宝地。仅苏州中学出来的中国科学院院士和中国工程院院士就有 31 人之多，这个数字与北京大学现有的院士数量不相上下。但是很多人并不知道苏州中学在最近的 20 多年里，还为国家教育事业担当了一个特殊的角色，即为中国科技大学少年班输送少年大学生，是名副其实的“神童”的摇篮。

那应该是个神秘的地方。走进这所熟悉而又陌生的学校时，我猜测着校长是不是愿意接受我这个戴着“有色眼镜”去看神童的特殊来访者？不想，倪振民校长一谈“身世”，我们马上成了“自家人”——当年他插队的地方，就离我曾经干过不少年农活的乡村不远。一种天然的亲近，使我有机会比较客观和真实地对中国现存的“神童”现象做出相对准确的结论——我真的很感谢倪校长，他的大智若愚的学者风范使我很钦佩。

倪校长向我介绍，苏州中学的“大学少年预备班”是当时根据国家教委精神，与中国科技大学联合创办的，始建于 1985 年。首先是针对中国科技大学少年班招生后出现的一些问题，如怎样更好更系统地发掘少年天才？是否从小学毕业就开始抓而不是大学招生时才进行培养等等。故而，苏州中学成立了“大学少年预备班”，客观上成了大学神童们的摇篮。事实上，15 年来，他们也的确充当了这样的角色。倪校长谈起此事颇有自豪感，因为 15 年来，每年大学从全国招收的那些特别优秀的少年大学生中，前五名几乎都是他们苏州中学出来的，而现在又从大学走向更高学府深造、成为国内外著名人才的，也正是这些少年天才。据说自像苏州中学这样的大学少年预备班建立后，相关大学的“少年班”招生一般不再在社会上直接寻觅与招考了，而是从这些中学预备班里选招，这样减少了很多盲目性，而经历了中学预备班两年时间的系统培养，该是“神童”的也就显露出来了，不像以往某些大学少年班招来的学生，开始确实在某些方面显示出天才智力，可上大学后，渐渐地“神童”不神了，怎么也跟不上同班同学，退也不是留也不是，把一个本来还算比较优秀的孩子给毁了，造成多方被动。从中学预备班招生，就避免了这样的问题。

那么中学的“大学少年预备班”的学生是怎样招来的呢？苏州中学在招收时，由中国科技大学与他们本校的老师共同组成主考委员会，开始是跑到各地去招收，后来那些智力超常的孩子家长和当地的老师、官员都会主动给孩子报名。预备班的学生必须有两个基本条件：一是年龄。一般来说不能超过 13 周岁，与大学少年班入学年龄条件相吻合。二是初中毕业生水平，考生可不受是否是应届生限制，但必须达到初中毕业水平，甚至是优秀的初中毕业生水平，这是为了下一步孩子们能够顺利地接受高中甚至比普通高中更深、更广的知识教育作准备。通常招生启事公布后，考生可以自己填写报名，也可以由家长、学校、地方有关机构推荐，这是学校掌握的第一手资料。在此基础上，由学校根据学生情况设置几个考点，进行初试。初试采用笔试，考数学、语文、英语和理化，成绩突出的再进行复试，其比例一般为 4∶1 左右，能进入复试的则有很大可能进入预备班，如苏州中学 1985～1988 年最初四届的报考人数分别是 145 人、136 人、153 人和 305 人，能参加复试的分别是 28 人、22 人、28 人、28 人。这个比例好像有很大的人为性。倪校长证实了这一点，他说这主要是考虑他们每年只招收 20 人左右一个班，“但从初试到复试筛选的比例是符合客观情况的”。倪校长进一步解释说，在复试后仍有一些学生被刷下来，如苏州中学前四届的最后招生分别是 21 人、16 人、20 人和 20 人，宁少毋滥是他们最基本的原则。

进入预备班的孩子，都是属于智力超常者，也就是我们通常说的“神童”。我特别认真地问倪校长：到底有没有“神童”？他听后笑笑。倪校长显然是位严谨的人，他是这样回答我的：“神童”这个概念在教育和科学上是不存在的，但孩子的智力差异是存在的，聪明与不聪明是存在的。他说他考察“预备班”的孩子时发现，这些孩子与同年龄的孩子相比，他们最大的特点是“坐得住”。

“同样的小孩，一般上40分钟课就不行了，有的成绩差的孩子在课堂也最多能静得下心20来分钟，可预备班的这些孩子就大不一样，他们通常可以认真地听你讲三四个小时的课，一个十二三岁的小孩，能坐得住的时间相当于我们成人，这就使得他们对知识、对事物的学习与研究比同龄学生要强得多。”倪校长进而给我揭示“神童”的秘密，“从我们的预备班生源来看，所谓智力超常者，他们的家庭环境起主导作用。比如教师的孩子或者在家接触较高知识层次的爷爷奶奶等。应该说，这些孩子中真正属于超常智力者仅占20%左右，大部分是属于中等、偏上水平。正是由于这些孩子从小受的环境影响，比如一些山区或者条件不太好的地方的教师自己的孩子，他们因为在家没有人照顾，就被教书的父母带进了学校、带进了教室，他们在很小的时候有意无意地开始接受初等教育知识，两三岁的小孩，从人的脑力开发科学角度讲，是非常重要的阶段，而这些孩子正是在此时得到了外界有意无意地脑能开发，所以日后他们的智力就明显比同龄孩子要强。一些有爷爷奶奶关照的孩子也是这样。这就是我们通常所说的“神童”产生的原因。当然，先天特别聪明的孩子也不是没有，但那种孩子的比例实在太小。我们招收的几百名少年预备班学生中，可能有那么几个而已。”

原来“神童”并不神呀！只要他们有意无意接受了一种特别的环境，就有可能成为天才神童呀！但是当产生“神童”的过程不再成为秘密，像宁铂三岁时就能背诵几百段毛主席诗词、计算很多数学题在今天很多小朋友也轻易可以做到时，人们迷信和刻意制造与追求“神童”的现象，为什么不仅没有停止而且仍然趋于疯狂呢？

还是来听听培养“神童”的专家是怎么说的。倪校长在回答这个问题时显得非常严肃，他说他作为一名中国名校的校长和一个有使命感的中国教育工作者，认为中国这么大的一个有古老文化的国家，一个正在走向现代化的伟大国家，必须有科学大师，必须有政治和经济包括文学方面的大师，这是时代和我们作为一个大国所必须具有的。大师可以被认为是某一方面的天才人物，这些天才人物确实有超凡的智慧与能力。但是，这样的天才不是制造出来的，靠刻意地制造是永远出不来的。因此，广大家长们要做的是，如何符合科学的思想与规律，较早较好地进行孩子的早期智力开发，把孩子培养成素质型与专业型相结合的人才，这才是根本的任务。倪校长向我透露：目前中国各大学的少年班已经越来越少，只有中国科技大学、上海交通大学等少数几所大学还保留着。曾经各地都蜂拥而上的“大学少年预备班”现在基本都停了，只有苏州中学还坚持着。他们之所以坚持办下去，是基于三点考虑：一是他们已经办了这么多年，积累了不少经验。二是中国如此一个伟大的国家，确实有一些非常出众的人才需要发现和对他们进行早期的有系统的培养。三是中国是个教育大国，其教育模式不应是单一的，应该丰富多彩些。

“目前办少年预备班有很多困难，好多学校办不下去是有客观原因的，比如国家的九年义务教育制，对孩子入学年龄限制很死，这样要在 13 周岁前就能完成初中毕业学习并不容易，而大学少年班的最低年龄定在 15 周岁。其二是少年预备班的投资是普通高中班的三倍，一些学校很难承担起这样的负担。生源也是个问题，我们最多一年有 500 多人报名，现在只有六七十人报名……另外，现在孩子基本都是独生子女，个人独立生活能力不断下降，高考又开始改革，以前大学少年班参加高考是不考政治的，3+X 就不行了，这些都是使少年班越办越难的因素……”倪校长坦言苦恼。

看来，20 余年的中国的“神童”之路由兴到衰说明，真正意义上的天才少年，并不是靠人为的制造就可以产生的。正如苏州中学倪校长所言：是天才的，我们应该给予特别的发现与培养，不是天才的，我们也不要刻意去制造和折磨孩子们，让后一代在符合科学与自然规律的条件下成长，这是最重要和最可取的。

在每一年高考中少一些“神童”，多一些优秀生，我们的国家和我们的家长就都该知足了。

三问天："黑客"何其多？

是我们的科学技术先进了？还是我们的网络有太多的空子可钻？但我们不得不清醒地面对一件事：那就是日益严重的智力犯罪现象。只要稍稍注意一下法制报刊，就会发现：高校学生和大学毕业生犯罪的消息，几乎天天都能看到，而且他们的手段之高明、之隐蔽、之贪婪，都是触目惊心的。几乎可以认定，凡先进的技术领域，凡金额巨大的金融案件，几乎都有高学历者的参与。那些利用信用卡"搜刮"银行的巨额钱财，那些利用网络进行诈骗，那些专袭无线通信的高手，哪一个不是高智商者？

"黑客"不仅仅出现在高技术领域，而且也出现在我们的日常生活当中。不信你作一些调查统计就会发现，当一个人或者一个群体发生灾难时，最能献爱心和伸出援助之手的，常常不是通过高智商赚大钱的人，而是那些拿钱不多、自己还不一定过得下去的工薪阶层或者平民百姓；当大街上出现歹徒血淋淋地向你刺杀过来时，第一个上前见义勇为的，也多半不是受过高等教育的人，往往是没有接受过多少教育的平民百姓。在家里，做父母的嘴磨破了，让孩子去擦一次地、刷一次碗会感觉特别的费劲，可当给子女几百元钱花时，他就会笑眯眯地叫一声爹好妈好……如此反差，说明了什么？

说明了我们的孩子知识水平都在提高，而他们的素质却在普遍下降，尤其是行为规范与道德水准更是在无情地溃退！

与父母的一次口角，可以离家出走；一次不顺心的管教，可以向父母举刀砍去；个人利益受到稍稍的损失，就会大闹天宫，折腾个翻天覆地……所有这些心胸狭窄、无情无义、残忍可憎的种种表现，难道不令我们反思今天的高分低能对整个民族的危害吗？为了实现每年的高考率，为了保证孩子能走过"独木桥"，为了跳龙门的那一瞬间的跃起，中国的教育方面所出现的问题到底有多少？

显然，高智力犯罪的增多，并不能全部怪罪于我们的教育，但中国的应试教育的弊端仍客观存在，在一次中学生家长会上，一位学生“中国应试教育是不把人弄成废物就绝不收场”的大声疾呼，赢得雷鸣般的掌声。且不说此话是否有些偏激，它至少透露出学生们是何等痛恨应试教育！

浏览目前的报刊，几乎一谈到“教育改革”，就会有大谈“素质教育”的文章出现，这个口号实际上从80年代初高考走上正轨后，国家教委和各学校便天天高喊不止。事实是，宣传上的素质教育声音越喊越高，声势越来越大，而实际状态是应试教育的鞭子越举越高，往学生身上越抽越厉害。

为写本文，我曾留意1999年11月的《法制文摘报》，顺便摘下几则报道，大家读后可以有一种直接的感觉：

报道之一

据《今晚报》报道：天津市第十九中学一个老师因班上有十几名学生考试成绩不及格，便让这些学生站在讲台前，当众自己打自己耳光。有的学生考试成绩26分，就让他从26开始，边打边数数，一直打到54记耳光——因为这个数到了良好的分数线。有一个同学不敢自己打自己，老师就气愤地上前亲自动手打他。11名同学放学后，都红肿着脸，直到在家长追问下才说出真情。

报道之二

陕西消息，9月27日上午10时许，陕西黄陵县田庄镇中心小学四年级学生葛某正上数学课，22岁的老师葛小侠因他的数学作业未完成，就向全班宣布：每人须向没有完成作业的葛某抽十鞭。于是全班50个同学中有28个同学举起教鞭抽打这个孩子。40分钟后，这位学生被打得大小便失禁，倒在地上呕吐不止，最后被人送回家，至今不敢上学……

报道之三

安徽消息，大别山某校老师，因为一个学生的作业做得潦草，便令罚做1000遍，并且必须在当天完成。这个学生在做到300多遍时，已经眼花头晕，但老师坚决不让他休息和吃饭。该学生硬是做到600多遍时，昏倒在桌上。老师看到后，气愤地走去泼了一碗冷水，训斥学生不许再偷懒，否则再罚1000遍。就这样，这个学生不得不继续做题，直到最后不知人事……老师第二天还在教室里对学生们说：谁不认真做作业，某某同学的下场就是你们的榜样。

报道之四

11月22日郑州电，记者在葛埠口乡一学校看到，该校教学楼二楼距地面3米多高，楼下是硬土地，上面砖头裸露。11月6日，6名男生没完成家庭作业，数学老师熊某某勒令他们到走廊上去写。过一会儿，这些学生仍没写完，一学生说："我不会做"熊老师说了气话：人家都会你不会？你真笨，跳楼算了"然后就回教室继续上课。该班教室在二楼，这个学生真的钻过护栏、抓着下边的铁管跳了下去。回到教室后他对老师说："我跳下去了，让我进班吧。"熊某某表示不信。那学生无奈说："不信我再跳给你看。"当着老师的面他又跳了一次楼。熊老师便对其余5名学生说："你们也做不出来吗？那都跳下去吧！"5名学生便排着队依样跳了下去。其中一名落地时扭伤了脚，当即坐在地上不能走动……

……

例子太多了，我先后从这个月的报上剪下十几条类似的报道，实在不忍心让这些非人的残酷例子叫读者跟着受罪。一家中小学教育调查信息机构提供的数据表明，每年发生的教师以残暴的手段摧残学生的案件不下百起，而每一案件所使用的手段与方法，大多都是我们闻所未闻的。在教师粗鲁的专制教育下，很多学生的心理出现不正常。有人曾对东北三省的42所中学、60所小学的3万余名学生检测，发现32%的学生有心理疾病。中国中小学生"学生与发展课题组"发布的另一则最新研究成果是：一多半的中学生认为学校的老师教育方法有问题，其中对近三分之一的老师"极不满意"，

“他们像电影里的坏人那样对待我们”——学生们说。这个课题组还公布一个数字：高中生仅有4.63%的学生是因为“喜欢学习”而上学的，换句话说，有95.37%的同学讨厌学校的老师与老师的教育方法。在升学率和与之相关的提升与提职等因素的影响下，老师以极端手段对待学生，似乎已经在中国中小学里成为普遍的现象。

“亲爱的叔叔们，我时常听你们说憎恨网上的‘黑客’，然而你们可知道，在我们学校，‘黑客’天天在袭击我们。他们道貌岸然，他们彬彬有礼，但那是在他们欢喜的时候，或者看到了他们满意的学习成绩、了不起的名次排序时。我们无比憎恨这样的‘黑客’，因为他们的权威无法使我们有所反抗，每一次稍稍的不从，结果将是我们细嫩的皮肉受尽蹂躏，或者天真的心灵被扭曲。救救我们吧，大哥哥大姐姐们，把你们克制病毒的本领教给我们，即使将来用我们全部的生命与努力作抵押……”这段署名“21世纪新网友”留在一个不起眼网站上的话，是一位知道我正在写高考报告的网友特意为我摘下的。也正是这位“21世纪新网友”的呐喊，促使我必须在本书里写进关于教育战线上的“黑客”问题。

如前所述，高等教育本不该生产出那些高智商的犯罪“黑客”来，但既然这类“黑客”现象是存在的，那么是不是该想一想它产生的最初原因呢？于是它使我联想起中国目前在中小学校特别是高中教育阶段的严重得不能再严重的应试教育危机。自然，在这中间充当“黑客”的无疑是那些高高举着教鞭，动不动就对学生施加淫威的某些教书先生。因为这些校园“黑客”们至今仍然没有清醒地认识到：他们的行为给我们的下一代，给整个民族造成的“病毒效应”，要比“千年虫”更令人胆战心惊！

有一件事我以为非常典型地说明校园“黑客”的危害。一本叫《盲点》的书中列举了这样一个事例，1992年11月16日这一天，某地一个偏僻的山村发生了一件令全村人惊呆的事：5个女学生（3个9岁，1个8岁，1个10岁）集体上吊自杀。报道如此说——

……这天早上，侯芳芳、吴兰兰、袁媛、徐影四个小姑娘像往常一样背着书包急匆匆去上学，家长们并没有注意到一张张小脸上的神秘表情，在她们的书包里已偷偷多了一样文具之外的东西来到学校，她们聚在一个角落处把东西拿出来，每人都是一条宽五寸长三尺的“白孝布”。

“这个行吗？听大人说上吊都是用棕绳。”年仅8岁的袁媛天真地问。

“行，怎么不行。”信心十足的侯芳芳说，“电视上不都是用白布吗？”

几个小女孩叽叽喳喳议论了一会儿死是怎么回事，死后会怎样。她们没有害怕也没有伤感，仿佛在商量着一场游戏。

这一天她们照样上课，做作业，回答老师问题，一个个与往常一样。两节课后，她们又聚在一起，说是要试试看行不行。几个人就到学校后面的一片桃树下，选了一棵很小的桃树，布条拴了好一会儿才拴好。可是谁也不愿先试，还是老练的侯芳芳先来：“试你们都不敢，真死怎么办？”她一边说一边把脖子挂上去。谁知刚一踩空，树枝“叭”的一声断了，侯芳芳重重地摔到地上。几个小姑娘哈哈大笑起来。笑过之后，她们像没事一样，拉上侯芳芳收拾了东西马上又去上课。

放学了，她们四个集中在“试死”的地方，又来了个叫李平平的小姑娘，问她们去干什么，袁媛回答说是去上吊。几个人都说读书太难，死了算了。李平平被说动了。可是她没有白孝布，急得差点哭了，她们答应等她去找。果然不一会儿李平平高高兴兴又找来条“白孝布”。几个人慌慌张张去找了好几个地方都不满意，最后选在离学校约一公里远的一条悬空的自来水管下面，几个人用小手抓住那水管试了试，说是这里好，不像桃树会断，再说下面是一片青草坪挺干净的。于是她们就把布条栓了上去，布条下面都留有一个空套子，被风吹得晃晃荡荡的。有人提议和父母老师告别，几个人齐刷刷跪在草坪上，天真的脸变得肃穆了。这一“仪式”结束，正要准备“实施”，吴兰兰猛然想起今天要到舅舅家去“吃酒”，或许舅舅还会给她两元钱买糖吃，不等小伙伴们同意，她拔腿就跑了。吴兰兰一走，几个人你看我，我看你，便有些动摇了。只有侯芳芳仍十分坚决，她说：“你们这些胆小鬼，你们不死我死，但不准你们告诉任何人，如果哪个敢当叛徒，我会变鬼来找她的。”

说完她写了张纸条留给老师，大意是她死后一辈子也见不到老师了，但她愿意去死，这样以后就再不会有人能打她、骂她、批评她了。她把纸条交给袁媛，就义无反顾地挂上脖子。当她在水管下面挣扎的时候，几个小伙伴吓得愣住了，继而各自向自己家里跑去。

这些孩子回家后，的确遵从侯芳芳所嘱，没有告诉任何人。待第二天上午芳芳父母找到她的时候，已是一具冰凉的尸体。

侯芳芳的父亲是国家干部，70 年代末由学校分到这个小镇工作。与本镇一农村姑娘结婚后，生下一女一子。农民出身的侯父，深知在这山沟里干农活的艰苦和得到一个工作的不易，要跳出“农门”的出路除了读书还是读书。“望子成龙，望女成凤”，夫妻俩把所有的心血都倾注在这一对儿女的学习上。芳芳爱学习，接受能力强，在父母的辅导下，还未上学就已把一年级的课学完。从一年级到三年级，成绩在班上总是居第一，年年被评为三好学生，还担任了班干部、少先队中队委。遗憾的是芳芳的弟弟对学习毫无兴趣，靠读书成才希望渺茫。于是，芳芳成了这个家光宗耀祖、跳出“农门”的希望，也成了父母在人面前炫耀的“金牌”。为了让这块“金牌”继续发出光芒，达到父母的目的，父母给她定了严格的“家规”：考试成绩必须双科 100 分，下午放学 4 点 20 分到家。年年还得评上三好学生。达到这个“标准”不容易，哪能每次考试都是满分呢？为此挨打也是常有的事了。她常把自己和弟弟相比，产生了受歧视、受虐待的感觉。

她对同学说：“我要是个男孩就好了，这样哪怕成绩不好也不会挨打了。”

不知是孩子想求得父母对她的一点爱，还是在家庭的严格教育下这姑娘懂事早的缘故，芳芳不但学习成绩好，而且还很能干，煮饭、喂猪、挑水、洗衣她都干得井井有条。就在悲剧发生的前一个月，芳芳奶奶去世，父母到 60 多公里外的老家奔丧。一去就是好几天，芳芳在家里除了操持家务，还要辅导弟弟学习。尽管如此，父母对芳芳的严厉仍是有增无减。有一次，她曾因成绩达不到 100 分而一夜不敢回家；又一次脚背被弟弟用斧子砸伤后，反被母亲臭骂……

她慢慢感到爸爸妈妈都不爱她，小小年纪变得少年老成。虽然因为她“成熟”，邻居们夸她. 亲戚朋友赞她，但是人们并未发现，在她身上缺少了同龄人的天真活泼。

由于学习成绩好、懂事早的原因，侯芳芳在学校、年级、班上都担任了职务，成了学校里的“小忙人”，她除了完成自己的作业，还努力做好老师交代的事。但孩子毕竟是孩子。有一次老师要她带领同学们打扫卫生，卫生没有打扫完，她就和几个同学踢毽子去了。老师发现后，没有批评任何同学，却把她叫到办公室“语重心长”地教育了一通，说她是“干部”，要起表率作用。过后她想不通，悄悄蹲在墙角哭了好久。

又有一次，老师安排她组织早读课，那些调皮的男孩子把她的书包藏起来了，她就凭着背熟的课文带领同学们早读。因有一句课文一时记不起来，引得全班同学一阵哄笑，恰在这时老师进来了，当着全班同学的面狠狠批评了她，说她骄傲自大，自以为了不起。她又委屈，又惭愧，哭着跑出了教室。

当然她在学校还经常受表扬，每次评奖都有她的份。老师们经常把她作为楷模，号召同学们向她学习。别看是些小学生，他们也懂得讽刺、挖苦、奚落人，如果回回成绩考第一倒也没事，稍有一次失误就会成为那些顽皮学生挖苦的对象，起哄、围攻她，弄得她好久都抬不起头来。

她那张稚嫩的小脸时常挂满忧郁。她对要好的同学说，在家里要当优等生，而在学校宁愿当差等生。

她觉得自己活得太累了，还不如死了好。死是一种解脱，这种想法在她读二年级时就有了。

那次也是因为考试成绩没有达到“标准”被父母打了一顿以后，她偷偷跑到一座山脚下哭了很长时间，后被一位过路的老汉发现了，问她干什么，她说：“老爷爷，我不想回家了，我想死，但我不知道怎样死才好，你能告诉我吗？”

老汉吓了一跳，“小姑娘、花都还没有打骨朵儿哩，怎么就会想死呀！快随我回家去，看你父母不收拾你。”

侯芳芳死活不愿回家，后来老汉答应不告诉她父母，她才勉强随老汉回家去了。

以后死的阴影就时常笼罩在她的心头。几个小伙伴在一起便时常诉说着各自读书的艰难，讨论着死究竟是怎么一回事，死后感觉怎么样。有一次，几个小姑娘在一起算了一下账，现在读小学三年级，如果到高中毕业，还有整整九年。天呀，九年时间要考多少试，做多少作业，要挨多少打、骂和批评呀。开始她们想到过逃学，到处流浪，哪怕拾垃圾也比读书轻松。但又听说没有家的小孩会被坏人装进麻袋运去卖了，还有可能被挖掉眼睛，那样不更痛苦吗？小姑娘们感到茫然了，熬下去吧，这样读书实在是太累太累，去走那条“唯一”剩下的绝路吧。

于是就出现了那集体自杀的悲惨一幕……

好了，这样悲惨的故事如果再读下去，我们只会有窒息的感觉。在一串串常人无法理解的事件中，大家都在问这样一个问题：传授知识的教师们，难道就真的一点不懂暴风雨不可能有助于禾苗生长，雷鸣闪电不可能让百鸟欢啼吗？

“但，在升学率的高压下，我们有苦，我们无奈，我们实在拿不出别的法子。”法庭上，一位向学生施威的老师哭丧着脸，抱怨道。可笑和滑稽总是充斥着我们这个社会。

有次开家长会，当家长们提出应该改一改现在的应试教育，校长便反问大家："我们搞了那么多年教育，上面的经验也是一套又一套地介绍，但我们学来学去结果是'找不着北'。"

一位家长则说："你们翻翻《毛主席论教育》一书，他老人家早就说过：现在的课程太多，害死人，使中小学生、大学生天天处于紧张状态。课程可以砍掉一半。学生成天看书并不好，可以参加一些劳动及必要的社会活动。现在的考试，用对付敌人的办法，搞突然袭击，出一些怪题、偏题，整学生。这是一种考八股文的方法，我不赞成，要完全改变！"

另一位家长发言道："70 年前的 1929 年 12 月，毛主席在所作的《中国共产党红军第四军第九次代表大会决议案》里就早已传授过教育方法：1. 启发式（废止注入式）；2. 由近及远；3. 由浅入深；4. 说话通俗化；5. 说话要明白；6. 说话要有趣味；7. 以姿势助说话；8. 后次复习前次的概念；9. 要提纲；10. 干部班要用讨论式。"说到这里，这位家长提高嗓门说："我补充两点：11. 要利用计算机；12. 也可以抽空看些电视节目。"

这个家长会"开炸了"，后来校长和老师们与家长们一起反思，比起毛主席说那些话时，我们的时代已经进步了许多，但对待教育问题上这些简单而并不复杂的道理，为什么我们一直弄不明白呢？为什么非得把我们好端端的孩子逼成疯子，逼成残疾，逼成傻子，最后不得不拿起刀子来杀自己的家长和老师呢？

据说，后来家长会开得好多人哭了起来，校长也哭了，老师也哭了。

我想这一幕一定很美，如果孩子们看到后也会很感动的。只是这样的家长会太少了，几乎是不太可能出现的。所有的家长会都变成了浑身上下充满火药味的老师和校长的无休止地动员研究和出谋划策的战术动员。难怪学生们说有的校长和老师是不折不扣的"希特勒"，家长是法西斯的帮凶。

教育者和被教育者之间形成"敌我"阵线，亲人与骨肉之间没有了亲情，这种情形下即使培养出了天才，也一定是最无情和最具破坏力的可怕的"杀手"。

不是没有出路，只是必须用心。北京育鸿中学校长王水勤先生便是这样的有心人。他的学校之所以在北京人心目中享有崇高声望，在于他善于填补学生与老师之间那道深深的沟壑。他认为面对新世纪，如何做好教师，是我们每一位教育工作者应该认真思考的问题。21 世纪国际竞争的焦点是人才资源，而决定人才资源数量与质量的关键在于教育。教学过程中．学生是主体，学生就像一面镜子。学生们想的字字句句，都非常值得我们认真思考与研究。

在“黑客”盛行的今天，我们借王水勤先生整理出的他的学生的“心声”，请所有的老师们听听孩子们是怎样“愿意做老师的朋友，喜欢老师的微笑”的：

高三年级学生：

身为 21 世纪的教师，我想应有一个“全球战略”，即应多吸收一些先进的教学手段及科学的教学制度，应加紧让素质教育普及开，让众多中国学生从题海中解放出来，让大脑不再成为一个被装满的容器，而成为一个将被创造点燃的火把。（王连智）

(1) 有耐心；(2) 有爱心；(3) 有情趣；(4) 有责任感；(5）能理解学生；(6) 能够微笑授课；(7) 能减轻学生的负担。（张烁）

初一年级学生：

我作为一个普普通通的中学生，只希望教师爱笑，不偏心，关心同学。也许大人们都认为老师严肃点好，但学生眼里的教师不留作业，爱开玩笑才是一位“顶好”的老师。但我不同意不留作业。写作业、复习功课是学生的一种天职，你要不写作业还算学生吗?笑，是每个人都会的，但有的老师上课却喜欢板着脸，让同学们一看就没心思上课。不偏心，是每个同学的愿望，在教师面前应该人人平等。（田静鑫）

在我心中，教师应该是这样的：首先要和同学们成为朋友，愿意听取同学们的心声。然后不要当面批评同学，因为每个同学都有自尊心，也就是要面子。还有，讲课时要幽默，上课时会开玩笑，因为上课时老师只讲课，同学容易走神。最后，不要总是找家长，我想如果您们好好和同学们讲道理，他们会听的。亲爱的老师，我们真心希望您和我们是好朋友。（段金楠）

初二年级学生：

您们说过，21世纪是与世界的距离缩小的时代，您能否也与我们的距离缩小呢？我希望您们能提醒我们，而不是歧视我们，您们能帮助我们，而不是检查我们。您们如果能与我们真正交上朋友，我想，您只要说一句，我们就一定能做得很好。我希望您能更多地了解我们，我真心地期待着，我相信您们一定能做到。（胡由杰）

初三年级学生：

我希望教师首先应面带笑容，无论是上课还是课下，因为这样能使同学们感到亲切，缩短师生之间的距离，而且爱笑的老师更容易激发和调动课堂气氛，提高学习效率。（李荣）

我们作为跨世纪的学生，心理压力很大。我们面临毕业，面临中考和高考家长对我们施加压力，老师对我们施加压力。我们都知道老师做的一切都是为了我们好，一节课45分钟，好不容易下课了，老师还要拖堂。我们每天在学校面对着那么多的科目，回家又对着那么多让人头痛的作业，我们真的很累。我们需要多点休息，需要多点自由，需要多点理解。我们心目中的老师应有幽默感，可以和我们成为朋友。我希望老师不要太严肃，可不可以笑一下？

最后，说一句：教师们辛苦了！（秘莹）

瞧，多懂事的孩子们。

读了这些朴实无华的孩子的话，我想，那些靠教鞭与惩罚手段的“黑客”教师们，该把高扬的教鞭放下了吧！学生们只希望您们对他们笑一笑，只要“笑一笑”，其他的“什么都好说”。而且，您们不是常常感觉自己没有办法吗？那就把学生们教给您的本领都用一遍吧！

笑一笑，十年少。笑一笑，再顽皮、再笨拙的孩子也会温顺和聪明起来了。

亲爱的老师们，世界上还有比学生们自己想出的办法能更好地教育他们本人吗？

四问天：专袭北京、上海市民为哪般？

在北京中关村一带，云集着中国多所高等学府，这对管辖这个地区的公安分局的张局长来说，是件既光荣又非常棘手的事，弄不好就要砸自己的饭碗。大学城的敏感，绝不亚于天安门地区，中国出现了多少回政治风云，哪一回不与大学连在一起？“张局”自部队转业到地方公安局后，由开始的片警到后来的派出所负责人，一直到现在的局座位子，什么样的案件没经历过呀，可这几年他遇上了一个十分奇怪的现象：怎么好几起外地小歹徒犯罪，都是专门袭击北京籍市民和北京籍大学生？本来，他和局里的同志们都是管治安和侦破刑事案件的执法者，有了事去破案，出了恶性事件去逮人就行。可是这一年一连出了几起犯罪目标很单一很明确的案子，让张局长若有所思，为什么有一些外地年轻犯罪者特别憎恨北京人？

他试图弄清这个谜。他需要掌握犯罪动机与犯罪心理，因为这是当今公安工作的基本任务之一。

又是一起恶性案件：一位河南籍歹徒乘主人不在家，撬门启锁，除窃得室内财产外，有意把不能带走的家什砸了个稀巴烂，犯罪分子明显有报复心态。这是为什么？犯罪分子肖某与户主完全不认识呀！

张局长带着这一早想解开的谜走进了审讯室。

问：报出你的姓名。

答：肖××。

问：哪里人？

答：河南商丘人。

问：犯罪事实？

答：10 月 11 日，到海淀区黄庄某居民楼入室偷窃。

问：还干过什么事？

答：在地铁抢过两个北京女孩的包。

问：为什么专门抢窃北京人？

答：……

问：为什么？

答：不想回答。

（一段时间的沉默后继续发问）

问：你读过几年书？

答：十几年吧。

问：高中生？

答：算是。

问：啥叫"算是"？

答：因为高三毕业后又念了两年复读，同学们说我是"高五生"。

问：想考大学吧？

答：没错。

问：高考成绩上不去？

答：上去了，但没录取。

问：几次都是什么分？

答：第一次 408 分，第二次 420 分，第三次 449 分……

问：这个分应该到录取线了吧！

答：那是你们北京，满 400 多分说不定可以进个"重点"了，我们河南，行吗？（犯罪人情绪突然激动，两眼充满仇视。）

问：考不上就出来偷抢？

答：为了吃饭。

问：年纪轻轻，不能做点正经事？

答：正经？什么正经事？想进机关当公务员，你们北京收高中生吗？到公司人家先要看你文凭至少大专以上……

问：那也可以自己开个小铺、做些小买卖。

答：咋非要做小买卖？我要做大事。

问：嘿，还有不小的雄心壮志！干吗要做坏事？

答：问你们北京人。

问：这跟北京人有什么关系？

答：怎么没关系？政策不都是你们北京定的嘛！

问：定政策也没有挡你们河南人的路！

答：不挡？不挡我就不会进你这儿来了。

问：怎讲？

答：要是我生在北京，用得着去偷抢？早进了很神气的大学了。不就是你们北京牛嘛，同样的成绩，你们能上大学，我们河南人就不行，我不恨你们北京人恨谁？哼，你抓我也不怕，只要出去，我还会专门抢你们北京人！我恨你们……

张局长不再审了，心里像堵了一团棉絮，说不出什么滋味。

在临出审讯室时，回头又问了一句：你真的很想念大学？

肖犯：为了供我读书，我爸我妈还不得不把一个弟弟给了别人……

一直颇为“刚强不屈”的罪犯，突然呜呜大哭起来。

张局长后来告诉我，他当时在门外立了很久，“双腿不知咋的有些挪不动”。他还说，在一次全国高校周边治安管理工作会议上，上海公安局的一位同志跟他谈起了类似的问题，即有那么一群犯罪分子，专门袭击家里有大学生的市民或者本市籍大学生。两地的办案干警们得出结论：有些外地高考“落榜生”由对现行各地录取分数线的不平等性造成的心理失衡，诱发了某种报复心理，直至走上犯罪道路。上海出过一个案子更绝，一位外地青年连续到上海市民家作案，他什么都不偷，只是把袭击对象家里的书籍和物品全部毁坏，特别是见主人有什么大学毕业证书之类的东西就撕得稀巴烂。在大学校园作案也是这样，不袭击外地学生，专袭击上海籍学生。

歹徒独特的犯罪心理，北京、上海市民当然不可能明白，市民们只明白活在他们生活的城市，先天就有一种优越感。北京是首都，不用说这儿的每一块红砖绿瓦都沾着皇家气派，就是小胡同里那些拉三轮车的人说起话来，叫你外地人吭哧半天也顶不过他。最让外地人羡慕的，是这儿有通向“黄金屋”、连接“人上人”的多所中国著名学府。上海也牛啊！上海人向来脑子灵光，风流倜傥，历来就高人一等。今朝今世，别人做不了的事，上海人就能做，且做过后全国人还得向他们学！

北京人和上海人让全国羡慕，但北京人和上海人也有让外地人不服气的地方，那就是高考政策的特殊优越性。

“北京人是皇爷，皇爷的孙儿孙女就比咱百姓儿女贵气呗。”

“上海人是大爷，大爷的孙儿孙女自然也比咱娇贵三分呗。”

呸！有本事咱们站在一个起跑线上，看谁能进北大进清华！自80年代以来，外地人跟北京人较上劲，而且后来证明北京人就是考不过外地人，如今在北京学生中进不了北大清华的大有人在。上海的情况也是如此，你上海的复旦、交大不是很牛嘛，那好，我就专考这两所名校，挤你个上海人没面子！复旦、交大多少年来招进的头几名“状元生”都不是上海本地人。

但是外地人很快发现，虽然北京人、上海人无法与他们竞争“状元”，但依然能浩浩荡荡地比任何一个外省市的学子们都轻松地走进北大、清华和复旦、交大。

这是为什么？就是北京、上海的高考录取分数线比外地低一大段！低出100分左右！

天哪！高考的分数，每一分对考生来说就像登山的一个高高的台阶。这100分，就是一百个台阶呀！

凭什么北京人、上海人会有那么多的优惠条件？说什么高考是公平竞争，差100分的竞争是拉犁的马车和柏油马路上的汽车比赛，哪有公平可言！

于是，外地人感到了愤怒，无比的愤怒！

全国同一张卷子，同一种制度下的考试，却获得不了同一个录取标准，这不是欺人，不是排斥，又是什么？

当年恢复高考时，许多人根本不知道各个省市的录取分数线不一样，进了大学一比才知道，因为那时没有几个家庭有电视，许多百姓连报纸都看不到。而今新闻媒体特别注意百姓关心的事，一到像高考录取分数线这样的大事情，新闻媒体全都报道，所以全国人民都知道北京上海录取分数是多少。

我儿在俺老家这里考了400多分连个大专都够不上线，瞧你们北京上海，同样的分数竟然能挑个重点大学上！这是什么平等？！

山东济宁的王大林，在女儿高考分数下来后，晚上看了电视新闻里说的录取分数线，高兴得挨家挨户报喜，说自己的女儿今年终于可以进大学了。村上的人也挺为王大林高兴，大家都知道大林为了闺女念书，已经第三次让成绩不怎样的孩子复读，乡亲们都说大林要交好运了。可是等了好几天，录取通知书一直没有送到大林家来。又过了一二十天，仍不见喜报送来。大林便跑到城里，亲自找到女儿复读的那个学校。老师见了大林直躲，后来没办法，老师只好实话告诉他，孩子今年的高考分数比前两年是有不少进步，但还是够不上录取线。大林说够上了够上了，我在电视里听到的。老师说，你听到的那个录取分数线是北京的，不是咱山东的呀！啥，我看的是北京电视节目呀？王大林的两眼发木，但他马上又清醒过来，说：北京更好了，那是中央的地方，北京的分数线是咋样，全国就得是咋样呀！老师怎么解释，王大林就是不听，他说他信北京的声音，信北京的政策。

但北京的“声音”最终并没有录取王大林的女儿上大学。为此，王大林怀着一腔困惑，在那年其他孩子都上了大学时，他开始进京上访。可是从教委听到的“北京声音”仍然告诉他：你的孩子的分数进不了大学，因为北京和山东的录取分数线不一样！

咋北京跟山东就不一样？难道山东就不是归中国管的吗？咋……王大林有一百个弄不懂的问题，任凭教委的有关官员怎么解释，王大林就问这两句话：咱山东是不是和你们北京一样属于中国的？咱山东孩子考的卷子是不是跟你们北京考的卷子一样？如果是，你北京的孩子可以进大学、进重点大学，那咱孩子就也该进大学、进重点大学！

王大林没有多少文化，也从没有进过北京城，但谁能说他讲的这些不是理？

我到南京采访几位“落榜生”的家长，他们一上来就像要吃掉我似的嚷嚷起来：你们北京人跟上海人不就是凭着皇帝旁边官大权大，啥好事都你们占着，嫌不嫌胀肚呀？你们的孩子可以上大学考博士，金榜题名，光宗耀祖，我们的孩子就该当工人阶级，为你们“知本阶级”垒石铺路？凭高考录取这一条不平等，呸，我就看不起你们北京人上海人！

那天我弄得很狼狈，好在旁边有朋友介绍说，何先生也是江苏老乡，这才使一帮心头之火未熄的南京市民缓和了许多。不过，一听我是北京的“江苏老乡”，话题就更多了。有位干部出身的家长说，我们江苏改革开放这么多年来，向国家交的税是最多的，孩子上学同样条件下花的钱也要比北京上海的多，像南京这样的地方，为什么择校风越演越烈，就是考大学竞争激烈呀。可为什么我们贡献最多、在孩子身上花的教育投资也是最多的江苏老百姓，理应我们的孩子在接受高等教育上优于别人，但现在不仅不优于别人，反而不如别人，比北京上海的孩子差一大段。这绝对是不公平的，也不是社会主义制度的体现！显然在目前的高等教育上是“皇家贵子是一套，百姓庶民又一套”。

他列举了 1998 年高考理科第一批院校的最低控制分数线的例子，江苏是 566 分，比北京同档高出 83 分；湖北省竟然比北京高出 102 分！文科江苏 529 分，比北京同档高出 71 分。这一年北京考生总分超过 600 分的 759 人，江苏考出 600 分以上的人数是北京的近十倍！湖北这一年满 600 分的达 8000 人！他说，再算上山东、湖南两个考生大省，如果按照分数名次来公平录取的话，北大、清华、复旦、交大等等著名学府，将全部被这些省的考生所包揽，北京、上海的"状元"们几乎可以说无人进得了这些名校。但事实是，这一年北京、上海考得 600 分以上的学生进了北大、清华等著名大学的比例远远高于江苏、山东、湖南、湖北省，甚至达到十几倍、几十倍。北京的考生拿 600 分出头的分数轻轻松松可以进北大、清华，而其他省考了 620 多分的孩子甚至连大学都上不了，只能重新进耻辱的复读班——这些考生满怀信心地在第一志愿报考了北大、清华，等到他们的名额被北京上海考生挤走，再回头想用第二志愿进次一类的大学时，那儿的学校常常已经对"第二志愿"者关闭了，所以，每年在江苏、山东、湖南、湖北等地时常出现考了 600 多分的考生，最后连学都上不到的倒霉事！

百姓不恨才怪！

再看一看 1999 年的高考录取比例，外地人对北京和上海的愤恨就更大了：北京的高考录取比例达到 74%，全市 49205 名考生，"中举"的就有 36595 人，基本达到 4 个考生中有 3 个能上大学。上海是自己出题考试，从 1999 年文理考题看，难度明显低于全国卷子，所以它的高考升学率比北京还要高出十来个百分点。可江苏、山东、湖南、湖北的比例又是多少？这些考试大省的比例却一般不足 30%，低于全国平均水平。原因是考生多，招生指标少，而提档的分数大大高于北京、上海，故录取人数就少得多！

最近国家公布的我国 21 世纪教育规划中指出，2010 年全国适龄青年接受高等教育的比例要达到 15% 左右的目标（现在是 9% 左右）。其实，北京、上海现在的高考录取率早已超过了这个比例的几倍，远远走在了世纪发展的前头！然而北京、上海的超高比例，则更加说明了别的省份的比例之小，那么这种差异到底为什么存在？为什么有这种差异？

原因有两大方面：一是由于中国的高校集中在北京上海两大城市，虽然北京三十几所国家级的大学面向的是全国，但北京作为首都、人口的控制一直是中央和北京市政府的长期政策，因此，那么多大学每年总是把相当高的比例名额留给了今后不用为进京人口指标烦恼的北京人。如1998年清华大学总招生为2350名，原计划在北京招生346人，后又扩招了100名，可清华在江苏、湖北等生源大省投放名额仅为120人左右，不及北京的四分之一，而江苏、湖北等省的考生人数却是北京的几倍，如此一加一减，使得北京得天独厚的优势就更加明显。其二是北京、上海这几年在初中升高中时，对生源进行了大量分流，职高、技校全面开花，真正升普通高中的只有四成。如1998年，北京的高中毕业生是最多的一年，但也只有40195人，而像湖北这一年高中毕业参加高考的，就达15.44万人，是北京的3.39倍，可最后录取比例则远远低于北京。

在无锡，一位教育局的官员给我算过一笔账：高考22年，由于录取分数线上出现的“不平等”所造成的后果是，江苏全省至少在过去的22年里，每年有10000名以上的考生失去了像北京、上海考生同等条件下接受高等教育的机会！“在知识经济的今天，上过大学和没有进过大学门的人，不说他们一生的命运会有多大的差异，仅仅造成家庭的直接经济损失也是难以估计。可是我们江苏对国家的贡献是什么呢？改革开放以后，江苏一直保持着国民经济生产总值在10%～15%的年增长率；无锡、苏州等地区的增长率则一直高达20%以上。这些贡献是应该的，因为我们都是社会主义大家庭的成员。可是我们还想说，为什么我们的孩子却得不到同样的接受高等教育的机会？

“我是一名管教育的政府工作人员，每年看到那些痛不欲生的落榜生和他们的家长的难过劲，我心里就在喊：要是他们生在上海和北京多好，那样他们的孩子都可以上大学了！如果按照北京、上海的录取分数线，我们苏、常、锡一带的高中生几乎全都可以上大学，但现在，我们的孩子多数只能被拒之于大学门外！这是残酷的，也是不公平的。像这样高考中出现的地域不公现象，下面早已意见纷纷，但始终得不到解决。原因是什么我们弄不清，倒是有人为了掩饰这种不公，信口雌黄说什么外省市在高考判卷尺度上比北京、上海松。只有那些根本不了解我们这儿情况的人才敢说这样不负责的话！我们国家高考是全国统一卷，就像全国的司法部门执行同一法律似的。说那样的话不是很荒唐吗?

“要是京官们到下面来看一看，我们这些地方的孩子们是种怎样的竞争状况，看看学生和老师的辛苦，你们就会明白为什么我们的考生分那么高。在许多地方，一般重点中学到高二第一学期就基本结束了高三的课程，后面的时间全在为高考准备。高二以后，学生和老师几乎不再有节假日可言。可在你们北京，据说临近高考时，还有学生看球赛、看《还珠格格》！我说这话时，有人又会说北京、上海的孩子接受的素质教育比外地生好。不错，比起那些连校舍都解决不了，也根本没有语音室的穷地方的山区、边远地区可能是这样，因为那里的高中生靠的就是死做题，做死题，学校没有这样的条件进行素质教育。但是像我们江苏沿海一带的情况就不是这样。不信你们看一看我们这儿的学校，你说论学校环境，还是学校教学设施，哪一样都不比你们北京、上海的学校差。北京四中、八中和 101 中学是名牌吧，可在我们这儿，随便拿一个地区市级中学都可以跟他们比一比。有人说硬件不能说明问题，要看软件。好啊，我也想看看你北京、上海的老大哥学校到底软件好在什么地方？老实说，素质教育在我们中国的中学里，还没有真正产生呢！谁的升学率下去了，你就免谈素质教育，只有那些升学率高的学校才有权利谈素质教育。可是你真心让那些升学率高的校长老师谈谈他的素质教育好在什么地方，谁也谈不出来。因为中国从来就是以分数代替素质，分好其他就全好。我们不服气高考录取上的不公平就在于此！”

这位江苏教育官员慷慨激昂地向我倒出了他久积在心头的不满。末后他又说：“跟你作家说这些其实没多少用，因为类似这样的话，我在全国教育工作会议上也‘恶毒攻击’过，但收效甚微。可我还是想说，不说抑郁在心头难受。每年我负责招生，每年看到那么多考得并不算差的孩子上不了大学的伤心样，我难过，当然为他们抱不平！”

高考录取工作上的不公平，其实在许多省份都普遍存在。我采访北京宏志班时，一位已经考上北医大的女学生就这样说：“我过去一直认为自己还是学习比较刻苦的，可上了大学与外地生一比，就发觉自己差远了。我们北京籍的学生平时能把课程听完，作业做完算是好的了。一到晚上就忙着看节目，参加活动，要不就是去约会，人家外地学生则都跑到图书室或教室里做功课，很晚才回宿舍。周末了，我们北京的学生都急着回家，外地同学却把两天时间安排得满满的，他们的学习精神和学习成绩就是比我们好。我觉得最根本的是，我们北京籍孩子有种天生的优越感，即使成绩一般，将来也安安稳稳可以留在北京。外地生就不行，他们要想留在北京，就得出类拔萃，方方面面都强才行。”

不平等始终存在。外地的孩子们，准备好了，即使你跨进了大学门，未来仍有不平等，这种地域上的差异虽然不近人情，但却是客观存在，短期难以改善。当然，更应该提醒的是北京和上海的学子们，你们应该更加珍惜自己与生俱来的优越，要把党和政府给予的关照，化作为国家多做贡献的动力，以回报命运的恩赐。

五问天：最神圣的地方为何也最丑恶?

康熙十五年冬，在北国宁古塔一个寒夜，江南名士吴兆骞万万没有想到在流放18年的荒蛮之地见到了好友顾贞观，两人抱头痛哭。当下，顾贞观对吴兆骞许下诺言：5年之内，一定帮助好友重归江南故里和恢复名誉。素有“惊才绝艳”之称的吴兆骞感激之余，写下了一首充满悲愤和生死离别之感的《寄顾舍人书》：

嗟乎！此札南飞，此身北滞，夜阑秉烛，恐遂无期，惟愿尺素时通，以当把臂，唱酬万里，敢坠斯言。

顾贞观读罢，泪流满面，也挥毫写下《金缕曲》一首回赠：

比似红颜多命薄，更不如今还有。只绝塞，苦寒难受。廿载包胥承一诺，盼乌头马角终相救。置此札，君怀袖。……薄命长辞知己别，问人生到此凄凉否？千万恨，从君剖。

五年后的1681年，即康熙二十年，吴兆骞这位因涉顺治丁酉江南科场案的“要犯”已在塞北度过了23个春秋的江南才子，终因被康熙看中其横溢的才华而被释放。然而54岁的他，最后却因病去世于北京，未能回到他梦魂萦绕的故里。

关于吴兆骞的厄运还得从头说起。

清朝入主中原后，为网罗天下知识分子，于顺治三年恢复了中国历代进行的科举考试。从此几乎年年有考。由于封建科举考试是直接为朝廷选拔人才，便总会有人企图通过科场达到“一路连科”“青云直上”和光宗耀祖、门第贴金的目的，各种科场腐败案也就相伴而生。江南名士吴兆骞生不逢时，碰上了清代最为罕见的一场科举舞弊案。

前往江西主持科举考试的吏部考功司主事刘祚远，在行至陕西潼关时，有布政司人役孟经魁为生员高巍然等说情，说高等三人可以每人出两千两黄金贿买举人。这种事在封建社会的科举场上并不鲜见，但因顺治皇帝执政后，屡次严词警告下官：倘若发现有人作案，当斩不恕。刘祚远慑于禁令，不仅不敢收受贿赂，相反将贿赂人锁拿，并奏皇帝严办。但仍有人我行我素。于是触目惊心的顺治丁酉科场案终于发生了。

首发案是顺天府的考官李振邺、张我朴等公开贪赃受贿，京官三品以上的子弟无一不取。可也有人花了钱却没取上的，于是投状叫冤。顺治皇帝气不可耐，当即下令对李振邺、张我朴等人“俱著立斩，家产没，父母兄弟妻子俱流徙尚阳堡”。在处决李、张等人的第二天，共达一百多涉案人被抄家流放。此案刚出不久，又有人告发江南乡试舞弊。顺治十四年八月，丁酉年江南乡试放榜后，许多江南名士榜上有名，但在中举榜上也有一些靠贿赂官员而上榜的，于是两江士子哗然，那些落第士子们群集江南贡院门前抗议。

有人还贴出一副对联："孔方主试付钱神（指主考官方犹和钱开宗），题义先分富与贫（考题中有《论语》'贫而无谄'一章）"，并且将门上"贡院"两个大字的"贡"字中间加了一个"四"字，改成了"卖"字："院"字用纸贴去耳字旁，变成了"完"字，于是"贡院"就成了"卖完"。有人借考题发挥写了一首《黄莺儿》："命题在题中，轻贫士，重富翁。诗云、子曰全无用。切磋欠工，往来要通，其斯之谓方能中。告诸公，方人子贡，原是货殖家风。"其时，江南宁书坊中还刻了一部传奇小说《万金记》，以"方"字去一点为"万"，"钱"字去边旁为"金"，万、金二字，指的就是方犹、钱开宗二主考。书中极力描绘了科场中行贿通贿的情状，作品一直流传到京城，闹得人人尽知。

（见《江南贡院》，周道祥著）

顺治皇帝得知江南科场丑事后，怒不可遏，当即下令："方犹、钱开宗并同考试官，俱着革职，并速拿来京，严行详审。"为了鉴别案子真假，顺治皇帝决定亲自在北京主持复试该科江南中举的考生。参加复试者每人都身戴刑具，由护军营军校持刀监视，每两名军士看守一位举人，气氛极其紧张。当时已值冬天，考场的举人们冻得浑身发抖，但也不敢吱声。瀛台复试，24 人被罚停会试；14 人因文理不能，革去举人；只有 74 人准许参加会试。顺治一看结果，认定江南乡试有假，于是便下令将方、钱二人立即正法，其"妻子家产，籍没入官"，另外 18 人也受到"责板四十，家产籍没入官，父母兄弟妻子一并流放到黑龙江的宁古塔处分"。顺治认定处理此案的刑部也不得力，一怒之下，革去了包括刑部尚书图海在内的一批官人的职务。此案中本来并无吴兆骞什么事，但这位江南名士看不惯上朝如此愚弄考生，特别是当他走进瀛台，看到考场像刑场的感觉后，当场交了白卷。这下可激怒了顺治皇帝，故也把他流放到宁古塔，且一去就是 23 年……

吴兆骞这样的命运在封建科举考试中并非鲜见，像他这样看不惯科场而又有真才实学者愤愤甩笔出场者大有人在。

被毛泽东称为“五四运动总司令”、我国20世纪新文化运动的主帅、中国共产党的主要缔造者之一的陈独秀先生便是其中的一位。

很多人可能还未必知道，中国共产党的创始人陈独秀其实还是位封建科举考场出来的真正“秀才”呢！1896年，陈独秀以“古怪的方式应对了古怪的考题”，结果稀里糊涂当上了“秀才”。第二年，在哥哥的极力要求下，他到南京参加盛大的“江南乡试”，以图弄个状元当当。心不在焉的陈独秀对在著名的南京江南贡院三天的科举考试印象极深，他在日后的《实庵自传》中有详情记述：

……我背了竹篮、书籍、文具、食粮、烧饭的锅炉和油布，已竭尽了生平的气力，若不是大哥代我领试卷，我便会在人丛中挤死。一进考棚，三魂吓掉了两魂半，每条十多丈长的号筒，都有几十或上百个号舍，号舍的大小仿佛现时的警察的岗棚，然而要低得多，个子长的站在里面要低头弯腰，这就是那时科举出身的大老以尝过“矮屋”滋味自豪的“矮屋”。矮屋的三面七齐八不齐的砖墙，自然里外都不曾用石灰泥过，里面蜘蛛网和灰尘是满满的，好容易打扫干净，坐进去拿一块板安放在面前，就算是写字台，睡起觉来，不用说就得坐在那里睡。……那一年南京的天气，到了八月中旬还是奇热，大家都把带来的油布挂起遮住太阳光，号门都紧对着高墙，中间是只能容一个半人来往的一条长巷，上面露着一线天，大家挂上油布之后，连这一线天也一线不露了，空气简直不通，每人都在对面的墙上挂起烧饭的锅炉，大家烧起饭来，再加上赤日当空，那条长巷便成了火巷……有一件事给我印象最深，考头场时，看见徐州的大胖子，一条大辫子盘在头顶上，全身一丝不挂，脚踏一双破鞋，手里捧着试卷，在如火的长巷中走来走去，走着走着，上下大小脑袋左右摇晃着，拖长着怪声念他那得意的文章，念到最得意处，用力把大腿一拍，跷起大拇指叫道：“好！今科必中也！”

正是这位“今科必中”的徐胖子，使本来可能中状元、榜眼的陈独秀，痴呆呆地看着眼前的情景而忘了应试一事。几十年后，陈独秀回忆起这段往事说道：

在这一两个钟头当中，我并非尽看他，乃是由他联想到所有考生的现状；由那些怪现状联想到这般动物得了志，国家和人民要如何遭殃；因此又联想到所谓抡才大典，简直是隔几年把这班猴子、狗熊搬出来开一次动物展览会；因此又联想到国家一切制度，恐怕都有如此这般的毛病……这便是我由选学妖孽转变到康、梁派之最大动机。一两个钟头的冥想，决定了我个人往后十几年的行动。

陈独秀和吴兆骞两位名士在科场拒考，使前者的后半生有了辉煌历史，后者则深受苦难。古人曰：科场如吃人的兽场。此比喻有两种含义，一说旧科举制度对考生身心的摧残，二说科举制度下，种种腐朽的勾当使广大真才实学者深受其害。然而，今人也有这样的话：自古考试森严，总有恶迹昭彰。

也许在百姓心目中，能够端平一碗水，靠实力跨越人生命运新台阶的事非高考莫属了。正是由于大家对高考的这种认识，被称之为“国考”的中国高考，在百姓心目中越来越神圣。考生们吃尽苦中苦，熬过十几年寒窗之后，踏进考场的那一瞬间的无比紧张、激动，都是因为这一原因。然而，人们当然不会想到，在高考这一神圣的净土里，其实也从来就没有让众多百姓感到过真正意义上的放心。所以有位考生家长对我说：天下腐败者，唯独在高考中做手脚的人最可恶！

社会主义制度下的高考，本不该有丑恶的现象出现，但既然是丑恶的东西，只要有机会与土壤，它便蠢蠢欲动，兴风作浪，高考中的腐败，则是直接使不该饱受落榜之苦的人失去了灿烂前程和一生辉煌。

中国高考中的腐败源于封建社会留下的旧意识，始于“文革”中“群众推荐”加“组织选拔”的录取制度惯性。考察几千年中国走过的选录人才的历史，有两条线是非常清晰的，即靠推荐和考试。

早期的封建社会和后期的封建社会都用过这两种方法。比起官官相佐、你拉我捧的推荐制度，科举考试更容易避免人为因素在录取人才上的舞弊现象。新中国成立后的半个世纪里，通过考试上大学是教育体制的举措，尤其是1977年恢复高考，其目的就是更公平地在同等条件下选拔人才，一改像“文革”中出现的那种谁有权、跟谁关系好就可以一步跨“龙门”的弊端。然而，无论是封建社会还是今天的新社会，那些营私舞弊现象从未断绝过。恢复高考的22年间，这类叫人憎恨的丑恶现象几乎年年都有，且随着时代的不断变化与发展，营私舞弊的手段与方法也变得越来越可恶。

我按不同时间采访过几位在不同情况下的高考受害者，他们的经历典型地反映了不同时代的共同遭遇。

第一位是汪海潮先生，他现在是上海绿谷集团公司的副总裁，生意场上非常顺手。我们是在共同作为北京电视台一个节目的嘉宾时认识的。汪海潮是恢复高考后第一批参加考试的，这位从小吃尽苦头的农家子弟，当年听说可以通过考试上大学的消息后，把地里干活的铁锄往田头一扔，飞步到过去的同学那儿借来一大包没头没尾的旧书就“啃”。后来他感觉非常好地走出了考场，但却一直没有等到入学通知书。他心急如焚地跑到教育局问，人家告诉他：“你是不是有什么亲戚历史上有问题？”汪海潮一听就像瘪了气的皮球——那时候“政治”在人们的心目中是第一把尺子，汪海潮对那个教育局干部“呸”了一声，就发誓永远不再参加高考了，因为他后来得知正是他的“社会关系有历史问题”，而白白将自己获得的一个好大学名额“送给”一位掌权的领导子女了。汪海潮幸运的是第二年他意外地获得了“解放”，邓小平同志及时发现了恢复高考后出现的这一问题，一笔把“注意考生政治表现和社会关系”这一条从“考生条件”中给划掉了。

第二位是河南王光明先生，他现在在一家计算机公司当老板。王光明本来是学文科的，到了大学毕业后才改行的。他改行是因为那年高考录取中遇到了一桩几乎让他毁灭生命的倒霉事。王光明参加高考是在80年代中期，那时高考已经相对规范，但竞争则比开始几年更激烈，特别是像河南这样的高考大省，每年的高考就是几十万考生的一场生死大战。王光明是其中的一名考场士兵，他报考的是河南大学中文系。河大在河南学子心目中算是圣殿般的地方，谁要是能考进去，就意味着毕业后可能到河南的省府或者郑州市府里当干部呀！王光明考得不错，考分高出河南大学录取线30多分，母校的老师都为他高兴，因为他所在的小山村里能考上河南大学就算"状元"了。然而，王光明没有等到河南大学的录取通知书，却等到了第二志愿的外省一所师范学院的录取通知。其中的问题恰恰出在普通人并不了解的这个铁幕后面。

他后来为此事跑到已经开了学的河南大学新生班调查过，从中了解到有几个学生的考分成绩在他之下，可人家为什么就进了河南大学呢？王光明因此不服，把那张外省的录取通知书往口袋里一塞，独自到县上、到省里的高招办，想问个究竟。那些高招办的老师不是躲着他，就是用"属于保密"而搪塞他。王光明就是不服，到省政府、省教委上访，也有领导给他批示，可最后还是查不出到底为何他王光明没被河南大学录取。几个月过去了，王光明一无所获，那所外省的师范学院也因为一直没见他报到而取消了他的学籍资格。

之后，王光明去广东打了一年多工，与王光明同宿舍的一位甘肃籍小范师傅说，我的情况与你一样，为什么考上了没有被录取？那是人家在调档时做了手脚，比如你们河南大学在你们地区录取10个名额，按道理是论考分排队，但是有人与招生办的人有关系，他们就可以把分数在后面的人调在分高的人前面，就像排队买东西时有人"夹塞"了，挤掉的当然是像你我这样一没有关系、二没有权势的平民百姓嘛！原来如此！王光明气得咬牙切齿。小范师傅则笑笑道：这还只能算高考不正之风中的"小动作"，"大动作"你可能听都没听说过。王光明第一次从打工兄弟那儿听到了一些地区的"考官"和"领导"们互相串通一气，令人触目惊心的营私舞弊的种种传闻。

想到自己的不幸经历，王光明此刻才有了改学计算机的念头。他有一个简单而朴素的愿望：录取提档要是用计算机处理，谁想做小动作也难，做了也能一查即清。两年后，王光明真的考进了某大学的计算机专业。令他感到欣慰的是，不仅自己重新考上了大学，而且知道现在的高考录取中的提档等等都实现了计算机操作，使那些想利用职权做手脚的人，再也不那么容易得逞了。现代化先进科学技术的运用，有效地避免了众多的王光明式的不幸遭遇的出现。

我们对恢复高考22年来走进大学门的人数有过精确的统计，但谁也没有对每年数十万、几百万的考生中，有多少人是通过非法手段走进大学这所圣殿的情况做过统计，当然也就没人关注过那些本该获得接受高等教育的权利，却被种种腐败和丑恶现象所剥夺了的人又有多少了。一年一度的高考，是中国人必须经历的“年度战争”，在千万考生和几倍于这个数字的家长们竭尽全力跨过“独木桥”的时候，也有人用出卖良心、出卖党性甚至出卖肉体所联结的黑色人造梯子越过了“独木桥”。有位采访对象是恢复高考后的第一届大学生，他的女儿在去年也参加了高考，巧的是他和他女儿两人都不同程度地被这种“黑色人造梯子”从独木桥上掀翻过。当年他被掀翻时还有原因可解——他在插队时虽然已是党员先进分子，公社革委会也将他作为知青的代表推荐为“工农兵大学生”，但后来到了县上他就被刷了下来。半年后听说是一位副县长的女儿取代了他。“当时我真想自杀，真的。农村的生活实在太艰苦了，我不隐瞒，自己在插队初期拼命表现积极有些是投机行为。”这位如今已在国家机关任“局座”的老兄不无坦诚地说道，“那时哪个知青不想离开农村回城？可路只有两条：一是顶替父母回城，二是争取被推荐上大学。现在觉得工农兵大学生不吃香了，但那时谁能进大学都是做梦的事。我那时有过被走后门挤下独木桥的痛楚感受，万没想到的是当我女儿考大学时，这种丑陋的社会腐败仍然非常猖獗，而且比以往的单个人塞塞纸条、走走后门要严重得多！

“有些地区的招生部门和学校联起手来做，从中相互得到好处，并结成了一般情况下根本无法捣碎的‘舞弊长城’和铁锁链。”他说他女儿去年第一志愿报的省某重点大学，以其高考分数进入了该校提档的前十几位。然而结果就是没有录取她。后来知道这个学校突然把十几个名额的“计划”指标从这个市“调拨”到了另一个市。为什么这样做？全因为某市与该校有一笔为数不薄的“私下交易”——你每年都给我些招生指标，我就多给你“捐献”些资金。最后倒霉的就是像这位老兄的女儿一样的考生。很少有人注意高考中的这些“黑洞”。一些高校为什么年年在起劲地向教育部门要“自主”政策？说透了，其中有大大的“黑洞”存在！问题是，你还不好说，因为这是学校的“权利”。可是百姓心里也有杆秤：你的这种权利背后就是严重的腐败，或者让人看起来是“合理合法”的腐败！不惩治这种腐败，天地不容！

由于“大官父亲笨儿子”总是存在的，于是该操心者总是层出不穷。而且现在有权人比过去那些“递张条子”“走个后门”的老一辈腐败者来说要会用权得多。你这儿不是不录取吗？那好，我到他那儿——他那儿的录取分数线比你这儿低三五十分哩！说不定还能进“重点”。于是一到高考前的三四个月，那些省与省交界之处的各派出所工作十分繁忙——都在忙着为邻近的某某市长、某某局长的公子、闺女办迁户口手续！这样的“通力合作”两方有利：一边解决了难题，一边“引进”了人才且还有很丰厚的额外财政收入。

老百姓没有门道也没有多少钱，所以他们的子女只好“落榜”。于是他们愤然：这样的“交易”算不算腐败？如果算腐败，那就也该天地不容！

大官做大事，搞大腐败。小官也有小官的办法，可别小看啊！

这几年小官干了不少让人们大开眼界的大腐败之事。

比如 1999 年初，《中国青年报》两次披露山西两所大学查出了几十个假大学生。这样的事在十几年前是闻所未闻，现在竟什么事都冒出来了。

第一起查出的是山西医大的郑彩云、杜海峰、赵建康、李霖君和梁泽民五位假大学生。山西省招生办考试中心的情况通报这样披露：

郑彩云，原朔州市朔城区一中1998年应届毕业生，本人1998年7月在一中报名参加高考，考分470分。在高考报名接近尾声时，其父郑某持郑彩云的户口和其他有关证明及替考生照片到该城区二中，以郑彩云的名字报名。二中具体办理报名工作的谢万红在未核对有关材料的情况下，按二中高中应届生对待接受其报名，并给办理了高中学生档案。替考者成绩567分。就这样，真郑彩云以假郑彩云的考分被山西医大录取。

杜海峰，1998年在朔州市平鲁区李林中学报名参加考试，本人考分450分。其父杜应（平鲁区教委党委书记）为保证其子能上大学，便通过李林中学建档教师赵建华提供的档案，又持杜海平（杜海峰的别名）户籍证明、毕业生证书在区招办报了名。由于具体办事人孟山森把关不严，没有核对考生照片是否同户籍等有关证件相符，使得内蒙古籍替考生顺利参加了高考，成绩535分，被山西医大录取。

另外三位假大学生赵建康、李霖君、梁泽民的造假情况基本相同，不同的是赵建康由其因病在家休学的哥哥赵建峰代替考试。哥俩替换更容易蒙混过关。

有位山西的朋友说，有几千年黄河文化熏陶历史的晋国人，考试舞弊的“水平”之高是全国罕见的。其实，就全国范围而言，类似山西的舞弊现象不在少数，且有这样一个特征：越是经济和文化落后的地区，这种冒名顶替造假现象越严重。

在《中国青年报》披露上面这则丑闻的第二天，该报又披露了江西一起更大的高考冒名顶替事件。江西某国防科技工业学校的4个班中一下查出22个假学生！如一个叫“蒋礼虎”的96届44班学生，该生还是此班班长。他对记者的采访连隐瞒都不隐瞒！他说他真名叫周起文，是鄱阳县人。1996年参加全省统考后离录取线差几分，于是家里人就给了“教育办”的干部2000元钱，于是他周起文成了现在的“蒋礼虎”来到了这个学校。假蒋礼虎说他根本不认识真蒋礼虎，但他现在在学校的档案里都是真蒋礼虎的，连上面的照片都没有换。该校目前已经查出的20多个假学生的情况基本与“蒋礼虎”一样，都是出钱或者有权者变花样让他们上了学。让人无法理解的是，这么不高明的造假活动，如果录取学校稍稍把工作做细一点，是绝对可以避免的，但这个学校没有那样做。原因虽不明，但有一点是可以肯定的：在某些经济利益的驱动下，学校个别决策者睁一只眼闭一只眼是这些丑恶现象得以滋生、蔓延的根本原因所在。

考试中的舞弊造假之风，如今就像我们经济生活中经常遇到的那种情况；上面大喊反腐败，下面腐败之风却非但丝毫没有收敛，反而贪污受贿的数额越来越大，顶风作案者层出不穷，这可能是当今中国的一大特色。1999年“国考”刚刚结束，震惊全国的一南一北的两大舞弊案即刻“浮出水面”：一是黑龙江望奎县二中高考16份雷同卷牵出22个涉案人，主管副县长、教委主任、副主任、二中校长及考场教师，全套人马一起上阵作假舞弊，实属奇迹！南边的广东中考中发生考题泄密大案，几个校长为追求升学率，相互勾结，串通一气，造成26000多名考生重考的“国考”大案。这回广东清远的中考大舞弊，多多少少也使曾几度疯狂的该省某些地区高考顶替假冒的“小魁首们”有些小巫见大巫的感觉，着实暗地里欢欣了一番。

为了考察“中国当代高考舞弊之怪现象”，我在中央电视台的节目录制室，又重新看了一遍1997年10月23日的《焦点访谈》。在这个以“偷梁换柱，法理难容”为题的节目里，披露了这样一件事：湖北省通城县原招生办副主任熊云鹤在任期间，利用修改考分考号、冒名顶替等卑劣手段，将其亲朋好友的子女送进学校，共作案12起之多，涉及被冒名顶替的考生15名。这一案件非常典型。熊云鹤利用职权，使一些本来拥有上大学机会的学子终生遗恨。他的行为，大可叫人生出“千刀万剐方解此恨”之感。因为正是他的卑劣做法，使得那些本来满怀希冀的青年男女，从此失去了上大学的机会，甚而走上一条完全相反的人生之路。当看到那位因人为“落榜”的女孩子不得不年少嫁人的凄凉情景，凡有些血性的人，都会愤怒诅咒熊云鹤这个喝考生血的无耻之徒。

据教育部门与检察部门介绍，像湖北通城的熊云鹤这样借招生办负责人职务之便，在中考、高考中“做手脚”的人，几乎每年都有，就像经济领域中那些顶风犯罪的腐败分子一样，他们极端的自私利己主义思想，严重玷污和搅浑了中国神圣的中考、高考殿堂，能让老百姓不愤怒吗？

虽然这种企图借高考为个人私利大捞一把的败类们早晚总会受到法律制裁，但是，法律虽然可以斩断那些伸向高考的“黑手”，但却难以抚平一颗颗受伤的心灵。

白天德，一位现在不知是否还在人世间的身患绝症的中年庄稼汉。15 年前的那“黑色 7 月”之后，他以非常优秀的成绩考上了师范学院。他和全家人满怀喜悦地天天等候入学的喜报送达，可是没有，永远都没有……当上面我所说的那个《焦点访谈》节目播出后，勾起了这位庄稼汉“被秋雨浸泡了十几年的灰色记忆”，他从病榻上艰难地支撑起已经被死神咀嚼得所剩无几的身子骨，用尽全部的力气，忿愤地写下了自己的那段亲身经历与日后的苦难：

……临近开学的日子，我还没有收到师范学院的录取通知，而沉寂了几个月的天空终于孕育了一场绵绵的秋雨。饱受暴晒的世界被清凉的秋雨洗涤得面目一新，连绵起伏的远山在霏微烟雨中愈显苍翠，空气中透着雨后特有的清爽。初秋的细雨给人以仲春时节的感觉，唤起人想要作诗的冲动。

可是这雨下起来就没完没了。天空终日灰蒙蒙的，整个世界都笼罩在一片迷茫的雨雾中。我有些坐立不安了，开始觉得这绵绵不绝的秋雨让我感到纳闷。我想这点雨不会阻隔我的录取通知！但除此之外，还会有什么原因呢？我的行李早已捆绑停当，静静地靠在冷清的墙角，无言地等待我出发的日子……

雨一刻不停地下着，坚硬的土质路面被浸泡得松软，一搁脚就会陷进去。已经过了 9 月 1 日法定开学的日子，我依旧没有收到任何消息。父亲看出我的焦虑，安慰说，这样的学校开学要晚些时候。

难挨的日子在这淅淅沥沥雨中一天一天挨过。我从镜子里看到了自己灰白枯槁的脸，感到这沉闷的天空简直要把我压垮。我再也无法忍受这种死寂的等待，我的心情坏到了极点。

终于，父亲再也无心上他的课，向邻居借了一柄伞和一双雨鞋出发了，他要步行六十公里才能到达县城。望着父亲在雨中蹒跚的样子，全家人不由得替他担心。

惴惴不安地度过了两天，第三天早晨，父亲带着满身的泥泞冒雨赶了回来，裤腿开了大口子。看到父亲的脸，我的心猛地一沉，我实在无法用语言来形容他此刻的表情。父亲满面疲惫，说话时尽量避开不看我，但那偶尔一瞥，饱含着父亲对儿子独有的关切。

父亲从县城教育局一位熟人那里探知，我的档案根本未投，取代我的是教育局某副局长落榜的女儿。

当父亲找到教育局，嗫嚅着询问那位副局长时，得到的竟是这样的一句答复："你们工厂子弟好招工"。

这就是理由！狼吃小羊的理由！仅仅是为了自己女儿的就业，便毫不客气地断送我的前程！

父亲当时还没有从"右派"的阴影中彻底解脱出来，虽然在家像只虎，但在把握自己命运的局长大人面前不得不做只小羊羔。

雨，依旧不停地下着，天气已经变得十分寒冷。

我并没有哭。只是一头扎进冰冷的雨中，任凭刺骨的秋雨把我浇透。

那场秋雨缠缠绵绵地下了四十多天。天放晴的时候，父亲决定让我复读。那时已是10月中旬了。此后他曾为这事去了一次省城，但回来后一句话也没讲，家里人也没有问。

也许是我恐惧于每次回家向父母要钱时的痛苦，在勉强坚持一段时间重新读书后，我平生第一次违背了父亲的意愿，自动退学了。父亲没有为我的退学责备我。不久，上面来招工，我便成了工厂的一名合同工。

然而我从此也落下了一毛病：每逢秋雨时，无论昼夜，我都无法待在室内，总要独自徘徊在雨中，任秋雨把我淋湿。我的嘴里也总是哼着同样的一支曲子：茫茫的街头，错乱的脚步，走过的街头只有雨和露，寂寞的心情忍不住，何处是归路……这首本来是描写失意恋人的悲凉歌曲，却真正成了我此刻处境的真实写照。心灰意冷的我在寒风秋雨中孤独地咀嚼那种百般无助、万般无奈的滋味……

但我一直都没有哭。

只是当电视台的记者采访那位与我同命运的女同学，她泣不成声地说了一句“熊云鹤改变了我一生的命运”时，我禁不住泪流满面……

感谢上帝使熊云鹤的卑鄙行径大白于天下，也感谢通城县有关部门为那几位被冒名顶替的同学作了“适当安排工作和学习”的补偿。我祝愿这些弟弟妹妹们能奋起直追，把失去的尽可能地找回来。

可是对于我呢？我已是一个身患绝症、早已把遗书锁在抽屉里的垂危病人，就连这篇短文也是我耗费了许多精力才完成的。我无视目前沸沸扬扬的“下岗择业”，因为我现在唯一能做的就是运用全部的精力来应付死神的侵袭。我最大的遗憾是自己今生没有从事梦寐以求的教师职业，“做一个比父亲强的优秀教师”，也真正成为我的理想之“梦”。

我无意也无力再去追究什么，只希望那位副局长的女儿没有辜负我十年寒窗的辛苦，一直坚守在“教师”这个我难以企及的岗位上，并且做出不菲的成绩。

……

窗外的雨越下越大，但我已无力再出动接受它的洗礼。我突然记起，那年暑假的劳动并没有挣到一分钱，那场罕见的秋雨毁了所有的灰窑，杨树叶并未枯黄就落了，是秋雨后那场突降的霜冻促成的。

我想：那就是我。

我几次与山西省团委和《山西青年》联系，想打听白天德的近况，但一直没有消息。有人说他已经在一年多前去世了，有人说他还在作死亡前的最后挣扎。可我知道，不管什么情况，对一位身患绝症者来说，前景总是一个。人都有一死，白天德并不怕死，只是

15年前那位教育局副局长在招生时伸出的一只“黑手”，深深地害苦了白天德及他父亲和全家人。不知那位局长大人能否知道这一切，倘若知道的话，是否良心上该有所醒悟。因为你在给自己女儿留下光明的时候，怎么会没有想到另一位青年将被你推向黑暗的深渊！

白天德本来可以成为一名优秀的人民教师，而且从他的文笔来看，他还可能成为一名不错的作家，然而现在他什么都不可能是了，连宝贵的生命都将无情地被剥夺了。像他这样因高考而遭受飞来之祸的人并不少，但愿那些置别人于死地而为自己营私的人能良心发现，免得哪一日遭遇报应！

六问天：穷人还能上大学？

本来这部分内容并不打算写，因为我的那部《落泪是金》已经把有关贫苦家庭的孩子上不起大学的事写得够让人落泪的了。但是，就在我准备放弃这部分内容时，一日，中央电视台的《晚间新闻》节目勾起了我落泪的回忆：一位叫杨修平的湖北籍孩子，1999年高考后被湖北师范学院录取，但由于他家穷，在原中学上学时欠下不少钱，中学就把他的大学录取通知书扣住了，一直扣到电视新闻播出的12月2日还在校方手里。

现在的社会存在穷人与富人的客观事实是无须掩饰的。富人为了上大学愁的不是钱，愁的是孩子不争气考不出好成绩。穷人的家长除了富人愁的孩子考不出好成绩外，更有一愁的是，没有钱供孩子上大学。

我原本以为写完《落泪是金》后，我可以放下对贫困大学生的关注了，可想不到的是自作品发表之后的一年多来，我就从来没有停止这一项本来跟我毫无关系却始终让我不得安宁的事——当一个穷人看到有人出来帮助他们后，成千上万的穷人都向我走来——《落泪是金》发表于1998年10月下旬，从那时起，找过我的贫困生不下数百名，经我之手给牵线搭桥解决贫困的学生有300余人次。我知道团中央、全国学联济困助学办公室获得的社会资助达几千人次，仅北大、清华、中国农业大学、中央民族大学、北京林业大学等首都十几所高校获得的社会资助就多达几百万元……作为一名作家，我以为自己的一部作品能引发那么多社会资助并引起全国各界都来关注贫困大学生的热潮，这就已经足够了。可是不行，实际情况远远出乎我的想象和意料。还是一句话：中国的穷人太多，怎么就越来越多地从各个地方冒出来了？

先是北京的某某大学来电话，是学生会的。一位小女孩有一天突然跑到我的单位，她自我介绍是团委派她来请我去作一场《落泪是金》专题报告。“我们学校不少人看了您写的作品，都哭了。真遗憾，如果何老师您当初也到我们学校采访一下，我们不可以获得很多社会赞助吗？中国农业大学和中国林业大学不都获得了几十万元的资助？他们比起我们学校来算什么？我们的贫困生的比例远远超过他们……”

原来是这样。从这个女孩子口中我才了解到我写《落泪是金》时没有采写到的这所学校，其实比我自认为或者在教委、团中央那儿挂上名的农大、林大、民大等这些“贫困学校”还要贫困呢！这个女孩子的学校是所专业很偏的大学，在北京这样著名学府云集的地方很难听到他们的声音。女孩子声明说最好别在文章中说出她的学校的名字和自己的专业来，我当场答应了，因为贫困学校和贫困生都不太愿意公开自己的“隐私”，他们有几怕：怕别人知道后学校以后招生就难上加难，生源不足对学校来说意味着穷上加穷，或者可能会走到关门的境地——某省有一所大学就是这样，他们总共只有2000多名学生，结果由于贫困生太多，学校背不起几百万元的沉重负债，当地政府和教育部门已被这所学校的叫苦搞怕了，说干脆你们别办了。那学校的校长刚把这一不成文的信息向教职员工透了一丝风，学校立马有近百名教授副教授和其他老师集体跑到政府那儿去请愿，说谁要关我们的学校，我们就上谁家去吃饭。哪个政府不怕学校闹事？于是这个省的负责同志把“散布谣言”的人狠狠地批了一通，并立下规矩：要是谁再说那个学校穷谁就下岗。另外，团中央让我写《落泪是金》和因受作品的宣传而获得过二十多个人赞助的书中主人公之一的某学生也还不是跟我打了近一年的官司吗？

这个女孩子讲到她学校和她同学的事时就哭了起来：何老师你不知道，我们学校是个不被人看得起的专业学校，就是因为它的专业现在根本不被看好，用我们当时参加高考时老师的话说叫“冷门专业”。就是现在社会上根本用不着或者随着以后的科技发展，这样的专业就要被淘汰了。如今是科技和知识经济时代，社会的发展一日千里，但我们国家的高等教育改革远远跟不上时代发展，一些已经落后的专业和该淘汰的学校不仅没有被淘汰，反而一直保留着，培养一些一毕业就找不到工作的学生。可就是这样的专业学校，它的存在却起着另一种作用：满足了一部分高考成绩不理想又想圆大学梦的人。这女孩子说她自己就是其中之一。“是社会把我推到了一所我根本没有多少兴趣来念的大学。”女孩子说，我到这样的大学好在我家里供得起，等以后有机会再努力一下考其他大学的研究生。但我的大部分同学是因为高考成绩不高且家里又穷，所以报考了这些“冷门”专业大学。“冷门”的大学容易进，但进来后又出现了另一种叫人看后“浑身发抖的冷”——就说我们班上的一个同学吧，她是广西的，家里只有母亲和一姐一弟，她说她不是属于超生，当地的计划生育政策不像城里那么严格，允许一定的宽松幅度。一个农村家庭里如果没有几个壮劳动力，不仅种地会碰到困难，就是在日常生活中也会常常受到别人的欺负。这个同学考上大学后，母亲希望女儿能走出山村，日后有个前程，但因为穷，只能在女儿上北京念大学时从米缸里取出一筐鸡蛋，说娃你对老师说我们家里不是不想交学费，实在是拿不出能换钱的东西。城里人不是爱吃鸡蛋吗？你给老师送去，求求他们让你进学校读书。这位女同学还真实在，把母亲的话放在了心上，千里迢迢，把一筐鸡蛋背到了学校，报到那天她在交学费时真的拿出那一筐鸡蛋，当时有 5 名学生处的老师在现场办理报名手续，她就每人送 5 个鸡蛋，然后再向每位老师鞠三个躬，嘴里一边念叨着请求学校收她上大学。那一幕让当时的老师们全都揪着心流眼泪，几位老师一商量，说这孩子一定要收下。后来他们把情况汇报到校长那儿，校长一听就急了，说好啊，你们做好人把不交学费的孩子都收了上来，我这当校长的怎么办？我日后拿什么给你们发工资搞待遇？又怎么给学生把应该上的课上好，准备应该有的教学设施？下不为例，不交齐学费的不能同意入学，有困难等调查清楚后再决定给谁免给谁不免学费的事。校长发了一通脾气，其实他的“下不为例”已经说了好几次了，老师们知道，他校长本人就是个“菩萨”，要不我们学校那么多不交学费的同学怎么都进了校门？

上不起大学这种现象本来已经消亡了许多年，怎么又死灰复燃起来了？我弄不明白。于是不得不重新再做一回“贫困大学生”调查。

首先是调查现今一个大学生上学到底要多少钱？

《中国青年报》不久前公布的北京航空航天大学高教所对北京部分高校的学生消费所做的调查显示，平均每位大学生的年消费为7300元左右，其中学费约为2000元左右，占27%；餐费约3000元左右，平均占41%；住宿费在500元左右，占7%；其他消费包括交通、文化、娱乐等约占25%。该报公布的另一个数据还显示：33.7%的大学生家庭的年收入在8000元以下，家庭年收入8000～20000元的占36.8%；20000～50000元年收入的家庭占百分之22.7%，50000元以上年收入的家庭只有3.4%。我同时看到《中华周末报》对1999年北京、上海、南京、武汉、广州、西安、成都七个城市的大学生上学到底要花多少钱作了一个更为详细的调查。如文史类，南京的高校统一为3200元。在上海的热门专业如复旦新闻、法律等专业为3800元，非热门专业为3400元。最低是1600元，如华东师大思想政治和历史等很少人报名的专业；最高达4900元，如华东政法大学的法学专业。北京普通高校为3200元，西安为2750元，武汉为3200～3900元；成都为2400～3500元；广州是3500元。理工科比文科普遍要高出几百到两千元左右。南京约在3500～4500元；上海最高的前沿学科专业和医学专业高达9500元。还有特别高的是外语、艺术类专业，一般都在6000～8000元。这些是硬费用，软费用即生活方面的其他开支每年约在两千至10000元左右。这两项数据表明，中国的大学生中有三分之一的人数，将由于他（她）

一人上大学而用去全家几乎所有经济资源。事实上，据我这两年中对贫困大学生的调查所知道的情况表明，上面的数据只是大体上准确。原因是在这些枯燥的数字后面，掩饰着的是这三分之一的大学生和他们的家庭为了上大学这件事，有的是全家人，有的是几代人，更有的是全族人一起跟着经受贫苦与债务的困扰。

在清华大学，我就遇见过一位不愿透露姓名的学生，他说他家在甘肃祁连山脚下，家里有父母和哥俩，4 个劳动力种 30 多亩荒地，每年辛苦 360 天，所能得到的是仅糊住全家人的几张嘴，这还没算哪年老天爷不争气的日子。摊上有个灾荒啥的，全家辛苦一年还未必能糊口度日。就这么个人丁相当旺盛的家庭，一年也拿不出几百元的现钱。他说他上学后每年交学费就得三四千元，在清华大学上学每年交三四千元并不算多，可他说他家里就是拿不出来。有一次老师让他填家庭情况，他如实填了，辅导员后来就找他，说你家没灾没祸的，又都是壮劳动力，怎么你也要当贫困生呀？他说他怎么分辩自己家里确实没钱，老师还是不相信，说学校里补助的那些贫困生，一般都是家庭子女多，或者父母病重，或者是单亲什么的，你家里什么都是好好的，怎么可能会把你划进“贫困生”行列呢？这位学生说 :“我听后觉得再也无法解释了，可家里就是这么个情况，你学校如果让我家拿出价值三四千元的粮食还有可能，但你让我们家里一下拿出几千元现钱，天作证也是拿不出的。城里不知道，咱农村特别是山区，地里刨出来的粮食要换成现钱，有时比我们在老天的鼻子底下收获粮食还要难呀！我们现在很多城里人或者官员们一点也不了解下面百姓的实际生活，尤其是我们农村老百姓的生活。我在北京读书，一年学杂费加起来也要四五千元，一个月吃饭与生活费总得也要二百多元吧，这七加八加就是小一万元。我那可怜的祁连山脚下的爹和妈，还有两个哥哥，拼死拼活干一年，能拿得出供我上学的这一万元钱？绝对供不起呀！可我是上了清华大学，全乡全县祖祖辈辈就我这么个“状元”，我不读对得起谁呀？这就苦了我爹妈和哥哥们。其实我也很苦，老师后来看我实在拿不出学费，就减免了一半。我就想法子打工，做家教，幸好北京人看得上，所以一个月饭钱和生活费够了。但假如我在一般的普通大学里怎么办？恐怕日子就更难了。你写过贫困生的事情，你应该站出来说真话，现在穷人真的上不起大学。”

其实，穷人上不起大学的现实已经非常严峻地摆在了我们面前。像上面的这位清华大学的学生如果放在农业、林业等其他大学，他根本不可能被列入贫困生的行列，也不可能获得学校一分钱的减免。以中国农业大学为例，家庭年收入在8000元以下的占60%～70%。有30%左右的学生的月生活费低于150元，也就是我们说的特困生。这些学生的学费基本是一律交不起。他们的生活费全靠打工、勤工俭学和借债来维持。中国农业大学东校区学生处同志告诉我一个数据，1999年他们没有收到的新生学费就高达70多万元，这就意味着有近三分之一的新生没有交学费。北京物资学院、北京印刷学院等这些第一次被允许列入春季招生的大专院校为什么能获得春季招生权？知情人笑笑说，就因为这些学校的专业，一般成绩好些、家庭条件不错的是不会去报考的，现在教委让他们春季招生有那么点意思是让这些学校避开夏季招生的风头，招点家里有钱的学生，免得都招些贫困生把学校给拖垮了。能不能达到这一目标，我们还需拭目以待。

有报道说，今年像北大、清华等著名学校的学费还将增长，到达一万元左右，其他大学也相应往上调，对众多家庭困难的家长和他们的孩子来说，上大学就更成问题。一份来自江西、四川、广西、河南等十个经济欠发达省份的调查资料，显示出一个令人担忧的结论：大多数农民家长不期望子女读高中。农民们认为，由于当地的农村教育条件和水平差，在中学读书的大部分高中生考不上大学，特别是考不上重点大学，而目前所谓考上大学的大多数农家子弟也仅是一些专业很偏的“冷门”专科学校。这样的大学生先不说毕业后找工作还要花一大笔钱“找关系、走后门”，就是现在上了大学，其一年的学习费用也要比普通大学贵出许多。《中国青年报》的一项调查也表明，专科生仅住宿费就约是本科生的三倍，研究生的七倍。专科生的学费高于本科生的50%。讲实际的农民们也越来越会算账了。他们掐着手指说，在前几年，我们拼命把孩子送到中学读书，为的是能考中专、考大学，因为中专生、大学生国家都能给安排工作，孩子们也可以从此改变命运，告别“面朝黄土背朝天”的农村生活。可现在情况发生变化了，中专生、大专生都不能安排工作了，连本科生弄不好还要自己想法找工作。与其这样，还不如初中毕业后就出去打工。上高中一年少说要花出去千儿八百块钱，读大学更不用说了，一年小一万元。三年高中，少说家里花出三四千元，上三年大专那就是多花三四万元。如果孩子初中毕业就出去打工，一年怎么也该拿回四五千元吧！这就是说，对一个家庭来说，等于三年之内，一个上高中的孩子比出去打工的孩子少赚了两三万元，而上大专则使家庭经济损失多达五万元以上，而且还白白让孩子耽误了几年工作时间。穷人既然念不上、念不起大学，何必再争着上三年没有用的高中呢？

同时我又看到了另一则报道，“零点市场调查公司”对山东、江苏、天津等五省市2070名富裕农民的调查结果显示：93.8%的富裕农民希望自己的子女能念到高中以上学历，其中91%的人希望孩子们在上高中后能考上大学，并且把考上大学作为培养自己子女最重要和首要的选择。一个富裕了的温州农民，曾出资年薪15万元请家庭教师，将来要把自己的孩子送进大学。他的全部理由是，我自己生不逢时，虽然赚了很多钱，但仍然是“一身土气”，唯一的愿望就是要让孩子考上大学，实现他父亲想改变门庭地位的夙愿。

富人千方百计希望儿女上大学，而穷人又不想让子女白做大学梦，这是否意味着：中国从此又开始进入“大学仅为富人开”的时代？

中国的贫困学生，小学有，中学有，大学更有。这是我国国情决定的。到底现在中国还有多少人属于贫困阶层，恐怕没人能说得上。国家早先有个在2000年前消灭八千万贫困人口的计划，现在该到时间了，但真正摘掉了多少贫困人口的帽子，或者说摘掉贫困帽子后又有多少人重新变得贫困，这实际上是一笔很糊涂的账。因为中国太大了，中国的情况也太复杂。可我们又都知道，自改革开放20多年来，人民的生活水平大大提高了，富人不是很多很多了吗?这也应该是不争的事实。可中国毕竟是个发展中国家，城市中的绝大多数人和自然条件相对好一点的农村的人民生活是富裕起来了，而且有的已经达到了小康水平甚至中康水平，但没有多少改变和没有多少提高的贫困地区也还相当多。世界人口报告有个数据，说全世界目前贫困人口还有十亿多，国际人口与经济机构衡量贫困的标准是以“日收入不足一美元”计算。按此标准，中国的贫困人口就有三亿多。也就是说，按照国际统一的衡量标准，我们还有三亿多人口是贫困人口，他们组成了近一亿个家庭。这些家庭的孩子也要占我们每年参加高考和被高考录取总人数的三分之一左右。这就是说：我们国家面临着一个巨大的贫困群体!

国家教育部门已经宣布，2000年全国的大学招生将在去年的基础上再扩招20万，总数将达到年度招生300万人。这对那些想上大学的人来说无疑是个福音，不过“扩招”对另一部分人来说则是悲喜交加。喜不用解释，能有机会上大学可以实现自已和祖辈的梦，悲的是能考上大学，却会因没钱而进不了大学门。从去年各“扩招”学校得知的情况证实，去年与今年各大学的学习费用普遍提高，像北大、清华的学生上学费用增幅达20%左右，而一般大学也跟着往上涨。这使得那些本来上大学就感到困难的穷家庭雪上加霜，有苦不敢说——因为你只要一说，马上就有那些生活条件好的人会告诉说“上不了就快把名额让出来嘛，咱孩子还急着上不了大学哩!”穷人们哪舍得?已经榜上有名的孩子绝对不会轻易答应，他们的家长们也不会随意放弃孩子跳出农门进龙门的机会。唉，再苦咱也得忍着，孩子的前程是大事!“再苦也不能苦了孩子，再穷也不能穷了教育!”家长们、乡村干部们这样发誓。于是，便有了我们经常在新闻报道和电视剧中看到全家人饿着肚子供一个孩子上大学的故事；也常常听说这家的父亲为儿子筹措学费而累死在放牧的路上或采煤的矿井内；也常听说，一个在学校成绩优秀、表现突出的女大学生，突然在商场或大街上因偷窃而被拘留……

21 世纪的中国又多了这样一个值得我们深思的问题：教育发展了，穷人却越来越上不起大学了怎么办？

我和另一位“贫困问题作家”黄传会先生已经看到了很多双流泪的眼睛，和无数个为了几千元学费和今天或者明天的一顿饭钱，而不得不低下高傲头颅去当乞丐与娼妓的卑贱身影，我们因此时常有一种欲哭无泪、欲呼无声的感慨。

我真的盼望哪一天在阳光下考上大学的人们脸上都充满发自内心的金色笑容！我想会有这一天。

关于大学贫困生问题，国家想了不少办法。但问题是我们国家毕竟是个发展中国家，每年要花钱的地方太多，不说为了搞活国有企业每年几百亿几千亿地往里填，不说为安置下岗职工又从总理的口袋里掏走了数百个亿，不说为科教兴国需要每年在原有基础上给教育、科研领域加了上百亿，不说每年国家为防灾救急备上几百个亿，不说接二连三的各种不得不搞的大庆、大典，单单是每年国务院扶贫办拨给贫困地区的救困费用就是好几百亿，我们还有庞大的军队，庞大的行政干部队伍……总之，每一条线都可以轻易地从总理的口袋里掏走几百亿。国家一年的收入才多少？银行一次又一次的降息也没有拉动内需，国有企业的大面积亏损仍得不到根本性改变，国家哪有那么多钱再为那些穷人家的孩子减免学费？大学扩招已经定为国策。扩招容易吗？现在国家培养一个大学生的基本费用每年在 12000 元左右，而目前从学生那儿回收的钱仅为六七千元，如果按 2000 年 600 万在校生计算，国家需要贴进 300 多个亿。这个数字已经够让总理费尽苦心的了，每次全国人大会议上总有人高喊要增加教育投入，实在是难为了腰包本来就不鼓的总理同志。现在又冒出个数量近百万的贫困大学生，国家从这些学生身上几乎回收不到几个钱，100 万人又得让国家贴进 100 亿，难啊，国家的当家人更有常人不可知的难处。

于是，“决不让一个学生因贫困而辍学”的口号不得不由高校自已喊了。但大家很快会注意到，喊这些口号的大多是北大、清华、复旦等著名学府，他们完全可以喊得响当当的，因为他们的学生大部分是有钱人，极少数缺钱的穷人家孩子能走进这些高等学府，他们一般都会得到校方坚强有力的支持，减免学费一般都不成问题。另外还有社会各界“捧星”般的主动要求帮助这些名校的状元们，所以这类学校的校长们高喊“决不让一个学生因穷困而辍学”的口号，就像喊自己的名字一样轻松。但像农大、林大等等专业学校的校长们就不敢轻易喊这类口号了，因为越来越多的学生交不起学费就进入了学校，给学校的正常教学开展带来了困难。如果再轻易答应减免的话，就会从教师们的口袋里硬掏钱了，惹出的问题恐怕就更复杂。于是在全社会一致反映与要求下，本来就贷款贷不出去的广大银行家们做出了一个姿态：向贫困大学生贷款上学。听起来很好听，1999 年 9、10 月间，这个消息在新闻电视上很常见，然而效果却出人意料地不好。原因是实际操作上仍然无法解决穷人的实际问题，那就是贷款是需要抵押和担保的。后来抵押这一条放松了，可担保仍保留着，银行从不做亏本生意，特别是已经成熟了的商业银行家们。他们笑眯眯地向大学生走来，原来也想开拓一条“生意新路”，结果此路不通。凡想贷款的学生都是贫困生，而穷人想找人作担保没有人愿意。如今越是有钱人借钱越容易，而越穷的人越借不到钱，这是世界性的规律。中国人的素质确实有待提高，特别是中国的一些百姓，他们都经历过大锅饭的“美好时代”，“吃饭不要钱，上学不要钱”。在新中国前几十年的模式里，“孩子上大学后就是国家的人了，既然是国家的人了，还要我们掏什么钱？”好多人今天还这么想。

再者，借钱容易还钱难是一些人的习性，你不得不承认。中国金融方面存在着的最大问题，就是前十几年大批资金出银行后再也找不回来。现在不行了，银行收不回贷出去的款，就先砸自己的饭碗。对大学生也不例外，你没有担保人给你作保，银行就把脸别过去了。许多贫困大学生对担保贷款一事意见很大，说这等于是在纸上给他们画了一个饼，想吃又根本吃不着。我就收到过一个我采访过的贫困大学生的信，她已经几个月口袋里没有钱了，听说银行到他们学校里办贷款的事，她很高兴，可当银行说必须有担保人时，她无所适从了，因为在北京她举目无亲，找老师和同学们，大家说我怎么给你担保法？你再过两年毕业了，你贷的款到时还没有还，银行找我怎么办？言外之意是谁也不情愿当这样的担保人。这个学生把心中的苦处告诉了我，她说："现在人与人之间没有最基本的信任感，他们一点也不相信我，难道我是那种赖着不认账的人吗？我可以用人格担保呀！"我看后既为她抱不平，同时又觉得无可奈何。在商业行为和法律范畴里，"人格担保"在我们中国好像不能成立。因为我们现实生活中谁敢对一个并不是亲人的外人作金融性质的担保呢？我叩问自己，想想也确实不敢，因为中国之大，人的情况尤其复杂，许多事能想得到吗？办好事得不到好报而反咬你一口的事太多了。"贫出无赖"，此话虽有损广大贫困者的心，但现实中确有这类人。对此，我想广大的贫困大学生，也应该对平常人的平常心有所理解。

但理解之后，我们大喊了半天的贷款实际上又成了一件有头无尾的事。为了照顾教育部门和银行自己的面子，有过几条这样的消息：首都几家银行纷纷抢滩北大、清华等著名高校为学生贷款。问题是银行家们除了敢到这些完全能贷得起、还得起的著名学府外，他们哪敢到那些真正需要贷款、贫困生又多的学校去呀！"那些学校，谁去了谁就倒霉。"一位女银行职员如是说。

一切几乎还是回到了原位：穷人难上大学。

第七章　民办大学的红与黑

在我采写这部《中国高考报告》期间，早已听说了很多关于民办大学的话题，有人甚至对我说：你写高考不写民办大学的现状就等于少写了一半。果真是这样吗？为了回答这个问题，我把笔锋转向这另一个有意思的问题。

王秀兰很意外

1999 年 11 月 23 日，我采访王秀兰院长的时候，这位在南京名声很大的“蓝天专修学院”常务副院长正好 60 岁。王院长说她自己也没有想到竟然在后半辈子将自己的命运与民办大学教育系在了一起。想起办校的往事，王秀兰院长颇多感慨，甚至有些“不堪回首”的味道。

王秀兰原先跟教育根本不沾边，她是航空学会的一位秘书长。顾名思义，在中国的诸多群众团体中担任“秘书长”之职的人物，大多是干实事的角色。王秀兰任职的航空学会是个有很多会员的科技性群众团体组织，她的服务对象大多是那些为国家航空航天事业做出了很多贡献却又面临很多实际问题的科技人员。身为学会“秘书长”的王秀兰，实际上成为这些科技人员生活和工作中遇到困难与问题时，可以解决些后顾之忧的“老大姐”。王秀兰因此人缘特好。然而人缘好的人也常常有比别人更难的事。

1977 年的一天，好端端的王秀兰因公延误了阑尾炎的手术和对长期炎症刺激的治疗，后来到医院一检查，诊断出来连大夫都吓了一跳：原来她身上竟然长了 8 个大瘤子！

“这个女同志是活不长了！”医生对她单位的领导这样明确讲道。

“尽我们可尽的一切力量吧！”单位领导无奈地吩咐医院作最后的全力抢救。

在王秀兰本人多少有所意识的时候，她单位和家人已经开始为她安排后事了。躺在病榻上的王秀兰知道自己不久将与“阎王”见面——一次又一次的手术使她仅有的一点求生欲望变得淡漠。

这一消极心态其实充满了难以忍受的痛苦与折磨。这一消极心态使王秀兰与病魔整整斗争了8年。

就在这过程中的某一天，一对夫妇会员来医院看望王秀兰。叫王秀兰没有想到的是，这对夫妇会员见了她不是像其他探望者尽说些安心养病、早日康复一类没用的话，他们竟然见了她就痛哭流涕地请求“王秘书长”想想法子帮助他们家两个高考落榜的孩子。

“平时我们有什么难事，到王秘书长您这儿一说，您就能帮我们解决。我们孩子上大学的事也只有找您才能有出路……”那对夫妇会员哭着恳求王秀兰。似乎连他们的“王秘书长”已病入膏肓的事也忘了，只是一个劲儿地哭诉着自己的难处。这种“主题错位”只在很少时候才会发生，那就是对方把所尊敬的人的另一方面看得太重了！

当时，王秀兰的心灵确实被深深地震撼了：会员们的心都交给了我们学会！我这个秘书长不为他们解难谁还为他们解难呀？

“放心放心，你们先不要哭了，我一定把你们孩子的事放在心上。”王秀兰本来是需要别人安慰的，这回她反倒安慰起探访自己的人来。

“王秘书长，现在孩子上大学太难了，您能不能想想办法也办所大学，让我们这些成天为国家科技工作做事而顾不了家的科技人员的孩子也能上上大学……”那对夫妇俯下身子要向躺在病榻上的王秀兰下跪。他们被那一双瘦得皮包骨的手拦住了。

“你们就放下心，只要我王秀兰有口气，我们这些航空学会会员的子女上大学的事我管到底了！”

王秀兰是个说一不二的人，平时什么事从不轻易向人承诺，然而这回她向这对夫妇发了一个誓。上天的安排，也许正是这个誓，使王秀兰奇迹般地从死神那里回到了人间。连她自己至今也不清楚当时怎样在与病魔长达 8 年的抗战岁月后，竟为了“学会会员的孩子能上大学”这么一个信念而完全康复了身体。

“我们的科技人员几十年如一日，把全部精力和心思用在了为国家发展事业上，可就因为他们没有时间照顾，现在他们的孩子上不了大学，这是不公平的。所以我要办大学！”王秀兰是自己拔掉吊针从医院里跑出来的。她只身从南京到北京的国家教委，见了教委自学考试委员会领导时就这样说。

教委自考委的官员听后笑了，说我们还没有碰到你这样的问题。不过有一点是可以肯定的，就是这对于通过社会的力量一起把我们正在进行的高等教育自学考试深入加强是一条好路子。

那就从我开始试试。王秀兰说。

正被“科学的春天”之风吹暖的教委官员们开会碰了一下头后，明确说：我们看行，试试总还是可以的嘛！

就这样，王秀兰作为中国民办大学的先驱者之一，带着满面春风，从北京回到了南京，乘着暑假的时机，找来四个退休教师，租了光华门中学的校舍，打出了“航空学会自考大专班”的招牌，开始了招生。

不想，来报名的家长和学生竟然排起了长队。“不行不行，我们只招航空学会会员的子女！其他人一律不招，对不起，对不起！”王秀兰没有想到会出现如此多的报名者，她当时的办学目的性很明确也很单一——只为自己航空学会的家长们解除后顾之忧。

“凡报名的必须持有航空学会会员证啊！”王秀兰说，她现在想起来仍然感觉当时的情景好笑，一张平时根本不起眼的“航空学会会员证”，在 1986 年那一年竟然成了南京城里名噪一时的“金招牌”！谁要是能有这张“金招牌”竟可以万分自豪，因为意味着能有一个机会让自己落榜的孩子重新“上大学”！

“喂喂，你或者你亲戚朋友中间有没有航空学会的人呀？”南京街头这一年出现了一个奇怪的现象，简称“航会”的南京航空学会竟然在一夜之间被广大市民所熟知。因为就是这样一张群众团体的会员证，成了上大学的“通行证”，这是中国教育史上值得记载的一件有意思的事。

它发生在曾为六朝古都的南京。

这一年，王秀兰以学会名义办的“自考大专班”一下招了200多名学生，是清一色的航空学会会员的子女。这中间自然有那对哭着恳求王秀兰办大学的夫妻的两个高考落榜孩子。

第一年办出名后，南京航空学会的“自考大专班”成了众多想圆大学梦却入门无路的学生和家长们当时所能看到的唯一一条希望之路。从第二年、第三年起，王秀兰迫于招生压力太大，便把本来仅为航空学会子女进出的门敞开了，允许所有的社会学子报名参加。这一下南航大专自考班可真的“火”透了。时至1993、1994年，王秀兰的学生多达三四千人，南京城东所有中小学、军内外招待所甚至不少居民闲置房屋全被这些“没有校园的大学生”给占了。就在这时，王秀兰意识到，没有自己的学校名称和校舍已经无法再继续发展和管理好这所“没有围墙的大学”了，于是经过一番奔波，有关教育部门批准了王秀兰的自考大专班为“南京航空学会应用技术进修学院”。明白人一看这就是一所由群众团体管理下的社会民办院校，可对王秀兰来说，能有这样一个含有大学意义的“学院”名称已经心满意足了。

是学院，该有学院的校址吧！

王秀兰与校委会几位负责同志一商量，把几年办班积蓄的钱全部掏出来在南京城东小卫街征租了32亩地，盖了建筑面积为15000多平方米的校舍。那地方原来是水塘和垃圾堆放处，为了尽可能“少花钱多办事”，王秀兰带领全校教职员工以战天斗地的奋斗精神，完成了从“游民大学”到有固定校址的艰难历程。

没有想到，1994、1995年全国的民办大学招生出现严重下滑，许多曾经火爆一时的比王秀兰的“专修学院”牌子更要响的民办大学纷纷关门休学，但身处南京的王秀兰他们依然“虎踞龙盘今胜昔”。什么原因？最简单的一条是：已经“升格”为“南京蓝天专修学院”的办学方法和方针，是认认真真按照正规大学来进行的，从学校的硬件，到教材、教师和教学形式、学生管理、毕业分配、学历考核与颁发证书等，都正正规规，有条有序，有质有量。而这一切绝不是王秀兰及“蓝天人”自己做广告吹出来的，而是一靠政府的教育部门检查验收和专家的评判，二靠直接接受知识的学生来说话。“蓝天”有几项数据叫政府的教育部门不得不感到敬佩，那就是他们的毕业率和取得学历的比例。据说“蓝天”办学以来的十四五年间，入学的学生们拿到大专和本科文凭的占总人数的95%以上。什么都不用多说了，对那些一心想圆大学梦的学生和家长来说，仅凭这一条，“蓝天”就是他们想报名上的学校了！

王秀兰的“蓝天专修学院”早已被人们熟知，它在历年教育部门组织的社会办学专项检查评比中一直名列前茅，并且名扬国内同行业，甚至还吸引过许多公办大学前来取经学习。

我为什么专挑南京的“蓝天”作为反映我国民办大学的典型？这也是有原因的。1999年9月的一天，我无意中看到《北京晚报》刊发了一则消息，报载一所“南京蓝天专修学院”录取了一位名叫程玉云的农家残疾大学生。11月底的一天，我专程来到南京，见到了这位不幸在儿时的一次事故中失去双臂的学生。

进教室时，已经下课的同学们都在教室外活动，唯一留下没有双臂的程玉云一个人。我平生第一次看到了一个非常令我吃惊的场景：两袖空空的程玉云正用赤着的双脚在敲电脑键盘，而且绝不比我这个“半专业”的写作者慢多少。

“你想得到自己能被大学录取吗？”我问这位生得十分秀气的孩子。

“想不到。我知道像我这样的人是不会有哪个学校要的，因为我知道有一年有个学生就因长得难看，结果好几个学校把他退了。我想像我这么个什么都得靠脚的人自然不会有人要嘛！”程玉云说。

“‘蓝天’录取你感到意外吗？”

“太意外了，而且是比不录取我更感意外的事。”程玉云是个很善于表达的小伙子。他充满感情地说：“我是在上小学一年级时被高压电打残的，活过来就已经命大了。家里因为经济状况不怎么好，父母对我念书本来就不是很支持。当我用尽全部力量考完今年的高考．得了可以上专科分数线的416分后，心里一直特别地紧张，既怕自己被哪个大学录取，又怕被无情地拒于大学门外。就在我焦急地等待时，有一天我突然收到了南京蓝天专修学院的入学通知书。我当时真的太激动了，飞跑着告诉全村人，因为从那天起我就是我们村上唯一的大学生，而我能够成为一名大学生真是太不容易了。但没有想到的是在我兴高采烈之时，我的家人却陷入了沉默之中，因为他们被我的6400元入学费难住了。我明白过来后也像当头被人打了一闷棍似的，心想苦苦求来的大学梦又将被贫穷这只拦路虎挡住了，我可能生来就是苦命人吧……”

倔强的程玉云双眸溢着晶莹的泪水。“就在我痛苦万分的时候，有一天蓝天学院的老师专门来到我家告诉我一个大喜讯。说学院王院长同意为我减免全部学费。我和全家人听到这个消息都哭了。我想不到这个世界上真的有好人能来关心和帮助像我这样既残疾又家贫的人。到学校后，老师和同学们更是对我关怀备至，每天有专门的互助小组为我服务，王校长和所有我叫得出名和叫不出名的老师、同学只要见了我都会主动过来帮我一把，我现在过得很幸福，真的，是从心里向外溢的那种幸福。”

程玉云笑得很灿烂。

“你能跟上同班同学的学习吗？”

“跟得上，除了课堂上我比不上大家记笔记，其他的我都不比同学们慢。”程玉云说：“我的优势是记忆力比别人强些。但为了弥补记笔记的不足，所以我要花去大量休息时间。不过几个月下来，我的学习成绩一点也不比同班同学差。”

“最近他的外语课还考了全班第一名呢！”程玉云的老师过来夸道。

我了解王秀兰以及她的“蓝天”大学，是由先知道程玉云这位失去双臂的贫家残疾学生上大学的事开始的，我对王秀兰院长说，此次采访程玉云同学的最大收获是让我了解到了一所好的民办大学和一群为了圆百姓大学梦的好的办学人。

60 岁的王秀兰则感慨颇多地对我说，在中国走民办大学这条路太难，她问我："你相信不相信我这个创办这所大学的人在退休之前是从不在学院拿一分钱工资的？"

我无法回答，因为我以前听人说办民办大学十有八九是为了赚大钱，王秀兰不仅辛辛苦苦办起了远近闻名的像样的大学，还竟然不拿一分钱工资，这当然是我无法相信的。

"我过去十几年里确实没有拿过一分钱工资，即使我们学校账面上有几百万几千万的时候。但我是花钱的，我把这些钱全部用在了扩大和建设学校上，把钱花在加强管理和改进设施上。你看看我们现在的校舍和内部硬件，你就知道我们的钱花在什么地方了。我自己不拿钱为什么？因为我想真正做到不花国家一分钱办一所像样的正规大学。你看现在我们'蓝天'像不像大学？"

当然。望着十几层高的楼房和应有尽有的校园设施以及同学们个个脸上挂着的笑容，我必须这样肯定它。

王秀兰和她的"蓝天"大学所走过的历程，可以说是中国民办大学所走过的共同的历程。

中央领导看好"小于"的办学经

关于民间办学，在今天的中国似乎是件新鲜的事。其实中国是民间办学最早的国家之一。我们的孔圣人当年传教三千弟子，就是一种纯粹的民间办学。而且从世界教育史看，没有哪一国的教育不是先由私人开办学校而后发展到国立公办学校的。可是具有悠久教育历史的古老中国，却在高等教育方面几千年里没有前进几步路，直到一百年前才有了西方传教士创意下的大学雏形。20 世纪，封建买办制的国家体制建立后，我们这个东方大国才慢慢有了大学，而政府控制和主持的大学则形成中国特色，并一直延续到80年代。教育史从这个年代才又掀开了新的篇章。

1982年，在改革开放的掌舵人邓小平的领导下，神州大地吹起了空前的崇尚科学、崇尚教育之风。那时国家久闭的大学门刚刚开启几年，亿万青少年求学心切却因为高考“独木桥”太窄，无法满足他们对知识和文化的渴望。怎么办？全国99%左右的适龄青年人被挡在了大学门外，而刚从苦难中走出来的中国正处在百废待兴的历史性关头。一线的同志们正忙着如何把散了架的一个个摊子收拾整理，即使是每天24小时连轴转也无法赶上形势的发展需要。

“中国的教育应该几条腿一起走路，尤其是大学，现在孩子们想上大学太难了，这对百业待兴的国家四化建设很不利，我们应该在办好国立大学的同时，还向西方国家学习，依靠社会办些民办大学。”

“太好了，我们又想到了一起！而且依靠社会办教育既符合国家宪法精神，也符合小平同志关于教育改革的步伐要加快的指示。我们得抓紧动手了！”

一日，时任中国人民大学党委副书记的聂真和老教育家范若愚这两位好友聚在一起，不约而同地策划起了一件后来被写入中国当代教育史的大事。

“民办大学在20世纪初期中国有过，但几十年后的今天我们真要把它重新办起来，没有一位懂教学又能力强的人来挑这副担子，肯定不行。”

“是啊，谁能胜任此重任呢？”

聂真和范若愚深思起来……

“有了，她准行……”聂真灵机一动，兴奋道。

“谁？是不是于陆琳？”范若愚猜测着。

“还能有谁？此事非于陆琳这位女将不可！”

“好，我赞成，有她出面办改革开放后的中国第一所民办大学一定成功！”

聂真和范若愚两位老教育家异常兴奋，因为就在这一天他们为中国民办大学的诞生做了两件最重要的事，一是起了个好校名，叫做“中华社会大学”；二是为这个“中华社会大学”找了位“好管家”——于陆琳。

于陆琳是中国第一所民办大学的主要开拓者之一，在中华社会大学当了18年校长。这是一位具有传奇色彩的女性，她父亲于丹绂是中国科举考试的最后一批举人，后留学日本早稻田大学，成为中国官派日本留学生的总监，是20世纪中国著名教育家之一。女儿于陆琳的传奇生涯，是从16岁被其共产党员的三姐于若木瞒着父母带到革命圣地延安开始的。延安使这位北平女中的学生从此走上了一条全新的人生道路。因为姐姐的缘故，她服从组织安排，回到了她原来读中学的北平，在清华、燕京大学从事党的地下工作。这个阶段她认识了吴晗、钱伟长、朱自清等著名学者，同时也被一位燕京大学的女教师的教德所感染而开始对教育产生了毕生的兴趣。“小于，解放后你想干什么？”一日，随毛泽东、周恩来等来到西柏坡的邓颖超大姐问于陆琳。“我想搞教育，从幼儿教育开始……”于陆琳脱口而出。邓大姐用惊喜的目光瞅了瞅已经成了大姑娘、老战士的于陆琳，欣喜之情溢于脸上：“好呀，这个选择好，你是女同志中第一个搞幼儿教育的志愿兵！”就这样，于陆琳的教育生涯便从筹办著名的北京北海幼儿园起步。这一起步便使我们新中国的教育史上多了位拓荒的“孺子牛”。于陆琳后来接受国家派遣，到苏联留学4年，回国后被分配到北京师范大学，成了北师大第一位教育系女主任。正当她春风得意、事业有成时，“文革”的一场政治浩劫，使她不仅痛失爱人，也因被打成“修正主义大特务”而痛失如日中天的事业。粉碎“四人帮”后，于陆琳重新回到了军队，担任军事学院图书馆负责人。在聂真与范若愚两位的盛邀之下，年轻时代就梦想毕生献身教育事业的于陆琳，这位已年近花甲的女副军职干部重新燃起了青春的激情……

“行。干别的不行，搞教育我愿意去。”于陆琳对聂真他们的盛邀一口答应。不过因为她是军事学院的要员，到地方兼职必须经院领导批准才行。

聂真只好找到军事科学院院长萧克将军。进行一番于陆琳如何如何工作全面，有办教育的经验和组织能力的游说后，萧克将军摆摆手，哈哈哈大笑对聂真说："我还不比你了解她呀？你们搞民办大学我支持，于陆琳可以一半时间在军事学院，一半时间去跟你们办学。"

痛快。聂真从萧克将军那儿出来，满心欢喜地对于陆琳说，这回我们的"中华社会大学"一定成了。"于校长，上任吧！"聂真跟本来可以当女将军的于陆琳开起了玩笑。

他们都是在战火中走过来的战友和老上下级。聂真是我党办校的老资格革命家与教育家，抗日战争时期就在太岳根据地当薄一波同志的副手，解放后他奉命创办中国人民大学，是全国政协副秘书长。1982 年夏的一天，聂真、范若愚、于陆琳几位我党的高级干部在北京地安门东大街 3 号人民大学宿舍的一间地下室开了一次中华社会大学建校史上具有开创意义的重要会议。当时由聂真和于陆琳等 11 人参加了会议并做出了几项建校初期的重要决定，其中前两项分别为"根据学校情况，采取稳步前进的方针，设专业要重点突破，不要一下子全面铺开，成熟一个专业，办一个专业；第二项是学校的当务之急是申请编制，解决干部问题和房子问题"。第一项工作主动权在办校人手中，于陆琳他们立即着手开始工作，但第二项工作却碰到了连聂真、于陆琳这些身居高位的干部和老资格的革命者都感到棘手的难题——民办大学到底是什么性质？谁指给它一条路去走？这几乎是所有中国民办大学至今仍未解决的最突出的问题。

于陆琳他们也不例外。

"再难也要跑下来。"聂真等人看中于陆琳．就是知道她从不畏难。80 年代初期的中国，虽然改革开放的号角已吹响，但很多的人意识还相当保守，特别像在民办大学这一类问题上。其实即使在今天，在一些人眼里，它仍然被视为"非法"，或者是"必须严格监视的"那一类行业。他们骨子里认为只有国家才能办大学，其他形式冒出来的"大学"就是些‘"地下"的非法行为，甚至是假冒与诈骗。

几乎所有民办大学都不同程度经历过这样的境遇。中华社会大学无论从现在的班底（由原国家教委副主任柳斌任校董事长，原煤炭部部长高扬文任学校发展基金会会长，现任国家教委职教和成教司司长黄尧任学校副董事长），还是创办初期的班底，他们都是清一色的老革命和老教育家，官职都在军部级以上，于陆琳也仍没有想到在中国办大学就这么难，一切全因那个“民”字。民办民办，许多人就此把民办大学当作一些“无业游民”开的自家小铺，当成私营小贩。“除了想骗钱外，谁相信他们的拼命会是为了中国教育事业？”革命了大半辈子，为了共和国出生入死无数回的于陆琳，不止一次听人这么说他们民办大学的人。不是不气愤，可光气愤有什么用？就是因为中国过去没有民办大学，所以大家才对它有误解。如果我们真能像模像样地把第一所民办大学办好，不就是最好的证明吗？为了国家的振兴，个人受点误解何足挂齿！

学校刚起步时，仅有的 200 元开办费还是从人民大学借的。每次开领导干部会议都要临时找地方。至今在中华社会大学校址附近的居民中，还流传着当年一帮干部模样的人在大槐树下召开“部长会议”的趣闻。年近 60 的于陆琳家住北京西郊红山口，每进一次城就得花上一两个小时。到城里后，她又整日骑辆自行车串街走巷，去一个一个衙门磕头，到一个一个小庙烧香。当她和同事们辛辛苦苦好不容易搭起班子，招收到第一届学生，开完第一个开学典礼，上级教育行政部门有人提出非议：你们是私人办学，不能叫中华社会大学，你们是非法的，你们的问题不少，你们必须立即停止招生和教学。

社会力量办学是写进国家宪法的光明正大的事，凭什么说它是非法？我们为国分忧何罪之有？于陆琳愤然疾书十万余言，向时任全国人大常委会委员长的彭真等领导同志写了一个关于依靠社会力量办好民办大学的报告，以求得一个说法。

现年已近八十却依然天天上班的于陆琳校长对我说：那些日子里，她和同事度过了无数个不眠之夜，“有人一心想把民办大学当作非法组织加以取缔，这是我们民办大学生死存亡的历史关头，我和大家真有点夜不能寐的味道，白天要管学校，应付各种突如其来的事，晚上和节假日就开始‘活动’，争取各界支持，后来总算等到了希望……”

彭真委员长在于陆琳的报告上批示道："要鼓励社会各种力量按照党和国家的方针政策举办各种教育事业，国务院有通知、法律有规定的，从来信和材料看，这些老同志协办的中华社会大学应予支持。”没多久，委员长还为了表示对民办大学的支持，特意亲笔为“中华社会大学”题写了校名。

那些骨子里想在任何细胞中都发现“阶级斗争苗头”的人该收场了！然而有人并不甘心，至今仍扬言道：要不是有个于陆琳，我早就把“中华社会大学”收拾了！

像于陆琳这样的“通天人物”在办民大过程中都这么难，其他的民办大学的生存与发展是何等艰辛就更不用说！

可是再难也难不倒于陆琳他们。虽说中华社会大学是“私立”，但它是一批老教育家、老革命家用自己的“个人资源”在办，他们始终没有把办学与谋取个人私利画等号，相反，就像当年义无反顾地投身革命一样，他们追求的是一种事业，是一种忧国忧民、爱国爱民的使命感。“我们学校的这些人，都有自己的本职工作，或者退休后也是不愁吃穿的高级干部、教授，大家到‘社大’来都是为教育事业做贡献的，外人不理解我们，以为办私立大学就为了从学生身上骗钱。建校十几年来，他们求什么？什么都不求，就希望能在中国高等教育上闯出一条新路，能为千军万马闯独木桥时开辟出一条立交桥让孩子们走，这就是我们这些老同志办‘社大’的目的。”2000年春节放假的日子里，于陆琳老妈妈在北京西城区籖箩仓胡同的社会大学校长办公室接受我采访时，掏出了这一番滚烫的话。

功夫不负有心人。仅用几年时间，中华社会大学便建立起自己的特色。首先他们抓住教育质量这个根本，每年聘请首都各大名校的教授、副教授和专家，任课人数多达300余名。这么多高级“教书匠”任课，在一所大中型正规国立大学里也是很少的，中华社会大学却做到了，并且一直坚持到现在。其次他们的课程设置有自己的特色，既考虑到像国立大学一样设置基础专业课，同时随时根据社会发展需要，不断设置社会实用型人才的专业。比如在80年代中叶，他们率先开设了许多国立大学还不多的国际金融、市场营销、饭店管理、电子技术、食品营养、涉外会计、电影艺术、法律文秘、工艺美术等专业，而且成为后来让国立大学经常前来取经的名牌与特色专业。中华社会大学如今已经走过了18个年头，从当初“无资金、无校舍、无教师”的三无学校，发展到今天成为海内外闻名的中国现代民办大学，在校生常年保持在2000～4000人左右。他们正在筹备和增加学校的硬件，开设的学科达十几个、几十门专业，为社会提供大专以上学历毕业生超过10000名，还有大批短期培训生、实用型人才。他们的高等教育学历文凭考试合格率一直在60%～70%以上，位于全国民办大学前列。据调查，该校毕业的学生95%以上得到就业并有不少人走上了政治、经济、文化、金融等战线的领导岗位，有些毕业生的个人应用能力和综合素质高于国立大学，故而学校连年被北京市政府评为“社会力量办学优良学校”“民办教育先进学校”。校长于陆琳被教委评为“全国优秀教育工作者”、获“民办高等教育创业奖”等荣誉，受到中央领导同志的接见和赞扬。

在对中国的第一所民办大学采访中，令我非常意外的收获是，我看到了该校保存完好的历届毕业生们写给学校的留言，我感受到了于陆琳他们这所“没有围墙的大学”的魅力所在。

于陆琳和她的中华社会大学的成功，为中国民办大学树立了典范。从此，中国的大学不再是公立一种样式了，民办大学如雨后春笋般在神州大地纷纷崛起。1997年底，中国的民办高等教育机构达到1282所，在校生人数高达四百多万，与国立公办大学的在校生数几乎相等。国家对民办大学的政策也多次以法规的形式作出相应规定，提出了“积极鼓励，大力支持，正确引导，加强管理”的十六字方针。

国家在世纪之交制定的《21 世纪教育振兴计划》中明确指出："今后三十五年，基本形成以政府办学为主、社会各界共同参与、公办学校和民办学校共同发展的办学体制。"

有人曾这样认为，在中国这样一个高等教育不发达，而百姓对教育投资越来越热衷的情况下，民办大学既可以缓解众多想上大学的人们的急切期望，更重要的是对稳定国家大局会起到不可估量的作用。在调查和考察了那些办得比较好的民办大学后，我才真正感受到这位人士所说的话的分量。

在西安，有位一直关注教育的民办大学校长曾经作过一个统计：从 80 年代中叶起，由于考大学越来越被重视，百姓家庭和学子们把高考当作是改变身份和命运的唯一"龙门"后，在每年 8% 以外的那些没有考上大学的落榜生中，从此丧失理想追求、马马虎虎找个活儿混日子，甚至不惜用青春去赌命犯罪的比例一年比一年高。

"那几年，西安古城墙下我们年年都会听说有孩子因为高考落榜而绝命或者走出家门从此再没有回古城的惨剧。特别是我听说有个女孩子因为没考上大学而到一家旅行社工作时，有人奚落她落榜，这女孩子脸皮薄，结果自尽在小时候常走的那条小路上……听说这件事后，我发誓要为那些落榜的孩子特别是女孩子们办所民办大学。"说此话的这个人，后来真的成了西安一家知名民办大学的校长，而今天当我们走进他的那所大学校园时，真的想不到竟然在中国也会有像美国哈佛大学那样了不起的"东方哈佛"。

在古城西安南郊的翠华山下，一片占地六百余亩的宽阔绿荫里，耸立着一座具有东西方建筑风格的现代化校园，它就是目前拥有全日制学生 13000 多名的西安翻译培训学院。

13000 名全日制学生是个什么概念？它与中国最高学府北京大学在校生数不相上下。看一所学校"香火"旺不旺，首先是在校生数字，这是最硬的"第一指标"！ 1998 年这所民办大学的招生数达 6800 名，高考分数 500 分以上的就有 1200 余名！西安翻译培训学院的 98 级学生是北大当年新生人数的近一倍！该数据显示出，西安翻译培训学院招进的学生有相当一部分是原本已经进入“一本”录取线的高分学生哩！

“救助上不起学的穷孩子是希望工程，全社会都应当关注。高考落榜生上不了学，犹如烧了七八十度的水，如果给他们添一把柴，让他们在民办大学里继续深造，他们就可能成为社会主义建设有用的高技术人才，他们同样是祖国的未来和希望，这就是我梦想实现的‘第二希望工程’！”丁祖诒，这位浑身上下散发着力量的西北汉子，在当年团中央刚刚发起“希望工程”这一伟大的公益活动时，他从那些贫困交加的山区失学儿童联想到令人心颤的大批大批城市和乡村的高考落榜的大孩子们，丁祖诒觉得城市和乡村的这些过不了“龙门”、从独木桥上落水，甚至从此被命运“淹死”了的大孩子们更惨，更叫人揪心与焦虑。水至七八十度已开始沸了，加把火就是开水，熄了火就是生水，人才难道不是这个理？我要搞救助高考落榜的“第二希望工程”——丁祖诒从此与一群志同道合的同事，铺筑起一条通向“第二希望工程”的金色大道。

西安翻译培训学院的诞生与它的发展，正是丁祖诒这个帮助千千万万家庭和学子们圆大学梦的中国教育的“第二希望工程”。

“我选择了办翻译培训学院，是因为一方面我身处古都西安这样一个著名旅游城市的缘故，更重要的是我知道圆大学梦对中国的女孩子来说要比男孩子更重要、更不易。封建意识仍然密布在中国百姓思想深处和社会各个细胞里，因此高考对那些落榜的女孩子的打击，无疑是最不可忍受的，她们本来就脆弱的心灵以及细嫩的皮肉怎能饱受严霜与冰雹的摧残？或死，或永远在他人面前低头，或一嫁了断理想，这是人生最痛苦的命运！谁能理解和理会我们的花季少女内心的世界？这就是我为什么要首先选择办翻译培训学院的基本思路。每每看到我现在学校里占学生总数 70% 以上的女学生一个个健康美丽、活泼可爱的身影时，我有种比吃蜜还甜、比吻花更醉的感觉……”

能不甜蜜与醉心吗？自“西译”走向北京、上海、广州、深圳的女孩子们几乎无处不有，有位诗人把“西译”学生比喻成中华门户的美丽花朵，因为“西译”女孩的专长不仅是懂外语，“外语＋专业＋现代化技能”才是“西译”毕业生们真正的特长。

1999年，“西译”的2000多名应届毕业生，在5月份就被前来上门“要人”的168家中外“三资”企业一抢而光。丁祖诒和他的同事们再一次高兴地叫了起来：“西译”——中国的“哈佛”！“西译”——中国的不败！

两千多年前，中国的孔圣人创办了中国的儒学教育，两千多年后的又一批中国人，借助改革开放政策，用短短几年十几年时间，成功地创办了有中国特色的社会主义民办大学！

仓库里竟然办出“名牌大学”

几乎没花国家一分钱，就为国家建立起了1282所民办大学，培养出近千万各类高级人才，就在人们为这了不起的成就欢呼并祈祷的时候，我们却还常常听到和见到下面这些不该有的情况——

四川籍学生李小平，1994年高考落榜，后来到了广州打工，在一家私营业主的皮革厂干了两年苦力，别人干一份工作，他李小平干两份活。李小平有个始终扔不掉的念头，那就是他还想上大学。在广州待了一段时间后，他听说有不少“大学”不用考就能上学，于是他就想干足两年苦力，积蓄一笔可以上得起大学的钱再圆自己的梦。两年苦力干下来，李小平积蓄了14000元钱，于是他满怀兴致到一所校门比清华大学的校门还要气派的某某大学报名。李小平走进校门，费了半天劲也没有找到哪间房子是“招生办”，转了半天才在一块挂着“校长办”的房间里打听到原来“招生办”就在“校长办”里面，整个“招生办”连人带设施就那么一张桌子和一个工作人员。

“带来了没有？”那工作人员倒是蛮客气的，见面就问。

李小平第一次跨进“大学门”，内心诚惶诚恐，一听便赶紧把口袋里的证明材料包括他两年前参加高考的分数单拿出来交给那位招生“老师”。

“这些有啥用？我是问你钱带来了没有？”对方有些不耐烦了。

李小平一下明白过来，便手忙脚乱地从口袋里掏出钱来。

“一学期9800元学费，加上住宿费4000元，先交13000元。”

我的妈呀，13000元呀！李小平当时手都有些抖了。交完学费后他口袋里就剩1000元了。上了大学吃饭怎么办？

“拿着，这是课本和校徽。”

李小平接过几样东西，觉得好像还应该有什么似的。可那个招生“老师”就再也没有理睬他，说了“往前面的拐角处有栋平房，第三间就是新生的宿舍”后，便开始埋头点钱。

“学生宿舍”找到了，进去一看，李小平感觉与自己以往打工住的地方比好不了多少。八个人一间，除了一张硬板床和一个脸盆外，什么都没有。反正是打工出身的，李小平心想，别的同学能凑合，我也可以对付。趁着老同学们还没下课回来，李小平便迫不及待地取出那枚闪闪发光的校徽别在了胸前。那一阵，李小平好激动，眼泪都流了出来，因为从此他也成为一名大学生了！

傍晚，同宿舍的同学们开始拿他取笑：“哈哈哈，又一个受骗者光荣地加入了我们的行列。”

“怎么是受骗？我不是，我是交足了学费的，学校也给我正式注册和发校徽的嘛！”李小平分辩道。

哈哈哈……宿舍里又一阵狂笑。“你是交费了，而且交的比我们还要多，但……以后你自己会明白的。”同学们不想跟他多说，因为那个像监工似的“导育老师”又出现在他们的宿舍门口……

开始正式进入了上课阶段。李小平学的是企业管理专业，但第一次上课他就感觉很不舒服：那教室倒是大得很，但就是太不像教室了，二十几个学生在里面仅仅占了一个角，其余的都空着。下课后他悄悄问同学这是教室吗？同学告诉他，这间房子原来是屠宰场的一个主操作间。

什么什么，我们在屠宰场上课？

这有什么奇怪的？我听说另外一所“大学”的教室就设在一个“收容三陪女”的收容所哩！

李小平真的感觉自己被骗了。不行，我要退学！

想退学？才上几天就想退学？可以嘛，但学费是不能退的。

为什么？

这是有规定的，噢，你想进就进，你想退就退，这还叫上大学吗？

可你……你们这儿像大学吗？

哎，你说大学是什么样呀？你给大家说说你进过的大学是什么样呀？我们倒想听听，你说呀！

李小平被“老师”问傻了，是啊，大学是什么样？他回答不上来了……反正我要退学。

退吧，你签字后我们就给你办。还是一句话：钱是不能退的！

无奈，因为钱不能退，所以李小平的“大学”最后也没有退。他心想，反正自己上大学是来混个文凭的，混吧，混到毕业再说。

但李小平最后还是没有“混”完预期的三年学制。因为第三年开学学校又让交一万多元学费及其他费用，债台高筑的李小平已经再也没有力量了。看到不少同班同学能办“提前毕业”手续，李小平也找到校方。

“老师”对他说：“可以办，但得把最后一年的费用交了。”

身无分文的李小平急了：“我就是因为没有钱才要求提前毕业的，哪交得起那么多钱嘛！”

“交不起钱，你叫我们怎么给你办毕业手续？总还得正规点吧！”

正规？李小平不无讥笑起来。

有什么好笑的？你以为办个毕业证能那么随便？“老师”一脸严肃相，回头到“校长办公室”叽叽咕咕一阵后，对李小平说：经过“特许”，你可以交一半的费用，我们就给你办毕业证书。

李小平回到宿舍一琢磨：比起再白白浪费一年时间和一万多元

钱来，这一招还是多少占点便宜。好吧，就这么着。第二天开始，李小平用了一个星期时间，到同来广州打工的四川老乡那儿借了5000元钱，换回了一张某某大学的“毕业证书”。

有了“大学毕业文凭”的李小平自以为可以理直气壮地参加那些高薪单位招聘了。他哪想到他的“文凭”证书原来一文不值。

“这是什么大学？听都没有听说过。不要不要！”

“是民办大学的吧？不要。我们招的都是要正规大学的。”

“啥破文凭，连擦屁股纸都不如。嘻嘻……”

一次又一次招聘现场，李小平被人一次又一次地嘲讽与讥笑，每当被人嘲讽，他的那只拿“某某大学”毕业证书的手就剧烈地抖动。

终于有一天，李小平在参加一场招聘会后颓丧地在地上大哭起来，发疯似的把那张他曾经引以为自豪的“大学毕业证书”撕得粉碎，然后他擦干眼泪，飞步冲到那个骗走了他2万多元血汗钱，又浪费了他两年多光阴的“某某大学”，抡起一根铁棍，将“校长办公室”砸了个稀巴烂。后来李小平被关进当地派出所，那间又潮湿又灰暗的小屋，彻底地粉碎了他心中的大学梦……

王心田是个老实巴交的工薪者，40来岁时妻子才生下宝贝女儿丹丹。可是丹丹所在的城市没有一个像样的好学校。丹丹从小娇生惯养，根本没有把上学读书放在眼里，稀里糊涂上完了高中。那年高考的分数下来，丹丹的分数不到400分。不用说，大学的门与丹丹无缘。老王着急呀，赶紧给找工作吧，托张三李四，好不容易在一家百货商场找了个售货员差事。丹丹一听就摇头，说我才不去呢。老王瞪眼问，那你想干什么呀？女儿回答说，我想当模特，每天可以穿新衣服，而且钱还拿得多。看你疯吧！老王气不打一处来，又给女儿到处奔波了几家单位，人家回答得很干脆，我们只招收大学毕业生。这事对老王触动很大，看来，孩子不上大学，以后的饭碗都成问题呀！

“丹丹，我看你还是去上大学的好，要不今后连口饭都吃不上的。”回家后，老王对女儿说。

“让我到复读班去再上高三？”丹丹把头摇得像拨浪鼓：“不去不去！”

“不去你就死在家里！”，老王从没跟宝贝女儿发过这么大的火，这回他是真急了，眼看着不大不小的黄花闺女整天待在家里游手好闲，他老王只怨自己没长本事，若像人家有权有势的啥局长、厂长的，哪有为儿女工作事愁过的？

有一天，老王在大街上琢磨着丹丹的事，突然有人塞过一张印得很漂亮的纸。走累的他顺手拿起那张纸想垫屁股用，蓦然那张纸上的一行大字勾住了老王的眼睛：

×××大学不用考试先入学

国家承认文凭保你工作好找

有这样的好事？！老王以为自己的眼睛花了，不对呀，这“招生简章”上是这么说的呀！老王看完那张×××大学的招生简章，飞步回家将这“天上掉下”的喜讯告诉了丹丹和她妈。

就这样，尽管丹丹内心不怎么情愿上学，但还是遂了老爹的心愿到了相距老家百里之外的某市的×××大学报了到。

那个学校不算小，老王第一次进挂有巨幅标牌的大学门，也头一回见在行人熙熙攘攘的马路边上，一对学生竟然旁若无人地搂在一起亲嘴。

“我就要看嘛！”老王想把丹丹赶紧拉开，宝贝女儿竟然嘻嘻哈哈地要看热闹。

老王把丹丹送进这所“大学”后，心头一直抹不掉那对旁若无人地搂在一起亲嘴的身影。联想到女儿丹丹的疯劲，他越想越后悔。头几个星期，老王每逢周五就乘车去一趟学校，看看丹丹有没有变坏。后来，他的多疑连丹丹都烦了，知道老爸来了也有意躲着不见。没法，女儿是上了大学，可老王却像丢了魂似的整天坐立不安。

更让老王不放心的是，在放暑假时，丹丹一个电话，说跟一位家在哈尔滨的男同学上东北去消暑旅游不回自个儿家了。

“喂！喂喂！”老王还没有顾上说一句话，可气的女儿就把电话挂了。

假期很快过去了，新学年又将开始。老王正准备给女儿送学费时，突然电话里响起丹丹的哭声……

当晚，老王火速赶到学校。当看到自己的女儿躺在乱七八糟的宿舍里一副泣不成声的模样，又从一个女同学那儿得知丹丹丢人的事，老王火冒三丈地找到学校校长。

“你们是什么学校呀？我们把孩子交给了你们，可你们倒好，男生跟女生同住在一个宿舍你们也不管，现在出了事你们得负责！”老王把愤怒的唾沫都喷到了那个油头粉面的校长脸上。

“什么什么，我们还没有追究你家长的责任，你倒好，竟然把屎盆扣在我们头上！老实告诉你，根据我们学校的章程，你女儿的越规行为，是要开除学籍的！”

“你凭什么？”

“就凭她在学习期间与男同学发生性关系，并且导致堕胎的严重事件！”

“好，你开除好了！我去告你这个不负责任的学校！”

丹丹真的被学校开除了。老王也真的到市里去告了这个学校。但有关部门的人告诉他并且埋怨道：谁让你把好端端的孩子送到一所不正规的民办大学？

什么？民办大学不也是大学嘛，难道他们就没人管了？

管是有人管，可他们毕竟不是正式大学，管理上的缺陷是难免的，我们想管也管不过来呀。

老王赔了金钱又赔女儿，最后落了个水中揽月一场空。他气得逢人便说：“老子以后的百代孙子再也不上这类胡诌大学！”

肖杰老师原来在贵州一个偏僻的专科学院当助教，因为他太渴望大都市的生活，所以被沿海某市的一所民办大学录用为教师。在招聘时学校说得很好听，住房、户口甚至将来爱人的工作关系都“统统可以解决”。于是，肖杰一纸文书辞掉了原先的铁饭碗，只身来到某市的这所民办大学。

起初的感觉是很好：美丽的海滩，高高的楼群，宽阔的马路，时髦风流的女人……总之，比起那个又穷又偏远的贵州小山城，肖杰觉得有种一步登天的感觉。

教学工作很紧张，每个教师每天的课完全是超负荷的安排。

“我们的待遇是以课时来计算的，每人必须每天上足 8～10 课时的课程，才能拿到基本待遇。”老教师悄悄透露给他听。

肖杰对此没有疑义，但每天上完课后的感觉是连吃饭的力气都没多少了。给大学生教书可不能像为小学生上课一样，得给大家思考和探索的空间呀！

教研组会议上，组长这样回答肖杰的看法：不错，我们都给大学生上过课，但那是在公办大学，你现在干的是民办学校。本来应该是三个教师的课，在这儿绝对只能一人来承担，这叫“效益”，懂吗？

后来几个月，肖杰荣升为班主任，看到学校公布的“学期教学计划”上有一串长长的选修课目，他便开始为学生们张罗起来，以便给学子们更多一些知识。但当他辛辛苦苦筹备齐全，准备开“选修”课时，教务处处长把他叫到办公室责问道：谁让你擅自增设教学内容的？

肖杰摇摇头，没有啊！

那你在忙什么？

我给学生们安排“选修课”呀！

瞎胡闹！什么“选修必修”，这儿只开能够对付得过去的课，其他的什么都不开！

那……学校的教学计划上不是明明写着吗？

写着又怎么啦？写着又不是给你看的，是专门给检查我们工作的那些人看的呀！你当什么真，上什么心？

肖杰最后实在忍不住要告别他工作的那所民办大学，是因为下面这件事：

那年他所带的计算机专业班已经到大二下半学期，这时一位校领导领来一个学生到了他班，校领导说这是个插班生，让他好好带。

“你以前上过哪个大学？”肖杰问那孩子。

那孩子摇摇头，说没有，只上过高二。

为什么没读完高三？

没劲，我不爱读书，要不是老爸逼着，高中我都不想读。

什么？这上大学的事肯定也是你父亲硬逼的？

是啊，他不用鞭子逼着我才不来呢！

你插班大二怎么能跟得上呢？

谁知道！反正我老爸说，到这儿早点混个文凭，好给我在派出所弄个民警当当。因为明年有指标，而且现在招收民警至少也得有个大专文凭，所以我老爸着急把我弄到这儿的，嘻嘻，老师你该明白了吧！

肖杰怎么也不明白。不管公办还是民办，我们总还是一所大学呀！怎么能这样不负责任呢？

他满以为自己一番道理可以把校领导说得回心转意，哪知人家反问他：我们在这儿办一个近千人的学校离得开“站岗放哨”的公安呀！没有他公安局长给你点个头，就凭你这个贵州穷山区来的人怎么会落户到这美丽的海滨城市？学校离不开他，你肖杰也离不开他呀！他提出给儿子“混”个文凭开开绿灯，我们怎么好一口回绝？

肖杰还是不明白，校领导说，我们是民办，民办民办——“明”白了就能办！这个你知道吗？

肖杰选择了离开民办大学。

……

其实，以上事例在民办大学里并不少见。这仅仅是整个中国民办大学这面多棱镜中的一个棱面而已。

有人用这样的话评价过一些民办大学，说除了牌子大收钱数目大再就是水分大。到底如何，我们实地走一走便可以有出人意料的收获。

有一个曾在三所“大学”沐浴过的学生告诉我：他第一次上的

那所大学设在一个工厂的旧仓库里，在这里他度过了一年零四个月的“大学”生涯。那座原来生产半导体的工厂因为自80年代起产品没有市场就一直闲置着，工厂的工人大部分下岗回家了。厂里有一位原来搞外销的“爷”，有一次在咖啡馆里跟一位在教育部门工作的同学聊起厂里的景况后，那老同学说我现在正愁没地方，能不能把你们工厂的大仓库租借给我用？我给你们厂子租金呀！半导体厂搞外销的“爷”说：你有钱，我们还有办不成的？说吧，你租我们的大仓库干嘛用？老同学告诉他说办大学用呀！“爷”一听乐了：你别逗了，办大学能到我们那个破厂子？老同学拍拍“爷”的肩膀：这你就不懂了吧？现在什么都改革开放了，就不能把大学办到你厂子里去？“爷”觉得自己真是少见多怪，便问：那你办的是不是职工大学呀？老同学告诉他，现在广大工人老大哥都下岗了，还有谁去办职工大学？那不等于白花钱培养有知识的“下岗老九”？我是办大学，就是专收中学毕业而没有考上大学的高中生的那种大学！“爷”一听很惊讶，说这样的大学你怎么好自己办呀？老同学一阵窃笑：你这个“爷”呀，现在除了自己不能印钞票外，啥事不能干？我个人当然不好办大学了，可现在政策允许社会和民间的力量办大学，这叫民办大学。我在教委部门工作当然不好直接出面，但我知道政策呀，我给你找个什么“协会”“学会”和研究机构不就成了。你们厂如果能提供地盘，两家一合作，再到有关部门一登记审批，大学不就成了！“爷”真像听了一出《天方夜谭》，回厂后他跟回家休息的厂长一汇报，厂长乐得屁颠屁颠的，说只要给钱，让我叫他爹都成，别说办大学哩！事情就这么简单，因为有教育局里工作的这位老同学当后台老板，“爷”的这所大学就很快批了下来，昔日关张多时的半导体旧仓库经过一遍粉刷，再在大门外换上一块“××大学”的牌子，只有初中毕业资格的“爷”摇身一变成了主持日常工作的常务副校长，而他招聘来的那几十位有教授、副教授职称的退休教师则成了受他指挥棒驱使的教职员工，有的甚至还当了彻头彻尾的跑腿的。

“洋大学”很火，也很腻人

无独有偶，某民办大学现在已经在北方某大都市办得红红火火，据说在校的学生超过了一所省级中等大学的在校人数。我原先从来没有听说过在我生活的城市里还有这么一所“名牌”大学。我那位正准备筹办大学的朋友说起办大学的事情时，那眼神里充满了对这所“名牌”大学的敬羡之情。下面是他的话——

老实对你这位朋友交个底，我本来以为办大学搞教育只是国家才愿意干的苦差事，哪想到时下成了好多聪明人抢先占领制高点并获得“短平快”效益、致大富的绝顶好路子呀！你知道某某大学的老板现在手下多少学生了？几千人哪！几千人是什么概念？给你算算账：一个学生一年的学费加生活杂费就算一个整数 1 万元吧，1000 人就是 1000 万元！一般大学生从入学到毕业都在三至四年吧？这就是三四千万元！你问投入？哈，投入个啥！学校校址是租的，教师大部分是聘用离退休的，一年用于教学上的所有支出能达到三分之一就是多的了。问题是这所学校现在越办名声越大，仅今年新招生就超过上千人，老生新生加起来已经三四千人了！我在他们开学时偷偷去“侦察”过几次，你要是看到他们十几个人一起组成的“收银娘子军连”的盛况，你准会眼睛发光！光银行派来收钱的运钞车就有三辆，全副武装的警卫人员就有上百人！“收银娘子军连”的小姐女士们收来的学费一转眼就是一麻袋一麻袋的。你们知道他们那老板赚了多少？说出来都是天文数字呀！民办大学不赚钱的是傻瓜，但像人家这么会赚大钱的人也并不多。他的奥秘就在于他会玩，玩得那些一心想把自己儿女培养成大学生的家长们打破头主动给他送钱去！

其实他玩的招数不算高，在招生时他说他的学校可以是双学籍，即美国、英国也承认其学历，这下把中国很多想把自己的孩子送到国外留学又一下送不成的家长们的心给勾走了。一般普通中国家庭没有海外关系，把孩子送到国外留学想办也难办成，再说到国外留学最便宜的一年少说也是四五万、八九万元人民币，而现在不用出国、仅花几分之一的钱就能拿上“外国”文凭，这样的好事谁不动心？于是上百成千的家长带着子女疯一般地来到这所学校报名上学。你问那学校的“双学历”是不是骗人？不是，人家这可是真的，都什么年代了，再玩那种睁眼儿瞎套白狼的事只有老土才干。能办学校尤其是能把学校办得轰轰烈烈的人可都是高智商的人精哩！高智商的会玩与骗是两个概念。办这个学校的人会玩在于他们确实满足了一部分中国人追求大学追求门第追求“洋文凭”的虚荣或者说是某种需要吧。你是想弄清楚他们的双学历是不是真的？绝对是真的。问题是人家把这事办成了，办得学生和家长们明知将大把大把的钱白送给了人家还要谢谢办校人。这样的荒唐事竟在我们中国层出不穷。起初我跟你和几乎所有的中国人都不明白，在西方许多国家里，办学包括办大学在内的事就跟开公司一样，你只要有一点钱就可以去申请，而且西方的学校民办和私立的要比公立的还多。我们现在见到的那些在中国百姓面前玩所谓“双学历”的高智商的人，大多在国外留过学，或者在国外有熟人朋友。他们甚至不用出国便可以到某某国家注册一个让中国人听来很有历史的洋名如“圣得堡”“艾伦斯基”洋学校，这个学校本来就是他的、再出点钱让官方出个证明，就可以堂而皇之地合法地在中国招生、发学历文凭证书了。

到这一步还不够，他们明白有些中国家长的智商也不算差，会提出既然“双学历”就应该在相关国家可以享有留学上课的权利。于是高智商者早已想到和做好了这样的工作：他们利用国内招生收来的大笔钱财，再跑到国外与那些我们中国人熟悉或者不怎么熟悉的名牌大学或非名牌大学进行合作办学的“洽谈”——注意，这样的“洽谈”总是以双方皆大欢喜而告终，因为国外的大学无论是名牌的还是非名牌的，他们的显著的特点是：你只要有“美金”，什么事都能办成。更何况，许多国外大学的生源本来就是一个头痛的问题。中国人居然把滚滚而来的生源送上门去，那些黄头发蓝眼睛的校长们高兴还来不及呢。OK，OK！于是，中国的高智商们就这样轻轻松松、安安全全、合合法法地在我们伟大的社会主义国土上办起了既有中国文凭又有外国文凭的“双学历”大学……

这等披着“洋皮”的“大学”，是目前中国民办大学中最火的一类。

我认识一位家长，孩子正在有“洋皮”的大学里读书。他告诉我，他是私企的老板，把去年高考没有考上的千金送到这所学校后，挺满意。“首先是我女儿的大学梦圆了。孩子从小学到中学，念书念得太苦了，眼睛近视到1000度。照中国现在的高考分数线和录取要求，她这辈子怕是没有机会上大学了。可孩子不上大学以后让她怎么在社会上立足？我们做家长的，辛辛苦苦图个啥？还不是为了后代！可说实话，送一个女孩子到国外上学咱又不怎么放心，钱是一个方面，最主要的还是牵挂。听说你们北京有不出国就能学到两种语言、拿到两国文凭这样的学校，就是让我拿出双倍的钱我也愿意呀！我觉得值得嘛。再说，我的孩子现在可比以前活跃多了，外语好不用说，社交能力也增强了，最重要的是她的心境开朗愉快了，不像以前一提到读书像让她上刑场似的。看到孩子如此健康成长，我觉得比什么都强。不瞒你说，就是因为我看到孩子上了这样的大学出现了我意想不到的结果，你再让我拉她出来上北大清华，我也未必同意。这是真话。信不信由你。”

我不敢不信。但我不敢全信。因为我了解另外一所类似的披着“洋皮”的大学的情况。

这所大学也与我同在一个城市，但一般的人不易找到，因为它在很偏远的市郊，校名的牌子也不像传统的中国学校那样挂在围墙外的大门口最醒目处。这个学校的牌子倒像我们常见的那些“商社”一类，挂在了一座写字楼某一层的一间房门上。这样的大学与其说是“大学”，倒不如说是招收学生的公司更准确。有一位在这所英文名字很好听但翻译成中文怎么也别扭的D国学校上过两年学，后来不得不转学异国的学生，无奈地告诉我很多有关这类学校的“秘密”。

这样的学校，一般都是由在某一国工作或者从事商务的华人与当地的商人或教育机构联手经营。说穿了应该叫作“联手骗钱”。事情就这么发生过：某家长把自己没有考上大学的孩子送进这样的“洋大学”，一下交“学费”就是十几万元。孩子进“学校”一看，奇怪，怎么既没有操场，也没有围墙，只有一个大仓库式的大教室。教的课程不中不洋，不古不今，总之老师们说这是未来世界潮流的“前卫课程”。可怜的学生反正不知道什么是洋国家的前卫，什么是古中国的保守，跟着听跟着学，最后拿一个别让父母瞪眼臭骂的文凭就是了。但“洋大学”因为不是真正的“洋大学”，所以早晚要露馅。学了不到两年，家长被告知，必须再拿十几万元，然后转学“某某国”去接受正式的洋大学教育。家长不能不信，也不能全信，因为“洋大学”要把自己的孩子“叼”出去可不是闹着玩的，便把孩子叫回家详问到底两年学了什么，到底“学校”内情如何——在这之前，该校打着“封闭教育”的幌子不让家长和外界了解他们的内部管理，声称说这种“先进的教育方法不能给中国的学校学去”，故而让家长们谅解。为了孩子好，于是家长们还都能理解并满足了校方的要求。但详问孩子后，家长一听就急了，这哪像是学校，整个是在糊弄人呗！气一来，就找到地方教育局。

教育局说我们这儿从来没有这个“洋大学”来备过案嘛！家长不信，说人家在招生时也是有我们中国方面发的“照”的。“照”？什么“照”？教育局官员起了疑心，一追查，原来这个“洋大学”还真有“照”，但不过是他们作为某跨国公司在中国经营的许可经营执照，至于作为跨国公司在D国注册的某某教育机构则没有在中国做任何注册。所以说这个外面只挂公司牌子的“洋大学”其实在中国的招生收入和教育活动都属非法。可是因为有当地的中国人在某些方面运作周到，它竟然可以理直气壮地搬出一套在中国境内合法办校的证据来。他们说他们与某某民办大学是“合作关系”，不信可以看看“签署的合同文本”。没错，还真是那么回事。“气死我也！”家长们有气只好往肚子里咽。事到如今，还能怎么着？人家说了，你愿意就跟我们一起走，把孩子送到D国。完成两年的学业，拿个D国文凭回来，中途休学不能怪我们。民办大学为什么这么乱呀？

家长骂了半天仍没辙，只好这么办吧。

三来五往，民办大学到底怎么回事，在中国简直像个谜一样，外人谁都不清楚。我采访过几位民办大学里的优秀学生，我请他们谈谈自己当一名民办大学学生的真实心境，他们的真言袒露叫人听后很吃惊。有位后来还拿到中国政法大学硕士学位的民办大学学生对我说："不瞒你说，我在民办大学的三年里，始终没有停止过流泪。记得我在高考未被录取后无可奈何地走进一所民办大学时，我流了第一次泪，这泪是我自己感到从此自己比别人低一等了的开始；后来是在开学典礼上，当学校校长在台上气昂昂地向我们台下一百多位大部分是高考落榜生的同学们大声宣布，从现在开始你们就是大学生时，我的心就像被人用刀捅了一下似的，眼泪忍不住再次流下，后来我发现在场的所有同学没有一个人听到校长说这话时抬得起头的。"而他第三次流泪是在三年的民办大学毕业典礼时老师向他颁发毕业证书时。"这一次流泪是我看到手中的毕业证书怎么看怎么别扭，因为我知道这样的毕业证书虽然老师和校长一再强调也是'国家承认'的，可国家是个空泛的概念呀，我知道拿这样的学历文凭就是到一个小工厂小企业，人家也会瞅一眼就朝你摇头的。这样的学历文凭证书只能带着我的那种'次大学生'的屈辱烙印。所以我发誓要争取重新拿回一份真正的大学毕业证书。当然，话说回来，我后来拿到中国政法大学硕士学位证书，也有前面那张'国家承认'的文凭的功劳，不然就不可能直接获得硕士研究生的考试资格和学习机会。一句话，民办大学，对那些无路进入正规大学的学子来说，它是一座通向理想彼岸的'竹梯桥'——因为那些高考成功者走过的虽然是'独木桥'，但终究独木桥是木头做的，走在上面是踏实和坚定的，然而'竹梯桥'不一样，即使你踩在上面也有几分恐慌与不安……"

这位学生所说的，正是中国民办大学目前所处的地位——想爱你但难激起情绪与热情。如果碰上那些本来就专门想坑你害你赚你一把的学校，那民办大学的招牌就更是要大打折扣了。

在京郊一个颇显蛮荒的地方，有所民办大学的分校，我去采访的前些天，学校有两位女同学没请假就擅自溜出了校门，至于干什么去了，谁也不知道，急得校长、班主任满北京找，最后不得不求助于派出所。民警一听两个女大学生“失踪”快二十多小时才来报案，就问校方：“你们是怎么回事？现在社会治安这么乱，你们想拿孩子的命当儿戏？”好在这两个女孩子后来自己回到了学校，一场虚惊就此解除。但事隔一个多月后，派出所民警主动找上了门来，说这两个女孩生活不检点，与一帮卖淫的团伙有染。这事再也瞒不住了，可学校这回坚决站在女孩子一边说话，与执法部门进行了长达数月的争执，并且拿出各种可以证明这两位女大学生“一向是优秀学生”的人证物证，最后竟然使这两位有卖淫嫌疑的女学生换来“一身清白”。据说校长后来亲自出面跑到外省的民办大学又花了一笔不小的钱，悄悄把这两位女生转出了自己学校。

“民办大学啥都不怕，就怕不好的名声传出去。”一位民办大学女校长对我说，她与几位同志联手办大学至今，什么事都没有难倒过她，可唯独因为学校出现过一起凶杀案件，生源像滑梯似的连年往下掉，一直到最后连教师和员工的工资都难以发出来。她说本来学校也是一个小社会，学生们也不是生活在真空里。正规大学出一件再严重的凶杀案或者强奸案，大家听听也就过去了，可是我们民办大学就不行了，有人若把出过的案件那么一说，生源马上受影响。她说与她关系不错的另一个民办大学校长也吃过这样的苦头，那学校一直办得非常不错，生源也连年很旺，那校长还因为依靠社会力量办学好而当过省人大代表，获得过全国“五一劳动奖章”，但就是因为有一年学校里出了一起恶性强奸案，第二年这个以财会专业闻名的民办大学，一下陷入了困境，女生们纷纷转学，新生和家长们一听“原来那起强奸案就发生在这个学校啊”，即使交了学费的也坚决要求退学。

“生源是我们民办大学的生命泉，少了和断了生源我们还有什么事情可做？”女校长说，把天大的事捏在手心底下，用一口气把小事当作尘埃吹掉，这几乎是所有民办大学处理棘手问题时的“基本原则”和“基本办法”。“你说还有什么好招？一点点芝麻大的事，有人给你一传播，我这个校长就得急上360天。所以大家心照不宣，在我们民办大学，哪家出了事，哪家都会捂得严严实实。要不，就会采取有效措施，把有事的学生撵走。”

“我真的感到很闷，倒不是学习的专业或者其他面子上不好听，就是感到民办大学没有一点儿真正意义上的大学氛围。说得好听点，学校是出于爱护，才对我们管得非常严，说得不好听些，他们把我们学生当作某种不安定因素甚至像对待劳改犯一样整天有好几双眼睛盯着你。我从小爱结识朋友，也爱组织同学间的集体活动，在高中时当过年级学生会主席，星期天、节假日总爱组织同学们到校外进行一些有意思的活动。谁知我到了民办大学后，就整个儿像进了监狱。有一次我们几个同学说好了趁五一放假两天到天津海边举行一次‘沙滩排球比赛’，这本应得到学校的支持，哪知班主任得知后板着个脸来通知我们，说谁要是到天津，就处分谁。弄得我们差点跟她急。唉，这样的事太多了，校长、老师开大会时一次又一次张着大嘴高喊，让我们要把自己的大学生身份看重，可在实际的管理中哪有一点是把我们当作一名大学生看待的呀？简直是把我们当托儿所的三岁幼儿，或者像对待监狱的犯人，一点自由和自尊不给我们。在这样的环境下学习与生活，就是拿了一个文凭又有什么意义呢？再说谁知道到头来你拿到的文凭能在社会上值几个钱？我就是这样离开了民办大学的。”一位正在通过自学考试争取上北师大的学生向我讲述了他三年前为什么中途放弃民办大学学业的经历。我听后不由得陷入沉思。

1999年夏季，大学招生时，我投入了很大注意力关注夹在风风火火的国立大学窄缝中的民办大学状况。我注意到不知是媒体的有意“导向”还是某些高参作用下的民办大学的联手“广告宣传”，《北京日报》等多家新闻单位在国立大学招生时，连连推出了《在校大学生，半数系“民门”》《人无我有，人有我有》等连篇累牍的“北京民办教育巡礼”一类的文章，又是评论又是通讯，外加“知名民校”的整版广告宣传，大有“北大清华算老几，还是到我民大来”之势。可是后来我到民办大学招生咨询现场一看，在那“红旗招展，喇叭声声”之中，学生家长和落榜学生们“问的多，报的少”。一位民办大学的招生人员说：今年是他们最惨的一年，往年可以有四五百新生，时下他们学校招了不足百人。“北京是没戏了。要骗也得到外地去了！”那位小伙子自嘲一声，扛着“××大学”的牌子，喝汽水去了……

与北京的情况相似，1999 年高考录取工作刚刚开始，各地的民办大学便纷纷“抢滩”，我看到这一年的新闻媒体连连刊出“给落榜学生和家长提个醒”一类的消息，并把教委批准可以发文凭的民办大学校名公布于众。我还专门看到了新华社引用国家教委发展计划司负责人的介绍，将全国原有和新批准的具有颁发学历文凭资格的共计 37 所民办大学名单，以通稿形式载于各报，为广大百姓和学子们提供了不少帮助。

我顺手再把国家教委颁布的仰恩大学（本科）、民办内蒙古丰州学院、民办黑龙江东方学院等 37 所民办大学的名单拿来一看，很有意思地发现：中国的民办大学办得最早、也是办得最好的北京几所著名的大学竟然榜上无名，令人百思不解。《北京晚报》的记者曾写过一篇题为《北京民办高校“折”在哪儿？》，文中专门掏出了个中原因：像中外都颇有名气的燕京华侨大学，是北京唯一的一所华侨大学，建校已经 15 年，培养了一大批优秀人才，很多毕业生还出国留学当了博士生。该校自 1994 年以来，连续被评为“首都文明单位标兵”，成为首都几百所大中小学校中唯一获此殊荣的单位。但就是这样的民办大学，他们却没有被授予学历教育资格。

问及此事，校长吴吟韶一脸无奈，说是“校舍条件不达标拖了学校的后腿”。1993 年的那次全国高等学校设置评议会时，评议会对该校教育成果等方面都满意，唯独对校舍一项不认可，结果就被排除在外。1994 年再次评议时，一位教育部门的官员称，以燕大当时的办学条件请海外人士来参观，“简直是给中国人丢脸！”当然最后的结果是又一次“落选”。伤了心的燕大再也不热衷获取授予大学文凭资格了，坚持走自己的道路。另一所大学就是中国科技经营管理大学。这所无论从校舍、还是从现有的教学条件和培养的人才看，都堪称中国民办大学之首的大学，在校学生连续几年超过万人，其文、理、工、贸、艺、医等学科齐而全，但他们也没有被列入国家承认学历的有办学资格的民办大学中。为什么？原来在评议中规定，未经国家批准，民办大学校名不得冠以“中国”“中华”和“国际”这类字样。改不改？改就可以批准。中国科技经营管理大学是块老牌子，名牌效应已为中外所知。女校长蒋淑云态度非常坚决，中国科技经营管理大学是全校干部、教师辛辛苦苦创出来的牌子，国内外享有知名度，如果说需要改校名才能有资格批准承认学历，那么我们宁可保留校名！蒋淑云校长一说起此事就异常激动：有人骨子里看不起民办高校，我就是不服。不是吹，我们学校培养出来的实用型人才走到哪个地方都很受欢迎。我是泥腿子，但我这个农民种出来的蔬菜新鲜，人家爱买呀！有“民办大学元老”之称的中华社会大学当然也存在同样的问题，当然也被挤出学历资格之外。

好在国家还有一项政策，那就是允许在一批条件比较好、办学成果突出的民办大学中进行“国家学历文凭试点”。这些学校本身直接发的毕业证书是不具备国家承认文凭学历的，但通过三分之一的“国考”（即全国统一自学考试）诸科目，三分之一的由市教育部门统一出题的科目以及学校专业设置的最后三分之一科目考试合格后，所发的文凭国家承认。然而纵观中国民办大学的前景，我们无法乐观。有位已经在几所“民大”当过教务长和副校长的“老民大”说：中国的民办大学，像石缝里长出的一棵苗苗，如果能长成材，有人会说这有碍全局的雅观，得砍掉；如果成不了材，有人也会说这区区野草留它何用？得砍掉。总之，横竖得砍掉。这就是民办大学的必然结果。

情况到底是否能被这位“老民大”不幸言中，我们有待观望。

第八章 “狼来了”——少年出国留学的忧思

1999年11月12、13、14三日，北京的天气骤然变冷，西北风使刚刚度过建国五十周年大庆的北京人顿时感到严冬的来临，但在很著名的北京国际会议中心，在17号展厅里，你想象不出那儿有多热闹。说人山人海一点不夸张，原来，洋人的“洋大学”跑到北京来招生了！

“洋大学”到中国抢学子——热闹非凡，喜气洋洋。

北京的各大主流媒体摆出一副过年的架势在为洋人们宣传。

去过之后的我，几天没有缓过气来。不知为什么，我作为一个中国人太感到伤心了。看到洋人们满脸喜气洋洋的情景，看到自己的同胞对洋学堂表现出的那副媚样与渴望，当时我真想在大厅内大喊几声：同胞们，我们是中国人，为什么我们费尽心血把自己的子女从小学培养到初中，又从初中培养到高中，最后竟把孩子送到国外去上洋人的大学？你们过去培养孩子所花费的一切一切的心血和努力，难道最后就全这么简单地白白拱手送给了洋人们？

可悲的是，当洋人们笑眯眯地向我们的同胞伸手要去30万、50万人民币（其实一个少年到国外上好一点的大学一般费用都要在六七十万人民币以上）时，我们的同胞还要向洋人们三鞠躬，并口中喃喃着刚刚学会的一句“Thank you!”（“谢谢”）

那天我没有在那个“国际教育展”上大声呐喊，是因为我确实底气不足。其实应该说是我们的国家底气不足。因为中国有那么多想上大学的人，都被无情的大学门给挡在了外面！

据说就是因为我们的大学太少。因为大学每年招生名额太少，仅为应届高中毕业生的10.05%（至2000年），所以教育部门已经下狠心要在今后三年左右时间内达到国际平均水平的15%。等于说到那时每年还有 85% 的孩子绝对是在大学门外拼命想方设法往大学里挤的。然而不好挤呀！大学招生满足不了广大的求知者，社会就业的激烈竞争又让人感到存在没大学本科以上文凭就等于下等公民的现实，使得家长和孩子们拼死也要圆大学这个梦——没有圆上学的梦，就根本谈不上圆未来理想和前程之梦。美国人的梦是淘金式的发大财之梦，而中国人最集中和最突出的梦想就是上大学。没有大学梦，就等于一生死定，一生不会有太多的出息。

高考竞争太激烈。中国的大学“独木桥”让孩子们感到太可怕，家长们也害怕得要命。你除非全身心投入到帮助和辅导孩子的三年高中（其实大部分家长为了孩子将来能上大学，从小学、初中便开始狠抓了）中去，否则你就劳而无功。可是许多家长自己正处在事业和生意上的关键时期，哪有那么多时间和精力放在孩子身上？或者说你即使有精力、有时间，孩子未必就能闯得过中国高考那座“独木桥”，于是这些家长就苦苦地寻求中国独木桥以外的大学路。此时此刻，洋人们看准了机会，笑眯眯地向他们走来了。

最典型的要算英国绅士了。现在各国都把矛头指向了美国人，其实世界上最厉害的还是英国人，你别看它现在很衰弱似的，但实际上它的野心从来没有停止过膨胀。在它的眼里，这个世界从来就是它英国人的。美国人牛吧？可美洲大陆还不是它英国人最早发现和拓荒的！你中国人不是现在把香港收回了吗？那天交接仪式上布莱尔首相也参加了，在全世界面前他们交还了一块领土，可大家有没有注意到，仪式临结束时布莱尔有意朝中国总理眨了一眼，这一眼很神秘，带着一股并非失败者倒有几分胜利者意味的微笑。就在参加交接仪式之前，布莱尔在国内一次重要的会议上特意招来一批教育官员，明确告诉他们——我们大英帝国已经结束了在华的领土管辖，可是那儿仍有我们巨大的天地，那就是市场。它就像我们的先辈开着远洋船到世界各地去发现新大陆一样，是永远有利于我们大英帝国的殖民地。过去我们的先辈们每到一地，以挂起国旗、推广英语为我们的目的，现在我们用不着再做这样容易引起对方反感的事了。占领市场就是不用我们在别人那儿挂起国旗但却同样能获得我们想获得的一切的妙方。中国人从我们的手中收回了香港，我们可以从他们手里再夺回比一个香港甚至几个香港更大的利益。抢占中国的教育市场，就是我们从中国人那儿可以重新占领的又一个“香港”！

布莱尔说完这番话后，引起了全英国校长们的热烈回应。“市场就是 Money（钱），我们愿意到中国当 21 世纪的无冕总督。”

杀进来的洋“狼”不仅有从英吉利海峡来的，也有从北美洲、澳洲来的，甚至小小的东南亚泰国“狼”也来了。1999 年，仅北京一地就有过两次洋“狼”抢占中国教育领地的大规模“战事”。春天那次在北京国际展览中心举办的“国际高等教育展”，战况之激烈空前，来自英、美、德、法、加、澳、新、瑞等“十六国联军”，同时在中国首都吹响了进军号。2000 年春节刚过，“洋鬼子”们又蜂拥而上，2 月 26 日在北京国贸大厦举行的首场“国际高等教育巡回展”，开馆仅一个小时，就有上万人涌入展厅，其火爆的场面超过以往。据说仅今年上半年，就将有三四场这样的“洋大学摆摊”活动，其规模和场次频率也会超过以往。面对如此疯狂的“洋鬼子”的大举进攻，中国人没有任何的抵抗；相反几万人带着笑容、带着美钞连同自己心爱的子女们一起去拥抱这些“洋鬼子”，场面令人感叹。

当我在现场听到和看到中国人在“洋鬼子”面前表现出“特别的爱”时，顿然有种“大国寡民”之感。

在那个人山人海的场面上，我首先感受到的是今天的中国在“十六国联军”面前，远远没有了当年的抵抗之心，倒是呈现出很多完全别样的风景线。

有位男士在著名的天坛红桥市场工作，他在英国“侵略者”面前涨红着脸说：我早盼着你们来了。这不，我已经积蓄了十年的心血钱，只等你们过来“招兵买马”，看看我这孩子行不行？要行，能给个大学上，钱是小事——他拿出一张信用卡，在英国人面前晃动了几下。“侵略者”的蓝眼睛顿时射出光芒。

另一位某国家机关的女公务员，四十多岁，风韵依然。她身边十几岁的女儿也长得出水芙蓉一般。在加拿大“侵略者”面前，女公务员一副兴奋不已的样子：你们哈利法克斯的女子学院我早听人说了，我的孩子愿意去。如果不反对，我也愿意陪她一起去。那满脸毛茸茸的北美家伙，心领神会地张开热情的双臂，将这位女士拥抱在自己的怀里：太欢迎了，漂亮的中国女士！这时，在场很多中国人的脸上充满了羡慕之情，至于“侵略者”们无不欢欣鼓舞。

据国家出国留学生服务中心介绍，我国目前每年公派的拿学位的留学生已经很少了，而作为访问学者出国近年也仅在 2000 人左右。自费出国留学则逐年递增，每年约有 20000 ~ 30000 人，按每年每人最低费用计算，这个市场规模每年约有 4 亿美元的文章可做。这指的是成人出国留学，而少年留学则远比上面这个市场更大。目前在国内，家长“望子成龙”无望的约有 2000 多万适龄青年学生，他们中约有 30% 的人是城市学生。这部分人中，能出得起钱或者出不起钱却想尽办法也要到国外留学的约占三分之一，共计 200 万人左右。当然由于签证等原因不可能使这部分人都能如愿出国留学，但近三年间，少年出国留学的人数连续以每年 40% 左右的速度在增长。预计 2000 年接近 5 万人左右。有位准备把高中的女儿送往新西兰留学的女士算过一笔账：女儿读完高一后到新西兰，五年半后大学毕业，孩子的各种费用至少在 60 万元人民币以上，而到新西兰留学是比较便宜的，像到英国、美国留学的费用要比到新西兰贵出 50% 左右。也就是说，每一位少年留学生在国外每年的费用约在 1.5万 ~ 2 万美元，如此一算，现在中国少年留学出国的市场约 10 亿美元。“洋鬼子们”对市场的认识远比我们深刻得多，这十几亿美元的市场生意做起来非常容易，要比做“空中客车”“摩托罗拉”等飞机、手机生意麻烦少多了。一位美国某理工学院驻北京办事处的 CQ 小姐用中文清楚地告诉我：她的表哥是做电子商务的，但同中国进行一笔 2000 万美元的通讯设备生意时，前后花了三年时间，最后还是没有做成，因为这中间不是因为美国国会在审议中国最惠国待遇时设置麻烦，就是美国总统又在台湾问题上搞些名堂，最后生意好不容易要做成时，轰炸大使馆事件又出来了。然而她做引进中国中学生留学的事顺手得令她感到欣喜不已。她说她们学院在北京刚刚进驻，1998、1999 两年就收到了极好的效果，招生计划成倍地完成。学院每年仅从中国市场就可以获得大笔收益。

当我请她谈谈为什么中国家长们疯狂地愿意将自己未成年的孩子送往国外留学时，CQ 小姐解释得非常清楚：大概有三种情况，一是他们的家长认为在国内孩子上大学太难了，即使上了大学，以后就业还是个问题。研究生、博士生和洋大学的文凭，是以后中国就业市场的基本要求。与其现在费心费力把孩子塞进国内大学，还不如从现在起就为孩子的未来就业着想，走在国家的前面送其出国留学，这样既可以避开国内“千军万马走独木桥”的高考搏杀，又可使孩子将来就业有个更好的起点。这些家长从另一个角度算了一笔账：在国内上大学，就得从初中抓起，六年中学下来，花在孩子身上的各种学费、培训费、生活费一年下来也是好几万元。问题是这几万元还常常是在打水漂儿呢！孩子一旦中考成绩差了，就得找一所好中学、找一所重点中学，分数不够，还得贴进几万元！六年中学读下来，高考一旦落榜，又得复读，一年复读费还不花掉一两万？就算孩子后来能上大学，四年大学下来也得小十万元。毕业了，你再看看就业市场，人家要不要你普通大学的普通本科生？如果勉勉强强找个工作，当爹当妈的还得给孩子每月贴钱。如此算下来，二三十万元贴进去了，什么都没落着，那还不如现在勒紧裤腰带，多花点钱，求个踏实和省心，更求个保险。这些家长还把自己为了儿女上重点中学、参加高考和上大学期间所要花费的精力也计算在里头。特别是工作和事业比较忙的人更有体会，孩子六年中学期间，家长所花费的精力与心力远不是金钱所能计算得出的。这部分家长代表着出国少年留学生家长中的多数。他们因此会感觉花几十万元钱“物有所值”。另一部分家长是怀有“还愿”之心。比如广州一位女士说，她本人是中国一所名牌大学本科毕业生，但由于种种原因未能出国留学。可留学是她的一个梦，特别是看到目前中国的环境保护、社会治安、生活方式同发达国家差距很大，所以她把期望寄托在孩子身上。“如果孩子能在国外发展，一方面也对国家是个贡献，至少少了一个就业竞争的对象。而我希望孩子在国外完成学业后，能够在国外找到一份适合他的工作，这样我也可以常到他那儿去看看，有机会接触外面的世界，也算圆了我自己的出国梦。当然，为了孩子有个高起点，比我本人的还愿要重要得多。”第三种情况是，这部分家长已经把子女出国留学当作一种长期投资行为。有位在北京某外商投资公司工作的先生就非常直接地说，他希望儿子到美国最著名的中学去上高中，将来希望他考上哈佛或者麻省理工学院。“现在我花几十万元送孩子出国，很大程度上看作是一种投资。因为在国内，即使我花很大精力把他培养成大学教授，他以后的年收入也只有几万元，甚至更少。但在国外就不一样，名牌大学毕业生和高学历的人才，其收入是相当高的。不是有报道说一位中国留学生在美国待了 10 年，回国时带回了 200 万美金，等于 1700 万人民币！我不期望我的孩子也能挣那么多钱，减一半行不行呢？也就是说可以达到我现在送他出国留学投资的十多倍收益嘛！当然任何一种投资都是有风险的，送孩子出国留学也同样。一般来说，孩子大学毕业后，只要能在国外站住脚，他的生活和收入绝对不会比我们差，也就是说我的投资绝对不会贬值。当然谁也保证不了孩子不会失败。即使是这样，我们当父母的也算对得起孩子了，用不着有什么后悔。”这样的家长如此说。

不能不说 CQ 小姐分析中国家长们的种种心态非常到位。少年出国的决定因素主要来自家长们，很少是孩子自己的选择，因为这里面有个根本的问题，即经济条件。家长根据自己的经济状况，把握和权衡着孩子的命运。那么，家长们的心愿真的能够实现吗？

当然，大千世界里，只要人们想到的就有可能做到，总能找出这样的事例。我本人在新加坡国立大学参加一个华人国际文学研讨会时就碰到过这样一位女士。那天她是去给在国立大学上学的孩子送点东西，和我闲谈中说到了她孩子的事。她是哈尔滨人，孩子在国内读书时成绩平平，可孩子好胜心特强，结果因为成绩上不去对孩子的心理打击很大，长时间后，性格开朗的孩子变得非常忧郁。中考后，孩子没有考上重点中学。为了让她能够有个好学校上，家里花了2万元托人进了个“重点”，但因为成绩跟不上，孩子每天非常痛苦。于是这位女士和丈夫商量，决定把原来的40多万元买房子的钱拿出来，给孩子申请到新加坡留学。开始孩子先来，后来当母亲的她也来了，一方面照顾孩子生活，一边打工挣钱。三年下来，她孩子在这儿上学，由于受环境影响，心境恢复了，学习成绩快步上扬，成了班上的优秀学生，考大学时也非常顺利。“我们现在全家人都在新加坡，我和先生都有工作可做，孩子上大学的愿望也实现了，我们也购了一套大房子。新加坡使我们全家人原来的愿望都实现了！”这位女士非常幸福地告诉我：“如果当初我们只考虑在哈尔滨买房子，孩子要是不上大学，那等于留给了孩子一张纸上画的饼，她想吃也吃不着。现在呢，我们把孩子送到这儿读大学，等于留给她一张捕鱼的网，即使我们没有为她买好一所房子，她也照样可以用这张网捕鱼生存发财嘛！”

现今住在北京亚运村“贵族”公寓里的张恒夫妇，今年才50多岁，可他们已经在前两年把已有30多年工龄的两份国家公务员工作辞了，因为现在他们用不着在乎那1000多块一个月的工资了。张恒与夫人过去在单位里一直是“贫困户”，因为别人有高学历、高职称，他们是高中生、中专生，所以什么都吃亏。为了让下一代不再吃这份亏，夫妇俩在孩子上小学时就开始积蓄心血钱，家里几乎没有像样的家具，后来他们把孩子送到澳大利亚读高中、读大学。三年前孩子大学毕业后当了澳国一家大公司驻京的中国总代理，年薪近百万元，房子、车子、妻子样样齐全，还特意给父母买了一套一百多平方米的大房子。苦尽甘来的张恒夫妇每每谈起他们当年的“英明决策”和现在孝顺的孩子时，总是充满了自豪和得意。

也许正是这种出洋也能望子成龙或者出洋子更易成龙的巨大诱惑，加上国内应试教育和高考竞争的巨大压力，使得广大中学生（甚至是小学生）的家长们对上大学前就把孩子送去出国留学的热情越来越高，使现在出国留学生呈现出越趋小龄化的发展势态。据广东高教厅负责人介绍，前几年广东每年自费出国留学的人数最多不超过200人，1998年达到6000多人，其中中小学生留学占了一半以上。预计2000年广东全省仅“少年留学”就可达到上万人之多！北京、上海的情况相同，每年都是成倍成倍地在增长。一位搞中国留学生预测调查的澳大利亚专家估计：到2005年时，中国每年中小学留学生将超过10万人。

10万人是个什么概念？10万人就是近百亿美元的市场！难怪美、英、澳甚至现在连泰国这样的小国，都面带笑容地频频向中国的下一代及他们的家长招手。

21世纪到来之时，我们中华民族又一次面临一个“狼来了”的时代！

说“狼来了”似乎是个刺激的字眼，因为狼是残忍的，吃起人来张牙舞爪。其实现在的“洋鬼子”装成的“狼”，早已不像当年“八国联军”入侵北京、天津时的样子了。现在的“狼”都是笑眯眯的，像是充满温情的救世主。然而，狼毕竟是狼，它的本性中有吃人的一面，也有为了吃人而设下种种陷阱的狼子野心……

请看——

陷阱之一：中介混杂，受骗又受累

自古以来，“洋鬼子”想直接敲开中国的门非常之难，但又几乎每次行动都能成功，其奥秘何在？这就是“洋鬼子”太会利用中国的“汉奸”了。

上面提到的美国某理工大学的CQ小姐就这样说：“几年前，我们大学校长都不知道中国还有那么多人要上大学。到我们那儿上大学的中国留学生告诉我们，投资中国教育是最大的对华贸易！所以我们就开始把注意力放到你们这个东方的神秘国家。但开始我们做留学生生意时很不理想，因为主要是我们不懂得与中国的学生家长们打交道。我们美国孩子的家长和你们中国学生的家长在观念上很不一样。比如开始有人问我们：在孩子留学期间，能不能解决家长的陪读问题？我们觉得很奇怪，便问：你孩子留学已经花费了一大笔钱，为什么还要花更大的一笔家长陪读费呢？孩子能上高中、上大学，就证明已经完全可以独立了，为什么家长还要成天跟在他们的后面呢？于是我们就告诉那些家长：上我们大学和大学下面办的中学都没有成人陪读设置。后来有位在我们那儿留学的中国学生说，CQ 小姐你们太傻了，中国学生的家长与你们美国学生的家长在对待子女问题上是完全不一样的，你们美国人把儿女关在自己家里会被看作侵犯人权，而我们中国人一旦把自己的儿女往外面赶的话就有可能被视作虐待。再说，你们学校干吗有钱不赚？把中国的学生拉到你们学校赚进的是一笔可观收入，如果再允许他们的家长到你们那儿陪读，他们就得要房住、要消费，你们不又可以从他们身上赚很多很多钱吗？你们赚了双份钱，中国的家长们还会念你们是'照顾'了他们，这是多好的事你们为何不干？我们把这位中国学生的话跟校长一说，大家的眼睛都亮了好几倍：是啊，真弄不懂中国人是怎样的一种消费观念。我们不懂，也无法理解。后来我们的校长决定：应该让中国人当我们学校在华开展工作的主要管理力量，结果证明，这样非常 OK！"

中国"汉奸"对国情熟门熟路，干起来当然总是"OK"，但也有让人讨厌的地方。

这几年随着出国留学的人数骤增，各种以此为业的"中介"服务机构应运而生。据北京 1999 年夏天开展的"清理出国留学非法机构"专项活动的负责人说，仅北京 1998 年一年，这类非法"中介"机构一下冒出几十个。它们大部分没有国家教育部门颁发的合法营业证，仅凭外国教育机构一纸"委托"书，就在北京或者其他城市"开张招生"。这类"中介"一般都长着几个心眼，先是从"洋鬼子"那儿要一笔可观的"开办费"，同时签订一份每招收一名学生的"比例提成协议"。之后便开始招兵买马，聘得一大批人，再把这些人派往各个学校、机关单位，进行疯狂的宣传游说，为那些本来正在为“中考”“高考”烦透心的学生和家长们送去香喷喷的比萨。于是在这些大小“中介”们半拉半推的情况下，一些学生家长就开始为自己的孩子报名、交钱。当然，什么事还不知道时，就得把第一笔一至两万元的钱先送到这些当“中介”们手中。“亏啥？你孩子在国内学校能做的就是一台‘考试机器’，人家外国学校就是不一样，对孩子从不施压，让他们在自由中成长。这样的孩子思维活跃，创造发明和自立的能力强。再说，你儿子高中三年下来，就外语这一样能力还抵不上国内的教授水平？”“中介”们的嘴上都涂了一层厚厚的蜜。孩子们的家长大多数是连国门都没出过的门外汉，听“中介”们这么一说，就不再犹豫了。

交了钱就是上了套，进了陷阱。

这几年国家教委和有关部门接到对“中介”机构的投诉越来越多，投诉最多的内容便是“中介”们的行骗与造假。骗是可以明断明了的，但造假就不好识别了。有位家长听了“中介”介绍英国伦敦附近的某某学校“历史悠久，名师辈出，风光迷人，条件上乘”等宣传词，在孩子初中毕业后就把孩子送到了那儿。结果发现，此校离伦敦并非“附近”，其历史也并不悠久，只有几年办学时间，最让中国家长生气的是，学校对学生的“自由”简直到了放任和根本不管的程度，这一点连在国内一直高呼要“解放”的孩子本人都认为英国学校“散漫得不像一所学校”。没有专人辅导学业，没有专人管理宿舍，上课的教师对时间的“珍惜”以每秒钟计算，你在他下课之后哪怕多问一句话，人家也会说一声“NO”就转身离去，更没有补课一说。于是孩子的外语始终上不去，而老师对中文又不通，上起课来打哈哈的占了多半时间。一年半下来，孩子坚决要求回国。无奈，家长掏了三四十万元钱等于让孩子出国旅游了一次，而且只到过一个地方——那就是不用做作业的学校。这样的孩子不止一两个，他们回来后只好重新就读原来的年级，但那时再走进教室时，发现自己完全是“大学生”了——同学们都比他（她）小一两岁。

家长们气得找“中介”理论。“中介”却说：你不是想让孩子出国吗？出国就得花钱！什么“中介”费高？这怨得了我们吗？当初你愿出我们愿接，两相情愿的事，你吃后悔药也没用。那边的学校没人管？人家那叫自我式教育，开放式管理，你们和孩子不是烦透了中国的应试教育吗？怎么，给你们自由你们又受不了了？这能怨我们什么呀？要不给你们再换所学校，这次最好说好了，不要轻易回国，至少也得等上完大学再说嘛！怎么样？再交钱吧！不交？啊，你们不交后面有人交呐！让开让开！

“中介”们的这副嘴脸，让人不是气死也会噎死。

现在国内不少单位看到“中介”做少年留学可以赚大钱，于是便纷纷打着各种旗号当起“中介”来。有的已经从非法变成了正式。像1999年底中央人民广播电台《新闻纵横》节目披露的一起《赴澳留学出国班坑苦学生》的报道中指出的那个“中介”，就是吉林长春市解放路的一所正规学校搞的。1996年，这所学校的初中部向社会散发了宣传单，声称该校初中部与澳大利亚某私立学校联合开办“中澳语言学校”，为学生将来就读澳大利亚高中做准备。除了这样的宣传攻势外，该校校长在家长会上还信誓旦旦地说：3万元读完这个“澳校”后，再花10万元到澳大利亚读完高中。一时间家长们趋之若鹜，孩子们跃跃欲试，先后共有105名学生每人交了3万元后开始上学。这个学校的“出国班”还曾风靡一时，因为家长们都坚信：这是个公立学校办的。公立学校办的就跟国家办的一样没有区别。然而，区别后来就出来了，因为这个“公立”学校做了一件本不该它做的“中介”。

在这三年之中，105名学生由于渐渐明白过来，他们的家长帮孩子们另想办法离开了这个“出国班”，剩下28名学生坚定地留了下来，等候三年后的“澳大利亚留学梦”的实现。据学生家长说，这期间学校曾不断涨学费，很多家长就是因不满意才退学的。三年总算苦盼出了头。但学校以“情况有了变化”这六个字，开口要那些继续想把孩子送往澳大利亚的家长“再出39万元，才能到澳读书”。事到如今，也为了孩子的“前程”，家长们只得有苦往肚子里咽。1999 年 5 月，第一批 10 个学生总算拿到了签证，但后面的学生则被告知“无期”。家长们这回不干了，澳方学校一看不对头，连忙来人与家长“对话”，许诺三个月内办妥孩子们的入学签证。可三个月过去了，签证一事仍遥遥无期。被骗的家长们终于将这个“公立”学校和澳大利亚某学校送上了法庭。然而即使法院判定错在“中介”，可孩子们被耽误的学业有谁能赔偿呢？据说这个“出国班”的学业完全没有按照国内统一大纲教学，把语文、政治、历史几乎都砍掉了，当 1999 年高中升学考试时，这些破碎了出国留学梦的孩子们，又无法参加当年度的高中考试。他们花了三年时间、花了几万元学费，最后连张初中毕业证书都没有拿到。

教训可谓再深刻不过。

陷阱之二：算钱有误，负债累累，国内国外两头不好过

在某“中介”机构采访时，有位王女士一开口就眼泪鼻涕一齐流。她哭着求这个“中介”机构的人“再帮帮忙”。机构人员都不理睬她，于是她开始骂人，说你们这些黑心肠，当初你们把出国留学说得天花乱坠，把孩子从我们手中夺走后你们又什么都不管了。你们是强盗！不是东西！“中介”的几位小姐忍不住站起来，说你怎么骂人？王女士眼睛一瞪，骂得更响亮：不骂你们这些骗子还骂谁？骗子！

接下去便是一片混战。混战的结果是人多一方赢了，王女士被推出了门外。

王女士因此成了我的采访对象。她告诉我事情的全过程，让我评评理。

她说她女儿是前年去加拿大上高中的，是刚才那个中介机构办的手续。当时人家告诉她孩子一年在加拿大上学的各种费用大约

十五六万元。这个数字对她家庭来说绝对是笔大钱，但为了孩子，她和丈夫决定把女儿送出去。临走时，她还对孩子说：我们平时再省一点，你在那儿再打点工，苦过三年高中，等考上大学便有奖学金了。女儿也保证一定好好学习，将来报答父母。

枫叶之国是美丽的，学习的条件也非常之好，可是独有一点不好：就是什么都很贵，没有很好的适应能力和语言能力，找个工打都十分困难。王女士的孩子到那儿上高中后，很快发现自己的经济状况极紧：交了学费后连饭钱都非常紧张了，更别说能添置些像样的衣服。女儿只有十五六岁，在家时连碗都从来不刷，所以根本不可能获得母亲计划中的每月“200 元打工钱”。为了过语言关，还不得不每月拿出 300 元左右的“补课费”。没有钱的女儿越紧张就越给家里打电话。

这边的父母一听女儿没有钱了就更紧张，一个月其他的不说，光电话费就比以前多花 1000 多元。“国际长途电话像只老虎，我每次都是半夜‘机’叫，可还是让这只老虎一年吃掉 1 万多块钱。”王女士说。

她和丈夫在国内也就是普通的机关干部，一个月工资加奖金，加上丈夫搞点“外快”，一年的收入也就是五六万。女儿第一年出国留学花去约 18 万元。其中 5 万元是王女士向自己的姐姐借的。原想第二年孩子在那儿可以独立挣点打工钱，后来女儿告诉她根本不可能，因为加拿大各地的“政策”都一样，她上学那儿根本不允许未成年人从事打工一类的事，何况即使到了成年人的年龄，也未必能找到一个工打。孩子的后援本来就不足，前方又挣不到钱，所以女儿至少一个星期向家里叫急一次。

“我把所有的零花钱都积存起来，准备给你们打电话用。要是连打电话的钱都没有了，我一个人准定死在异国他乡了！”女儿的话把做母亲的吓坏了。无奈，她一次又一次向外人借钱给女儿寄去。债台就这样越筑越高，到了第三年，王女士为女儿留学已经欠下 20 万元的债。夫妻俩到后来都紧张得不敢再去接电话，因为电话不是女儿打来要钱，就是债主来催他们还钱。

有一次女儿急了："为啥几天你们不接我的电话？是不是让我死在加拿大？"女儿说完就呜呜大哭起来，大哭之后就骂："你们不是我的父母！"

做父母的气坏了，说你怎么能这样说？我们为了你上学，已经快家破人亡了，借的人家的债都可以把我们家门堵住了。你怎么能这样骂父母？你是不是留学了就没了良心啊？

这边一句，那头一句，双方在国际长途电话里对骂了半天，最后是女儿"啪"的挂掉了话筒。

王女士这边有两个星期没有接到那边的电话，于是她和丈夫就有些坐不住了，打电话过去，对方没有人接。这就更着急了，王女士把电话打到那边的"监护人"那里，可人家是"临时"性的"监护"，你付我工钱了吗？没有。没有你就别找我，找你女儿的学校要人嘛！无奈，只好找学校要人。

学校的人说：我们也在找密斯王，你们能提供什么线索吗？

"要你们学校干什么呀？"王女士气得用中文狠狠骂了对方一通。但又有什么用？女儿没了，还得赶紧找啊！

哪儿去找呀？又不像在国内，骑辆自行车，打个的，或者报个警。即使是国内，大海捞针一般找人也不容易。王女士心急如焚，通过各种关系买了飞机票，赶到加拿大东部城市某学校。真是无巧不成书，那天她到学校的时候，女儿也回到了学校，只是她身后跟了一位年纪很大、满脸胡须的"老外"。

"你怎么跟一个'老外'在一起？"母亲严厉地责问女儿。

女儿瞪了母亲一眼："你才是'老外'！"

"少废话。你说说这段时间你到哪儿去了？"

"打工挣钱去了。"女儿低着头说。

"打的什么工？"

"打工就打工呗。只要有钱挣就行。"

"你可给我说清楚了，我们是中国人，不挣那些肮脏的钱。"

女儿从鼻孔里"哼"了一声："什么中国人不中国人，没有钱还不如狗屎！”

母亲“噌”地站起来：“宁可当狗屎，咱们也不去挣肮脏钱！你得给我说明白了，到底这段时间干什么去了？”

女儿沉默。

“说呀！到底干什么去了？”

女儿突然咆哮起来：“你说我干什么去了？给人家当妓女去了！你还要问什么？”

母亲愣住了，两眼发直，浑身也哆嗦起来“真的？你说实话，是真的吗？”

女儿再不说话了，抱头痛哭。

这一夜，母女俩没有睡在一个房间。

第二天，王女士收拾起东西，对女儿说：我们不读书了，跟我回国。

女儿：不。我不走！

母亲：不走你留在这儿还想干见不得人的事？

女儿愤怒了：我是为了读书！

母亲也愤怒了：这个书我们不读了！

女儿说：你没有权利剥夺我的受教育权！

母亲说：我是没有权利剥夺你的受教育权，但我有权教育自己的女儿。

俩人不欢而散。

机场上，母亲和女儿远远地望着，最后都是泪流满面……

“孩子现在还在加拿大上学。可因为家里供不起那么多费用，她后来把实情告诉了我们，说她不得不找个‘靠山’来维持自己的学业与生活，那个上年纪的大胡须加拿大人就是她的‘靠山’。女儿说，那人每月给她 1000 元加币，条件是在大学毕业后必须嫁给他。女儿还不算太浑，说可以，但也有一个条件：在大学毕业之前，俩人的关系保持一定距离……”王女士谈完她女儿的事后，说自己犯了一个致命的错误，就是不该在没有雄厚经济实力的条件下把孩子送到国外留学，另外则是太轻信“中介”机构的粗略介绍。

她希望我通过文章告诫那些准备把孩子送往国外留学的家长们：千万要把那边的情况了解清楚后再作决定。

陷阱之三：
追求名校，拒签不断，最后两手空空回老家

水往低处流，人往高处走，是中国的一句老话，但如果在出国留学潮中人们也这么想可能事就麻烦大了。今天的中国人一想到出国首先想上美国，再不就是英国、加拿大、澳大利亚什么的，但没有几个人知道，这世界上还有不少国家把“红色中国”视为“不受欢迎国家”，美国人对中国人入境差不多就是采用这样的礼遇规格。

几家留学咨询机构都反映说，学生家长到他们那儿要求最多的就是上美国、加拿大或者英国，你不管解释多少遍，他们就是不听，还说“出国留学不往美国英国加拿大走，还留什么学？”“中介”，既然是中介，你就只管收钱办手续就行了嘛！北京某留学机构的一位小姐说，她开始很认真地向一些家长介绍去各国留学的情况，特别是作为中介机构有责任向客户讲清楚那些可能给申请留学的人带来麻烦的问题，但来咨询的不少家长似乎都有一种“上帝”的酷劲，或者财大气粗的派头，你给他讲一大通，他根本不听你的，往往坐下不到十分钟，就命令式地对你说：我不听那么多废话，你只管说把我孩子弄到美国或者英国要多少钱吧？

跟这样的主儿说事儿不是对牛弹琴嘛！这位小姐说，既然人家不在乎，我干吗费口舌说闲话呢？吃了亏，再让他们叫苦吧！

这不，李就是这样一位财不大气很粗的家长。他到某出国留学机构为儿子办申请时就一口认定“上美国”。交完 13000 元手续费后他就走了，到三个月时，机构告诉他对方拒签。

“美国佬有什么牛的？老子给他送钱去，他还不给脸啊？等，看他到底签不签！”

又是三个月，美国人像有意跟这位老兄较劲：再次拒签。

机构派人好心劝他别再“一棵树上吊死”，像新西兰、泰国什么的学校好签多了。不妨让你儿子到这几个国家去上学。

凭什么？老子堂堂大中国，干啥上那屁股大的小国家？他们能有哈佛吗？能有麻省理工学院吗？没有嘛！没有让我儿子去干啥？这老兄不服，非要再等不可。

如此来回 5 次，美国人就不给他儿子签证。

这老兄急了，气得要上美国驻华大使馆“骂娘”。“你骂娘也没用，说不定还会被美军陆战队士兵把你毙了！

“他敢——！”

最后，这老兄还是没有实现把儿子送到美国读书的愿望。时间已经过去两年，儿子在家无事可做，整天跟游戏机作伴。等到老子为他改签到新西兰某学校时，这孩子已经没有了学习兴趣，成天里想着他的电子“伙伴”。一怒之下，他老子把自己在国内的公司也关了，带着老婆孩子跑到了新西兰。

不知天高地厚的这位孩子家长，到新西兰后顿时发现自己像头不会说话的傻狗熊，什么事都干不成，甚至连出门都要让低能儿子在前面领路——儿子多少还能说些英语。一家有三口之众，在新西兰又找不到像样的工作，一天从睁眼开始，样样都得付钱。不出半年，这位老兄苦不堪言地对老婆孩子说：我们回国吧，这儿不是我们待的地方。

当这个三口之家从新西兰返回中国时，这位家长出了机场就情不自禁地大哭起来：说这几年一定是吃错了什么药，要不干吗白白扔了近百万元钱却没落实成一件事？最使他痛苦的是，把孩子上学的事全耽误了。晃荡了三年的儿子，现在不但上不了高中，连职高都考不进去。他说是他不现实的出国留学梦，一夜之间把全家人从往日的“贵族”又变成了贫民。

据中国留学生服务中心的工作人员介绍，盲目使得不少人的少年出国留学美梦，反而成了一场场噩梦，这全因为许多家长求学心切和愿望过高所致。他说美国的哈佛大学、麻省理工学院，英国的伦敦、剑桥大学，都是全世界著名的学府，它们对学生的要求非常之高，收费也十分高，而且每年招生都有计划的人数。所以选择这样的学校，就得考虑自己各方面的条件是否够得上。中学也是一样的道理。美国、英国和加拿大等国，它们虽然已经对中国开放了，但毕竟是有条件的开放，一些家长一提出到美国读书，选择的不是纽约，就是华盛顿、波士顿这样的名城名校，他们哪里知道这些地方的学校，就连美国富豪达官贵人的子女也未必都能进得去。另一种被连连拒签的原因是，申请人常常不关心学校情况，也不关心孩子上学后会遇到什么情况，整个申请留学过程，使人容易认为有明显的移民倾向。

“废话。我送孩子出国留学，你们中介机构和对方国家管得着我有没有移民倾向？”有的家长正理讲不清，邪理讲得你真没法回答。

其实，“老外”对中国人的心事摸得就是准。有个女士与丈夫离婚后，一心想把孩子送出国上学，因为她不想再与前夫生活在同一个城市，甚至同一个国家里，眼下的生活，使她无法摆脱心头的那团阴影——她同丈夫离婚就是为了那次令她永远抹不去的一幕：那天她出差提前了一天回来，本来在临上飞机时准备给“老老实实”待在家里的丈夫打个电话，告诉他一声她临时改变了计划。可是一忙乱没打成电话便上了飞机。下飞机后她直奔家里，想趁他和孩子都没有回家之前准备些饭菜，好让小别的一家温馨一番。哪知在她开门进屋的一瞬间，她眼前出现了电影情节中的惊人一幕：自己的丈夫正赤身裸体地与另一个同样赤身裸体的女人睡在本该属于她的床上。离婚后，她觉得心头的阴影一刻也没有驱散。孩子判给了她，因此她有个强烈的愿望：先送孩子出国读书，然后母女俩移民出去。在这样的心事下，她很快与女儿商定到新西兰或者加拿大或其他什么地方去都行，就是一条：离中国越远越好。或者与其说离中国越远越好，不如说离“他”越远越好。

钱交了，第一次申请的是加拿大。钱要的不是太多，她觉得努力一下可以维持孩子的上学和自己将来出去的生活费。

留学生机构对她说耐心等待吧。但几个月过去后，她得到的消息是：拒签。

这对她来说可是沉重打击，也许换了别人什么事都没有，但她不行。从此，她隔一天就到留学咨询机构跑一趟，追问人家凭什么对她孩子拒签。

拒签的原因很多，可通常中方工作人员是不清楚的，只有领事馆的“洋鬼子们”知道。她就开始跑某国驻华领事馆，人家客气地告诉她：请等等再说。

只好这样了，等吧。

突然有一天，她的电话响了，一个汉语说得并不太好的“老外”对她说：尊敬的女士，我们非常抱歉地通知您：您的孩子留学护照没有批下来，我们认为您有移民倾向……

什么？你们怎么就知道我一定有移民倾向？她先是一愣，后来迅速反应过来，反问对方，那边的电话已经挂断了。

“移民，我就是要移民，你们为什么不让我移民？为什么不让我女儿出国留学？为什么？”一场大病过后，她起床后第一件事就是直奔某国驻华领事馆，对着签证处的官员大声嚷嚷，不停地嚷嚷，重复地嚷嚷上面这几句话。

值勤的武警把她劝走了，她又重新回来嚷嚷。后来人家只好强行赶走她，可第二天她又来嚷嚷，再重复地嚷嚷那些话。公安人员不得不通知她女儿，女儿跑到派出所看到自己的母亲被关在一间又潮又湿的水泥房子里，哭着对公安人员说：求求你们了，我妈有病呀！

有病还放她出来？公安干警瞪起了眼睛。女儿含着泪，只好把她带回自己的家。

那天，某留学咨询机构正式通知她女儿：她留学的事看来已经没戏，念她母女可怜，退还一万元钱。女儿双腿跪着给人家磕头，然后带着钱和母亲，朝市精神病院走去……

陷阱之四：放飞容易收线难，真真假假泪留痕

在相关的出国留学服务机构里，工作人员与客户矛盾最多的要

数“算后账”。所谓“算后账”就是出了钱的结果没有达到留学目的而发生的种种纠纷。显而易见，有的是服务机构事先没有把各种可能性告诉那些急于求成的客户，有的是出国留学者对前往所在国的留学过程中可能出现的各种情况估计不够。

西方国家的教育确实有很多先进的地方，但西方毕竟与中国不一样，文化、道德和信仰上的差异，使我们那些只有十几岁的孩子很难把握自己。

杭州有对夫妇的孩子是在高二时出的国，当时孩子在班里的成绩排在倒数第二，显然属于高考要淘汰的那一类学生。女孩子长得是标准的西子淑女，但就是成绩上不去。父母不甘心让女儿将来就当个旅游公司的导游，他们希望她在“中国天堂”之一的杭州市能有所作为，于是，在四年前就通过出国留学咨询服务机构，把女儿办到了瑞士一所旅游服务管理专业学院留学。因为孩子的高中没有毕业，所以还得在那儿念大学预科和英语文化课补习，这么两年下来，孩子的成绩可以称得上“呱呱叫”。这一点西方人早有名言在先：世界的学生中，中国学生的考试能力堪称一流。一个在国内较差的学生，到了国外同等学校，也可以获得前几名的考试成绩。杭州这对夫妇的孩子原来上的是市属普通中学，却也是不错的老学校，所以她在瑞士大学预科班里成绩一直保持在一二名水平。往日西子湖畔的失落感，在这儿荡然无存，到处是受人赞美的目光，加上天生丽质，该学生骨子里的那种好胜与占有欲开始慢慢膨胀起来。先是嫌父母每月寄的钱太少，再就是觉得自己的黄皮肤不如人家的白皮肤，更嫌自己的头发不是黄的——这并不难，到美容店处理一下就可以。独苗苗一个，满足她吧！夫妇俩一个在杭州机关工作，一个干个体，年收入也就十来万元，这些钱一分不剩寄给瑞士读书的“千金”还不够她开销。无奈，只能将希望寄托在干个体的老爸身上。原本安分守己做些小买卖的他，只好不时捣鼓些“黑”的、“黄”的，以维持生计。每一次“半夜‘机’叫”（女儿打来的长途电话），都得让当老爸的心惊肉跳地跟工商管理人员“玩”一个星期“猫抓老鼠”的把戏。

去年，女儿的预科班结束前夕，正好在机关工作的母亲有十几天休假，于是夫妇俩决定前往瑞士“监督”一下孩子考大学的情况。第一次出国的这对夫妇，生怕上了飞机就回不来似的，长途电话里跟女儿千叮万嘱“希望”，可一出机场连女儿的影子都没有找着，就在他们焦急万分又无可奈何时，一个棕色皮肤的印度青年拿着一块上面写着一行英文、一行中文的小纸牌走到他们面前，并说了半句刚刚能听懂的中文：你们好，我这里有……这对夫妇接过印度青年递过来的纸条才知道，这是女儿让同学来接他们的“委托书”。女儿在纸条上说她由于与朋友去度周末，不能来接，先让“二老”在安排好的一个公寓里住下。夫妇俩到达公寓后谢过那个印度青年，便开始打量房间：一室一厅，家什齐全，但独缺食物。女儿在桌子上留下一个纸条，说公寓下面就是一个超市，过马路是菜市场，你们可以自己去采购。夫妇俩一看纸条就气不打一处来：她当我们什么人了？大老远人生地不熟地跑来看她，她倒好，自己出去玩了，让我们一惊一乍地在异国他乡丢人现眼？第一天，夫妇俩没有出一步公寓门，在家里吃了一天自带的方便面，第二天当爸的就觉得肚子不妥，一个小时里稀里哗啦跑了四趟厕所。当妈的说我下去到超市看看能不能买点“止泻药”。她穿好衣服，换上鞋子出了门，可一会儿就空着手回来了，说超市里不卖药。当爸的说你不会问问哪个地方卖，她说还用问，肯定是药店里有呗！当爸的说那你干吗不赶紧给我买回来？她说我正要问你呢！离杭州时我说要准备些药，省得到瑞士来咱们连一句完整的英语都不会讲，买不上药。你说没事，有我们女儿呢！现在倒好，你肚子吃不消了，可女儿上哪儿去了？一听这话，当爸的就火冒三丈：时隔不到两年，她已经根本不把我们父母当人对待了！

第二天，夫妇俩又在空荡荡的屋里守了一天。正在他们着急的时候，女儿上气不接下气地“咚咚咚”敲门而入。进门的第一句话就问：有什么吃的？快饿死我啦！

躺在床上的父亲没好气地说：快饿死的是我跟你妈！我们上哪

儿弄吃的？

女儿不高兴了：什么？你们大活人两个在家闲着，就不知道自己买点东西，非得等我回来？

当爸的火了：这里不是杭州！我跟你妈不靠你靠谁？还好意思说，就知道自己玩，连去机场接我们都不去，你当我们是要饭的？

女儿也火了：不是已经给你们写得清清楚楚了？还嫌这嫌那！我当初到这儿才 16 岁，你们怎么就那么放心？

你、你……你怎么这样讲？我们还不是为了你好？

为我？哼，恐怕是为你们的面子吧？

混蛋！你花去了全家的积蓄，怎么就不知一点好歹？父亲开骂了。

好了好了，看你们父女俩，好不容易才见面，就吵架，像什么话？最后是当母亲的圆了场。但这开场白的不和谐似乎注定了这一家人水火不相容的局面。

当晚，母亲在跟女儿单独谈话时也批评她不该只管自己玩，把父母扔在一边不管。女儿不服气，说每个人生活都是独立的，我为什么一定要因为你们来了就打乱自己的计划呢？再说我本来是要亲自去机场接的，但后来有朋友相约外出，就没有去接了。

母亲说这事不提了，于是便问起学习和生活的情况。

女儿没有回答，反问道：给我带了多少钱来？

母亲有些生气了，说你这孩子怎么变成这样了？除了向家里要钱外，也该跟家里说说你自己在这儿的情况呀！

女儿说：这里一切正常呀！没有什么好说的。我问你们带钱来没有是因为这是我最需要的，我挑最需要的说，有什么错？

母亲不说话了，脸阴沉下来：这孩子与过去不一样了，她长叹了一声，没有把心里的感觉说出口。

她默默地打开包，取出一个大信封，毫无表情地说了声：里面是 5000 美元，你下学期的学费和生活费。

女儿什么话都没说，接过信封就站起身说：妈你们先歇着，我回自己的地方住。

当妈的吃惊道：我们老远来这儿，你不跟妈多待一会儿？

她说：天不早了，明天还要上课。她随手抄起张纸片，写了个电话号码，说有事可以打这个电话。然后她朝屋里说了声“爸妈，我走啦。”便出了公寓。

女儿一走，当妈的就开始流泪，后来忍不住失声痛哭起来。当爸的气上加气，说你把那个电话号码给我，我找小混球说话！

那时估计已经到半夜二三点钟了。那边的电话通了，但接电话的是个男的，且说着叽里咕噜的外语，当爸的什么也没有听懂。后来他连续说了几遍女儿某某某的名字后，对方大概才明白过来。

喂？是爸？！有什么事吗？这回是女儿的声音。

当爸的一听奇怪地问：这是你住的地方吗？

女儿说是。

那你身边怎么是个男“老外”？

女儿没有回答。

你说呀！他是你什么人？怎么跟你睡在一起？说呀！当爸的气急败坏地大声嚷嚷起来，而对方则“啪”的将电话挂断了。

当爸的两眼发绿，胸脯起伏着对当妈的说：你赶快给我起床，我们要个出租车，去找你那个宝贝女儿！

当妈的开始不信，后来亲自抄起电话又不停地拨号码，但就是拨不通。

放心，她正跟不知哪一个毛茸茸的野驴睡得热乎，怎么会接你的电话呢？当爸的阴一句阳一句地一边说一边催当妈的赶紧穿衣出门。

你咋呼有啥用？这儿又不是杭州，我们到哪儿去找她？

当妈的一句提醒，使当爸的一下倒在沙发上。半晌，他才对着黑乎乎的窗外说了一句：千不该万不该，最不该把囡囡从国内放飞出来……

后来由于夫妇俩坚决要求女儿休学回国，而女儿也同样坚决不同意，于是，这个本来非常美满的家庭出了裂痕，以往的那种亲情，从此再也找不到了。

现在女儿仍在瑞士读书，但她已经不要父母寄钱了，自从那次不欢而散的见面后，她自认为与“不可能了解西方生活方式”的父母之间“距离太大”，于是表示即使大学毕业后也不会回国了。当爸的与当妈的在瑞士看到和感受的一切已经使他们伤透了心，决定不再上心女儿的事了。“再上心也没有用”——夫妇俩最深刻的体会是：含辛茹苦抚养十六年，不如在国外放飞一年半载。孩子虽然还用他们的姓氏，但人身却已经不是他们家的了，也不可能是中国的了。

女儿仍在逢年过节时从瑞士寄来一个写有中英文的贺卡，但她的父母看了后感觉不到半点亲情。

其实，在众多少年出国留学生中，类似上面的情况并不在少数。专家认为，现在少年出国留学的年龄比较小，大都是初中、高中生，几乎是清一色的独生子女，虽然看起来，他们个个长得颇有成人样，说话办事也有几分成熟感，其实恰恰这一代孩子最缺乏自我管理能力、个人自控意识，特别是他们对国家、对民族、对人生的认识，基本处于空白状态，又长期受应试教育的高压，稍稍懂事就被课堂上无休止的灌输和课后如山的作业包围了，他们除了教室、家庭，再就是电视节目之外，基本没有任何独立生存与独立思维可言。这些貌似青春与健康的孩子，经不起任何风吹雨打。当他们走出国门后，接受的是松散式的教育形式，在那种高度开放条件下，孩子们一下感受到了全新的和彻底的放松，所以最容易无目的无防御地接纳异国他乡的新鲜事物。这就使得他们常常在缺乏任何抵抗能力的情况下，被西方社会一些不良文化、不良习性甚至是不良的政治观点、民族意识所侵袭和腐蚀，最后变成连自己的父母、自己的祖国都认不得的“中西混杂儿”。

“我们把孩子送出去最担心和最后怕的，不是多花钱，而是怕他拿回一张外国文凭，失去的却是中国人的本质。”

从一位家长发自内心的担忧，我们没有理由不对未成年者出国留学保持警惕。在知识和科技水平迅猛发展的时代，拥有一张高等学历的文凭固然重要，但对一个家庭、一个国家和一个民族而言，人的精神素质是第一重要的，没有了正确的民族自尊以及人与人之间的亲情，即使人人都变成了博士，我们的世界和社会也未必是幸福和美满的。有位社会学家指出，少年出国留学本身并不是一件坏事，它可以从另一条途径解决目前我国高等教育存在的种种问题，如入学率低、教学内容呆板等，同时它也体现了我国对外开放程度，促进社会力量来鼓励民众通过多种渠道，学习世界上一切先进的科学与文化包括民族、人文等等方面的优点，从而更好地为中华民族的复兴服务。但如果对少年出国留学工作不加以科学和有效的管理与引导，就可能出现良莠不分、盲目消极和适得其反的效果。特别要教育和引导家长们不要只为躲避孩子参加国内高考的激烈竞争或者为纯粹去混个“洋文凭”而把子女送出国。因为毕竟国外教育水平也参差不齐，一些国家的高学历知识在中国未必就有用武之地，而同样的知识和能力，其实在国内大学低于十分之一的投入就能获得。特别需要引起中国家长和学生警惕的是，国外某些投机分子一直在打中国下一代的主意，当他们看到中国人对大学教育的那种痴迷程度，往往放出种种烟幕让你钻。到头来，就是全家跳进太平洋也于事无补。

西安市的蓝先生就是这一教训的典型。他在前几年接待一个美国旅游团时认识了一位美籍马尼拉人，这位“热心”的马尼拉人听说蓝先生因上高三的儿子成绩偏差，急着要把孩子送到国外读书，以免遭将来无学可上之耻，便称他的一位朋友在芝加哥某教育学院当院长，可以帮助蓝的儿子办理留学手续。蓝先生当然非常高兴和感激，他向这位马尼拉“友人”交了一万美元，办妥了儿子去芝加哥留学的手续。一转眼就是两年，儿子说他已“毕业”准备要回国。蓝先生对儿子说，你既然在美国读的书，干脆在那儿找个工作，等几年再拿个“绿卡”，我们全家人也好一起移民到芝加哥。儿子对他说，别隔着大洋想美事了，我那个学校在美国根本没人承认它的学历，我哪儿也找不着工作，假如不回国的话就只有等着挨饿。蓝先生这才知道上了大当，再托熟人一打听，人家对他说：美国人开学校跟香港人注册公司一样简单，出上几百美元就可以了，但不是所有的学校都是国家承认的，尤其是芝加哥，在美国也是出了名的“卖假文凭”的地方。不信，你出 300 美元，用不着把孩子送出国，我照样可以弄回一个“芝加哥某某学院”的文凭来！蓝先生和儿子吃亏大啦，先不说儿子这两年多中花去的几十万元，单看看儿子拿回的课本学的那些东西，他蓝先生就差没气歪鼻子：那书本上说，西安曾是中国西部的首都。

蓝先生问儿子：你长在西安，不知道西安是中国西部的首都，还是中国历史上的首都这两者之间的差别？

儿子道：我管它答案对还是错，你不是让我出国留学什么都不要管它，只要把文凭拿回来好找个工作吗！

蓝先生气得真想从古城墙上往下跳，只是他没有了却一桩心事：“留学”回国的儿子还没有饭碗，得替他铺路打点……

然而，“回头”的蓝先生父子俩发现，在他们的面前并不是宽阔的海岸。已经到了大学年龄的儿子却连张高中的文凭都拿不出来。有的招聘单位就好奇地问蓝先生你儿子不痴不傻，为啥连高中都没念完？蓝先生只好说“情况特殊”，他哪好意思为儿子掏出那张芝加哥的假文凭来。

新世纪刚刚到来之际，西安市的某“展览中心”又张贴起“国际留学咨询会”的大幅广告宣传画。有人见了蓝先生就向他“讨经”。蓝先生只是临转身时说了句：当心狼来了！

走投无路的蓝先生，最后只好跟一个私立学校的高中班联系，将已经过了高中年龄的儿子重新送进本国的学校继续“留学”——留级上学。

想留级就能上学了？对呀！那是“贵族学校”。

“贵族学校”？都是有钱人的孩子在那儿上学？当然。没钱、没大钱的人怎么叫“贵族”？蓝先生因此不得不又掏了 5 万元把儿子送进这所“贵族学校”回炉重读高中。“唉，我算是服了，折腾几年下来，口袋空了，儿子学业耽误了，如今剩下的只有整天的唉声叹气。”每当人们问起他儿子的事时，蓝先生一脸无奈。

第九章　火爆的畸形产业

这一天，李俊的父亲下班回家还未踏进门口，就闻到一股熏鼻的烟味，他迅速打开房门后大惊：只见昨天刚拿到北大录取通知书高兴得一夜未合眼的儿子此时此刻却歪倒在地板上，而在他的身边是仍在冒烟的一大堆乱七八糟的书籍与复习资料……

“小俊！小俊——！”老李迅速冲进去，然后赶紧抓起电话：“120吗？请快派辆救护车，我家孩子出事了！……

“铃铃铃——”救护警铃把李俊家所在的整个街道都惊动了。

李俊后来得救了，诊断结果是烟火过大造成的暂时性窒息。

入夜，老李全家人守在刚刚醒来的即将成为北大学生的李俊身边又是悲又是喜。

“我说把它作废品卖掉，你非要烧它。这不，多险啊！”老子怨儿子不懂事。

“我已经被它们压几年了，我觉得不把它们烧掉心头的山没有搬掉。嘿嘿，差点又被这该死的山压死……”儿子苍白的脸露出了苦涩的笑。

李俊和父亲说的是同一样东西，那就是李俊上高中三年来为高考而备的那七八十斤重的参考书籍与复习资料。

昨天，李俊拿到录取通知书，他和全家人一番狂喜后，第一句话就“恶狠狠”地说：“你们知道我现在想做的第一件事是什么呀？”

妹妹说：“是不是还你欠我的500元压岁钱？”

当哥哥的李俊对妹妹的话摇头一笑。

母亲说：“你该找以前的女朋友谈谈了，上了北大，以后你还不知是咋样呢，谈女朋友的事该搁远些了。”

儿子又笑笑，对妈说：“放心，有了北大这块金招牌，保证给你找回个最称心如意的儿媳妇回来，不过现在我不做那无聊的事。”

父亲说：“我猜到了，你想把一屋子的复习资料和以前给你买的书整理整理，以后留给你妹妹考大学用。”

儿子说：“谁知道妹妹她们以后考什么呢！不过，知我者老爸也。现在我第一件想做的事就是要搬掉压在我心头三年的泰山！”

母亲和妹妹不知李俊在说什么，只有他父亲朝儿子挤挤眼，说：“你小子现在好狂！”

当晚儿子和父亲没有就如何搬掉“泰山”的事达成协议，儿子坚决要求“彻底、干净地消灭”。父亲说那是我跑断腿给你买回的“宝贝”，是我的“全部希望”，怎么可以一把火就烧了？

烧！不烧不解我多年的心头之恨！已经成为“北大生”的儿子如今口气也变大了。

见望子成龙的愿望已实现，老子朝儿子笑笑，也就没有再说什么。不过，第二天的一场抢险，让当爸的老李着实心痛了一番：作为一个工薪家庭的当家人，老李平时爱在小本本上对日常家庭开支作个记录，而且还有明细栏目。打儿子进高中三年以来，为其准备考大学而买的教材和复习资料就达 1038 元；参加各种辅导班学习班 1800 元；买“脑黄金”“忘不了”等健脑营养品花 2400 多元；在“三模”考和高考期间花去“补氧费”120 元，其他如“改善生活”到有利于激发脑智力的特色餐厅吃饭费共计八次 934 元。三年里共为儿子“补脑”开销达 6292 元，占全家年度支出的 23%。

老李抖了抖手中的那本“家庭开支记录”，自嘲地对我说：不是我这个人“不男人”，其实哪家有孩子参加高考的都跟我们差不多，也许只是他们没有像我们认真地记过账而已，否则算一算也会让你吓一跳。

“值了。儿子争气考上北大，家里这几年勒紧裤腰带也没有算白下‘投资’。比起有的人家光为孩子买健脑啥的保健补品花掉近万元的开支，我们还是算少的呢！”老李告诉我。

我的这部报告本来并没有想到要涉及看起来与高等教育无关联的商业，但后来在采访中碰到了包括李俊父亲在内的不少家长们的叫苦与反映，我于是决定要增加一部分写一写发生在随中国高考发展起来的一个畸形产业，或者说它是靠着中国考试这棵大树滋生出来的“野蘑菇”。

“要发财，印教材”

我认识一位现在已经“规规矩矩做人”的股票界大腕人物——把“规规矩矩做人”几个字加上引号是他自己要求的，他说他一生都是在冒险，只是现在做股票是合法的生意而已。

能说实话的冒险家的嘴里，都有最激动人心的传奇故事。我暂且把这位一直在前沿阵地作战的生意人称为“赢家”——他确实在很多时间里总是赢别人或者赢在别人之前。比如他现在有几千万的资产，而最早让他起家的，并不是靠在股票场上投资，却是与股票毫不相干的售书业。“赢家”以前是我们俗称的书商。他走上书商这条路纯粹是一个偶然。他也是“恢复高考”那年的1000多万考生中的一个，只是因为家庭出身不好，当时父亲的地主帽子还没有摘掉，所以最后还是被公社革委会拿掉了资格。他说他虽然后来一气之下彻底告别了圆大学梦的理想与追求，但没有后悔高考给他带来了另一个机遇，那就是他今天成为千万富翁的另一条路——发财路。

“赢家”从小好学，且十分爱惜每一本学过的书籍和课本，甚至连作业本都一本不少地保留了下来，从小学到初中的，他全部保存在自己的那个课本箱里。初中毕业后，他失去了上高中的资格，但他却同样保留了全套高中课本，并且认真地自学完了高中课程。他至今感谢村上同姓氏的一位高中生，是这位高中生把念完的高中书籍都送给了他。后来出了没有想到的事：断了十多年的大学高考要恢复，一时间，连书本都找不着的那一代人，忙得不知如何是好。“赢家”好不兴奋，因为他的小木箱里整整齐齐地保留着中学的全部课本与作业题！但令他痛苦不堪的是他自己没有考大学的权利。“牛鬼蛇神”子女不能考，当时公社的意见非常明确。于是“赢家”就成了生产大队和公社一帮想考大学的同龄人的得力帮助者。

“把书借我们用一用！”

“喂，你看我什么知识都还给了老师，你能不能帮助我把你以前的作业也抄一份给我？”

面对同龄人们表现出的少有的热情，“赢家”觉得自己虽然不能参加高考，但能为大家做点事也是非常有益的，那个年代的人的精神境界都很纯，于是在1977、1978和1979三年中，他记不得自己到底为那些考大学的同龄人抄写过多少篇课文和复习题，总之他记得光是在考上大学后为表示感谢而请他吃饭的就有几十人次。到后来，他在家乡一带竟然出了名，有人说只要有从他那儿要来的复习资料，考大学就能成。到了80年代，附近的一些中学生和家长们成批成批地到他那儿要资料。再抄是抄不出来了，他便开始用复写纸誊抄。起初他都是义务为大家做，后来大家感到不好意思了，就主动给他点钱，慢慢地这种“帮助”成了一种交易。随着商品意识渐渐进入人们的生活，“赢家”觉得每年这么多参加高考的人，要是把复习资料整理成书，不也可以卖吗？当年他就把自己留下的课本复习题和前几年高考的题请人解答后一起复印成册，每本收取一元钱的成本费，没想到那年他在家乡的附近几个镇上共卖出600多本，除去成本，净利也有三四百元。

“这不等于我一年养了好几头猪吗？”躲在被窝里这么一算，“赢家”简直乐得心都快要跳出来啦：干！明年干它个1000元！1983年那年春夏两季的三个多月里，“赢家”起早摸黑，装订成册2000本“高考参考资料”，每本定价2元——他开始有了商品意识，定价2元，一块五毛也卖，实在不行就卖一块。后来“赢家”乐得合不拢嘴，因为这年他的2000本“参考资料”全部卖完，且平均售价没低于一块五毛。这年他整整赚了3600多元，除去成本获得净利2700多元。

“赢家”在方圆几十里的城里乡里都出名了，但太出名就会坏事。这年夏天，他被市场管理委员会拉去关了12天，罚款2000元。“赢家”为此痛哭了一场。

他再不敢印书卖书了，可“给考大学的人卖复习资料能挣大钱”这一欲望一直在“赢家”的脑子里转动。正在这一年冬天，一位省城来的书商突然登门造访，请“赢家”出山，“我们联手搞怎么样？”

“我不敢了，他们会把我当投机倒把抓起来。”“赢家”心有余悸。

“怕什么？我有正式出版社的书号！”书商说。

此时“赢家”才第一次知道出书是要有书号这一说，而且有了书号就算是合法了，不是投机倒把。“行，只要不是投机倒把我就干。”“赢家”笑了，他与书商谈成，由他负责选编高考复习资料的内容和市场销售，书商负责搞书号和市场营销的相关手续，利益五五对开。

这一年，“赢家”与那书商两人共印书 2 万册，仅在江西、河南两省销售，百分之百地销售出去了，各得 4 万余元。他们说好：谁也不把利润放进口袋，全部投入到来年的“再生产”。

第二年，“赢家”和那书商再度合作，这次他们共印了 10 万册，并铺到了全国市场，又一举获得大胜。每人得利 20 余万元。

“那时我们感觉全中国遍地都是黄金！我们印高考复习资料就像在印人民币一样，印多少就能变成多少钱。第三年我和朋友又一次合作，不想这年没有获得全胜，印 30 万册，有 10 万压在手里……”“赢家”说。

“为什么？”

“被几个出版社抢占了市场。”“赢家”说，“虽然这年的事对我们来说是坏事，可实际上是给我们怎么走好高考教材这条路指出了方向，坏事变成了好事。从这年开始，我们就涉足出版社，并且用短短的时间，把几个本来连饭都吃不上的小出版社，滚动成了名传四方的大出版社……”

“赢家”后来的故事就变得神秘了——赚钱赚到一定份上是不再告诉他人具体数字和操作的秘密的。可是我知道“赢家”的许多发迹的过程，在 80 年代中叶，他先后承包了南方几个教育出版社和科技出版社，还是一律靠编卖教材和高考复习参考资料为唯一的生意。经他运作的某出版社，原来一年出不了几十本书，而且大部分是赔本生意，“赢家”承包了这家出版社的教材编辑室，一年中就给出版社挣得利润500多万元。后来出版社的小楼也盖起来了，职工工资奖金也成倍往上涨，但“赢家”在这儿却成了输家。出版社的社长客气地对他说，我们明年准备发动编辑们也都来搞教材，你不是编辑人员……言外之意是要“请”他走。“赢家”一声冷笑，甩手就走人。到另一家出版社后，“赢家”学乖了：我只出钱买你书号，其他的与你们出版社丝毫没关系。行，一套教材的书号得交3万元。“赢家”说行，3万就3万。后来出版社看到他一开印就是10万册书，便说书号5万元。“赢家”还是说行，5万就5万。由于这样比较干脆的操作，“赢家”在那几年中迅速成为“百万富翁”，1990年时个人资产已达千万元之巨。

后来“赢家”再没有干这行当了，不是钱不好赚，而是国家教育部和新闻出版署一直在抓教材出版的管理。那些本来不懂市场的出版社也经过几年的摸索，渐渐自己有了行市，并且根本用不着像“赢家”这类书商参与，就能赚大钱。

“赢家”告别了高考教材发行战场，投身到了股票市场。而那些可以出或者不能出教材的出版商们照样大赚特赚学生们的钱，并成为至今中国出版业中最富有的阶层。

“谁有编印教材的权利，谁就是捧了金饭碗！”出版界这句话已经说了多少年，且是经久不衰的了。

某教育出版社原来仅是省人民出版社下面的一个教育科技编辑室，但这是十几年前的事，十几年后的今天，俗称“老大”的人民社早已在当年从自己体制下分出去的“小弟弟”教育社面前变得毕恭毕敬了。原因只有一个，那就是如今的人民社社长也时常要到教育社那儿“打工”——找本什么教材出出，以缓解本社出版的亏损局面。教育社呢，人员编制不多，但每一个编制的含金量，可是在省出版集团下面最高的，因为能进教育社，就意味着可以拿到比一般出版社高出三倍以上的工资和一套让其他出版社的人盼一辈子都难以得到的三室一厅房子。这个省出版集团所属的“老大”人民社与“小弟弟”教育社在过去十几年之间发生的地位变化，很典型地反映出中国考试制度与考试现象直接孕育了一个十分引人注目的产业，即教育出版业的空前发展。

据1999年国家新闻出版署发布的年度出版数字统计，全国的图书出版物中，教材及与教材相关的教育类图书，约占全国图书总量的30%以上，年销售量达300亿元左右。这个数字令人吃惊，它等于告诉我们，全国的三亿多学生，平均每人负担教材费多达百元以上。其实这仅仅是一个不十分准确的数据，因为通过“第二渠道”走的教材比如专门给高考（还有中考）学生准备的名目繁多的“参考资料”“参考书籍”等，还根本就没有在统计之内。有一个学生家长告诉过我他在儿子参加高考之前一年多中所买的“参考资料”的来源渠道：他是西安人，听人说北京出的《海淀考王》等“高考参考丛书”都是北大、清华附中名师编著的，于是1998年在西安召开的那届规模空前的图书展销会上，他一下就为儿子买了30多本、计500多元的书籍。后来听说又有两套“参考资料”不错，特意托人专门从一个书商那儿高价购得一套“样书”。其实这位家长谈的现象并不在少数。市场上和新华书店里所看到的“考试书籍”，仅为这类书籍的三分之二，还有三分之一在非正规渠道销售。

人们可能还记得，在1990～1993年之间，国家有关部门曾多次集中力量开展打击和围剿地下印发各类考试参考资料与图书的专项严打非法出版物活动。其中在南方的一次“严打”中，一举查获了一个非法书商印制的所谓《高考参考总汇》，其数量达50余万册之多！据这位以专营“高考教材”为业的黑道“老大”交代，他在过去的五年里，曾冒用青海、甘肃等教育出版社的书号，从事非法交易的图书就有三十多种、总码洋达千万元之巨。而且这位黑道“老大”的黑书销得还特别顺手，从来没“打卡”过。原因是他的印刷成本低，不要书号费，也没有交税一说，故他出手批发的图书折扣之低，使得他有足够的市场。“但根本问题还不是在这里，而是因为每年的考试市场太大，只要你糊弄个好书名，就会有人买。”这位黑道“老大”说出了问题的根源所在。

无须掩饰这样一个事实：中国的相当数量的出版人士靠每年的“教材”与“考试参考图书”，吃得太肥了，而且肥到每年你安安稳稳坐在那儿就可以等到一批又一批人为你高高兴兴地送钱来……

某省的一位作家出身的文艺出版社社长不无气愤地说，他辛辛苦苦带领全社编辑职工干了十几年，年年连奖金都成问题，领导说他们的工作没成绩。但这位社长说，他们出版社出的书获得过全国的图书奖，也得过中宣部的“五个一工程”奖，更为广大读者出版过很多全国有影响的文学作品，每年文艺社的全体员工都要花费大量精力去抓这些精品，可到头来他手下的兵却越来越少了，现在社里的骨干只剩下十几个五六十岁的老编辑了，有能力的年轻编辑都跑到教育出版社去了。“那儿多舒服呀，不用动脑子，今年的教材就是去年的翻版，换个书皮，改个名字就是新书，而且越卖越好。有时间还可以出去搞第二职业。”那些离他而去的年轻编辑们笑呵呵地对他说。“有啥办法，这就是中国国情！”这位社长说，他花了几年心血精心编印的巴金“三部曲”的年销售量，还不如人家教育出版社一本《高考热点知识指导》一个月销售量的十分之一。

北京西四新华书店和新街口新华书店是离我家最近的两个书店，也是我为了写本书重点追踪书市行情的两个点。1998 年高考前夕，我在这两个书店顺手摘写下的有关高考的书目，竟然在一张纸上没抄完，草草一数，竟有 60 多种！光是《海淀考王》《海淀名师》《海淀高考大冲刺》一类的参考书就有好几种，而且每一种又都是好几本一套的“丛书”。

1999 年高考前我又走进这两家书店，重新摘录了一批书目，发现两个奇特现象，一是我在 1998 年时以为再也想不出的好书名，这一年又粉墨登场了一大批，如《99 高考必胜新型题及解析》《走清华北大高考阶梯训练》和像《在清华等你》《在北大等你》等等这类很诱人的新书名。另一个现象是一些前一年就有的高考复习资料，这一年仅仅把“98”年改成了“99”年，内容除了增添了 1999 年高考的试题外，仍然是 1998 年我看到的那些老书。

到了2000年元旦那天，我跑到北京西单图书大厦再次观摩“高考参考”书展，粗略地浏览一下，比前两年的势头有增无减。在此列下其中一些书名：它们是《海淀备考》《海淀名题》《海淀考王》《金榜题典》《百练一胜》《天骄之路》《高考领路指南：疯狂冲刺》《高考难题得分》《高考短平快》《2000高考能力题》《2000高考红皮书》《2000高考总复习》《2000最新高考命题考典》《2000高考会考大演习》《2000北大清华高考状元题易错题典》《海淀高考内部摸底试卷》《北京市著名重点中学模拟试卷精选》《全国十大名师中学试题精选》《最新高考对策与模拟试卷》……

我实在摘不过来，因为外地出的如《黄冈考典》《上海状元题典》等，似乎是我前两年就见过的老书新版。

“老书新书有啥关系？只要能让孩子们考上大学就行了呗！”书店的服务员在与我聊天时说，老书还吃香呢，比如有一套“海淀名师”编写的高考书，据说有考进北大、清华的“状元们”在报纸上一介绍后，想买的人更多了。

那为什么一样的内容又把书名给换了呢？我问。

她告诉我，因为家长和考生都知道每年高考的内容在变，你出书再用同一个书名，人家就认为看你的书会耽误考试成绩的，所以编书人和出版商们都很精，每年把书名换一下，标题内容作一调整，照样又是一套新书卖给消费者。而且还有一个秘密：如果此书前一年好卖，换个新书名后可以把定价再提高那么一块两块什么的，不又是一大笔可观收入嘛！

原来如此。

令我感到有些窒息的是，为什么这么多内容相似或重复的参考教材如此长销不衰？而且我们的学生特别是家长们，竟然对一本本内容雷同的“高考参考垃圾”如此地热衷？

“有啥办法。这叫有病乱投医。”有位家长道出了他的苦衷：他的女儿成绩很不错，在班上是前三名的水平。孩子交给老爸一个重要任务，那就是每星期必须到书店里去一趟，看到有关高考参考方面的新书就买回来。女儿对他说，爸，你不是要我考大学吗？老实告诉你，我在学校的成绩是靠下苦功夫才得到的，我这做女儿的脑子并不比别人聪明，所以我只能靠比别人多下苦功才能赶上前三名，别人做一道题，我得做两道或三道题；别人做一道难题我就得做两至三道难题。这老爸你懂了吧？我让你把书店的新书买回来，就是让我可以多做些别人可能没有做的题。唉，重复也没有关系，考大学不就是为了对付嘛！学校老师都说了，考中国的大学就是靠在题海里学会游泳后才能成功的。

这位学生家长看了一下我在书店摘抄的书名，笑道："你至少还有一半以上没摘抄到。"

"这么说你至少为女儿买过 100 本以上的高考参考书？"

"一百五六十本吧！"

"天！你女儿都看过、做过那些书上的题？"

"全看过，也做了大部分题。"

我又一声"天哪"后，对天呼道："等我孩子考大学时，也要做这么多题吗？真的那样就实在太可怕了！"

他苦笑着摇摇头："中国的孩子和家长大概都得经受这样的折磨吧！"

为了不让明天的我们的孩子们受这等折磨，我决定要怒斥一番那些制造题海的罪魁祸首们！因为他们确实太可恶——为达到自己发财赚钱的目的，不顾学生和家长所要承受的负担，不断重复地粗糙无比地以极不负责的态度，一年又一年地制造着其中只有一小部分是科学和必需的参考教材与参考资料的大量"高考垃圾物"。正是这些"高考垃圾物"，使得本来就呈空前激烈、空前繁重、空前重复状态的高考题海应试，变得更加灾难深重。

我想特别指出，有两种人最可恶。首先是那些坐在家里只管赚钱的出版商们，他们从来不想如何减轻些学生和家长们的负担，而是只从如何更多地为自己腰包装钱着想，所以一直不停地一本本出名为"精品""指导"，实为误人子弟、浪费学生宝贵时间的低级印刷物。第二种可恶的人是那些冠以"北大""清华"名师的所谓"专家学者"，他们在做什么？恐怕连他们自己都不知道。如果他们真的是名师，就不该靠题海战术来引导广大学生无数遍地去重复做题，如果他们根本就不是什么名师，而是假冒“北大”“清华”名义在搞欺骗，那么应该受到法律的制裁。由此我认为，“名师”做错事，其后果更为恶劣。哪一年市场上不再出现“海淀名师”等高考指导丛书时，也许中国的教育改革才真的开始有希望了。尤其是那些挂着“北大”“清华”名师的“高考参考”书不再出现时，无疑那才真正到了中国教育的艳阳天。聪明的人对我的这个观点其实一看就明白：现在大家都在大谈特谈要改变应试教育，可是某些教师特别是所谓名师们，正在带头做的那些名为“指导”实则是“拣外快”的事，不是正在给已经够巨浪滔天的高考应试推波助澜吗？

科学家中搞伪科学的是最可恶的败类，而办教育的人做误导学生的事也应当是最可恶的败类——是那种影响千秋万代和民族整体素质的败类！

中国教材和高考复习类出版物泛滥成灾的现状，应该得到严格管理和限制，尤其是对那些以牟取暴利为目的，内容重复，质量低劣的“高考垃圾”式的参考与复习资料。有一位学生在谈论起这些“高考垃圾”之所以能盛行时说：从高二开始，学校的老师除了要求我们完成课程教材与参考书外，每周都要发一批不知从哪儿来的“参考资料”或者什么“高考题库”。老师说了，你们现在是参加全国高考，我们这儿本来教育质量就不行，学校的硬件软件都比不过人家大城市和名校，所以要想在统一的考试中获得与别人一样的成绩，就得多做各类各地方出的参考资料，尤其是北京的参考资料，北京的参考资料中间还要挑选“海淀名师”们编写的题库一类参考书。学总是比不学好些。你们的父母不都希望你们考上大学吗？你们不也一直想走出小地方，到大都市、到国外去追求理想吗？那就不要怕做题多，也不要怕家里暂时多花点钱。钱算什么？以后你们考上了北大、清华等名牌大学，几年毕业后就可以获得高薪的工作，现在多花点钱争取到上大学的机会有什么不合算的？考上与考不上大学是一辈子的事，你们想好了，谁不愿意也可以不交买书的钱呀，我们不勉强。老师这么说了，还有谁不买学校组织购买的这些“高考参考资料与题库”呢？几乎没有人敢不交钱的。班上有个同学家里实在拿不出钱，他就抄同学的书，每天，累了一天的同学们睡觉了，他还得抄三四个小时的“参考资料”。那同学本来视力挺好的，到高考时却成了全班近视度数最高的一个。还有一个同学更惨，她家就因为姐姐要出嫁，有两批学校布置的“参考资料”没钱买了，她想不出什么办法，又死要面子，结果趁同宿舍的同学不注意时偷偷地将别人的书藏在自己书包里。后来丢书的同学闹起来，一查，就查到了她。为这事，这位女同学一直抬不起头，高考时自然就没有考上，后来得了精神病，家里人没有办法，便将她嫁给了外乡的残疾大龄男人。很惨哪！我们同学们得知后都觉得当初学校不该因为几本“参考资料”处理她，这不把好端端的一个女孩子给害了吗？

何止是学生受过这般害，我们的家长更有诉不尽的苦。在浙江义乌采访时，当地朋友告诉我这样一件事，说他们金华地区有位家长的儿子是前年考的大学。但就是因为几本“参考资料”的缘故，爷儿俩至今不说话。这位在北京城里做小商品生意的老板诉说道，那年春节过后，他在北京的天意小商品批发市场刚刚租下两个摊位，生意也刚刚起步，每天不得离身。时间就这样一天天过去，生意还算过得去，但离家时正准备考大学的儿子交给老子一项任务，让他到海淀图书城买一套 1997 年“海淀名师”编的参考教材，而且必须在 3 月份之前寄回家去。“我们这个破地方，学校连半台语音器都没有，怎么让我们考上好大学呀？”儿子平常就牢骚满腹，想考上海外语学院的他把全部希望寄托在父亲买回那套“海淀名师”参考资料上了。可是被生意缠身的老子到了“五一节”时还没有把参考资料寄回去。高考成绩下来了，儿子因为 7 分之差没有考取上海外语学院，委身第二志愿的湖北某财经学院。对此，儿子恨透了老子，发誓与家里决裂。进大学的两年里，没有回过一次家，也没有要过家里一分钱。儿子说：你们不就是因为钱钱钱，才把我的理想给毁了吗？那好，我永远不再要你们的任何帮助了，我一辈子靠我自己。儿子的这个态度，使全家人两年多来一直陷入严重的不和状态。老板的媳妇一天到晚骂自己的男人不该当初只管自己的生意，不及时把“高考资料”寄回来。当老板的他一听媳妇嚷嚷就火，说你们在家说话容易！做生意就那么简单吗？是呀，我没有把“高考资料”寄回来是耽误了一些事，但你们就不该理解理解我一个人在外守摊的苦？再说了，即便把“参考资料”寄回来了，就保证考名牌大学了？母亲把这话传到儿子的耳里，儿子听了更生气，说：不是这个理还怎么着？7分之差，不就是一个题嘛！我差就差在有个题从来没有见过，而我让买的那套“参考资料”上就有这样的题型！老子和儿子谁都说服不了谁，这出因为高考“参考资料”引发的矛盾使得一个好端端的家庭四分五裂。当老子的今年夏季便把北京的生意关张。问他为什么好好的生意就不做了，他说还做它有啥意思？辛辛苦苦一辈子不就是为了下一代？唉，白搭，现在我想开了，人家有能耐，用不着我们穷乡下人了，再说我也不敢再耽误了人家。他说上面这些话时，内心充满了自责与悲伤。儿子呢，还是不肯原谅老子，他的道理是：不要小看了7分之差。现在他进这所大学的命运比进上海外语学院的命运，可能是天壤之别，因为念了上海外语学院，以后的工作分配完全不用愁，而且可以堂堂正正地进大上海。现在湖北这所财经学院就完全不同了，一是这样的专业太多了，另一重要原因是毕业时你必须自己找单位，说好一点，能在某个地区市级单位谋个职，说惨一点恐怕连个饭碗都成问题。“我说的一点没错，意外的一点损失，有可能造成终身的遗憾。”儿子说的不是没有一点道理。

恨谁？恨那些大半是骗人的或者已经被广大考生视为不可离开的、泛滥成灾的高考“参考资料”？令人哭笑不得的是，全国已经有北京、广州、上海、武汉等十几个城市出现了专营高考教材及其他音像教学材料的书店——“考试书店”，像广州、上海等地，一个城市就有十几家“考试书店”连锁店。一位“考试书店”的老板说：现在什么书都不好卖，唯独“考试类”的参考书是经久不衰，且越卖越好卖。他说前年开的一间三十来平方米的“考试书店”，在近两年间连续扩充了四次门脸，生意越发兴隆。

"这几年整个经济形势不景气，但我的考试书店却越办越好，谢谢中国的考试制度。"老板的脸上一半是得意，一半是嘲讽，因为这位老板虽然只有初中文化水平，可每天都有那么多"文化人"在疯狂地为了一个不知是不是真有价值的目标而给他源源不断地送钱来。

办班大战使教师也"走穴"

"走穴"这个名词，在我们的概念里只有那些演艺界的明星们才用得着，想不到在高考大战中，我们的那些一直被人们捧至圣人神坛的教师们，也干着"走穴"的勾当，多少叫人感觉不是滋味。

老师的称号是神圣的，就是官做得再大，在老师面前你也得屈膝有礼。历代历朝的皇帝和达官显贵都是这样，不管是真是假，都这么做着给人看的。

就在并不太久前，我们一提到"老师"这个职业，大多数人对它不仅不敬，反而斥之为"一个只有傻瓜才愿意干的行当"。不是吗，"臭老九"的骂名首先使人想起"教书匠"的低工资，又使人想起这些只能整天在教室里写粉笔字，而不可能走出校门搞"第二职业"的先生们；其次是教师永远不可能有分房、得奖金什么的好事，清贫似乎成了"教书匠"的代名词。然而仅仅是转眼间的今天，我们再也听不到有关"老师穷得要造反""师范生分配不出去"的消息了。相反，老师成了社会上比较受人尊敬和羡慕的职业，因为他们的待遇、他们的奖金、他们的房子，全都比别的社会职业要高、要得的容易，而且最重要的是这几乎是个没有任何风险的职业——只要你安心干下去，就等于坐上了"终身平安"的列车，不像社会上其他职业充满了竞争的危机。

教师的被重视与地位的提高，直接原因来自于高考。高考使全国人民都在一种刹不住的"望子成龙""望女成凤"的狂热巨澜中——不上大学找不到工作，不上好大学找不到好工作已是今天社会的最明显的特征，不管你承认不承认，它已经严峻地摆在了我们每一位家长与学生面前。

教师因此而成了全社会不可看轻并且必须看重的“香饽饽”。

教师吃香是从被人尊重开始的。那些要求自己的子女成龙成凤的家长们，先是对自己喜欢和认为可以把自己的孩子管好、培养好的老师来点小恩小惠什么的。别小看了家长和孩子给老师的这份小恩小惠，实际上这是使老师这个职业从被人瞧不起到成为今天的“香悖悖”这一过程中最重要的转折。初次给老师的这种小恩小惠，可能是女人间的一个发夹、一块头巾，男人间的一包好烟、一瓶酒什么的。后来就越来越变得“高层次”了。先是有人流行送几十块钱一本的挂历，再就是在神圣的“教师节”时给老师们每人送些鲜花、甚至北京人说的“盒子”（食品之类），再到后来，这些东西已经不在话下了。有一年报纸上说过这样一件事：一位班主任在元旦前总共收到各种精美的挂历100多件，最后她不得不动员全家人把这些挂历送亲朋好友。可这也送不了多少呀！还是儿子聪明，说干脆把它“批发”给书商吧。嗨，轻轻松松就这么一倒手，共赚了2000多元呀！尝到甜头后，第二年这位老师暗示学生和学生家长必须给她送挂历，而且谁送的多，谁的孩子将与学校评选的“三好学生”挂钩。结果“哗”的学生和家长们给她送了200多件挂历，“挂历换三好生”因此被新闻媒体上电视曝了光。到现在再玩挂历已经是不行了，而那些花、食品、也见鬼去吧。背着学生和家长的面，几位老师常常把嘴巴往上一抬，说：谁稀罕那些东西！当然，学生家长们明白得很，现在是要钱了，要现钱了。给吧——于是在学校每年的开学前、开学时、分班前、考试时，还有平时不定时的许多机会里，家长们又“自觉自愿”地把一个个包装得十分精致的红包以十分体面的方式送到了自己孩子的老师手中……这已经并不是什么秘密了。在北京、上海、广州，还有甘肃、西安、湖南等等富城市与穷省份，我都从学生家长与某些认为“分配不公”的老师口中知道了上面的这类“交易”。这还不算什么，有些家长为了让老师（特别是班主任和任课老师）给自己的孩子一些“偏食”，便不惜塞起“红包”来，数字嘛当然有多有少，一二百是拿不出手的，千儿八百也不算多。家长说了，现在在任课的老师那儿花掉一两千元，总比以后因为找个重点中学每差一分要交一万元省许多吧！因为如果参加高考少了几分，那就是害了孩子一辈子的大事，那时可就不是几万元十几万元的事了！家长们心里是这样想的。老师们后来也知道了家长们的心态，于是自己收上一两千元也觉得心里找到了平衡，不再感到有失体面。再说体面值几个钱？全社会都进入市场经济了，我们当老师的出卖自己的时间和劳动，也应当有回报嘛！一切都似乎显得合情合理，唯有中国传统的师生情与神圣的教育性质与内涵在发生巨变，开始出现铜臭味……

而且更为严重的是，全国性的办教学辅导班之风如今愈演愈烈，成了中国实行五天工作制后的大量时间里最为激烈、最为严重的内战。看一看北京的那些学校大门口壮观的自行车队伍，你就会知道中国的办班大战早已到了白热化状态。而在这全国性的办班大战中，名城名校周围是最严重的“战争策源地”。我的家紧挨着著名中学北京四中，每逢星期六和星期日，以及每天的晚上，你有空去那儿看一看，你一定会惊叹：简直太火爆了！

四中素有“全国第一中学”之称，据说能进这个中学就等于是提前进了北大、清华，在北京市民心目中四中的教学质量的含金量之高由此可见。四中在1999年的招生中，对外称是600分，其实录取时高达609分以上。现在的百姓都很精明也很讲究实际，你四中好就好在教学质量不是？教学好不好具体还不是指的教师嘛。那好，我孩子上不了你四中，我还不可以请你四中的老师？四中是所名牌中学，学校没有初中，只有高中。学校对社会上那么多家长和学生期望请他们的老师当家教，一是喜二是忧，喜当然是为名校效应，忧便是不能分散老师的精力呀！想来想去，还是最好让老师集中时间、集中场所进行些课外的教学。再说那样学校也可以为大家谋些“三产福利”。好主意。对外办班的事就这么定了下来。好嘛，从80年代开始，四中的业余辅导班历经十几年，一年比一年火，如今几乎每天晚上和每个星期天都被各种辅导班安排得满满当当。以一个班40人计算，全校一期约算它共开10个班（注意，一天中他们常常安排上下午或者还有晚班三班倒），每个学生收费每学期在600～800元不等，一年下来全校能收多少钱？恐怕得用计算器才能算出。尽管如此，四中的班仍满足不了全市百姓对它的敬仰之情，于是他们又把以四中名义的辅导班办到了附近的三十一中和对面的黄城根小学，那儿的班仍在不断地往外延伸……每逢下课时，接孩子的家长与车辆时常把整条西黄城根大街堵得水泄不通——身为附近居民的我和很多人已经饱尝了这样的苦处许多年，然而这又有什么办法？我自己上初中的孩子不也照样送进了这样的“战场”？

不知什么时候起，在老师中流传着这样几句顺口溜：“正经课程马马虎虎，办班走穴勤勤快快。工资单上稀里糊涂，额外收入分分清楚……”有位资深老教师说，现在在社会上可以看到的丑恶现象，在教育战线几乎都能看到。比如说到讲课吧，按照教学大纲，学校必须要求任课老师完成一定的工作量。但一些学校为了提高老师的待遇，就以各种理由在学生身上“刮油”：明明是教学时间内的课程，一次家长会就把广大家长和学生们给蒙了。名义非常好听：我们是办的提高班，或者叫强化班，不勉强，自愿参加，交费也是自愿的。什么丑恶的事丑恶的勾当，一从老师的嘴里说出来就变得神圣了，学生和家长便老老实实、高高兴兴地把大把的钱交到了老师手中。这是很实惠的呀，平时上一天课不可能有额外的进账。这办班情况就不一样了，一次同学们每人交5元，一个40人的班就是200元，学校收走100元，上课的教师还可以拿到100元，算它一个月上10节课，不就是一倍的工资又出来了？这样的好事，那钱不出校门不多干活就轻轻松松放进了口袋，校长和老师们皆大欢喜，个个抿着嘴儿偷偷乐。

当然情况也不全是这样。为了参加高考，一般的高中三年的课程必须在前两年就得完成，这样才有可能让孩子们在高三时集中一年，进行不断的强化复习和不间断的试卷大演习。三年的教学大纲两年就要教完和学完，这任务显然需要向时间伸手了。那么好吧，只有一个办法：就是利用节假日和晚上时间补课——补习班最早就这么着滋生出来的。后来补习班就在全国产生了，几乎有中学的地方就有补习班出现。补者，多余的劳动与教学。既然是多余的教学，就该有收费一说。家长们又不得不快快掏钱。应该说这是比较普遍的，一年下来，每位学生的额外费用少说也得二三百元吧！于是全年下来，一个学校就是几十万元的“三产收入”，老师的奖金和福利自然也很丰厚。

既然社会上有那么多学生为考试升学着急，我们何不也来办个“特色班”？办个“名师班”？办个“专家辅导班”？那些本来退休在家无事可做的老师们，突然跃跃欲试，精神抖擞起来。

同意同意，你们用晚年的余热为国家教育事业做贡献，应当大力鼓励。不用说，有关机构大开绿灯。于是由一群退休老教师开办的特色辅导培训班在某某学校或者单位开张了！哇，来的学生与家长打破了头，挤破了衣服，那白花花的银子呵，比储蓄所柜台前的场景还叫人激动！

某老女教师早在1987年就退休在家，那时她的退休金一个月才五六百元钱。由于她的收入少，跟着儿媳妇住在一起，成了儿媳妇每天的出气筒，并不得不靠给儿媳妇当长年保姆来换取不被赶出家门的待遇。那年她参加同事们组织的培训实习班后，一个月就拿回一两千元。老太太这下腰杆硬了，第二年就从家里搬了出去，自己另租了一间房子享清福，不想一直掉脸色和拿她当出气筒的儿媳妇的单位不景气，下了岗。儿媳妇无奈之中求到了婆婆，请已经变成富婆的老太太帮帮忙。老太太用鄙视的目光瞅了一眼儿媳妇，心头得意地一笑，说可以呀，我现在每天都兼着很多课，家里的事忙不过来，你可以当我的小时工什么的，愿不愿意呀？儿媳妇待在家里已经有日子了，早已苦不堪言，羞着脸说愿意愿意。那好，当婆婆的眼睛朝天一白，说：工钱可不多啊！不多也行，您老能收留我就是对我的恩赐，现在能在自己家里吃口饭，总比在外面受人气要好多了吧！儿媳妇低贱的话叫老太太听了真是心花怒放。就这样，老太太每天白天精力充沛地在外当“名师教员”，拿丰厚的收入回家。进屋后则有意摆出一副富婆的架势，让那个曾经令她咬牙切齿的儿媳妇，在自己跟前干活伺候。这位老太太哪里知道，她在心满意足地无限享受别人的卑贱时，却没有看出那个表面上诚心诚意显露卑贱的人，早已在心底埋下了复仇的种子。三年后的一个夜晚，当依靠外出当“名师”的老太太存足5万元储蓄时，等待她的便是一个死亡之夜……

当然像这位老教师的命运毕竟是极少数。很多有声望、有“特级教师”称号和曾在某某名校任教的名师们，以其不菲的身价，比那些正式上班的老师还要忙几倍地东奔西跑着。不是发生了这样一件事吗？某几位退休教师组成的“北京海淀名师团”到贵州某地“走穴”——别以为只有知名演员才能“走穴”。结果一路走了两个月，每到一地便被那些梦想考上北大、清华的学子和家长们团团围住，一上讲台就下不了台。开始“名师团”是由某某中学特邀的，后来实在看到家长们太急切的期望，“名师团”便另辟蹊径，自己租那么一个临时的地方开课。当然要收费。不知是每小时的收费标准令当地的学生家长感到太贵了，还是让当地的那些教育部门的官员或老师生了气，当晚，“名师们”便被一帮穿制服的人从梦中拉起来，并押到一个非常阴暗的地方审了半夜。结果全团罚款7000多元才放了人——就“无照经营”这一条便足够“名师们”享用的了。

在江西与浙江交界的某山城小县，一位中学校长告诉我说，你们北京的名师值钱呀，到我们这儿走一个星期，就可以拿走我们几个月工资的报酬。我说那你们当地的名校老师不也可以利用自己的优势弄点“外快”嘛！他说当然有呀，就他们学校有位几年来一直教高三毕业班的老师，总有额外家教收入，比上班的至少多拿二三倍。那校长说，现在的家长对教育质量的意识比任何时候都高，他们知道出一笔钱让孩子上个名牌学校，比出不多的钱而上一个水平一般的学校要合算得多。同样，出一笔并不太多的钱请一个有经验的教师到家辅导，比让孩子上所名校还要划得来。

办班大战和“名师走穴”，就是在这样的情景下愈演愈烈，到了今天，已经几乎没有哪个学校不是主要靠办班增加收入的了。

中学老师超过大学教授的收入在全国很普遍。家有名校老师，赛过门前开个小铺——这也是北京海淀一带百姓对那些常年靠办班发财的老师们的真实描述。其实，在北京，一位稍稍有些名望的学校老师，每年靠随便编些大路货“高考参考资料”书，其所获超过大作家王蒙等人的稿费收入，已不是什么新鲜事儿。

写到这儿，我正好看到某文摘报1999年12月6日刊登的一则消息说，上海金山区张堰第二中学出现了这样一件事：146名学生家长多则2000元少则1000元，共捐出16万多元，给自己的孩子挑选理想的班主任。为什么要这样做，据该校副校长介绍，是因为每年新生入学后，写条子走后门择班的风气让校长们实在招架不住，于是在一些家长的提议下，干脆来了个“自捐款”聘班主任。此事一经公开，在当地引起一场不小的风波。学校赶紧退款，不想很多家长不愿退，说他们捐款是自愿的，他们拿自己的钱选择班主任并不违反什么。这正是：中国高考轰轰烈烈，天下怪事无奇不有。

兜售假文凭——地摊产业

中国的天底下总是有很多让人难以想象的可笑事。

自上大学成为中国人民一大梦想以来，有人便专门以制作假文凭为生，这又是古今一大奇闻。因为奇就奇在这样荒唐的事，竟然是某些人常年的一种职业；奇就奇在这样荒唐的事，还是某些村寨某些地方十分时兴的一个“可以致富”的产业！

我感到有些惭愧的是，在北京的假文凭制作“大军”中，有一支队伍来自我曾经为之写下一篇题为《东方神话》文章的江苏东海县。哪想到六年后，我在北京的大街上，遇到的这些几年前还在家乡土地上实心实意做水晶生意的东海人，竟然在首都成群结队干起了制作假文凭的大买卖，并且闻名北京城！

开始在《北京晚报》上见此新闻披露的事儿，我还有些不相信，因为一篇《东方神话》使我常常把东海人与通体润丽、赏心悦目的水晶连在一起，无论如何我不可能想象生在“水晶之乡”的东海人会成为最令知识界感到憎恨的制假文凭魁首，且还是成帮结队具有家庭性、团体性甚至村村乡乡一同“战京城”的制假“东海军”！

“你们什么时候想起干这买卖来？”在公安警察朋友的帮助下，我在海淀分局的一个看守所里见到了拘留在那儿的5个刚刚抓获的制作假文凭的东海人，于是便进行了又一次意想不到的采访东海人的活动。

“我们也不是开始就做这事的……”一位看上去也只有20来岁的女孩子低着头说，“前些年我也是在家磨水晶项链的。可后来生意越来越不好做了，假水晶项链太多了，辛辛苦苦磨一条项链还卖不到20元。后来村上有在北京打工的人说，北京城里人多，好赚钱的事很多，做一个假文凭，除去成本就能赚一二百块。所以我们就跟着到北京来了……”

“你们怎么就知道做假文凭卖钱？”

“这还用问嘛！谁不知道现在大学生吃香，城里的单位招工第一条就得有文凭。”

“那你是什么文凭？”

“我哪有啥文凭？初中毕业后大人就让磨水晶了……”女孩子拨弄着自己的手，使我想起了当年在东海采访时看到的一双双在飞旋的磨床前的灵巧之手。正是这些灵巧之手，使东海县一下走上了脱贫之路。然而今天，同样是这样的灵巧之手却在干着肮脏的勾当……

“你知道做假文凭会造成什么社会后果吗？”

她摇摇头，显得茫然。“我们以前做的水晶项链大多是假的，也有人要，没有人找我们算账的……”

“这跟做假水晶项链一样吗？”

“不都是假的嘛！有人喜欢用就成。”

想不到制售假文凭者竟然有这等意识！

“你们来北京除了制作假文凭外，还做什么呢？”

她又摇摇头：“不干其他的。这已经够忙活的了。”

“咋个忙法？”

“很紧张的呐！”女孩子的两只眼顿时露出亢奋，“我们靠白天收活，晚上才能制作。每人都有分工，不能搞乱的嘛。”

“那你在街上收活？”

“不。我们女的一般只负责帮男的放风。因为老板说我们女的木呆得很，人家一看你呆头呆脑的，就不太相信你会做出看不出假的文凭来，所以只让我们负责放风。”

听听，她们也有老板！而且“专业”得把那些想做假文凭的“客户”心理都研究透了。

“放风主要是干些什么？”

“替接活的人看有没有执法的来。”

“如果有人来抓怎么办呢？”

“我们就会或者连按几下自行车铃，或者嚷嚷几下。那嚷嚷只有我们才明白。”

“除了放风还干什么？”

“活多时还负责从收活的人那儿取走照片什么的，送到我们住的地方去做。”

“你也会做啊？”

“不。有人专门会做。要字写得好的人……”

“你们怎么知道那么多大学的校名和图章是什么样呀？特别是校长名字什么的？”

“知道的。我们有人专门负责收集这方面信息，做活之间会经常互相交换材料的。”

我有些不明白，干这类勾当一般都是偷偷摸摸的，怎么可能像张网似的互相传递情报呢？

“这有什么？我们都是东海出来的，乡里乡亲的，再说大家都挺不容易，所以哪个做活的人知道北京大学的校长换人了，就赶紧通知一下另一帮人。”

“看来你们之间还挺‘团结协作’的呀！”

“谁出了事，都会影响大家的生意嘛！”

原来如此！

我还有问题弄不明白："你们住的地方也看不见印刷工具一类的东西，那些证件和压膜皮还有钢印什么的，都是从哪儿做出来的呀？"

"你这人真是的，这些东西在我们东海都能造出来，跟你们北京的一模一样。真的，质量保证不会错的。我们那儿也有不少中外企业，他们专门做印刷活……"

瞧，她似乎又以为在街头遇见了一个"找活的"！

眼前一位被警察单独关押的30来岁的男子，据说是这个团伙的"老板"，于是我们之间有了下面的对话：

"你自己是什么文凭？"

"大专。"

"大专？不会是自己做的文凭吧？"

对方睁大眼，用一双极不友好的目光斜了我一眼："我是正经参加高考才进的学校啊！"

这真是想不到。

"那你还干兜售假文凭买卖？"

"赚钱呗！"

"什么钱不好赚，干吗非要干这违法的事？"

"啥叫违法？"瞧，他还挺有理啊！他说："我也不是一开始就做这玩意的。学院毕业后我也在一个单位工作过，可干了那么多年连个中级职称都没混上。年年评职称都得论资排辈，而且总是先要评那些工作二十多年以上的，再就是那些有大本、研究生学历的。这么几年下来，我勤勤恳恳就是不给我评中级职称。有一次一个跟我一起到单位的'本科生'酒后向我透露，他评上的那个中级职称用的本科文凭，是托人从广州出了500元在大街上买的呀。我当时不相信他说的是真的，等他酒醒后再问他说的是不是真的。开始他不说，后来我吓唬他，说如果你不告诉我真话，我就到人事科告你。他没有办法，就说出了实情，并跪下求我不要告他，还说否则他刚结婚的女人会跟他离婚的。我看他很可怜，就没有告他。但这事让我生气极了，我恨单位就看一张文凭，根本不论工作成绩，我跟头儿吵，头儿还是那句话，说我的文凭只有大专，中级职称还早着呢。一气之下，我辞了工作。出了单位，我想不出干什么。一想到自己就因为文凭不如人家便评不上中级职称，心想：干脆我就专门做假文凭算了。也早听说大城市里要假文凭的人很多，于是便到了北京来。后来就在海淀的北大校门那儿认识了一个也是我们东海的老乡，他已经干了好几年这样的活，而且已经赚了不少钱。第一次我制作的一张假文凭不是为别人做的，是为我自己做的。我给自己做了一张北大研究生文凭，当时我看着这张虽然是假的北大研究生文凭，心里也好激动：因为我也可以在不认识的人面前显显自己的身份。有一次在国际会议中心招聘，我就用假研究生文凭，到招聘单位那儿试了一下，结果人家根本没有看出是假的，还正儿八经地问我愿不愿意到他们单位当高级企划人员。那是个知名国际驻华机构，我哪敢去浑水摸鱼呀！但这事真让我激动了好几天！后来听说做假文凭的市场特火，且利大，于是先是给人家当下手，后来便独立挑摊……”

“你是干这活的‘老板’，肯定知道那些校名、校章什么的是从哪个渠道获得的吧？”

“这有什么复杂的？”他说出的门道，让人听后不无吃惊：“我本来是大专生，我的同学大多在全国各地大学里读书，一封信我就从这些同学那儿获得了想要的所有资料。再说我不是手头也有北大、清华等大学的证件吗？大学的门都是敞开着的，尤其一看都是‘校友’，我在里面的哪个门、哪件事办不成呀！不瞒你说，我在北大、清华的学生中还有好多朋友，我们之间经常师兄师弟相称呢！”

听听，天下已经到了这等地步，中国的大学里还有什么秘密是那些只要校名、校章和校长图章样式的制作假文凭、假证件的人不知道的！

“你也是受过高等教育的人，难道不知道你这样制作假文凭的不法行为，对中国的高等教育会带来什么恶劣影响吗？”

“我知道。但是我还知道，有人因为得到了我们做的文凭证书，使一生的命运发生了变化。我碰到一个高考没有考上的湖南人，他三次高考三次落榜，家里人把他赶出了家门。后来他到北京来打工，可没有一个单位用他，因为他既是外地人，又没有文凭。这小伙子其实很聪明能干的，就是没进成大学门，就一事无成。后来他到我这儿买了个本科文凭，便南下到了广州，结果被一家中外合资企业的老板招聘当了部门经理，没两年又当了副总经理。那个香港老板特别看中他，把一家分公司交给他干。没多长时间，这小伙子就把这个分公司办得红火极了。有一天这位已经当了大老板的小伙子上北京中关村进货，我们在商店门口遇见了。是他认出了我，非要拉我吃饭，之后又送我1000块钱，他说是我给他提供了叩开命运之门的金砖……”这位制假者讲的这个故事，我听完后感到不知是喜还是悲，最后只好称奇也。

制假文凭，使一部分没有能够踏进大学门的人，为了圆那破碎了的梦，能选择另一种“捷径”以慰心魂，这实在让人感到悲哀。而我在看守所里听到的另一种声音，更使我心头充满了悲哀：

“正是高考制度圆不了一些人的大学梦，才使另一批没有饭碗的人有了就业的可能与机会。”

说这话的人是个制作假文凭的老手。公安人员在他租住的石景山区西进四区的一间房里抄到假文凭200本、假图章近百个，以及制假的电脑、塑封机等一条完整的“流水作业线”。北京市在1999年6、7、8三个月集中打击“三假”（假文凭、假公章、假证书）的专项活动中，共查获窝点总数近百个，不法分子达千计之数，制假，真是名副其实的地下产业……

“招生骗子”也风流

大千世界无奇不有。因为中国人对上大学有太大的企盼，所以就有了专门掏那些想上大学又找不到学校的学生和家长口袋里的钱的人。这一职业叫“招生骗子”，听起来似乎很别扭，但据公安部的官员证实，确实每年都有一批这样的犯罪分子。“一批”就不是个小概念，它足可以让相当一部分人以此为生，以此为业。

前年，安徽某山区小城的一个省属矿务局招待所突然热闹起来，最多的一天竟有几百人前来“报名咨询”。报什么名？咨什么询？一打听，原来正有个“西北技工学院”在这儿“招生”哩！8月中下旬时节，皖中大地的天气很热，可哪热得过那些高考的学生和家长们的心嘛！安徽算不得位居前五位的“中国高考大省”，但也绝对是每年高考人数非常多的“准高考大省”，如果按“落榜生”的数量而论，那安徽是不折不扣的大省。也许正是这个原因，“西北技工学院”的牌子在县城一露面，尤其是它诱人无比的“招生条件”一发布，就使那些刚刚受到高考落榜重击的学生及他们的家长们，感到仿佛是黑夜里望见了一轮明月。不知何故，这个“西北技工学院”的招生处“李处长”一点架子也没有，“不像有些大学的招生老师，死板着个脸，你有事求他请他到外面坐坐都不给面子。瞧人家李处长，只要他有空，什么时候叫他都行。”一位家长的话，几乎使所有前来报名的学生家长心中都充满了无限希望——现在是什么年代？大学的门对落榜生来说，那就是命运生死之关呀！谁要是有本事能跳过去，就是“未来的人才，眼下的脸面”哟！对广大落榜生家长来说，什么都不怕，怕就怕没有哪个大学的招生老师能像“李处长”这样可以指给你有希望的路走。

“李处长”的名声并不是他自己吹出来的，而是越来越多的家长们相互传颂的——当然，最先讲的人是招待所的一名副所长。“还有比‘西北技工学院’更好的大学可上了？人家把分数当作是个参考，关键是看孩子的能力和平时的成绩。把孩子送到这样的大学，出来不是全才也是英才！”招待所副所长的现身说法，比广告还广告，于是一传十、十传百，往日名不见经传的矿山小招待所一时成了山城最令人向往的地方。尤其让那些高考落榜生和家长们心潮起伏的是，“该校”已经放出风：招生名额从最初的20名，“扩招”到50名，而且“扩招”的名额不仅不增加学费，反而比“计划内”每个人少500元。你说这样“好”的大学中国还有吗？

确实没有。后来据“李处长”自己交代，他玩这一招有他的“高明”之处：“现在家长们对子女的上学简直是着了迷，你不要多说，只要摸着他们的心去骗就是了。我开始每招一名收5800元学费，他们觉得有点儿高，因为安徽山区的农民或城市工薪阶层都很穷。后来看到那么多人都想报名，我也曾一时想过在原有收费上再高出它几千元，可后来没有这样做，相反我来了个少收几百元。你们问我为什么？当然有我的道理。那么多人想报考，如果你看着人多就涨行市，而且涨到天价，这时，人家就会警惕起来，怀疑你是不是骗子。而我往下降，并说这是出于对老区人民的照顾，这样的做法，这样的理由，别人看来只有正正规规的国家大学才会这么做，骗子是不会这么傻的。所以我后来越骗越顺手，简直成了那些落榜生和他们家长的救命恩人……”

瞧，能当成骗子的没有不狡猾的，傻就傻在我们那些心急又一时被落榜击闷棍的学生和家长们。有位孩子的父亲是县工商局领导，专门负责抓个体工商户管理，什么狡猾的对象没有碰到过？他自己也说，只要是他过眼的人，再想出邪招在他那儿弄虚作假做偷鸡摸狗的生意，门都没有。可是偏偏为了自己女儿上大学的事，他傻到了家：还不仅仅是一两回亲自跑到“招生处”，而且特意托那位招待所副所长请“李处长”上饭店意思意思了不下三五回。当然，后来他的在高考中只考了410分的女儿被“西北技工学院”第一批“录取”，据说专业也是“最好”的。

那些日子里，“李处长”确实够风流的了。工商局头头亲自来请去吃喝是小事，人们常常看到“李处长”身边每天都换一两个长相姣好的女“学生”伴他左右。后来这场“招生”骗局如果不是因为其中的一名女学生告发“李处长”企图强奸的话，恐怕还要继续演下去。

当小山城的这场招生骗局公之于众时，受骗的学生和家长们气得差点踩破派出所的铁门要扒掉骗子的皮，因为骗他们的这位“李处长”原来是位自己只有初中文化的农民。“李处长”交待：他连自己的姓都不是这个木子李，而是张开两张嘴的那个“吕”字。吕骗子说：“我看到那些急疯了的家长们为了子女前程，拿着钱票，四处找关系寻学校，不管进的门对不对，闯进去就磕头烧香。有一个家长竟然对我说：只要能把他女儿送上大学，他们全家人都愿意为我这个冒牌处长做牛做马。后来我看到他的老婆蛮漂亮，就说能不能让她来我这儿帮帮忙？他二话没说，第二天就把自己的老婆送到了我跟前……”骗子不仅骗了学生家长的钱，还把人家的老婆骗到了床上。这出戏让这个本来就很穷的山城，又多一个难以抹去的污点。

并非仅有此例。

甘肃某市在前年也发生过一起滑稽的招生骗局。据说那位“副校长”骗术还很高明。他与两位情妇一起干，且干得天衣无缝。先是出了300元钱在深圳地摊上私刻了两个“某某大学”和“某某大学招生办公室”公章，再找了个非法印刷厂印刷了100份“招生简章”和100份“录取通知书”，就开业了。他让一位情妇留在身边负责收钱，让另一位情妇留在南方某省城呼应。当这边骗招来的学生或者家长想探个虚实时，他就把留在另一头的那个情妇的电话告诉人家，还若有其事地对被骗对象们说：你们可以打个电话核实一下学校的情况。这一招还真把不少被骗学生和家长们给蒙了过去。为啥？因为学生和家长们按这位招生骗子提供的电话号码往那边一打，对方真有人接电话，而且电话里讲的与前往甘肃这边招生的“副校长”说的一点不差。能差吗？那边接电话的，正是这位骗子的情妇嘛！

但后来叫这位骗子出差错的也是这位远在天边的情妇。说好的事：每骗招一人就三人均分，可是“后方”的情妇发现“前方”的情妇比她至少多拿3万块钱，于是不干了，一翻脸，便把三人的全部秘密都给揭穿了。

你道这位“副校长”是个什么东西？别说，他还真当过副校长，不过只是某小学的副校长，因为风流事被开除了公职。没了工作的他并没有断过风流事，要女人，就得要有钱，于是他想到了大学招生是个最好骗钱的事，而且来得快……

凡是骗子，总会被揭穿。但是可怜的是那些被骗的学生及他们的家长，他们尚未摆脱高考落榜的阴影，又再次被巨大的阴影笼罩与袭击，想必都是欲哭无泪。

当心哟，这个世界里什么事最热闹，也许就会有陷阱设在那儿。

高考也不例外。

第十章　新世纪高考宣言：“来年中国不考试！”

“当，当当——！”这钟声是全世界60亿人共同庆贺新千年到来的标志。

“当，当当——！”这钟声是中国人迎接新千年第一个龙年的象征。

我们今天活着的人都庆幸自己成为跨越千禧之年的见证人。我的这部《中国高考报告》正是在这样的日子里进行写作的，它跟着我一起度过了鞭炮与歌声编织成的世纪欢度日。

我注意到在这世纪之交的时刻，世界正在悄然发生一场空前绝后的世界大战，中国是参战国之一，而且表现得格外活跃与主动。

这是一场没有硝烟的大战。它的武器是“知本”和网络，而不是原子弹与坦克。

不用说，我们的对手是太平洋彼岸的美国。但是，美国人此次与我们交手不必采用飞机大炮加闪电式战术，而是笑嘻嘻地带着礼物向我们走来：这就是他们通过英特尔公司联合微软公司，一起投资5亿美元，在包括中国在内的全世界20个发展中国家进行的一项宗旨为培养一线教师的“未来教育计划”。这一计划的大体内容是用1000天时间培训40万名一线教师。推出这项庞大计划的“战略家们”说得很清楚，“计划”的目的就是为了“使今天的教师和学生为明天的要求做准备”。明天是什么？当英特尔公司中国教育事务总代理周红旗拿着满箱美金兴奋地高喊“资金数目令人吃惊”时，不知大家是否明白了一个铁的事实：中华民族已经到了“最危险的时刻”！21世纪的世界大战其实已经悄然拉开帷幕……

这是一场不同于以往任何历史时期发生过的战争的战争。美国的战略家们从20世纪中叶二战尾声时起便着手准备这场战争了。当他们和苏联共同进入法西斯老巢柏林时，苏联人忙于搬走希特勒留下的机械设备，美国人则组成了一支精干的取名为“阿尔索斯突击队”的组织。这支突击队的任务是专门到欧洲战场上抢救各类高级技术人才，然后安全运往美国本土——其中，德国的工程师和科学家是首选对象。后来50年的事实证明，美国人这一招的功效远远超过苏联人搬走的机械设备的几十倍，他们正是从科学和经济两大方面围剿了世界上第一个社会主义大国，并最终达到彻底击败和瓦解它的目标。

现在，美国集中力量对付的是中国。此次发动的对华战争采用的是微笑战术——这不，首先是他们在中国开办的大公司给我们“送”来很多高薪就业机会，相当数量的大学高才生都被收到他们麾下。当美国人感觉到中国政府已经采取同样办法来留住自己培养的人才时，他们又送大礼——微软公司将免费赠送每位一线教师微软公司制造的OFFICE 2000专业版和ENCARTA百科全书。“这只是微软帮助每所学校建立一个互联网学习社区的承诺中的一小部分。”微软总裁鲍默尔说：未来的孩子和今天在校就读的学生，他们将伴随互联网一起成长，互联网是他们学习、生活和感知的最重要部分，也就是说，帮助了今天的学生和未来的孩子进入互联网，那么以后的世界，人们将永远不会忘记微软和英特尔了，而记住了微软和英特尔，就等于记住了美国。

难道你没有嗅到美国人送来的大礼中早已包裹着浓烈的战争火药味？只不过它有点像毛泽东说的“糖衣炮弹”而已。

当不少人糊里糊涂地被这“糖衣炮弹”打中时，中国政府的决策者是清醒的，看一看我们近期陆续推出的与美国人抢夺人才战略相对应的教育改革措施，就会有一种欣慰——

大规模的高校扩招；

旧教材和旧专业的革新；

教学与后勤的分离；

高考将实行春夏两季制；

加强青年学生思想与道德教育……

千万不要小看了这些举措，它来之不易。我们还记得前年北京大学建校100周年时，国内不少有识之士曾感叹改革步履艰难的中国教育是中国改革的“最后堡垒”。堡垒本来就是最难突破的，而要突破其最后的核心，难度更可想而知。

然而，我们终于从女教育部长那儿听到一声声震动山河的教育改革大举措宣告，我们激动地看到阻碍中国历史进程的“最后堡垒”，在利刃破竹之势中，频频呈现满天希望的星光……

历史就该这样阔步向前！

当然，阔步向前并不意味我们的步伐错乱与盲目。一种很难发生逆转的国情，将在很长的时间内一直横亘在我们面前，这就是中国人多、经济相对落后和体制陈旧。而这些“特色”体现在教育问题上，便是我们的大学之门仍然拥挤不堪，门外的大批求知者，总是有幸进门人数的倍数；允许你进大学，你和你家又交不起学费不得不放弃学籍：入了大学门苦读三年五载后仍无工作可找，或者根本学非所用……

于是，又有许多新老问题重新摆在了我们面前——

考大学真是唯一选择？

“考大学当然是我们这一代人的唯一选择！”在一所重点中学里，我当场请一个班级的45名高中生对此问题举手表达自己的意见，最后共有44名同学举手并肯定地这样回答。有一位女孩子没举手，后来我问她的内心想法，她说：我当然也认为考大学是自己人生的最好选择，但因为我的成绩不如大家，所以不敢举手。她说她的同学们则与她想的绝对不一样，“他们的成绩都不错，而且按照我们学校以往的高考录取率，他们都有希望考上大学。对他们来说，考大学当然是唯一的选择。”

我终于明白：那些有能力和成绩好的孩子都把上大学作为自己的唯一人生选择，而那些成绩不怎么样的孩子感觉把上大学作为唯一选择可能把他们自己逼上绝路，所以才准备了第二、第三种选择。还有一类孩子自知根本考不上大学，所以从一开始就没有把人生的坐标放在考大学上——这是一种彻底的放弃。可见，除了彻底的放弃者外，天下的学子和他们的父母亲们都把命运的第一选择放在了考大学之上。

这是中国人特有的人生坐标系。决定这个坐标系的有传统的“学而优则仕”的思想意识，更多的是现代社会的生存与就业的压力，当然也包含了某种理念与追求。

有人让我相信，别听一些瞎胡扯，其实凡是进高中的学生和他们的家长，没有一个不从骨子里想上大学的，除非他们力不从心或者另有原委，即便是这样，所有的人都抱定只要有一线希望就努力加倍地去圆他们心灵深处的大学梦的决心。也正是这种从骨子里和心灵深处涌动迸发的上大学追求，才真正使得中国的高考战火越燃越烈。

我有理由相信这样的分析判断，也有理由认为中国人的这种追求本身就极富价值，正是它的存在，才使我们的大学门变得异常神圣和庄严。

然而在听到这种声音的同时，我听到了另一种被人称为“挑战中国大学”的声音。这是由我们的同行、上海作家协会副主席、《萌芽》杂志主编赵长天先生和他的儿子赵延父子共同发出的。

赵长天主持进行的“新概念作文大赛”在1999年响遍大江南北。这不是一个普通的作文比赛，而是能使获奖的小作者免试直接进入中国的最高学府北京大学的比赛！仅一篇作文就能进北大？这使得《萌芽》杂志领导的这场“挑战高考”的作文大赛格外引人注目。问题还不仅如此，正当许多家长和学生纷纷对不用考试就能进入北大的作文比赛产生浓厚兴趣时，赵长天主编又“以身说法”，把自己儿子的成长经历端到了前台，响亮地提出了“为什么一定要上大学”的质问。在全国人民空前热衷于准备把 30% 以上的家庭储蓄投入子女的教育、国家大张旗鼓地搞大学扩招时，赵长天父子的这一呐喊，听起来不能不说是振聋发聩。

赵天长的儿子赵延在初中时上的是华东师范大学一附中，真正的市重点中学，赵延父母当年都是这所中学的优等生，可儿子在初三之前成绩从没有好过倒数第十名。到了初三，赵延开始知道用功了，每天做作业至半夜以后，成绩明显上升，“中考”时仅差一分不能直升本校高中。照父亲赵天长的身份，再出不多的钱进个重点高中应该不成问题，在上海这个高考录取率最高的城市，进了重点高中再想上大学绝对不成问题。然而问题到了赵氏父子手里，却成了另一种情况：

“爸，我以后不想考大学了，所以……”

“所以连高中也不想上了？”

“嗯，你同意吗？”

赵延把难题搁到了父亲这边。如果换了另一位父亲听到这样的话，不是怒发冲冠，也可能拔拳相见了，但赵长天没有，他沉思稍许后，认真地回答了儿子：“我尊重你自己的选择。”

儿子当时非常吃惊，但很快又自信地朝父亲感激地点点头。知父莫如子，老爸是个明白人，赵延正是对这一点心中有数，他才敢向父亲“口出胡言”。

“什么，侬哪能连儿子不想上大学都依着他呀？”像全中国普天下的百姓一样，赵延本人决定不上大学倒没有引起同学和老师的反响，而他父亲、身为上海作家协会头儿之一的赵长天，却在那一阵子受到很多同事和朋友的强烈反对和谴责。“不管怎么说，只要有一点希望，大学还是要考的，何况现在都到 21 世纪了，不上大学就意味着没有了进入新世纪的入门券，你当家长的不对孩子负责还有谁对他负责？千万别顺着孩子……”

赵长天当时的压力还真不小，而他竟然顶住了。

“我就是不高兴读高中。上初中都要每天学习做题到深夜 12 点以后，到了高中怎么办？还不天天不睡觉？所以我不愿读这样的书。”儿子赵延说。

“我当时的想法就是，他愿意考大学，我们作为父母当然支持，但他没有这个愿望，觉得自己不愿意受高中三年的做题之苦，那爱干什么就干什么吧！儿子当时16岁了，我觉得他自己应该有选择的能力和权利了。”赵长天说。

这对父子之所以受到人们的关注，是因为儿子在没有上大学后出现的变化，用父亲的话说是“我特别特别的开心”，不用像其他家长那样整天为孩子的作业和成绩紧张与忙碌；不用像其他家长一次又一次到学校参加家长会接受“战争动员”；更不用像其他家长面对儿子高考可能的成功或失败犯心脏病。让赵长天最开心的还有儿子后来不仅改掉了许多毛病，比如由仅仅爱好武侠小说，拓展到在中专学校里能当语文课代表了，而且学习成绩从后十名上升到了前十名；见生人胆怯时的口吃也没有了，并且当上了文学社“头儿”。儿子所学的海关专业使他在毕业后找工作很顺利，两年多来的工作实践中他同样表现得心情愉快和积极努力。

“你对爸爸的最大要求是什么？”

“当我最需要他的时候他在我身边。”

在一次电台做节目时，儿子这样回答主持人，赵长天听后“特别特别开心”。为此赵长天对现在的考大学风有了自己的一通宏论：“现在重视考大学相比‘文革’时的白卷英雄是一种进步。想念书就再往前走一步，但要允许和尊重个人选择适合自己的路，谁都不应受歧视。”

允许和尊重个人选择——这话对今天的中国千千万万家长们来说，是不是太重要了？是不是太值得教育和鼓励学生及老师都补上这一课？

人类的文明进步表现在什么地方？科学与知识当然是重要的标志，但就个人而言，更为重要的是不是体现在自己的权利和理念真正被社会、被他人所尊重的程度？然而看看我们现在的学生家长及老师们是怎么对待自己的子女与学生的：考不上大学你就是猪狗都不如！你是世界上最笨最笨的人，以后考不上大学你只能去扫大街！还有比这更难听的话。于是孩子们从入小学的第一天起，在家长和老师们如此这般的灌输下，自觉自愿地成为考试机器，自觉自愿地放弃了本该属于自己应当被人尊重的选择人生命运的权利。

这就是今天的中国学生，在我们多数家庭里成长着的孩子。

“文革”十年使包括我本人在内的无数人成为“被耽误的一代”，这是人人都痛恨的政治灾难所致，这在几千年的历史进程中也是极少见的，它多少带有“不可抗拒性”。然而今天的高考指挥棒的挥动是不是又导致另一种残酷的形式，迫使我们的孩子正在成为“被剥夺选择个人权利的一代”？

谁能回答这个问题？

谁又能不认同这个结论？

普遍的情形是孩子们已经麻木了，即便他们隐隐约约知道些自己的这种权利，但也看在父母含辛茹苦的份上不想开口了。不是没有孩子站出来像赵延那样面对父亲表明心迹，只是现实中这样的事太少了，赵延敢说是因为他的父亲理解他，并尊重和支持儿子的选择权。如果换一个父亲或母亲，赵延的结局可能就不是现在他很开心的现实。

我在某学校采访时，知道那里前年有个落榜生因为不愿再考大学了，父亲在他回家后先是狠狠地揍了他一顿，然后告诉儿子：不考大学可以，你要是留在家里，你就去死，要不你就给我滚得远远的。

儿子欲哭无泪，用什么话恳求父亲尊重他想做一名摄影师的选择都没有用，最后儿子只好关上门割腕自尽……

“我们学校这十年中已经出现多起不考大学而被家长逼死逼走的事件，弄得我们老师压力都特别的大。你想，如果不帮助孩子考上大学，一旦有个三长两短，我们当老师的不也成了间接杀手嘛！”这个学校的一位老师黑着脸对我说。

在采访这类“高考报告”时，我的感觉总是最痛苦的。

其实人人都知道这个理：社会是由各种人组成的，大学生或者知识分子是一个社会的塔尖，没有塔底、塔座，也就不可能组成一个完整的高塔。

可问题是“知本”时代和文凭社会逼得人人都忘记了这些理儿，通常的“劳动者光荣”“三百六十行，行行出状元”的话只有在每年的“五一节”那一天才有人出来喊几句，剩余的364天里我们听到和见到的全都是“知本”与网络等名词，以及由“知本”和网络名词构成的一夜之间便可富甲天下的美梦和花环。

“知本”和网络肯定是我们已经进入的新世纪里最重要的事情，但需要指出的是，像中国这样一个发展中国家，大学的数量还很有限，即使按照国家制定的大学入学率将从现在的9%左右上升到15%左右，仍有85%左右的适龄青年不能跨进大学“龙门”，过度地强调人人考大学显然只能让更多的人在有限的“龙门”前殉葬而死。最主要的是我们会发现即使像美国这样的教育大国，不选择上大学的人仍占多数。我们现在不是有很多人疯狂地想做“比尔·盖茨二世”吗？其实比尔·盖茨这位电脑天才也是中途放弃大学而选择了自己喜欢的职业的！

想上大学肯定没有错。但理智地选择个人成才道路也绝对没有错。

21世纪开始之际，我们应该在国人中大力提倡一件事：让孩子们有选择自己人生道路的权利。

“知本”和网络很重要，但通过考试机器似的做考题所获得的一张文凭，并不能真正进入“知本”阶层和网络世界。

21世纪里，也许没有任何一件事可以比尊重个人的选择和意愿显得更为重要，因为它更符合文明进程的内涵，也更体现个性创造的特征。

考上了大学又怎样？

“考上了大学当然好。”这同样是个不用置疑的回答。

但让我们置疑的是，中国人现在对“考上了大学当然好”的“好”字中，有多少是可以使一个人能在今后漫长的人生奋斗之中体现实际价值，并在我们民族与当今世界列强抗衡时凸现自己的能力、体现民族精神意志的东西？

考上大学当然好，好在有张找工作的文凭；好在能在社会的生存空间里被人承认自己是个知识分子；好在有饭吃，好在有前途。

中国人自古讲究实惠，前些年很多人不上高中考中专，因为中专毕业后能直接找到工作，而高中毕业如考不上大学，高中就等于没上。大学专科生毕业不包分配随之出现，人们开始直奔大学本科以上的学历考试，近三年间研究生考试热火朝天，人数年年几十万几十万地往上翻。

终于这一天又到来了：考上大学后仍然没有用！

有人说现行的大学是个最大的人生误区，这话听起来有点刺耳，其实可谓一针见血。现今的大学两类专业最吸引人，第一类是热门专业，比如金融、外语、贸易、法律、经济管理等，它让本来都很优秀的学子们拼命往这些专业挤，直到挤得这些专业爆满得不能再爆满——但大学门不仅没有对此加以限制，相反极力扩大这些专业的招生名额。最后，几年过去了，当学子们满怀喜悦拿着这些专业学士、硕士甚至是博士文凭走出校门时发现，这个世界本不该让他选择他所学的专业。看一看前几年满大街开设的会计学校，害得多少女同胞一夜之间全变成了理财的会计大师，结果天下哪有那么多公司和单位呀？最后只好回家当“财务大臣”。现在的大学办学现象跟前几年的会计班大战十分相近。学校才不管你以后是律师多了，还是银行家多了，他们现在想的是办热门专业可以每扩招一名学生多收几万块钱！第二类是冷门专业，所谓冷门专业，就是计划经济遗留下来的那些现在社会上根本没有什么用处的科目。有人问为什么不早把这些没用的专业从现在的大学里扔出去？这里面学问可大了，因为谁都知道该扔，但谁都不去真正动作，局外人不知道的奥秘是，这没用的专业恰恰能满足那些想上大学而成绩又考得不行，或者根本没有考上但又对大学痴迷的人以及他们的家长。这一部分人很多是偏远山区和家庭贫困的孩子，当然还有些纯粹是家庭有钱而成绩差的子女。后者干脆是用钱买个上大学的机会，前者常常因为本地学校基础差，家里又交不起高昂的学费，所以他们选择了谁都不愿意学的那些专业。他们是进了大学，但当他们走进大学的那一天起，就意味着他们的好运从此结束。四年苦读的自豪的大学生，四年后拿到的那张文凭等于一份过时的皇历。苦苦恳求，苦苦寻觅，仍没人愿意接收。这样的大学生永远找不到自己对口的工作，只能落入“高级盲流”队伍中，其命运多数很凄惨。对这些人而言，考上大学不仅没用，甚至简直就是一生的灾难。

某年7月炎热的高考日子里，有人在北京圆明园的一个水塘里发现了一具尸体。经验证，是具男尸，年龄在26岁左右。死者的身份不明，最后在他的衣服里找到了一封遗书，才知道他曾是“清华园”走出来的大学毕业生。他的死并不复杂，是自杀，他虽是与学校早已无关的无业游民，但他的遗书却发人深思：

……我曾经是一个令家乡几万人骄傲的“状元”！父母为了让我上大学，几乎倾尽家中的全部，我也努力了。我报考的本科专业是农业机械化专业，等我四年苦学毕业后，想尽快找份工作以报父母当年送我上大学之恩。可我失望了，招聘会上我从来不敢拿出自己的文凭去应聘。我也回过老家，试图在“农村广阔天地”里寻找我的出路，可老家的人告诉我：早在十几年前土地都包产到户了，谁还用农机机械？后来我发誓再努力考个研究生，不是都说研究生好找工作吗？于是我边打工边复习，过了整整两年有了上顿没下顿的日子。功夫不负有心人，我终于考上了圆明园边的这所中国最著名的学府，我以为从此这一生永不会再过那种有了上顿没下顿的日子。但我这回又错了，当我几年后壮志满怀地拿着硕士文凭去应聘时，人家一看我的专业，不屑一顾地朝我讥讽道：你这个硕士呀，还不如一个工商中专，现在无论是农村还是城市，谁还搞什么农业机械化？那是“农业学大寨”时的热门专业，现在是网络时代，网络上不用农机，只用鼠标。是啊，现在是“鼠标”称王的时代，我这个农机硕士活在这世上不是多余吗？我别无选择，如果当年高三时我不考大学，也许今天我还是南方打工仔中的一员，每年到年关的时候能自豪地给家中的老父母寄回些钱去，然而现在我除了手中的一张硕士文凭外，一无所有。我不可能回到中学时代的选择了，读了大学的人只能往前走，可我的前面是什么呢？我看不见，只看得见这圆明园湖水中的那片天与月……

像这位硕士毕业生的无奈选择，每年我们在京城可以听说好几起，现在滞留在北京的大学本科以上的毕业生，据说有五六万以上，他们无正当职业，无固定收入，无稳定居所，他们手中只有一张大学文凭……

来年真的要取消高考？

“来年当然要取消高考！”这是一个新的同样不用置疑的答案。

笔者认为据于以下几个方面的原因：

首先，是现行的高考制度已经到了非改不可的地步，“考死题、死考题”是过去 20 多年高考中一直存在的最严重的劣病和顽症。这不仅受到无数有识之士的强烈批评，连当年在邓小平面前呼吁恢复高考的湖北大学查教授都这样认为：如果看到现在这样的高考，我宁可不主张大学招生还搞考试。查教授显然已经无法容忍他当年所倡导的高考发展到今天全变了味！“考死知识，知识考死人”，这样的毛病自古就有，似乎是中国教育专家们的专利，说好听点是“特色”。中国的教书匠们值得尊敬，但领导他们的官员们则该好好反思了，因为正是这种千古不变的考试模式使中国人固有的聪明与智慧天性被彻底地泯灭了，那一颗颗脑袋除了比别人会装知识外，却总是缺少创造力与生命力。这样的考试早该结束，这是原因之一。

其次是能力与素质考核的发展方向，判了现行高考方式的死刑。如果从1977年恢复高考算起，在过去23年的高考历程中，中国有过许多“高考改革”，但每一次改革的结果是“考死题、死考题”之风越演越烈。根源在于我们始终没有摆脱应试教育的旧模式，那种文史类专业考政治、语文、数学、历史、地理、外语；理工类专业考政治、语文、数学、物理、化学、外语、生物的做法，其结果是让学生死啃那些教科书上规定的内容。为了所谓的“考活”教科书上规定的范围，从校内到校外，从学生到老师，从家庭到校舍，挖空心思地找难题、出难题、练难题，使整个教育走向一条可怕的死胡同。

在历经1983、1987、1998和1999年4次高考改革重要举措后，教育界才终于确定了今后高考改革的方向是“3+X”模式。所谓的“3+X”即“3”是指语文、数学、外语三门科为考生必考科目，“X”是指各大学根据本校的层次、特点要求，从物理、化学、生物、政治、历史、地理六个科目或者综合科目中自行决定一门或几门考试科目；考生则根据自己所报考的志愿参加大学（专业）所确定的科目进行复习考试。提出“3+X”的专家们认为，这是较过去考试而重新确定的最能体现考查学生知识和能力的“最佳方案”，是从传统的以“知识立意”为主的命题转变为以“能力立意”为主的命题。“3+X”方案可以让我们感到教育专家们的苦心，但这个已经确定为我国今后高考主方案的方案刚刚发布，立即受到包括中学教师们的异议。广西柳江中学的李泽伟校长一针见血地指出：如果“3+X”中的“X”是1或者2的话，我们中学老师还能勉强对付，但如果“X”是综合考试，我们大部分的中学老师就没法跟上这个改革方案，因为中学的教学现在基本上是围着高考转的，现今来个“3+X”方案，这“3”好办，可“X”就叫我们下面难办了，你到底是侧重历史还是地理？是侧重化学还是物理？你拿不准吧？最后只好还是回到老路——只要大学可能考到的专业知识，我在中学里就得给同学全都灌输。教研专家樊云先生则对“3+X”提出了另一个质疑：“3+X”的目的是要增加应用性、能力型题目，达到考查学生的综合能力水平，这是不错的，但问题是我们中学教育的一线教师们最希望的就是要对学生的基本知识多进行些考查，而“3+X”则可能造成高考与一线教学原则完全背道而驰。听听中学老师和专家们对“3+X”方案的不同意见，叫人非常担心我们的教育改革者有极大可能弄巧成拙。但不管“3+X”还是像北京、上海开始搞“高中——大学”直通车的新形式，高考的最终结果将朝考察学生的综合能力方向发展，这是必然无疑的。由此我们的结论也就清楚了：终有一天，那种仅靠应试死知识的高考必将消亡！

再次，是现代科学技术的发展，使教育方式彻底得以改变，决定了现行高考必须改革。看一看在昨天，电视代替了我们的剧院、影院和戏台，再看一看已经出现的网络代替了有形的报刊、商场，不难预料未来几年里，网络教育、网络大学将替代现在的学生必须到学校去读书的模式：既然学生连上学都不用去，那些必须靠很多人在场的监督考试制度还留它何用？我们不妨畅想一下：在今后，我们的教育主要是以网络教育为主，学校仅仅是学生们感兴趣时需要聚集在一起讨论某一专题或者需要面对面地求教某一教授时，才可能用得着的地方；上大学和选择科目，也用不着像现在匆匆忙忙的，你什么时候需要选择专业和准备入大学，就通过网络把你的需求告诉校方，校方通过信息库处理后，告诉你应该怎么考这个专业，或者建议你应该选择别的专业，因为你报考的专业在未来若干年内可能不被社会看好。学校提供的建议是无偿的，却又是经过大量信息处理后所找到的非常科学的依据：你想考大学时也用不着一定要下死功夫，背很多课本，有些专业和个人的能力，其实在你想报考的大学里已经给你记录在案，他们可能会告诉你有的专业你根本用不着再考了，你的某项综合能力远远超过了大学录取标准。当然有些能力你是不够的，但这并不要紧，校方会告诉你应该采取何种方式，允许你在什么时间内“达标”，这种“达标”考察过程，像今天我们考驾驶证一样，可以是普通班，也可以是快班，或是电脑预约班，总之，不会因为考试而造成你有任何心理上的压力，每一次考试其实是你对自己能力的一次愉快和轻松的自我考察过程。你认为这样的大学考试对你、对社会都很合适吗？是不是等于取消了现有的考试制度？

第四，也是最最重要的，我们国家正在沿着邓小平所指引的中国特色的社会主义道路阔步前进，待国家经济空前繁荣，人民生活不断提高，总有一天，我们的人口得到了最佳的控制，高校的发展规模及设置日趋合理，社会综合实力达到发达国家水平时，国家必将对所有人全面开放大学之门，高等教育必定有一天也会像今天的九年义务制教育那样，只要是中国公民都有权利接受，那时，所有新出生的下一代都会被愉快地送进大学，成为学习知识、提高思想、培养开拓创新精神的大学伊甸园里的一员。中华民族真正复兴的那一天，这一远景必然也随之到来。

结论非常明朗：中国高考终将被取消，这是我们21世纪完全能够实现的目标！

大学到底是什么？

“大学到底是什么？大学就是我们高三往前走的门槛，往后退的死路。大学是什么？大学是我们高考的起点与终点。大学还会是什么？”在一群高三同学那里，我出乎意料获得了有关大学的这种解释，它与我们通常从教授和学者、本科生和研究生口中得到的答案相悖。

大学在高中生的眼里是一座桥头堡，那边的世界很灿烂，也很可怕，因为只有走过桥头堡的人才能感觉它的灿烂，也只有那些在桥头堡上掉下河的人才感觉它的可怕。无论是灿烂还是可怕，但人们有个共同的理解，即大学在昨天是人们求取功名利禄的“敲门砖”，在今天是获得社会承认和赢取利益与地位的“通行证”。大学因此是一个梦，一个人人都可以追求但未必降临到自己头上的幸福的梦。大学因此对一些人而言，有些遥远，有些空洞，对另一些人则感觉到是一生的追求。

大学有理解不完的含义。

有人说大学是一种文化，它专门熏陶你的修养，摆脱你的旧俗，增进你的智慧，激活你的创新，发掘你的潜力，纯洁你的情爱。

有人说大学是个车间，它专门为你设计模型，为你量体裁衣，为你充电灌油，为你描绘未来，为你启动马达，为你校正航舵，为你发令起跑。

有人说大学是块圣地，它可以使你灵魂得到重塑，理念得到加固，思绪得到梳理，心愿得到还复，散乱得到整形，美丽得到闪耀。

有人说大学是伊甸园，它可以使你内心的爱流畅地挥洒，使你眼里的感觉放飞翱翔的翅膀，使你脸上的光彩洋溢梦幻的浪漫，使你脚下的舞步飞旋自由的姿势。

然而大学到底是什么呢?

我想大学应该在没有了教条，没有了墙院，没有了嘈杂，没有了教室，没有了课本，没有了教鞭，没有了考试，没有了文凭时，才可叫作大学。

大学应该是在人与人不分贫穷与富有，不分状元与笨蛋，不分少年和老人，不分新生和老生，不分应届和往届，不分文科和理科时，大学才是真正的大学。

大学是我们每个人的理想与渴望，是每个人必须接受的阳光与空气，是每个人与生俱来的生命与活力，是每个人活着就该跨越和跳跃的过程与起点……

大学是属于我们全体人的共同家园和温床。

大学是我们所有男人和女人共同的情人、共同的涅槃。

出版说明

何建明先生是中国文坛著名作家，长年坚守在报告文学一线。“非典”、汶川地震、天津大爆炸、利比亚撤侨等重大事件发生时，何建明先生都尽可能出现在第一时间、第一现场，将第一手材料及时地呈现给读者，将中国故事讲深、讲透、讲生动、讲精彩。他强烈的责任感和使命感让人感动，其直面真相、忠于现实的精神令人钦佩，是中国当代报告文学界极有影响力的领军人物。

有感于斯，我社特收录何建明先生近40年创作的报告文学作品，结集为《何建明文集》三十卷出版。这些作品是对时代、社会、自然和人文的记录、呈现与见证，是作者响应时代的召唤，置小我于大我之中，循着时代背景和社会需求而创作的，完整、真实地表现了社会各个层面人物的喜怒哀乐，代表了当代中国纪实文学、非虚构创作的高峰水平，大气磅礴、激情豪迈，极具胸怀和气量。其中多部作品获得鲁迅文学奖、国家图书奖、“五个一工程”奖、徐迟报告文学奖等。

每个时代都有自己的特征，每部作品都有自己的特点。为了全面展示何建明先生历时40年创作内容、使用语言和文学风格的变化，本文集对何先生已发表的所有作品原则上不做修饰和润色，除特殊情况外也不做大的删节和修改，以保证今天的结集出版，仍不失当年作品的激情和味道。